# INTRODUÇÃO À
# PESQUISA SOCIAL

Dados Internacionais de Catalogação na Publicação (CIP)
(Câmara Brasileira do Livro, SP, Brasil)

Punch, Keith F.
  Introdução à pesquisa social : abordagens quantitativas e qualitativas / Keith F. Punch ; tradução Daniela Barbosa Henriques. – 1. ed. – Petrópolis, RJ : Editora Vozes, 2021.

  Título original: Introduction to Social Research
  ISBN 978-65-5713-151-0

  1. Ciências sociais 2. Estatística – Métodos 3. Pesquisa social I. Título.

21-60739　　　　　　　　　　　　　　　　　　　　　　　　CDD-300.72

Índices para catálogo sistemático:
1. Pesquisa sociológica : Sociologia   300.72

Aline Graziele Benitez – Bibliotecária – CRB-1/3129

*Keith F. Punch*

# INTRODUÇÃO À
# PESQUISA SOCIAL

ABORDAGENS QUANTITATIVAS E QUALITATIVAS

Tradução de Daniela Barbosa Henriques

EDITORA VOZES

Petrópolis

© Keith F. Punch 2014
Chapter 3 © Alis Oancea 2014
Chapter 13 © Wayne McGowan 2014

Tradução realizada a partir do original em inglês intitulado *Introduction to Social Research –*
*Quantitative & Qualitative Approaches*

Direitos de publicação em língua portuguesa:
2021, Editora Vozes Ltda.
Rua Frei Luís, 100
25689-900 Petrópolis, RJ
www.vozes.com.br
Brasil

Todos os direitos reservados. Nenhuma parte desta obra poderá ser reproduzida ou transmitida por
qualquer forma e/ou quaisquer meios (eletrônico ou mecânico, incluindo fotocópia e gravação)
ou arquivada em qualquer sistema ou banco de dados sem permissão escrita da editora.

**CONSELHO EDITORIAL**

**Diretor**
Gilberto Gonçalves Garcia

**Editores**
Aline dos Santos Carneiro
Edrian Josué Pasini
Marilac Loraine Oleniki
Welder Lancieri Marchini

**Conselheiros**
Francisco Morás
Ludovico Garmus
Teobaldo Heidemann
Volney J. Berkenbrock

**Secretário executivo**
João Batista Kreuch

*Editoração*: Maria da Conceição B. de Sousa
*Diagramação*: Sheilandre Desenv. Gráfico
*Revisão gráfica*: Alessandra Karl
*Capa*: Renan Rivero

ISBN 978-65-5713-151-0 (Brasil)
ISBN 978-14-7392-826-8 (Reino Unido)

Editado conforme o novo acordo ortográfico.

Este livro foi composto e impresso pela Editora Vozes Ltda.

# SUMÁRIO RESUMIDO

Lista de tabelas, 15

Lista de figuras, 17

Prefácio, 19

Website bônus, 21

1  Introdução, 23

2  Teoria e método na pesquisa em ciências sociais, 38

3  Ética na pesquisa em ciências sociais, 64

4  Perguntas de pesquisa, 91

5  Das perguntas de pesquisa aos dados, 111

6  Busca e revisão da literatura, 134

7  Desenho de pesquisa qualitativa, 159

8  Coleta de dados qualitativos, 197

9  Análise de dados qualitativos, 227

10  Desenho de pesquisa quantitativa, 274

11  Coleta de dados quantitativos, 301

12  Análise de dados quantitativos, 331

13  A internet e a pesquisa, 363

14  Métodos mistos e avaliação, 389

15  Redação de pesquisa, 422

*Glossário*, 447

*Apêndice 1*, 457

*Referências*, 461

*Índice*, 485

# SUMÁRIO

1 Introdução, 23
    1.1 Pesquisa empírica, 24
    1.2 Dados quantitativos e qualitativos, 25
    1.3 A importância da pesquisa, 26
    1.4 Uma visão da pesquisa, 27
    1.5 Perguntas de pesquisa ou problemas de pesquisa?, 28
    1.6 Perguntas antes dos métodos, 30
    1.7 Ciência, ciências sociais e pesquisa social, 32
    1.8 Organização do livro, 34
        Resumo do capítulo, 36
        Termos-chave, 36
        Exercícios e perguntas para estudo, 37

2 Teoria e método na pesquisa em ciências sociais, 38
    2.1 Teoria metodológica, 39
    2.2 Teoria substantiva, 44
    2.3 Descrição *versus* explicação, 45
    2.4 Verificação de teoria – Geração de teoria, 47
    2.5 Conexões pergunta-método, 50
    2.6 Pré-especificada *versus* emergente: estrutura em perguntas de pesquisa, desenho e dados, 54
        Resumo do capítulo, 59
        Termos-chave, 60
        Exercícios e perguntas para estudo, 61
        Leitura complementar, 62
        Notas, 62

3 Ética na pesquisa em ciências sociais, 64
    3.1 Introdução, 64
    3.2 Princípios éticos e situações de pesquisa, 66
    3.3 Exigências procedimentais: a função dos códigos éticos, 70

3.4  Desafios na ética de pesquisa das ciências sociais, 73

3.5  A ética da pesquisa de alunos como deliberação situada, 85

Resumo do capítulo, 88

Termos-chave, 88

Exercícios e perguntas para estudo, 89

Leitura complementar, 89

4  Perguntas de pesquisa, 91

4.1  Uma hierarquia de conceitos, 92

4.2  Áreas e tópicos de pesquisa, 94

4.3  Perguntas de pesquisa gerais e específicas, 95

4.4  Perguntas para coleta de dados, 98

4.5  Desenvolvimento de perguntas de pesquisa, 98

4.6  A função das perguntas de pesquisa, 101

4.7  Hipóteses, 102

4.8  Um modelo simplificado de pesquisa, 104

4.9  A função da literatura, 105

Resumo do capítulo, 107

Termos-chave, 108

Exercícios e perguntas para estudo, 108

Leitura complementar, 109

Notas, 109

5  Das perguntas de pesquisa aos dados, 111

5.1  O critério empírico, 112

5.2  Relacionando conceitos e dados, 112

5.3  Perguntas de pesquisa boas e ruins, 114

5.4  Juízos de valor, 115

5.5  Causação, 117

5.6  Estruturas conceituais, 122

5.7  Das perguntas de pesquisa aos dados, 124

5.7.1  Dados quantitativos, 125

5.7.2  Dados qualitativos, 127

5.8  Combinando dados quantitativos e qualitativos, 129

Resumo do capítulo, 130

Termos-chave, 130

Exercícios e perguntas para estudo, 131

Leitura complementar, 132

Notas, 132

6 Busca e revisão da literatura, 134

6.1 Literatura da pesquisa empírica, 136

6.2 Literatura teórica, 136

6.3 Objetivos de uma revisão da literatura, 137

6.4 Conduzindo uma revisão da literatura, 139

6.4.1 Busca, 140

6.4.2 Exame, 142

6.4.3 Resumo e documentação, 144

6.4.4 Organização, análise e síntese, 144

6.4.5 Redação, 146

6.5 Senso crítico, 147

6.6 Alguns problemas comuns, 148

6.7 Revisões sistemáticas, 151

6.8 A literatura dos periódicos de pesquisa, 155

Resumo do capítulo, 156

Termos-chave, 156

Exercícios e perguntas para estudo, 157

Leitura complementar, 158

7 Desenho de pesquisa qualitativa, 159

7.1 O que é desenho de pesquisa?, 160

7.2 Diversidade na pesquisa qualitativa, 163

7.2.1 Temas comuns na diversidade, 166

7.3 Estudos de caso, 167

7.3.1 A ideia geral, 168

7.3.2 Quatro características dos estudos de caso, 170

7.3.3 Estudos de caso e generalizabilidade, 170

7.3.4 Preparando um estudo de caso, 174

7.4 Etnografia, 174

7.4.1 Introdução, 175

7.4.2 Algumas características principais, 177

7.4.3 Comentários gerais, 179

7.5 Teoria fundamentada, 181

7.5.1 O que é teoria fundamentada?, 183

7.5.2 Uma breve história da teoria fundamentada, 183

7.5.3 Geração de teoria *versus* verificação de teoria, 185

7.5.4 Amostragem teórica: relações entre coleta de dados e análise de dados, 186

7.5.5 O uso da literatura na teoria fundamentada, 187

7.5.6 O lugar da pesquisa com teoria fundamentada, 188

7.6 Pesquisa-ação, 188

Resumo do capítulo, 192

Termos-chave, 192

Exercícios e perguntas para estudo, 193

Leitura complementar, 194

Notas, 196

8 Coleta de dados qualitativos, 197

8.1 A entrevista, 198

8.1.1 Tipos de entrevistas, 199

8.1.2 Perspectivas feministas sobre entrevistas, 203

8.1.3 Aspectos práticos das entrevistas, 204

8.1.4 Condição analítica dos dados de entrevistas: a função da linguagem, 206

8.2 Observação, 209

8.2.1 Abordagens estruturadas e desestruturadas à observação, 209

8.2.2 Questões práticas na observação, 211

8.3 Observação de participantes, 212

8.4 Dados documentais, 214

8.5 Procedimentos para coleta de dados, 217

8.6 Amostragem na pesquisa qualitativa, 218

Resumo do capítulo, 222

Termos-chave, 223

Exercícios e perguntas para estudo, 224

Leitura complementar, 224

Notas, 226

9 Análise de dados qualitativos, 227

9.1 Diversidade na análise qualitativa, 228

9.2 Indução analítica, 231

9.3 A estrutura de Miles e Huberman para análise de dados qualitativos, 232

9.3.1 Codificação, 235

9.3.2 Anotações, 239

9.4 Abstração e comparação, 240

9.5 Análise com teoria fundamentada, 242

    9.5.1 Panorama, 243

    9.5.2 Codificação aberta, 244

    9.5.3 Codificação axial (ou teórica), 247

    9.5.4 Codificação seletiva, 249

9.6 Outras abordagens analíticas na análise qualitativa, 252

    9.6.1 Narrativas e significado, 252

    9.6.2 Etnometodologia e análise da conversa, 255

    9.6.3 Análise do discurso, 257

    9.6.4 Semiótica, 262

    9.6.5 Análise documental e textual, 264

9.7 Computadores na análise de dados qualitativos, 266

9.8 A seção de análise de dados numa proposta de pesquisa qualitativa, 268

    Resumo do capítulo, 269

    Termos-chave, 269

    Exercícios e perguntas para estudo, 270

    Leitura complementar, 271

    Notas, 273

10 Desenho de pesquisa quantitativa, 274

    10.1 Desenho de pesquisa, 275

    10.2 Um pouco de história, 276

    10.3 Variáveis independentes, dependentes e de controle, 279

    10.4 O experimento, 280

    10.5 Desenho semiexperimental e não experimental, 283

    10.6 Relações entre variáveis: levantamento correlativo, 287

    10.7 Relações entre variáveis: causação e consideração de variância, 289

    10.8 Regressão linear múltipla (RLM) como desenho e estratégia geral, 291

    10.9 Controlando as variáveis, 294

    Resumo do capítulo, 296

    Termos-chave, 297

    Exercícios e perguntas para estudo, 298

    Leitura complementar, 299

    Notas, 299

11 Coleta de dados quantitativos, 301

    11.1 Tipos de variáveis, 302

    11.2 O processo de mensuração, 304

    11.3 Traços latentes, 307

    11.4 Técnicas de mensuração, 308

    11.5 Etapas na construção de um instrumento de mensuração, 310

    11.6 Construir um instrumento ou usar um instrumento existente?, 312

    11.7 Localizando instrumentos de mensuração existentes, 313

    11.8 Confiabilidade e validade, 314

        11.8.1 Confiabilidade, 314

        11.8.2 Validade, 316

    11.9 Desenvolvendo o questionário de um levantamento, 319

        11.9.1 Subescalas com itens múltiplos, 320

    11.10 Coletando os dados: administrando o instrumento de mensuração, 320

    11.11 Amostragem, 322

    11.12 Análise secundária, 324

    Resumo do capítulo, 325

    Termos-chave, 326

    Exercícios e perguntas para estudo, 327

    Leitura complementar, 328

    Notas, 330

12 Análise de dados quantitativos, 331

    12.1 Resumindo dados quantitativos, 333

        12.1.1 Tendência central: a média, 334

        12.1.2 Variação: desvio-padrão e variância, 334

        12.1.3 Distribuições de frequência, 335

    12.2 Relações entre variáveis: tabulações cruzadas e tabelas de contingência, 336

    12.3 Comparações entre grupos: análise de variância, 338

        12.3.1 Análise de variância, 338

        12.3.2 Interação, 340

        12.3.3 Análise de covariância, 342

        12.3.4 De univariado a multivariado, 342

    12.4 Relações entre variáveis: correlação e regressão, 343

        12.4.1 Correlação simples, 343

        12.4.2 Regressão e correlação múltipla, 345

12.4.3 Coeficiente de correlação múltipla ao quadrado ($R^2$), 346

12.4.4 Pesos de regressão, 347

12.4.5 Regressão gradual, 347

12.4.6 Revisão – RLM como sistema de análise de dados geral, 348

12.4.7 Análise de covariância usando RLM, 349

12.5 Análise de dados de levantamentos, 351

12.6 Redução de dados: análise fatorial, 352

12.7 Inferência estatística, 354

12.8 Software para análise de dados quantitativos, 357

Resumo do capítulo, 358

Termos-chave, 359

Exercícios e perguntas para estudo, 360

Leitura complementar, 361

Notas, 362

13 A internet e a pesquisa, 363

13.1 Introdução, 363

13.2 A literatura, 366

13.3 Coleta de dados quantitativos, 368

13.4 Coleta de dados qualitativos, 372

13.5 Questões éticas, 379

Resumo do capítulo, 384

Termos-chave, 385

Exercícios e perguntas para estudo, 386

Leitura complementar, 387

14 Métodos mistos e avaliação, 389

14.1 História dos métodos mistos, 391

14.2 Argumentos para os métodos mistos, 392

14.3 Características básicas das duas abordagens: variáveis e casos, 395

14.3.1 Uma distinção crucial: variáveis e casos, 395

14.4 Desenhos com métodos mistos, 398

14.4.1 Desenho com triangulação, 399

14.4.2 Desenho incorporado, 399

14.4.3 Desenho explicativo, 399

14.4.4 Desenho exploratório, 400

14.5 Critérios avaliativos gerais, 405

14.5.1 Investigação disciplinada, 406

14.5.2 Adequação entre as partes que compõem um projeto de pesquisa, 408

14.5.3 Critérios para avaliação, 409

Resumo do capítulo, 419

Termos-chave, 420

Exercícios e perguntas para estudo, 420

Leitura complementar, 421

Nota, 421

15 Redação de pesquisa, 422

15.1 Fundamentos, 423

15.1.1 A tradição quantitativa, 423

15.1.2 Redação na pesquisa qualitativa, 424

15.1.3 A mescla analítica, 425

15.2 Documentos de pesquisa, 426

15.2.1 Propostas, 426

15.2.2 Propostas qualitativas, 433

15.2.3 Propostas com métodos mistos, 435

15.2.4 Exemplos de propostas, 436

15.2.5 Resumos e títulos, 437

15.2.6 Dissertações (e projetos), 438

15.3 Escrever para descrever *versus* escrever para aprender: redação como análise, 441

15.4 Escolhas de redação, 442

Resumo do capítulo, 443

Exercícios e perguntas para estudo, 443

Leitura complementar, 444

# LISTA DE TABELAS

4.1 Da área de pesquisa aos tópicos de pesquisa, 94

4.2 Do tópico de pesquisa às perguntas de pesquisa gerais, 95

4.3 Da pergunta de pesquisa geral a perguntas de pesquisa específicas, 97

5.1 Termos substitutos para causa e efeito, 119

8.1 Estratégias de amostragem na investigação qualitativa, 220

10.1 Estratégias para controlar variáveis, 295

12.1 Idade e audiência de programas religiosos, 337

12.2 ANOVA com dois fatores: gênero x condição socioeconômica com sucesso educacional como variável dependente, 339

12.3 Estatística e desenho da pesquisa quantitativa, 350

15.1 Termos na mescla analítica, 425

15.2 Lista de seções possíveis para propostas de pesquisa, 428

# LISTA DE FIGURAS

1.1 Modelo simplificado de pesquisa, 27

2.1 Estrutura do conhecimento científico (visão nomotética), 45

2.2 Pré-especificada *versus* emergente: periodização da estrutura, 54

3.1 Ética de pesquisa como deliberação situada, 86

4.1 Modelo simplificado de pesquisa, 104

5.1 Combinações e desenhos causa-efeito, 121

6.1 Geração e comunicação de informações e conhecimentos de pesquisas, 139

7.1 O desenho de pesquisa conecta as perguntas de pesquisa aos dados, 161

7.2 Amostragem teórica: relações coleta de dados/análise de dados, 187

8.1 Modelo de *continuum* para entrevistas, 199

8.2 Tipologia das funções da pesquisa naturalista, 213

9.1 Componentes da análise de dados: modelo interativo, 233

9.2 Níveis de abstração na análise de dados, 241

9.3 Diagrama conceito-indicador, 244

9.4 Representação diagramática da análise com teoria fundamentada, 251

10.1 O desenho de pesquisa conecta as perguntas de pesquisa aos dados, 275

10.2 *Continuum* de desenhos de pesquisa quantitativa, 285

10.3 Estrutura conceitual para a regressão linear múltipla, 292

10.4 Uma estrutura conceitual de análise de regressão na pesquisa em educação, 293

10.5 Exemplos de desenhos de múltiplas variáveis independentes e uma variável dependente, 294

11.1 Mensuração de traços latentes, 308

11.2 Populações e amostras, 323

12.1 Curva de distribuição normal, 324

12.2 Interação entre variáveis, 340

12.3 Ausência de interação entre variáveis, 341

12.4 Diagramas de dispersão associados aos coeficientes de correlação produto--momento de Pearson de várias magnitudes, 344

12.5 Diagrama de análise fatorial, 352

12.6 Graus de abstração na análise de dados, 355

# PREFÁCIO

Esta terceira edição de *Introdução à Pesquisa Social* contém novos conteúdos substanciais e vários outros destaques.

Estes são os conteúdos novos:

- Um capítulo sobre teoria e método na pesquisa em ciências sociais;
- Um capítulo sobre busca e revisão da literatura relevante;
- Um capítulo sobre ética;
- Um capítulo sobre pesquisa e internet.

Os destaques novos, que se concentram em aspectos pedagógicos deste material, são:

- Objetivos de aprendizagem incluídos no início de cada capítulo;
- Novos resumos dos capítulos, termos-chave, exercícios e perguntas para estudos incluídos no fim de cada capítulo.

Ao mesmo tempo, a estrutura básica e os motivos para esta nova edição permanecem os mesmos das duas edições anteriores. Portanto, a respeito da estrutura, o livro começa com uma visão de pesquisa e um modelo de pesquisa simples, porém robusto, e depois usa o modelo para orientar o planejamento de pesquisas empíricas quantitativas, qualitativas e com métodos mistos nas ciências sociais. Nesse processo, enfatizamos a necessidade de desenvolvimento de perguntas empíricas genuínas e descrevemos as conexões entre conceitos e seus indicadores empíricos. Depois demonstramos a implementação desse modelo na pesquisa qualitativa e quantitativa.

A respeito dos motivos, a intenção é expor a lógica de todos os estágios do processo de pesquisa empírica (seja qual for a natureza dos dados) e sugerir uma base para os alunos planejarem e desenvolverem a pesquisa imediatamente. Como antes, então, tento enfatizar a lógica que subjaz à pesquisa e suas técnicas, e não questões puramente técnicas. Um dos meus objetivos ao fazê-lo é "desmistificar" o processo de pesquisa e, quando necessário, simplificá-lo, tentando demonstrar claramente a lógica subjacente; portanto, mostrando que uma pesquisa de qualidade está ao alcance de muitas pessoas.

Pela ajuda na preparação desta nova edição, quero agradecer a Alis Oancea por suas contribuições sobre busca e revisão da literatura, e a Wayne McGowan, por sua contribuição sobre pesquisa e internet.

Do mesmo modo que fiz em todas as minhas edições anteriores com a Sage, também quero agradecer ao editorial da Sage em Londres, que me ajudou de muitas formas diferentes. Em especial agradeço a Katie Metzler e particularmente Amy Jarrold pelo incentivo, apoio e assistência, notadamente na atualização de leituras e na preparação do material para o website referente a este livro.

# WEBSITE BÔNUS

O website contém materiais importantes sobre pesquisa qualitativa e quantitativa, além de todas as figuras e tabelas do livro e o meu guia para aulas sobre pesquisa social. Acesse em www.sagepub.co.uk/punch3e

# 1
# INTRODUÇÃO

## Sumário

1.1 Pesquisa empírica
1.2 Dados quantitativos e qualitativos
1.3 A importância da pesquisa
1.4 Uma visão da pesquisa
1.5 Perguntas de pesquisa ou problemas de pesquisa?
1.6 Perguntas antes dos métodos
1.7 Ciência, ciências sociais e pesquisa social
1.8 Organização do livro
    Resumo do capítulo
    Termos-chave
    Exercícios e perguntas para estudo

---

**OBJETIVOS DE APRENDIZAGEM**

**Após estudar este capítulo, você saberá:**

- Explicar a palavra "empírico" e dizer o que significa uma pergunta de pesquisa empírica;
- Descrever as principais diferenças entre pesquisa e dados qualitativos e quantitativos;
- Mostrar a relação entre perguntas de pesquisa e métodos de pesquisa;
- Reproduzir e explicar o modelo de pesquisa mostrado na Seção 1.7;
- Descrever as características centrais do método científico;
- Explicar o significado de ciência social.

---

Este livro trata de métodos para a realização de pesquisa empírica em ciências sociais. Abrange abordagens quantitativas e qualitativas e se concentra nos elementos essenciais de cada uma. Situa as duas abordagens na mesma estrutura de organização da pesquisa e lida com elas sob os mesmos três tópicos principais – desenho, coleta de dados, análise de dados. Inclui métodos mistos, em que dados e métodos qualitativos e quantitativos se combinam. A ênfase é na lógica do que se faz na pesquisa, não nos seus aspectos técnicos. Portanto, o objetivo deste livro não é ser um "manual", e sim desenvolver um entendimento básico das questões envolvidas e das ideias que subjazem às técnicas principais.

Ao selecionar o material para o livro, duas questões centrais me nortearam:

- Qual deve ser o conteúdo de um curso introdutório sobre métodos de pesquisa social antes de qualquer especialização metodológica?
- Como esse conteúdo pode ser apresentado de modo a mostrar como a pesquisa funciona e propiciar um entendimento tangível e prático suficiente das questões, métodos e técnicas para executar um projeto?

O livro se destina principalmente a alunos nos últimos anos da graduação e no início da pós-graduação em áreas diferentes das ciências sociais, mas espero que também seja apropriado a outros pesquisadores que desejem um panorama da lógica da pesquisa social e das principais ideias subjacentes aos seus métodos.

Este primeiro capítulo define um contexto para o material abrangido e descreve a abordagem e os motivos do livro. A descrição de capítulos do restante do livro está na Seção 1.8.

## 1.1 Pesquisa empírica

O nosso assunto é pesquisa empírica em ciências sociais. *Empirismo* é um termo filosófico para descrever a teoria que considera a experiência como o fundamento ou a busca de conhecimento (Aspin, 1995: 21). Já que experiência aqui se refere ao que é recebido através dos sentidos, a dados sensoriais ou ao que pode ser observado, usarei o termo geral "observação" de modo intercambiável com o termo "experiência". Logo, "empírico" significa o que se baseia na observação ou experiência direta do mundo. Afirmar que uma pergunta é empírica é afirmar que nós a responderemos – ou tentaremos respondê-la – obtendo informações diretas e observáveis do mundo e não, por exemplo, teorizando, raciocinando ou argumentando a partir de princípios. O conceito fundamental é "informação observável sobre o mundo (ou algum aspecto dele)". O termo usado na pesquisa para essa "informação observável sobre o mundo" ou "experiência direta do mundo" é *dado*. A ideia essencial na pesquisa empírica é usar dados como forma de responder perguntas, desenvolver e testar ideias.

A pesquisa empírica é o tipo principal de pesquisa nas ciências sociais atuais, mas não é o único. Exemplos de outros tipos de pesquisa são a teórica, a analítica, a conceitual-filosófica e a histórica. O foco deste livro é na pesquisa empírica. Ao mesmo tempo, acredito que muitos dos seus pontos sejam aplicáveis a outros tipos de pesquisa.

## 1.2 Dados quantitativos e qualitativos

O termo "dados" obviamente é muito amplo, então subdividimos os dados para a pesquisa empírica em dois tipos principais:

- Dados quantitativos – dados em forma de números (ou medidas) e
- Dados qualitativos – dados que não são em forma de números (na maioria das vezes, mas nem sempre, isso significa "palavras").

Isso gera duas definições simplificadoras:

- Pesquisa quantitativa é a pesquisa empírica com dados em forma de números.
- Pesquisa qualitativa é a pesquisa empírica com dados que não são em forma de números.

Essas definições simplificadas ajudam a iniciar a pesquisa, mas não retratam totalmente a distinção quantitativa-qualitativa. O termo "pesquisa quantitativa" significa mais do que simplesmente a pesquisa que usa dados quantitativos ou numéricos. Refere-se a todo um modo de pensar, ou uma abordagem, que envolve um conjunto ou grupo de métodos, além de dados em forma numérica. Do mesmo modo, pesquisa qualitativa é muito mais do que simplesmente a pesquisa que usa dados não numéricos. Também é um modo de pensar, ou uma abordagem, que também envolve um conjunto ou grupo de métodos, além de dados em forma não numérica ou qualitativa.

Portanto, definições completas dos termos "pesquisa quantitativa" e "pesquisa qualitativa" incluiriam:

- O modo de pensar sobre a realidade social estudada, o modo de abordá-la e conceituá-la (isso faz parte do significado do termo "paradigma" – cf. Seção 2.1);
- Os desenhos e métodos usados para representar esse modo de pensar e coletar dados;
- Os dados propriamente ditos – números para a pesquisa quantitativa, não números (a maioria palavras) para a pesquisa qualitativa.

Quando ensino sobre pesquisa, acho útil abordar a distinção quantitativa-qualitativa primordialmente através do terceiro ponto – a natureza dos dados. Depois a distinção pode ser ampliada e incluir os dois primeiros pontos – modos de conceituar a realidade estudada e os métodos. Também percebo que na prática de se planejar e fazer a pesquisa, os alunos costumam pensar em questões como: Os dados serão numéricos ou não? Vou medir variáveis nesta pesquisa ou não? Ou, em outras palavras, a minha pesquisa será quantitativa ou qualitativa?

Por esses motivos, acho que a natureza dos dados ocupa o núcleo da distinção entre pesquisa quantitativa e qualitativa, por isso começo com as definições simplificadas que mostrei. Mas também precisamos lembrar que a distinção é maior do que isso, como vemos nos dois outros pontos, e que a pesquisa qualitativa é muito mais diversa do que a quantitativa em suas formas de pensar, seus métodos e dados. Também precisamos reconhecer que, embora a distinção quantitativa-qualitativa tenha uma grande importância na pesquisa em ciências sociais, observamos um acentuado aumento recente no desenvolvimento e crescimento da pesquisa com métodos mistos, em que dados e métodos quantitativos e qualitativos se combinam de algum modo.

## 1.3 A importância da pesquisa

A importância central da pesquisa no mundo atual é algo que desconsideramos a tal ponto que raramente paramos para observá-la explicitamente. Mas uma característica notável da nossa cultura é que a pesquisa é vista como o modo de responder perguntas, resolver problemas e desenvolver conhecimentos. Isso vale para todas as áreas da vida, inclusive as áreas sociais.

Três coisas devem ser notadas a respeito dessa centralidade da pesquisa em nossa cultura:

1. Primeiro, pesquisa nesse contexto significa pesquisa empírica, o tipo de pesquisa que abordamos neste livro.

2. Segundo, embora a pesquisa como o modo de responder perguntas, resolver problemas e desenvolver conhecimentos sature a nossa cultura e pensamento hoje, não foi sempre assim. De fato, apesar de difundido hoje, é surpreendente perceber como esse modo de pensar é relativamente recente na história humana. Como destacam Kerlinger e Lee (2000), diferentes "modos de saber" são usados há muito tempo pelo ser humano, e o nosso modo de saber e construir conhecimento moderno pautado em pesquisa é relativamente recente.

3. Terceiro, uma implicação da importância central da pesquisa é que ela é desejável para que hoje as pessoas entendam a lógica básica que subjaz à pesquisa. Isso se aplica a todos, mas especialmente aos profissionais. Ainda que os profissionais do futuro não venham a ser pesquisadores, inevitavelmente serão consumidores da pesquisa, trabalhando num mundo onde a pesquisa é central para a prática e o desenvolvimento profissional. Conhecer a lógica e os métodos da pesquisa pode ajudá-los a se tornarem consumidores mais críticos e inteligentes.

## 1.4 Uma visão da pesquisa

Diante das várias definições, descrições e conceitos de pesquisa na literatura metodológica, acho suficiente para os objetivos presentes ver a pesquisa como um processo organizado, sistemático e lógico de investigação, usando informações empíricas – ou seja, dados – para responder perguntas (ou testar hipóteses). Vista assim, ela tem muito em comum com o nosso modo de descobrir as coisas no cotidiano – portanto, a descrição de pesquisa científica como "senso comum organizado" é útil. Talvez a principal diferença seja a ênfase na pesquisa organizada, sistemática e lógica.

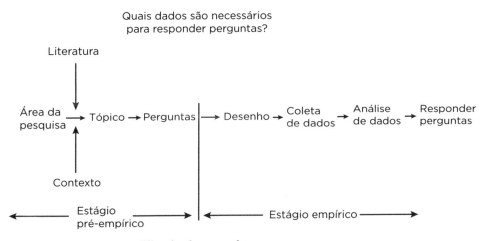

**Figura 1.1 Modelo simplificado de pesquisa**

Essa visão de pesquisa é ilustrada no diagrama da Figura 1.1. Ela enfatiza a função central das perguntas de pesquisa e do uso de dados empíricos para responder tais perguntas. Ela tem quatro características principais:

- Estruturação da pesquisa em termos de perguntas de pesquisa;
- Determinação de quais dados são necessários para responder essas perguntas;
- Desenho da pesquisa para coletar e analisar esses dados;
- Uso dos dados para responder as perguntas.

Uma modificação desse modelo, que inclui a pesquisa com teste de hipóteses, é mostrada na Figura 4.1 do Capítulo 4.

Além de captar elementos essenciais do processo de pesquisa, essa visão também remove boa parte do mistério da pesquisa e permite aos alunos iniciar imediatamente o planejamento da pesquisa. Ela se concentra nas perguntas de pesquisa, enquanto outros autores se concentram nos problemas de pesquisa. Definir a pesquisa em termos de perguntas ou problemas é uma questão de escolha do pesquisador.

## 1.5 Perguntas de pesquisa ou problemas de pesquisa?

O meu foco no conceito de perguntas de pesquisa é um modo útil de ajudar os alunos a executar o seu planejamento e proposta de pesquisa. Quando o aluno está tendo dificuldade para começar ou avançar com a proposta ou está confuso, sobrecarregado ou simplesmente paralisado, uma das perguntas mais úteis que posso fazer é: "O que estamos tentando descobrir aqui?" É um passo pequeno daí para "Quais perguntas esta pesquisa está tentando responder?" ou "Quais são as perguntas de pesquisa?" Essa abordagem torna as *perguntas de pesquisa* centrais.

Alguns autores, por sua vez, tentam focar mais no "problema que subjaz à pesquisa" ou em problemas de pesquisa, e não nas perguntas de pesquisa. Assim, Coley e Scheinberg (1990: 13) escrevem a respeito do desenvolvimento de propostas no contexto de serviços humanos: "Escrever a proposta inclui todo o processo de avaliar a natureza do problema, desenvolvendo soluções ou programas para resolver ou contribuir para a resolução do problema e traduzi-los para o formato de proposta". Essa abordagem torna o *problema de pesquisa* central.

Outros autores fazem uma distinção nítida entre pergunta e problema. Locke, Spirduso e Silverman (2010: 44-49), por exemplo, em defesa da "higiene semântica e conceitual", distinguem claramente problema e pergunta, e recomendam uma sequência lógica de problema, pergunta, objetivo e hipótese como modo de progresso no planejamento da pesquisa e desenvolvimento da proposta. Similarmente, alguns autores consideram o desenvolvimento da proposta como a construção do problema de pesquisa, e consideram a(s) pergunta(s) de pesquisa como um componente central disso. Julgo essas duas estruturas úteis para a pesquisa pré-planejada e especialmente para estudos de intervenção, mas menos úteis para estudos mais emergentes (cf. Seção 2.6). Nesses casos, a distinção entre problema e pergunta não é tão nítida.

Às vezes a pesquisa em ciências sociais é voltada a intervenções e à avaliação dos seus resultados. Algumas áreas da pesquisa em enfermagem são um bom exemplo, especialmente aquelas que tratam da enfermagem no cenário clínico. Subjaz ao foco nas intervenções a ideia de um problema que precisa de solução, e é a intervenção que é proposta como solução. Igualmente, programas e intervenções na educação ou gestão podem ser norteados pela mesma lógica – um problema que requer solução e assume a forma de intervenção. A pesquisa então se torna uma avaliação ou apreciação dos efeitos da intervenção.

Tal linha de pensamento se concentra na identificação de um problema – algo que requer solução – seguida de uma intervenção ou atividade criada para resolvê-lo, e a pesquisa se torna a avaliação dessa intervenção. Isso é pesquisa de intervenção. Outra linha mais geral de pensamento se concentra na identificação da(s) pergunta(s) – algo que requer resposta – seguida de uma investigação criada para coletar os dados para responder a(s) pergunta(s). Isso é pesquisa naturalista, em que o mundo social é estudado em seu estado natural em vez de ser planejado para fins de pesquisa.

Na pesquisa de intervenção, o objetivo da intervenção é resolver ou mudar alguma situação insatisfatória. Tal situação insatisfatória é o problema. Por outro lado, pensar sobre pesquisa em termos de perguntas de pesquisa é uma abordagem mais geral, que pode ser usada na pesquisa naturalista e na pesquisa de intervenção (os efeitos de uma intervenção sempre podem ser avaliados através de uma série de perguntas de pesquisa). Eu me concentro nas perguntas de pesquisa como um modo de iniciar a pesquisa e organizar o projeto subsequente. Esse foco também tem os benefícios de reforço da abordagem "perguntas primeiro – métodos depois" deste livro e de flexibilidade, já que os alunos costumam achar mais fácil gerar perguntas de pesquisa do que focar num problema. Mas vale a pena pensar em termos de identificar um problema de pesquisa e não identificar perguntas de pesquisa, não há motivo para deixar de fazê-lo. Tampouco há motivo para não usar os dois conceitos – problemas e perguntas – e alterná-los apropriadamente ao se desenvolver e apresentar uma proposta de pesquisa. Em qualquer caso, os dois conceitos são intercambiáveis. Portanto, um problema – como algo que requer solução – sempre pode ser enunciado como perguntas. Do mesmo modo, uma pergunta – como algo que requer uma resposta – sempre pode ser enunciada como um problema.

Neste livro, as perguntas de pesquisa são muito enfatizadas, e o modelo de pesquisa usado aqui destaca a sua função central. Desenvolver as perguntas de pesquisa é a meta do estágio pré-empírico da pesquisa. As perguntas constroem o alicerce dos procedimentos empíricos e são o princípio organizador do relatório. Esse modelo é enfatizado para esclarecer e ilustrar o processo de planejamento da pesquisa, e é definido como uma meta útil para esse processo. Situações reais de pesquisa podem exigir uma modificação nesse modelo de duas formas. Primeiro, as perguntas de pesquisa desenvolvidas antes podem mudar ao longo do trabalho empírico: não há exigência alguma para que sejam "petrificadas". Segundo, pode não ser desejável ou possível planejar certos tipos de estudos em termos de perguntas de pesquisa pré-especificadas. Ao contrário, a estratégia nesses casos é identificar e esclarecer as perguntas de pesquisa à medida que o estudo se desenvolver. Quando isso acontece, as perguntas de pesquisa mantêm uma função central, mas emergem num estágio diferente do estudo. Isso já aponta o contraste entre perguntas, desenhos e métodos de pesquisa pré-especificados e emergentes – uma distinção importante e um tema discutido no Capítulo 2.

## 1.6 Perguntas antes dos métodos

Este livro enfatiza que métodos devem resultar de perguntas. O que fazemos na pesquisa depende do que estamos tentando descobrir. Esse ponto é enfatizado porque, quando ensinávamos métodos de pesquisa, era muito comum colocar a carroça metodológica na frente dos bois substantivos (ou de conteúdo). Isso era chamado de "metodolatria", a idolatria do método, e foi particularmente característico (mas não exclusivo) da abordagem quantitativa. Muitos livros sobre métodos de pesquisa antigos ensinam métodos "abstratamente". Tratam apenas de métodos e há pouca conexão entre os métodos, por um lado, e a identificação das perguntas de pesquisa, por outro. Acredito que os textos sobre métodos de pesquisa em grau introdutório precisam ser ecléticos e mais fortes na conexão dos métodos à identificação, definição e análise de problema e pergunta. Este livro pretende fazer as duas coisas. Assim, antes de tratar dos métodos quantitativos e qualitativos, ele aborda a identificação, definição e análise de perguntas de pesquisa, com a enunciação de perguntas de pesquisa e conexões entre perguntas, dados e técnicas para a sua coleta e análise.

Em outras palavras, o livro, principalmente nos primeiros capítulos, destaca a influência das perguntas de pesquisa nos métodos de pesquisa como elemento útil de ensino/aprendizagem. Ao realmente fazer-se pesquisa, os métodos podem restringir e influenciar as perguntas que podem ser feitas. Essas influências são reconhecidas nos últimos capítulos, e a interação recíproca entre pergunta e método é discutida. Mas a influência pergunta-para-método é deliberadamente enfatizada devido ao seu valor para se garantir uma adequação entre as perguntas de pesquisa e os métodos. No final, um objetivo principal do planejamento é maximizar a adequação entre perguntas, por um lado, e desenho e procedimentos, por outro. Tal ponto também é um tema importante discutido no Capítulo 2.

Faz-se uma distinção nítida na parte inicial deste livro entre os estágios pré-empírico e empírico da pesquisa. Nos capítulos 4 e 5, enfatiza-se que a pesquisa empírica tem um estágio pré-empírico importante, em que uma análise cuidadosa das perguntas esclarece as considerações empíricas, técnicas e metodológicas. Desenvolvimento de perguntas é um bom termo para descrever o trabalho pré-empírico, que é importante para definir a pesquisa. Essencialmente resume-se a esclarecer e descomplicar as diferentes questões e restaurar o problema original como uma série de perguntas de pesquisa empíricas. Esse trabalho de desenvolvimento de perguntas costuma ser pouco enfatizado, mas o estágio pré-empírico é importante, já que a probabilidade de as questões envolvidas na realização de pesquisa empírica serem tão conceituais e analíticas quanto são técnicas e metodológicas é a mesma. Embora essa distinção seja nítida, a fim de enfatizar a importância de questões conceituais e analíticas, essas questões nem sempre precedem as questões metodológicas. Às vezes as duas se entrelaçam.

Como observamos, a descrição de pesquisa como "senso comum organizado" é útil. Ela respalda a ideia de que a boa pesquisa está ao alcance de muita gente. Também está em consonância com a visão de que podemos simplificar os aspectos mais técnicos dos métodos de pesquisa e melhorar o entendimento, mostrando a lógica subjacente. Este livro, então, concentra-se na lógica subjacente às técnicas num esforço de evitar obscurecer a lógica que subjaz às considerações técnicas. Não defendo uma fórmula para fazer pesquisa, pois não acredito que a pesquisa possa ser reduzida a um conjunto de estágios mecânicos. Ao contrário, tento enfatizar o entendimento e não "como se faz". Aprecio a ideia de que o método não deve ser considerado uma codificação de procedimentos, mas uma informação sobre formas reais de trabalho (Mills, 1959). Isso significa que princípios e diretrizes, e não grupos de regras mecânicas, são destacados em todo o livro. Também significa que o senso comum é necessário em todos os estágios do processo de pesquisa, um ponto que surge várias vezes nos diferentes capítulos.

## 1.7 Ciência, ciências sociais e pesquisa social

Os termos "ciência" e "ciências sociais" já foram usados várias vezes. O que são ciência e ciências sociais? O que significa estudar algo cientificamente? Muito foi escrito sobre o tópico do método científico e hoje, especialmente, há diferentes definições e pontos de vista. Como ponto de partida na aprendizagem sobre pesquisa, porém, sugiro um conceito simples e tradicional do método científico.

Nesse conceito, a essência da ciência enquanto método se divide em duas partes. A primeira parte se refere à função vital de dados do mundo real. A ciência aceita a autoridade de dados empíricos, as perguntas devem ser respondidas e as ideias devem ser testadas diante dos dados. A segunda parte é a função da teoria, especialmente da teoria explicativa. O objetivo principal é explicar os dados, não simplesmente coletá-los e usá-los para descrever as coisas. A teoria explicativa desempenha um papel crucial na ciência. As duas partes essenciais da ciência são, portanto, dados e teoria. Em termos simples, é científico coletar dados sobre o mundo, construir teorias para explicar os dados e depois testar essas teorias diante de outros dados. É irrelevante definir se os dados antecedem a teoria ou a teoria antecede os dados. O que importa é ambos estarem presentes. Esse ponto sobre a irrelevância da ordem de teoria e dados tem implicações adiante neste livro. Não há nada nessa definição de ciência sobre a natureza dos dados empíricos e certamente nada sobre os dados serem quantitativos ou qualitativos. Em outras palavras, não é um requisito científico haver envolvimento com dados numéricos ou mensurações. Isso pode acontecer, mas não necessariamente. Esse ponto também é relevante aos próximos capítulos deste livro.

O termo geral "ciência social" se refere ao estudo científico do comportamento humano. "Social" concerne às pessoas e seu comportamento, e ao fato de que boa parte do comportamento humano ocorre num contexto social. "Ciência" diz respeito ao modo pelo qual as pessoas e seu comportamento são estudados. Se o objetivo de (todas) as ciências for construir uma teoria explicativa sobre os seus dados, o objetivo das ciências sociais é construir uma teoria explicativa sobre as pessoas e seu comportamento. Essa teoria sobre o comportamento humano deve ser fundamentada em dados do mundo real e testada diante desses dados.

O comportamento humano pode ser estudado de muitas perspectivas diferentes. As ciências sociais básicas podem ser distinguidas de acordo com a perspectiva que assumem no estudo do comportamento humano. Muitos concordariam que existem cinco ciências sociais básicas: psicologia, sociologia, antropologia, economia e ciência política. Elas são diferentes principalmente na perspectiva que assumem: a psicologia tipicamente se concentra no indivíduo, enquanto a sociologia está mais voltada a grupos e ao contexto social do comportamento, entre outras coisas. Não devemos tentar ir muito longe com essas distinções devido à variedade de perspectivas que existe nas áreas básicas e porque alguns desejariam incluir outras áreas como ciências sociais básicas. Além disso, há áreas nas interseções entre essas ciências sociais básicas (p. ex., há a psicologia social, antropologia social etc.), mas vale a pena manter essas áreas básicas em mente. Elas podem ser consideradas disciplinas, o que pode ser aplicado a uma variedade de áreas distintas.

As ciências sociais aplicadas agora podem ser distinguidas das ciências sociais básicas através do cenário ou área de comportamento em que se concentrem. Há várias dessas áreas: algumas das principais são educação, estudos de organizações, estudos governamentais, administração e gestão, serviço social, estudos de enfermagem e pesquisa em saúde, certas áreas da medicina e saúde pública, estudos da família, desenvolvimento infantil, pesquisa de propaganda e mercado, estudos de recreação e lazer, estudos da comunicação, estudos judiciais, legais e clínicos, análise de políticas, avaliação de programas e pesquisa para o desenvolvimento social e econômico.

Também há abordagens especializadas nessas áreas. Um modo de ver isso é pensar nas disciplinas aplicadas às áreas. Por exemplo, com a educação sendo a área, e a psicologia, sociologia, antropologia, economia e ciência política sendo as disciplinas básicas, temos cinco áreas especializadas na educação: psicologia da educação, sociologia da educação etc. Logo, considerar a educação uma ciência social aplicada significa aplicar uma ou outra das ciências sociais básicas ao estudo do comportamento no cenário educacional. O mesmo se aplica a outras áreas. Não precisamos nos preocupar muito com classificações precisas e limites exatos entre essas áreas. Em vez disso, o ponto desse esquema é indicar o alcance das ciências sociais aplicadas.

Juntas, as ciências sociais básicas e aplicadas abrangem um domínio muito amplo. O que as une é o seu foco no comportamento humano e a função crucial da pesquisa empírica no modo em que são estudadas. Devido a essa função crucial da pesquisa empírica, uma premissa deste livro é que existe muita semelhança nos métodos de pesquisa nas várias áreas das ciências sociais mostradas anteriormente. É claro que também há diferenças na ênfase metodológica nas diferentes ciências sociais e há afinidades (e hostilidades) com alguns métodos em algumas disciplinas. Mas as semelhanças na lógica geral de investigação e nos fundamentos dos desenhos e procedimentos empíricos são muito fortes. Isso significa que podemos aplicar essa lógica, esses desenhos e procedimentos a várias áreas.

## 1.8 Organização do livro

Incluindo este capítulo introdutório, o livro é apresentado em 15 capítulos do seguinte modo:

- O Capítulo 2 ("Teoria e método na pesquisa em ciências sociais") aborda a função da teoria metodológica e substantiva na pesquisa e discute três temas que ocorrem com frequência no livro. Eles estão reunidos no Capítulo 2 para fins de referência. Alguns leitores talvez desejem dar uma lida rápida neste capítulo e retornar em busca de referências quando os temas surgirem em relação a tópicos diferentes.
- O Capítulo 3 aborda a "Ética na pesquisa em ciências sociais".
- Os capítulos 4 e 5 abordam a fase pré-empírica da pesquisa, concentrando-se nas perguntas de pesquisa. O Capítulo 4 ("Perguntas de pesquisa") aborda a identificação e o desenvolvimento de perguntas de pesquisa, a função das hipóteses e a literatura. O Capítulo 5 ("Das perguntas de pesquisa aos dados") prossegue com a consideração das perguntas de pesquisa, mas com foco na conexão entre perguntas e dados.
- O Capítulo 6 ("Busca e revisão da literatura") discute a busca e revisão da literatura, um trabalho importante na preparação da dissertação.
- Os capítulos 7, 8 e 9 apresentam um panorama dos métodos de pesquisa qualitativa. O Capítulo 7 ("Desenho de pesquisa qualitativa") descreve uma estrutura de pensamento sobre o desenho de pesquisa, relacionando desenho e estratégia, discute algumas estratégias principais usadas na pesquisa qualitativa e observa a complexidade e diversidade da pesquisa qualitativa

contemporânea. O Capítulo 8 ("Coleta de dados qualitativos") aborda métodos importantes de coleta de dados na pesquisa qualitativa.

- O Capítulo 9 ("Análise de dados qualitativos") discute questões envolvidas na análise de dados qualitativos, concentra-se em duas das principais abordagens desenvolvidas e resume várias abordagens recentes e mais especializadas. Esses três capítulos seriam adequados, como uma unidade, para o leitor que deseje um panorama dos métodos qualitativos.

- Os capítulos 10, 11 e 12 apresentam um panorama similar dos métodos de pesquisa quantitativa, usando os mesmos títulos gerais. O Capítulo 10 ("Desenho de pesquisa quantitativa") descreve as ideias principais que subjazem ao desenho de estudos quantitativos. O Capítulo 11 ("Coleta de dados quantitativos") considera o que está envolvido na coleta de dados quantitativos e a função central da mensuração nesse processo. O Capítulo 12 ("Análise de dados quantitativos") descreve a lógica subjacente às principais técnicas estatísticas usadas nas ciências sociais quantitativas. Novamente, esses três capítulos seriam adequados, como uma unidade, para o leitor que somente deseje um panorama dos métodos quantitativos.

- O Capítulo 13 ("A internet e a pesquisa") discute a função da internet na pesquisa e algumas das questões envolvidas. O Capítulo 14 ("Métodos mistos e avaliação") aborda os métodos mistos, atualmente um desenho popular e cada vez mais usado nos estudos empíricos das ciências sociais, e com critérios de avaliação gerais para mensurar a qualidade da pesquisa empírica.

- O Capítulo 15 ("Redação de pesquisa") aborda o tópico geral da redação de pesquisa e discute em detalhes as propostas de pesquisa.

Em cada capítulo, uma introdução lista os principais objetivos de aprendizagem, e as seções finais resumem o conteúdo principal e listam os termos-chave. Exercícios e perguntas para estudo são apresentados e, na maioria dos capítulos, há sugestões de leitura complementar. No fim do livro, há um glossário de termos-chave e um apêndice contendo material adicional. O Apêndice 1 aborda a tática de Miles e Huberman (1994) para concluir e verificar conclusões na análise qualitativa.

# Resumo do capítulo

- Este livro se concentra em métodos para fazer pesquisa empírica nas ciências sociais. O empirismo é a filosofia que subjaz ao método científico.
- A pesquisa empírica pauta-se em dados:
    - Dados quantitativos são dados em forma de números;
    - Dados qualitativos são dados que não são em forma de números (em sua maioria palavras).
- A pesquisa é crucialmente importante no mundo moderno. Ela pode ser definida como um processo organizado, sistemático e lógico de investigação, usando dados empíricos para responder perguntas.
- As perguntas de pesquisa são fundamentais no modelo de pesquisa usado aqui; elas estão intimamente associadas aos problemas de pesquisa.
- As perguntas de pesquisa logicamente antecedem os métodos de pesquisa e precisam ser desenvolvidas cuidadosamente.
- O método científico coleta dados sobre o mundo, constrói teorias para explicar os dados e depois testa essas teorias diante de outros dados.
- As ciências sociais usam o método científico para estudar o comportamento humano; ciências sociais diferentes assumem perspectivas diferentes sobre o comportamento humano.

## Termos-chave

Ciências sociais: uso do método científico para estudar o comportamento humano, de uma perspectiva ou outra.

Dados: informações observáveis sobre o mundo; experiência direta do mundo.

Dados qualitativos: dados que não são em forma de números.

Dados quantitativos: dados que são em forma de números.

Empirismo: filosofia que considera a experiência e a observação o alicerce do conhecimento.

Método científico: construção de teorias para explicar os dados e testes dessas teorias diante de outros dados.

Paradigma: pressuposições e modo de pensar sobre a realidade estudada.

Perguntas de pesquisa: perguntas desenvolvidas para nortear a pesquisa; perguntas de pesquisa empíricas são necessárias para a pesquisa empírica.

Pesquisa de intervenção: uma intervenção é planejada e implementada para resolver um problema, e a pesquisa avalia a intervenção.

Pesquisa naturalista: o mundo é estudado em seu estado natural, e não planejado para fins de pesquisa.

# Exercícios e perguntas para estudo

**1.** Defina e discuta estes conceitos-chave:
- Pesquisa empírica;
- Pesquisa quantitativa;
- Pesquisa qualitativa;
- Pesquisa com métodos mistos;
- Método científico;
- Ciências sociais.

**2.** Estude o sumário deste livro, depois considere estas perguntas:
- Quais partes deste livro serão mais fáceis de entender? Por quê?
- Quais partes deste livro serão mais difíceis de entender? Por quê?
- Você prefere "números", "palavras" ou os dois? Por quê?

# 2

# TEORIA E MÉTODO NA PESQUISA EM CIÊNCIAS SOCIAIS

## Sumário

2.1 Teoria metodológica
2.2 Teoria substantiva
2.3 Descrição *versus* explicação
2.4 Verificação de teoria – Geração de teoria
2.5 Conexões pergunta-método
2.6 Pré-especificada *versus* emergente: estrutura em perguntas de pesquisa, desenho e dados
Resumo do capítulo
Termos-chave
Exercícios e perguntas para estudo
Leitura complementar
Notas

**OBJETIVOS DE APRENDIZAGEM**

### Após estudar este capítulo, você saberá:

- Descrever o que significam teoria metodológica e teoria substantiva;
- Definir paradigmas e descrever a diferença entre pesquisa orientada por paradigmas e pesquisa pragmática;
- Entender a diferença entre descrição e explicação;
- Descrever a diferença entre pesquisa para verificação de teoria e para geração de teoria;
- Explicar a prioridade lógica das perguntas de pesquisa em relação aos métodos de pesquisa;
- Descrever as diferenças essenciais entre pesquisa pré-especificada e emergente.

O termo "teoria" é usado em muitos modos diferentes na literatura, o que pode gerar dificuldades. Neste capítulo o meu foco é em dois usos principais da teoria – teoria metodológica e substantiva. Os dois são importantes. A teoria metodológica se refere à teoria ou filosofia que subjaz aos métodos de pesquisa e é discutida na Seção 2.1. Ela conduz ao tópico das conexões pergunta-método (Seção 2.5). A teoria substantiva concerne à área de conteúdo da pesquisa e é discutida na Seção 2.2. Ela conduz aos tópicos de descrição e explicação (Seção 2.3) e à verificação e geração de teoria (Seção 2.4). A última seção do capítulo aborda a questão da estrutura no planejamento de uma pesquisa.

## 2.1 Teoria metodológica

Neste livro, teoria metodológica significa a teoria sobre o método. Enquanto a teoria substantiva lida com substância ou conteúdo, a teoria metodológica lida com método – com o que subjaz às abordagens e métodos de investigação usados numa pesquisa.

Os métodos de investigação são baseados em pressupostos – pressupostos sobre a natureza da realidade estudada, sobre o que constitui o conhecimento dessa realidade e sobre quais são os métodos apropriados de construção de conhecimento dessa realidade. Muitas vezes esses pressupostos são implícitos. Um ponto conflitante no treinamento sobre métodos de pesquisa costuma ser a necessidade de explicitar ou não tais pressupostos numa pesquisa de pós-graduação.

Esses pressupostos constituem a ideia essencial do que significa o termo "paradigma" na metodologia de pesquisa e na literatura sobre a filosofia da ciência. Questões sobre paradigma são necessariamente filosóficas em sua natureza. Em geral, paradigma significa um conjunto de pressupostos sobre o mundo e o que constitui tópicos e técnicas apropriados para investigar esse mundo. Em termos simples, é um modo de olhar o mundo. Significa uma visão de como a investigação deve ser feita (por isso o termo "paradigma de investigação" é usado às vezes) e é um termo amplo que engloba elementos de epistemologia, teoria e filosofia, além de métodos.

Denzin e Lincoln (1994: 107-109) descrevem um paradigma como:

> um conjunto de crenças básicas (ou metafísica) que aborda extremos ou princípios. Representa uma visão de mundo que define para o seu portador a natureza "do mundo", o lugar do indivíduo nele e o espectro de relações possíveis com esse mundo e suas partes.

Eles apontam que os paradigmas de investigação definem aquilo de que tratam e o que está dentro e fora dos limites da investigação legítima, e esses paradigmas de investigação envolvem três perguntas fundamentais que refletem os pressupostos observados anteriormente:

1. A pergunta ontológica: Quais são a forma e a natureza da realidade e, assim, o que pode ser conhecido a respeito?
2. A pergunta epistemológica: Qual é a relação entre o conhecedor e o que pode ser conhecido?
3. A pergunta metodológica: Como o investigador pode descobrir o que pode ser conhecido?

Numa linguagem mais simples, os paradigmas nos falam:

• Como é a realidade (ontologia);
• Qual é a relação entre o pesquisador e essa realidade (epistemologia); e
• Quais métodos podem ser usados para estudar a realidade (metodologia).

Essas três perguntas inter-relacionadas ilustram as conexões entre métodos e as questões filosóficas subjacentes mais profundas. Métodos essencialmente se baseiam em paradigmas e derivam deles. Por outro lado, os paradigmas têm implicações para os métodos. Esse ponto se tornou claro durante os desenvolvimentos metodológicos nos últimos 40-50 anos. Nesse ponto, portanto, um breve esquema do panorama histórico sobre métodos e paradigmas na pesquisa em ciências sociais é apropriado.

No início da década de 1960, a dominação tradicional dos métodos quantitativos como forma de realizar pesquisa empírica em ciências sociais foi desafiada. Esse desafio acompanhou um importante crescimento do interesse no uso dos métodos qualitativos e isso, por sua vez, produziu uma cisão na área entre pesquisadores quantitativos e qualitativos. Sucedeu-se um debate quantitativo-qualitativo prolongado, às vezes descrito como "guerras paradigmáticas"[1].

Boa parte do debate caracterizou-se por um pensamento exclusivista. Alguns achavam que somente as abordagens quantitativas deveriam ser usadas na pesquisa. Outros eram enfáticos na defesa das abordagens qualitativas. Mais recentemente, porém, há um movimento a favor de uma trégua e um interesse maior na combinação das duas abordagens (Bryman, 1988, 1992; Hammersley, 1992; Tashakkori e Teddlie, 2003a). Isso gerou métodos mistos, tópico do Capítulo 14, e uma importante área de crescimento na literatura recente sobre metodologia de pesquisa. Essas mudanças metodológicas ocorreram na maioria das áreas da pesquisa empírica em ciências sociais, embora em algumas áreas as mudanças tenham sido mais pronunciadas do que em outras.

A história completa desses desenvolvimentos e debates é mais complexa do que isso. Eu me concentrei apenas numa única dimensão principal dela, a distinção quantitativa-qualitativa, porque ela permanece como duas das abordagens metodológicas centrais na pesquisa em ciências sociais hoje e porque a distinção é um princípio organizador central para este livro. Uma consequência importante desses desenvolvimentos é que os métodos de pesquisa qualitativa se deslocaram muito mais para a tendência dominante da pesquisa em ciências sociais quando comparados à sua posição marginalizada uns 40 anos atrás. Como observado, outro desenvolvimento foi a combinação das duas abordagens no que agora é chamado de "pesquisa com métodos mistos" (cf. Capítulo 14). Como resultado, a área de metodologia de pesquisa em ciências sociais agora é maior e mais complexa do que costumava ser.

Devido às conexões entre métodos e paradigmas, a história descrita brevemente no parágrafo anterior também tem um grau mais profundo, um grau que não se refere apenas ao debate quantitativo-qualitativo ou aos métodos de pesquisa, mas aos próprios paradigmas. Nesse grau mais profundo, uma nova e importante forma de pensar começou há algum tempo. Ela provocou um questionamento de todos os aspectos da pesquisa (seus objetivos, seu lugar e função, seu contexto e conceituações da pesquisa propriamente dita), assim como dos métodos empregados. Também gerou o desenvolvimento de perspectivas e abordagens novas aos dados e à análise dos dados, especialmente na pesquisa qualitativa. Características proeminentes desse novo pensamento são a crítica detalhada ao positivismo, a emergência e articulação de vários paradigmas como alternativas ao positivismo. Como resultado, questões paradigmáticas estão em estado de mudança e desenvolvimento, e muitas questões ainda são contestadas.

Foi o desenvolvimento dos métodos qualitativos que expôs as várias possibilidades de paradigmas, e a situação agora tornou-se muito complicada. Assim, Denzin e Lincoln (1994: 109) identificam quatro paradigmas de investigação alternativos principais subjacentes à pesquisa qualitativa (positivismo, pós-positivismo, teoria crítica, construtivismo), mas classificações e exemplos mais detalhados de paradigmas são dados por Guba e Lincoln (1994). Morse (1994: 224-225) apresenta esta classificação de paradigmas com estratégias de pesquisa qualitativa associadas: filosofia-fenomenologia; antropologia-etnografia; sociologia-interacionismo simbólico-teoria fundamentada; semiótica--etnometodologia e análise do discurso. Janesick (1994: 212) tem uma lista mais minuciosa de estratégias de pesquisa qualitativa relativas a paradigmas, observando que o seu intuito não é incluir todas as possibilidades: etnografia, história de vida, história oral, etnometodologia, estudo de caso, observação de participantes, pesquisa de campo ou estudo de campo, estudo naturalista, estudo fenomenológico, estudo descritivo ecológico, estudo descritivo, estudo interacionista simbólico, microetnografia, pesquisa interpretativa, pesquisa-ação, pesquisa narrativa, historiografia e crítica literária. E exemplos de paradigmas considerados pelos autores na filosofia da educação são o pós--empirismo e empirismo lógico, racionalismo crítico, teoria crítica, fenomenologia, hermenêutica e teoria dos sistemas.

Isso pode ser um território confuso e assustador para o pesquisador iniciante em parte devido à filosofia e em parte devido à terminologia. Felizmente, à luz dessas complicações, parte da literatura atual parece estar convergindo e simplificando. Em uma versão dessa convergência, as principais posições paradigmáticas são o positivismo e o interpretativismo; em outra, são o positivismo e o construtivismo. Logo, temos:

- O positivismo (associado em sua maior parte a métodos quantitativos) e
- O interpretativismo ou construtivismo (associado a métodos qualitativos).

Tais associações – positivismo a métodos quantitativos e interpretativismo--construtivismo a métodos qualitativos – em geral são verdadeiras, mas não são associações necessárias. É mais preciso afirmar que o positivismo provavelmente se associa a métodos quantitativos, e o interpretativismo e o construtivismo provavelmente se associam a métodos qualitativos.

Diferentes autores definem esses termos de forma sutilmente diferente, mas as suas principais ideias referentes à natureza da realidade são as seguintes:

- Positivismo: a crença de que relatos objetivos do mundo podem ser dados e que a função da ciência é desenvolver descrições e explicações na forma de leis universais – ou seja, desenvolver conhecimento nomotético.
- Interpretativismo: concentra-se nos significados que as pessoas levam às situações e ao comportamento, e que usam para entender o próprio mundo (O'Donoghue, 2007: 16-17); esses significados são essenciais para se entender o comportamento.

- Construtivismo: as realidades são locais, específicas e construídas; têm fundamento social e experimental, e dependem dos indivíduos ou grupos que as detêm (Guba e Lincoln, 1994: 109-111).

Na Seção 2.5, as conexões pergunta-método são discutidas, e enfatizo que é necessário haver compatibilidade e integridade no modo pelo qual as perguntas e os métodos de pesquisa se encaixam num estudo, o que é demonstrado na linha de cima do diagrama a seguir. Os paradigmas expandem isso, já que têm implicações para os tipos de perguntas de pesquisa apresentadas e para os métodos usados para respondê-las. Isso é demonstrado na última linha do diagrama.

perguntas → métodos

paradigmas → perguntas → métodos

O que toda essa teoria metodológica significa para o planejamento e a execução de uma pesquisa? Em termos gerais, há duas formas principais em que o planejamento de um projeto de pesquisa pode acontecer:

1. Abordagem direcionada a um paradigma – uma forma é começar com um paradigma, articulá-lo e desenvolver métodos e perguntas de pesquisa a partir dele;

2. Abordagem pragmática – a outra forma é começar com perguntas de pesquisa que precisam de respostas e depois escolher métodos que as respondam.

Na abordagem pragmática, as perguntas podem vir de qualquer fonte – literatura, teoria substantiva existente, mídia, experiência pessoal etc. Mas é muito comum, especialmente em áreas profissionais como educação, administração ou enfermagem, que venham de questões e problemas práticos e profissionais associados ao ambiente profissional. O ponto de partida aqui não é um paradigma. Em vez disso, o ponto de partida é um problema que precisa de solução ou uma pergunta que precisa de respostas. Isso é uma abordagem pragmática.

Às vezes isso é uma questão polêmica em programas de pesquisa de nível superior. Alguns departamentos de universidades defendem que questões paradigmáticas são fundamentais e insistem que a pesquisa não deve acontecer até haver articulado a sua posição paradigmática. Não acho tal insistência cabível, porque a pesquisa direcionada a paradigmas não é a única forma de se proceder e porque enxergo a função enorme de uma abordagem mais pragmática, aplicada e profissional à pesquisa em ciências sociais. Não tenho objeções à pesquisa direcionada a paradigmas. A minha objeção é somente à visão de que toda pesquisa deve ser direcionada a paradigmas. Tenho uma visão semelhante a respeito das questões filosóficas envolvidas em debates paradigmáticos. Acho que devemos conhecer as questões envolvidas e as áreas de debate. Isso é indicado em vários pontos do livro. Mas podemos fazer pesquisa e treinar pesquisadores, cientes desses debates, mas não sufocados por eles, e sem necessariamente conseguirmos ver a sua resolução. Em outras palavras, podemos reconhecer as conexões dos métodos a essas questões mais profundas e discuti-las eventualmente se surgirem sem transformá-las no foco principal da nossa pesquisa. Isso é observar a abordagem pragmática em consonância com a visão de que nem todas as perguntas para a pesquisa social são norteadas por considerações paradigmáticas e que tipos diferentes de perguntas exigem métodos diferentes para respondê-las. Esses dois pontos são elaborados nos capítulos seguintes.

Escolher a abordagem pragmática é começar com um foco no que estamos tentando descobrir na pesquisa e depois adequar os métodos. O tópico importante das conexões pergunta-método é discutido na Seção 2.5.

## 2.2 Teoria substantiva

Teoria substantiva se refere a um fenômeno ou questão substantiva(o), com alguns exemplos a seguir. Teoria substantiva é uma teoria baseada em conteúdo e que não é voltada a métodos. O seu objetivo é explicar algum fenômeno ou questão de interesse – é uma teoria explicativa. Mas, como explicação requer descrição (cf. Seção 2.3), a teoria substantiva tanto descreve quanto explica. Uma teoria explicativa tanto descreve quanto explica o fenômeno de interesse substantivo. Teoria, nesse sentido, é um conjunto de proposições que juntas descrevem e explicam o fenômeno estudado. Essas proposições ocupam um grau mais alto de abstração do que os fatos específicos e as generalizações empíricas (os dados) sobre o fenômeno. Explicam os dados por dedução no sentido "se... então..." Esse é o modelo de conhecimento científico mostrado na Figura 2.1.

Alguns exemplos de teorias substantivas de áreas diferentes da pesquisa social são a teoria da atribuição, teoria do reforço, várias teorias da aprendizagem e teoria da construção pessoal (psicologia); teoria de grupos de referência e teoria da estratificação social (sociologia); teoria das personalidades vocacionais e de âncoras de carreira (sociologia ocupacional); várias teorias de liderança (administração e gestão), e teorias do desenvolvimento moral infantil e ciclos da carreira docente (educação).

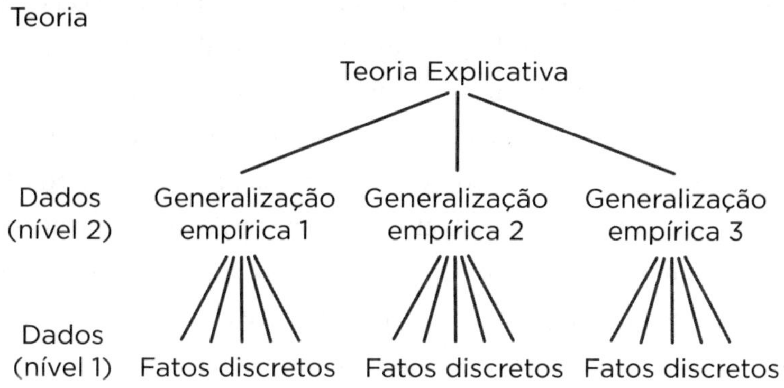

Teoria

Teoria Explicativa

| Dados (nível 2) | Generalização empírica 1 | Generalização empírica 2 | Generalização empírica 3 |

Dados (nível 1)   Fatos discretos   Fatos discretos   Fatos discretos

**Figura 2.1 Estrutura do conhecimento científico (visão nomotética)**

Portanto, uma pergunta importante ao se planejar a pesquisa é "Qual é a função da teoria (substantiva) neste estudo?" Essa pergunta às vezes é considerada mais apropriada a pesquisas de doutorado do que mestrado. Isso porque um critério comum nas universidades para a titulação se centraliza na "contribuição substancial e original ao conhecimento" que um estudo faz, e parte "substancial" desse critério muitas vezes é interpretada em termos da sua contribuição para a teoria substantiva.

## 2.3 Descrição versus explicação

No Capítulo 1, há uma breve descrição do método científico, destacando que ele tem as duas partes centrais dos dados e da teoria, e que o objetivo da investigação científica é construir uma teoria explicativa sobre os seus dados. Nessa visão, o propósito é explicar os dados, não simplesmente usá-los para descrição. Essa distinção entre descrição e explicação é especialmente relevante aos objetivos de uma pesquisa.

É fácil entender a distinção descrição-explicação por um lado e difícil de entender por outro[2]. Felizmente, é no lado mais fácil que o valor prático da distinção reside. Descrição e explicação representam dois níveis diferentes de entendimento. Descrever é, de alguma forma, retratar o que aconteceu ou como as coisas estão sucedendo ou como uma situação/pessoa/evento são. Explicar, por outro lado, é relatar o que aconteceu ou como as coisas estão sucedendo ou como algo/alguém são. É necessário encontrar motivos para as coisas (ou eventos ou situações), demonstrando por que e como vieram a ser o que são. A descrição é um objetivo mais restrito do que a explicação. Podemos descrever sem explicar, mas não podemos de fato explicar sem descrever. Logo, a explicação vai além da descrição. É mais do que simplesmente uma descrição – é uma descrição com algo mais.

O foco da descrição é em qual é o caso, enquanto o foco da explicação é por que (e às vezes como) algo é o caso. A ciência enquanto método de construção do conhecimento, em geral, busca o objetivo da explicação, não somente da descrição. Há um bom motivo para isso. Quando sabemos por que algo acontece, sabemos muito mais do que simplesmente o que acontece e isso nos possibilita prever o que acontecerá e – quem sabe? – controlar o que acontecerá.

Portanto, o conhecimento explicativo é mais poderoso do que o conhecimento descritivo. Mas o conhecimento descritivo, ainda assim, é importante, já que explicação requer descrição. Em outras palavras, a descrição é o primeiro passo em direção à explicação. Se quisermos saber por que algo acontece, é importante termos uma boa descrição do que exatamente acontece. Muitas vezes há pistas para a explicação numa descrição completa, e é difícil explicar algo satisfatoriamente até que se entenda o que aquela coisa é (Miles, Huberman e Saldana, 2013).

Essa distinção surge principalmente quando o objetivo de uma pesquisa está sendo considerado. O objetivo é descrever, explicar ou ambos? Os estudos descritivos às vezes são menos valorizados do que os estudos que objetivam explicar. Por isso algumas vezes ouvimos a expressão "é apenas um estudo descritivo". Embora esse julgamento possa proceder em alguns casos, é preciso ter cuidado. Há situações em que um estudo descritivo abrangente será muito valioso. Dois exemplos de tais situações:

- Quando uma área nova de pesquisa está sendo desenvolvida, e estudos iniciais e exploratórios são planejados – é sensato concentrar-se na descrição sistemática como objetivo da pesquisa.
- A descrição cuidadosa de processos sociais complexos pode nos ajudar a entender em que fatores devemos nos concentrar para estudos explicativos posteriores.

Saber se a descrição ou a explicação é o objetivo apropriado de uma pesquisa depende da situação em questão. Aqui, como em qualquer lugar, generalizações não são adequadas. Em vez disso, cada situação de pesquisa precisa ser analisada e entendida em seu próprio contexto. Vale a pena questionar se o objetivo de um estudo é a descrição e/ou explicação, especialmente durante os estágios de planejamento da pesquisa. Uma boa forma de fazer isso é perguntar "por quê" ao que está sendo estudado, assim como "o quê".

A explicação, então, é o foco central da teoria substantiva. A ideia essencial é explicar o que está sendo estudado, sendo a explicação expressa em termos mais abstratos do que os termos usados para descrevê-la[3]. Retomaremos essa ideia de teoria em dois momentos do livro. O primeiro é no Capítulo 4 (Seção 4.7), onde consideramos a função das hipóteses em relação às perguntas de pesquisa. Ali veremos que a teoria subjaz à hipótese numa relação indutiva-dedutiva com ela (Brodbeck, 1968; Nagel, 1979). Os estudos que usam essa abordagem são estudos de verificação da teoria. O segundo é no Capítulo 9, onde discutimos a análise com teoria fundamentada em estudos que objetivam desenvolver uma teoria. São estudos de geração de teorias.

## 2.4 Verificação de teoria – Geração de teoria

A distinção entre pesquisa para verificação de teoria e geração de teoria é importante. Um projeto que tenha a explicação como objetivo pode se propor a testar ou construir uma teoria – verificar uma teoria ou gerá-la. Para Wolcott (1992), essa é a distinção entre "teoria primeiro" e "teoria depois". Na pesquisa que usa a teoria primeiro, começamos com uma teoria, deduzimos hipóteses a partir dela e desenhamos um estudo para testar essas hipóteses. Isso é verificação de teoria. Na pesquisa que usa a teoria depois, não começamos com uma teoria. Ao contrário, o objetivo é concluir com uma teoria desenvolvida sistematicamente a partir dos dados que coletamos. Isso é geração de teoria.

Normalmente a pesquisa quantitativa se direciona mais à verificação de teoria, enquanto a pesquisa qualitativa se dedica mais à geração de teoria. Embora tal correlação seja historicamente válida, não há necessariamente uma conexão entre objetivo e abordagem, ou seja, a pesquisa quantitativa pode ser usada para a geração (e também para a verificação) de teoria e a pesquisa qualitativa pode ser usada para a verificação (e também para a geração) de teoria, conforme indicado por vários autores (p. ex., Hammersley, 1992; Brewer e Hunter, 2005). Entretanto, embora a conexão não seja necessária, é maior a probabilidade de que a pesquisa com geração de teoria seja qualitativa. A pesquisa direcionada à geração de teoria é mais provável quando uma nova área está sendo estudada, e é mais provável que a exploração dessa nova área use as técnicas de trabalho de campo menos estruturadas da pesquisa qualitativa.

A pesquisa com verificação de teoria é melhor do que a pesquisa com geração de teoria? Este livro não privilegia determinado objetivo de pesquisa, já que ambos são necessários e ocupam seu próprio espaço. Qualquer objetivo pode ser apropriado num projeto de pesquisa e às vezes os dois serão apropriados. Tudo depende do tópico, do contexto e das circunstâncias práticas da pesquisa, e especialmente da quantidade de teorização e conhecimento prévios existentes na área. Como acontece com outros aspectos de um projeto, o pesquisador precisa considerar as alternativas, selecioná-las de acordo com critérios consistentes e lógicos, e depois articular essa posição.

A pesquisa com geração de teoria recebeu uma legitimidade nova nas ciências sociais mediante o desenvolvimento da teoria fundamentada. Como o Capítulo 7 descreve, a teoria fundamentada é uma estratégia de pesquisa com geração de teoria explícita, desenvolvida em resposta à ênfase excessiva na pesquisa com verificação de teoria na sociologia americana das décadas de 1940 e 1950. Glaser e Strauss declaram isso nitidamente na sua publicação original sobre teoria fundamentada:

> A verificação é a tônica da sociologia atual. Umas três décadas atrás, achava-se que tínhamos muitas teorias, mas poucas confirmações delas – postura bastante viabilizada pela maior sofisticação dos métodos quantitativos. Quando essa mudança de ênfase se consolidou, a descoberta de novas teorias foi desprezada e, em algumas universidades, praticamente negligenciada (Glaser e Strauss, 1967: 10).

Glaser e Strauss argumentam que a ênfase na verificação de teorias existentes impedia os pesquisadores de investigar áreas de problemas novos, de reconhecer a natureza necessariamente exploratória de boa parte do seu trabalho, estimulando o uso inadequado de retórica e lógica verificativa, e desestimulando o desenvolvimento e o uso de procedimentos empíricos sistemáticos tanto para gerar quanto testar teorias (Brewer e Hunter, 2005).

Isso nos dá uma orientação geral útil a respeito de quando cada objetivo pode ser apropriado. Quando uma área tem muitas teorias não verificadas, uma ênfase na pesquisa com verificação de teoria parece boa. Por outro lado, quando faltam teorias apropriadas em certa área, é hora de deslocar a ênfase para a geração de teoria. Além disso, quando a pesquisa é em grande parte direcionada à verificação de teorias existentes, desencoraja-se o foco em áreas de problemas novos, então a lógica e as técnicas (normalmente quantitativas) da pesquisa com verificação são consideradas mais importantes. Quando é importante voltar-se a áreas novas na pesquisa, a geração de teoria acena como o objetivo apropriado.

Esse aspecto da pesquisa com teoria fundamentada é retomado no Capítulo 7 (Seção 7.5).

A distinção descrição-explicação se encaixa na estrutura de conhecimento científico mostrada na Figura 2.1. Alinhados ao conceito de ciência citado no Capítulo 1, podemos distinguir três níveis de conhecimento. No nível mais baixo, existem fatos discretos. No nível seguinte, há generalizações empíricas que agrupam tais fatos. No nível mais alto há teorias, cuja função é explicar as generalizações. Essa estrutura está resumida no diagrama mostrado. Os dois primeiros níveis (fatos e generalizações empíricas) se concentram na descrição, enquanto o terceiro nível se concentra na explicação.

Esse modelo da estrutura do conhecimento científico se origina primariamente de uma perspectiva positivista e enfatiza uma visão nomotética de conhecimento. Pode ser contrastado com uma visão ideográfica de conhecimento, uma aspiração mais apropriada à pesquisa aos olhos de muitos pesquisadores qualitativos[4]. Mas, embora reconheça a sua tendência nomotética, esse modelo é muito útil como ponto de partida na aprendizagem sobre a pesquisa em ciências sociais. Muitas pesquisas são pautadas nesse modelo, que várias vezes pode ajudar na organização de um projeto individual. É claro e fácil de entender, então o pesquisador que deseje divergir desse modelo pode ver onde e por que a divergência ocorre. Em outras palavras, quando os pesquisadores argumentam sobre a procedência e a contribuição da pesquisa para o conhecimento, esse modelo ajuda a entender o argumento.

Há outro motivo para enfatizar esse modelo aqui. Ele mostra a estrutura hierárquica do conhecimento, com níveis mais altos de abstração e generalidade no topo, e níveis mais baixos na base. Isso é similar à estrutura hierárquica que relaciona indicadores de dados a variáveis e conceitos, e que é crucial tanto para o modelo indicador de conceitos que subjaz à codificação da teoria fundamentada na pesquisa qualitativa quanto para a teoria de mensuração de traços latentes na pesquisa quantitativa. Esses tópicos são descritos nos capítulos 9 e 11, respectivamente. Essa estrutura hierárquica de níveis crescentes de abstração e generalidade, mostrada aqui a respeito do conhecimento científico em geral, e mostrada nos próximos capítulos a respeito de relações conceitos-dados tanto na pesquisa quantitativa quanto qualitativa, é, portanto, fundamental a muitas pesquisas empíricas. Veja uma ilustração a respeito no Exemplo 2.1.

> **EXEMPLO 2.1**
>
> **A estrutura hierárquica do conhecimento**
>
> Um exemplo clássico deste modo de estruturar o conhecimento é a obra de Durkheim sobre a etiologia social do suicídio, descrita em Durkheim (1951) e resumida em Greenwood (1968). Durkheim teoriza "ascendente" a partir de uma série de generalizações empíricas para uma lei de suicídio[5].

## 2.5 Conexões pergunta-método

O princípio aqui é que a correspondência ou adequação entre as perguntas de pesquisa e os métodos de pesquisa deve ser a mais próxima possível. Uma ótima forma de fazê-lo é garantir que os métodos resultem das perguntas.

Perguntas diferentes exigem métodos diferentes para respondê-las. O modo de se fazer uma pergunta tem implicações para o que precisa ser feito, na pesquisa, a fim de respondê-la. Perguntas quantitativas exigem métodos quantitativos para respondê-las, e perguntas qualitativas exigem métodos qualitativos para respondê-las. No ambiente de pesquisa atual, com métodos quantitativos e qualitativos muitas vezes usados juntos, a correspondência entre perguntas e métodos é ainda mais importante. Como este livro trata diretamente de ambas as abordagens, é inevitável que essa questão seja de interesse recorrente.

O enunciado das perguntas também é importante, já que alguns enunciados têm implicações metodológicas. Logo, as perguntas de pesquisa que incluem termos como "variáveis", "fatores que afetam" e "os determinantes ou correlatos de", por exemplo, sugerem uma abordagem quantitativa, enquanto perguntas que incluem termos como "descobrir", "tentar entender", "explorar um processo" e "descrever as experiências" sugerem uma abordagem qualitativa. (Creswell, 2013 relaciona esses quatro últimos termos a teoria fundamentada, etnografia, estudo de caso e fenomenologia, respectivamente.)

Um exemplo de perguntas de pesquisa diferentes e suas implicações para os métodos é dado por Shulman, em pesquisa educacional (1988: 6-9). Ele usa o estudo da leitura, sugere quatro tipos diferentes de perguntas e mostra os métodos que seriam necessários para responder a cada uma.

1. Uma primeira pergunta pode ser: O que torna algumas pessoas leitoras bem-sucedidas e outras malsucedidas? (ou como podemos prever quais tipos

de pessoas terão dificuldade para aprender a ler?) Essas perguntas seriam respondidas usando-se um estudo correlativo quantitativo que examinasse as relações entre variáveis.

2. Uma segunda pergunta pode ser: Quais são os melhores métodos possíveis para ensinar leitura aos jovens, independentemente das suas origens ou atitudes? Essa pergunta envolveria um estudo experimental quantitativo comparando métodos diferentes de ensino.

3. Uma terceira pergunta pode ser: Qual é o nível geral de desempenho em leitura em grupos etários, sexuais, sociais ou étnicos diferentes da população? Isso exigiria um levantamento quantitativo do desempenho em leitura e das práticas de leitura.

4. Um quarto grupo de perguntas pode ser bem diferente das anteriores: Como o ensino de leitura acontece? Quais são as experiências e percepções de professores e alunos enquanto participantes do ensino e da aprendizagem da leitura? Como essa atividade complexa é alcançada? Aqui, um estudo de caso qualitativo envolvendo observação e entrevistas pode ser usado, talvez empregando a perspectiva da etnometodologia.

Shulman ainda sugere perguntas filosóficas e históricas. Outras ilustrações de conexões pergunta-método são dadas no Exemplo 2.2.

---

**EXEMPLO 2.2**

**Conexões pergunta-método**

- Shulman (1988: 6-9) demonstra conexões entre perguntas e métodos com o tópico da pesquisa sobre leitura na educação; exemplos similares são observados por Seidman (2013).

- Marshall e Rossman (2010) mostram numa tabela as ligações entre objetivos de pesquisa, perguntas de pesquisa, estratégia de pesquisa e técnicas de coleta de dados.

- Maxwell (2012) adapta uma tabela de LeCompte e Preissle (1993) para mostrar as ligações entre "O que preciso saber?" e "Quais tipos de dados responderão as perguntas?" e ilustra essas ligações com perguntas de pesquisa reais.

- Maxwell (2012) dá um exemplo de incongruência entre perguntas e método em que, num estudo sobre o trabalho de historiadores, a "resposta certa" acaba sendo a "pergunta errada".

Um bom modo de encaixar perguntas e métodos é garantir que os métodos usados resultem das perguntas que buscamos responder. Em outras palavras, o conteúdo da pesquisa (as perguntas de pesquisa) tem prioridade lógica sobre o método da pesquisa. Afirmar que o conteúdo antecede o método é simplesmente afirmar que primeiro precisamos estabelecer o que estamos tentando descobrir e depois considerar como fazer isso. Em termos práticos, em geral essa é uma boa forma de fazer um projeto de pesquisa decolar. Às vezes é difícil saber onde e como começar a planejar a pesquisa. Se for o caso, perguntar "O que estamos tentando descobrir" geralmente desperta o nosso raciocínio e garante que comecemos com o conteúdo, não com o método. Colocar as perguntas antes dos métodos também é uma boa defesa contra a sobrecarga quando se desenvolve uma proposta de pesquisa. Postergar a consideração dos métodos até que fique claro quais são as perguntas ajuda a gerenciar as inevitáveis complicações que acompanham uma análise completa das possibilidades para a pesquisa em qualquer área. Isso ajuda a manter o estágio de desenvolvimento de perguntas sistemático e sob controle. Também ajuda a alcançar um bom encaixe entre perguntas e métodos, critério crucial na validade da pesquisa.

Estou enfatizando esse ponto para me opor a uma tendência infeliz anterior nas pesquisas em ciências sociais. No Capítulo 1, o termo "metodolatria" foi usado:

> Uso o termo *metodolatria*, uma combinação de *método* e *idolatria*, para descrever uma preocupação com a seleção e defesa de métodos de modo a excluir a substância real da estória que está sendo contada. A metodolatria se caracteriza pela devoção e apego servil ao método que tantas vezes roubam o discurso nas áreas de educação e serviço humano (Janesick, 1994: 215).

Metodolatria significa colocar o método antes do conteúdo. É primeiro aprender o método de pesquisa e depois encontrar perguntas de pesquisa que possam ser encaixadas no método. É procurar perguntas de pesquisa tendo os métodos como guias.

Isso é um risco quando enfatizamos demais o ensino de métodos de pesquisa por si mesmos. Devido a esse risco, este livro se concentra na lógica e nos motivos que subjazem à pesquisa empírica e seus métodos. Depois de entender essa lógica, podemos nos concentrar nas perguntas de pesquisa e depois encaixar as técnicas e os métodos nas perguntas. Na minha opinião, a melhor sequência para se aprender atividades para a pesquisa é começar aprendendo a lógica da pesquisa, depois concentrar-se em identificar e desenvolver as perguntas de pesquisa, e então encaixar os métodos e as técnicas nas perguntas.

Estou usando o conceito de metodolatria para defender a minimização da influência direta dos métodos nas perguntas de pesquisa, o que podemos fazer primeiro esclarecendo as perguntas de pesquisa e depois nos concentrando nos métodos necessários para respondê-las. Mas os métodos também podem influenciar indiretamente as perguntas de pesquisa, restringindo o que pode ser estudado. Há limites em relação ao que pode ser desenhado na pesquisa e aos dados que podem ser obtidos e analisados. Embora isso esteja sendo levado em consideração, o conselho, entretanto, é concentrar-se ao máximo nas perguntas primeiro. No capítulo anterior, após demonstrar como diferentes abordagens metodológicas se encaixam em perguntas diferentes, Shulman enfatiza o mesmo ponto: "devemos nos concentrar primeiro em nosso problema e suas características antes de nos apressarmos a selecionar o método apropriado" (1988: 15). Assim, quando a incongruência entre as partes fica aparente durante o planejamento da pesquisa, é uma questão de adaptar as partes entre si.

O encaixe pergunta-método é um aspecto de clareza conceitual numa pesquisa. Clareza conceitual envolve o uso preciso e consistente de termos, consistência interna num argumento e relações lógicas entre conceitos, especialmente em níveis diferentes de abstração. O trabalho pré-empírico de desenvolvimento de perguntas descrito no Capítulo 4 se direciona a essa clareza conceitual. Desenvolver perguntas de pesquisa específicas é uma boa forma de obter clareza e correspondência entre perguntas e métodos.

Os paradigmas e estratégias diferentes na pesquisa qualitativa descortinam muitos tipos novos e diferentes de perguntas de pesquisa. Por exemplo, perguntas etnográficas podem se concentrar em aspectos culturais e simbólicos do comportamento; perguntas de teoria fundamentada podem se concentrar no entendimento dos processos sociais e na forma pela qual as pessoas administram tipos diferentes de situações; um estudo de análise da conversa pode se concentrar na estrutura da conversa e na função da conversa em atividades cotidianas às quais não damos atenção; perguntas da análise do discurso podem se concentrar no modo pelo qual uma instituição se apresenta ao mundo, os símbolos e a linguagem que usa e a sua conexão com a sua ideologia, conhecimento, poder etc. Os paradigmas, portanto, podem ser importantes na geração de perguntas de pesquisa. Especialmente na pesquisa qualitativa, o espectro de perguntas de interesse agora é bem amplo. Mas ainda é importante, mesmo com esse espectro mais amplo de perguntas, que os métodos usados surjam depois e se encaixem nas perguntas que buscamos responder.

## 2.6 Pré-especificada *versus* emergente: estrutura em perguntas de pesquisa, desenho e dados

Em que medida as perguntas de pesquisa, o desenho e os dados devem ser planejados antecipadamente e em que medida devem emergir (ou se revelar) enquanto a pesquisa se desenvolve?

Podemos definir um *continuum* para refletir sobre essa questão, em que a dimensão de interesse é a quantidade de estrutura pré-especificada na estratégia de pesquisa usada. A comparação central é entre a pesquisa que é pré-especificada (pré-planejada, prefigurada ou predeterminada) por um lado, e a pesquisa que é emergente (reveladora ou aberta) por outro. "Pré-especificada" aqui se refere ao volume de estrutura introduzido antes do trabalho empírico, e não durante o trabalho empírico. Esse *continuum* se aplica a três áreas principais – às perguntas de pesquisa, ao desenho de pesquisa e aos dados.

Miles, Huberman e Saldana (2013) discutem essa ideia no contexto da pesquisa qualitativa sob o título "rígida *versus* flexível". Esses termos equivalem aos termos usados aqui – "rígida" significa pré-especificada e "flexível" significa emergente. As perguntas fundamentais são: Em que medida o foco, a especificação e a estrutura das perguntas de pesquisa, do desenho e dos dados são definidos antes do trabalho empírico de fato? Em que medida o foco nas perguntas de pesquisa, e a estrutura no desenho e nos dados, se revelam e emergem durante o processo do trabalho empírico? O *continuum* de possibilidades é mostrado na Figura 2.2. O diagrama ilustra que a pesquisa quantitativa tipicamente se posiciona à esquerda do *continuum*, enquanto a pesquisa qualitativa pode ocupar uma faixa bem maior ao longo do *continuum*.

O termo "estrutura" usado aqui significa mostrar quais são as partes diferentes da pesquisa, como se relacionam, o que será feito na pesquisa e em qual sequência. Significa saber o que estamos buscando e como obtê-lo – saber quais dados desejaremos e como serão coletados. Também significa saber qual estrutura os dados terão e como serão analisados.

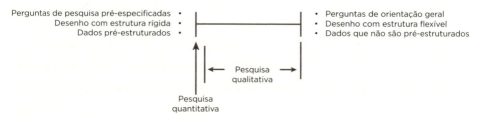

Figura 2.2 Pré-especificada *versus* emergente: periodização da estrutura

Na extremidade esquerda do *continuum*, tudo é pré-especificado – as perguntas de pesquisa, o desenho e os dados. Tudo é preparado, uma série de estágios é planejada e o pesquisador procede através desses estágios. Na outra extremidade, podemos imaginar um projeto em que se determina pouco a estrutura antecipadamente, com uma abordagem aberta e desestruturada às perguntas de pesquisa, desenho e dados. A estratégia é que eles emerjam durante o estudo. Vejamos o que significa esse contraste para cada uma das três áreas.

1. *Perguntas de pesquisa:* Na extremidade esquerda do *continuum*, perguntas de pesquisa específicas são definidas antecipadamente para orientar o estudo. Com antecedência, fica muito claro quais exatamente serão as perguntas que o estudo está tentando responder. Na extremidade direita, apenas perguntas gerais são definidas antecipadamente. O argumento aqui é que, até algum trabalho empírico ser realizado, não é possível (ou, se for possível, é insensato) identificar as perguntas de pesquisa específicas. Elas somente ficarão claras à medida que a pesquisa se desdobrar e um foco específico para o trabalho for desenvolvido. Wolcott (1982) descreve esse contraste como "buscar respostas" *versus* "buscar perguntas". Como veremos no Capítulo 5, muitas vezes há uma ligação estreita entre as perguntas de pesquisa e a estrutura conceitual do estudo. A questão descrita aqui em termos de perguntas de pesquisa se aplica a estruturas conceituais também – elas podem ser desenvolvidas e especificadas antes da pesquisa ou emergir durante a pesquisa. Quanto mais rígidas e pré-especificadas as perguntas de pesquisa forem, maior será a probabilidade de que também haja uma estrutura conceitual bem desenvolvida.

2. *Desenho:* Na extremidade esquerda, o desenho tem estrutura rígida. Os exemplos mais claros provêm da pesquisa quantitativa – estudos experimentais e estudos quantitativos não experimentais com estruturas conceituais cuidadosamente desenvolvidas. As perguntas de pesquisa, o desenho e a estrutura conceitual estão juntos aqui, já que um desenho com estrutura rígida exige que sejam identificadas variáveis e que a sua condição conceitual na pesquisa seja esclarecida. Na extremidade direita, o desenho é indicado somente em termos gerais (p. ex., como num estudo de caso emergente ou numa etnografia). Como as perguntas de pesquisa, assumirá um formato detalhado durante a pesquisa e à medida que o foco específico para o estudo seja desenvolvido.

3. *Dados:* Na extremidade esquerda, os dados são estruturados antecipadamente. Um exemplo muito claro são os dados quantitativos, em que a mensuração é usada para dar estrutura numérica aos dados. O uso de números é a forma mais comum de estruturar dados antecipadamente, mas também há outras formas. Sejam categorias numéricas ou não, o ponto é que tais categorias são preestabelecidas ou definidas *a priori*. Na extremidade direita, os dados são desestruturados no momento da coleta. Não são usados códigos ou categorias preestabelecidos. A estrutura dos dados, as categorias e códigos emergem a partir dos dados durante a análise – são desenvolvidos *a posteriori*. Portanto, a comparação é entre iniciar com categorias para os dados *versus* chegar até elas durante a análise dos dados – entre pré-codificar os dados e pós-codificar os dados. Esse ponto sobre dados tem implicações para a instrumentação na coleta de dados, não apenas na pesquisa quantitativa, mas também na pesquisa qualitativa.

O *continuum* mostrado na Figura 2.2 agora pode ser descrito com mais precisão. Ele se refere ao momento em que, na pesquisa, a estrutura é introduzida. A estrutura pode ser introduzida no estágio de planejamento ou pré-empírico, quando a pesquisa está sendo definida, antes que os dados sejam coletados; ou pode ser introduzida no estágio de execução da pesquisa durante o estudo, à medida que os dados estejam sendo coletados. De qualquer modo, a estrutura é necessária. Um projeto de pesquisa será difícil tanto para descrever quanto entender, e carecerá de credibilidade enquanto pesquisa, se não tiver estrutura nas suas perguntas de pesquisa, no seu desenho, especialmente nos seus dados, e também no seu relatório. Então, esse contraste não se refere a ter ou não estrutura, mas ao momento em que a estrutura ocorre no processo de pesquisa. Em outras palavras, esse *continuum* se refere à periodização da estrutura na pesquisa – se a estrutura é introduzida antes da pesquisa empírica ou durante e como resultado da pesquisa empírica.

As possibilidades ao longo desse *continuum* representam diferentes estilos de pesquisa possíveis. Conforme mostra o diagrama, há uma correlação entre esses estilos, por um lado, e as abordagens de pesquisa quantitativa e qualitativas usuais, por outro lado. É muito mais provável que o estudo quantitativo típico tenha perguntas de pesquisa específicas, uma estrutura conceitual clara e um desenho para as suas variáveis, e use a mensuração como o seu modo de estruturar os dados. É mais difícil falar sobre estudos qualitativos típicos, e eles podem abranger um espectro mais amplo ao longo do *continuum*. Muitos deles se posicionam na extremidade direita e com perguntas gerais, não específicas, definidas antecipadamente, com apenas um desenho geral e com dados não codificados no momento da coleta. Miles e Huberman (1994: 17) captam bem esse fato ao discutirem a pesquisa de campo como parte central da abordagem qualitativa:

> A imagem convencional da pesquisa de campo é aquela que usa os desenhos pré-estruturados o mínimo possível. Muitos antropólogos sociais e fenomenólogos sociais consideram os processos sociais complexos demais, relativos demais, elusivos demais ou exóticos demais para serem abordados com estruturas conceituais explícitas ou instrumentos-padrão. Preferem uma abordagem com estrutura mais flexível, emergente, indutivamente "fundamentada" em relação à coleta de dados: a estrutura conceitual deve emergir no campo durante o estudo; as perguntas de pesquisa importantes serão esclarecidas apenas gradualmente; cenários e atores importantes não podem ser selecionados antes do trabalho de campo; eventuais instrumentos devem derivar das propriedades do cenário e das visões que seus atores têm delas.

Essa correlação geral entre estilo e abordagem também vale para pesquisa com verificação de teoria *versus* pesquisa com geração de teoria, distinção discutida na Seção 2.4. É mais provável que a pesquisa com verificação de teoria, por definição, tenha perguntas de pesquisa claras que conduzem a hipóteses, um desenho com estruturação rígida e categorias preestabelecidas para os dados. A pesquisa com geração de teoria, por sua vez, provavelmente usará uma abordagem em que perguntas de pesquisa específicas emergem à medida que o estudo se desenvolve, e códigos e categorias para os dados são empiricamente gerados.

Não é uma questão de qual estratégia é melhor, pois boa parte da resposta a essa questão é "depende". A questão interage com a abordagem geral à pesquisa. É um estudo quantitativo, qualitativo ou que combina ambas as abordagens? Se for quantitativo, é provável que esteja na extremidade esquerda do *continuum* na Figura 2.2. Se for qualitativo, provavelmente haverá um espectro maior de possibilidades. Tampouco é uma escolha dicotômica entre duas posições extremas – é um *continuum*. Por motivos de clareza, a descrição nesta seção foi dada em termos de extremidades do *continuum*. Na realidade, há muitos pontos ao longo do *continuum*, e qualquer estudo pode combinar elementos de cada estratégia – pré-especificada ou emergente.

O volume de estrutura pré-determinada desejável num projeto é uma questão para análise em cada situação de pesquisa em particular. A estrutura é necessária. Mas a periodização da estrutura – quando é o momento apropriado para introduzir tal estrutura – depende de fatores como os tópicos e objetivos da pesquisa, disponibilidade do conhecimento relevante e teoria sobre o tópico, e a familiaridade do pesquisador com a situação estudada (Miles, Huberman e Saldana, 2013). Outros fatores a considerar são o estilo preferido da pesquisa, os recursos (inclusive o tempo) disponíveis ao pesquisador e até que ponto o pesquisador está interessado em explicação *versus* interpretação. Dependendo desses fatores, pode haver mérito em ambas as abordagens. Como apontam Miles, Huberman e Saldana (2013), o necessário é uma análise criteriosa de cada situação onde a pesquisa for proposta. A estratégia de pesquisa deve ser, então, personalizada ao máximo possível com base nessa análise.

A discussão nesta seção trata conjuntamente de perguntas de pesquisa, desenho e dados. Os capítulos subsequentes tratam de perguntas, desenho e dados separadamente antes de reuni-los de volta nos capítulos 14 e 15. Sem a intenção de criticar estudos emergentes exploratórios, vale notar alguns dos benefícios de ter ao menos um grau razoável de especificidade nas perguntas de pesquisa. Por exemplo, elas são uma orientação durante a coleta de dados inicial, assim economizando tempo e recursos e ajudando a evitar confusão e sobrecarga, benefício especialmente valioso para o pesquisador iniciante. Além disso, perguntas de pesquisa razoavelmente focadas facilitam a comunicação sobre a pesquisa, o que pode ser importante na apresentação (e aprovação) de uma proposta de pesquisa. Brewer e Hunter (2005) apontam que, quando um estudo é concluído, é irrelevante se as perguntas de pesquisa iniciaram o estudo ou emergiram dele – mas isso pode ser importante no estágio de proposição. Finalmente, é muito frequente que o pesquisador conheça os problemas de pesquisa propostos até numa área relativamente inexplorada ("dados experimentais" e "conhecimentos experimentais" – cf. Strauss, 1987 e Maxwell, 2012). É muito proveitoso apresentar esse conhecimento, e esforçar-se para desenvolver perguntas de pesquisa antes do trabalho empírico é uma boa forma de fazer isso.

É necessário um trabalho cuidadoso ao desenvolvermos perguntas de pesquisa específicas até o ponto de ficarem estáveis, e relacioná-las ao desenho, coleta de dados e análise de dados da pesquisa. A questão sendo considerada aqui é se esse trabalho é executado antes ou durante a pesquisa. Isso nos leva de volta à reunião adequada das várias partes de um projeto, como discutido na Seção 2.5. Essa reunião pode acontecer antes ou durante a pesquisa, mas precisa ser feita de qualquer maneira. Assim como a Seção 2.1 deste capítulo enfatizou os benefícios pragmáticos de "perguntas antes – métodos depois" na maximização dessa adequação, esta seção enfatiza os benefícios pragmáticos de se começar com perguntas de pesquisa que sejam ao menos razoavelmente bem desenvolvidas.

Em resumo: há um *continuum* de possibilidades referentes a estrutura pré-especificadora *versus* emergente na pesquisa. Ele se aplica a perguntas de pesquisa, desenho e dados. A questão é a estrutura e a sua periodização – quando é que a estrutura é introduzida na pesquisa? A pesquisa pré-especificada faz isso antes dos procedimentos empíricos. A pesquisa emergente o faz durante os procedimentos empíricos. Como regra geral, ao menos um grau razoável de especificidade nas perguntas de pesquisa iniciais é desejável, embora vários fatores precisem ser levados em conta em determinadas situações. O Capítulo 4 descreverá um modelo de pesquisa em que um esforço considerável é investido no desenvolvimento de perguntas de pesquisa antes do trabalho empírico. Mas esse não é o único modelo e, quando as perguntas de pesquisa vêm depois, ainda assim exigem tanto o desenvolvimento analítico descrito nos capítulos 4 e 5 quanto a correspondência com métodos, desenho e dados descrita na Seção 2.5 deste capítulo.

## Resumo do capítulo

- Teoria metodológica é a teoria sobre métodos e envolve filosofia. Isso porque métodos são baseados em paradigmas. Um paradigma é um conjunto de crenças sobre o mundo.
- O questionamento de paradigmas levou a um prolongado debate quantitativo-qualitativo, caracterizado por um pensamento exclusivista. Essa foi uma característica proeminente nas guerras paradigmáticas entre filósofos e metodologistas que aconteceram nas décadas de 1960, 1970 e 1980.
- As questões paradigmáticas convergiram recentemente no positivismo (principalmente associadas aos métodos quantitativos) por um lado, e no interpretativismo ou construtivismo (principalmente associadas aos métodos qualitativos) por outro lado.
- Um projeto de pesquisa pode ser conduzido por paradigmas, começando com um paradigma e desenvolvendo métodos e perguntas de pesquisa a partir dele, ou pragmático, começando com perguntas de pesquisa que precisem de respostas e escolhendo métodos para respondê-las.
- O objetivo da teoria substantiva é explicar algum fenômeno substantivo de interesse.
- Descrição e explicação são dois níveis diferentes de se entender dados empíricos. Ambas são importantes, mas o objetivo geral da pesquisa científica é a explicação, não simplesmente a descrição. Isso mostra a importância da teoria explicativa.

- A pesquisa com verificação de teoria começa com uma teoria, desenvolve hipóteses a partir dessa teoria e depois testa as hipóteses diante de dados empíricos. Por outro lado, a pesquisa com geração de teoria começa com dados e perguntas de pesquisa e objetiva concluir com uma teoria que explique os dados.
- A boa pesquisa tem uma adequação estreita entre as perguntas que faz e os métodos que usa. Uma boa forma de conseguir tal adequação é que os métodos resultem das perguntas.
- Na pesquisa pré-especificada, os métodos e as perguntas de pesquisa são pré-planejados, e a parte empírica da pesquisa implementa esses métodos. Na pesquisa emergente, as perguntas e os métodos são, ao menos de certa forma, desenvolvidos à medida que a pesquisa é realizada. A diferença está na periodização da estrutura da pesquisa. A "melhor" abordagem precisa ser determinada em cada situação de pesquisa em particular.

## Termos-chave

Adequação entre pergunta-método: necessidade de consistência interna entre as perguntas de pesquisa feitas e os métodos usados para respondê-las; aspecto importante da validade da pesquisa.

Construtivismo: postura filosófica em que as realidades são locais, específicas e construídas, e têm base social e experimental, dependendo das pessoas que as sustentem.

Descrição: uso de dados para retratar uma situação, evento, pessoa(s) ou algo similar; concentra-se no que é o caso.

Explicação: o relato de uma descrição, mostrando por que e como eventos ou situações se tornaram o que são; concentra-se em por que (ou como) algo é o caso.

Interpretativismo: postura filosófica que defende que as pessoas levam significados às situações e usam esses significados para entender o seu mundo e influenciar o seu comportamento.

Paradigma: conjunto de pressupostos sobre o mundo e o que constitui tópicos e técnicas adequados para investigar esse mundo. Os paradigmas têm uma dimensão ontológica (concernente à natureza da realidade), uma dimensão epistemológica (concernente ao conhecimento sobre tal realidade) e uma dimensão metodológica (concernente a métodos para construir o conhecimento da realidade).

Pesquisa com geração de teoria: pesquisa que começa com perguntas de pesquisa e dados, e objetiva construir uma teoria para explicar os dados; termina com a teoria.

Pesquisa com verificação de teoria: pesquisa que se propõe a testar uma teoria, testando hipóteses derivadas de uma teoria; começa com a teoria.

Pesquisa conduzida por paradigmas: pesquisa que começa com um paradigma e desenvolve perguntas de pesquisa e métodos a partir dele.

Pesquisa emergente: pesquisa que não tem alto grau de estrutura antes do início do trabalho empírico; as perguntas de pesquisa iniciais podem ser flexíveis e gerais, e perguntas, métodos e dados mais específicos são desenvolvidos durante o trabalho empírico.

Pesquisa pragmática: pesquisa que começa com perguntas de pesquisa e depois escolhe métodos para respondê-las.

Pesquisa pré-especificada: pesquisa que tem alto grau de estrutura antes da realização do trabalho empírico; perguntas de pesquisa, métodos e dados são especificados antecipadamente.

Positivismo: postura filosófica que sustenta que relatos objetivos do mundo podem ser dados e que a função da ciência é desenvolver descrições e explicações na forma de leis universais – ou seja, desenvolver o conhecimento nomotético.

Teoria metodológica: teoria sobre métodos e pressupostos filosóficos que (necessariamente) subjazem a qualquer conjunto de métodos de pesquisa.

Teoria substantiva: teoria pautada em conteúdo que objetiva desenvolver uma série de proposições internamente consistentes para explicar um fenômeno substantivo de interesse; a teoria substantiva é explicativa.

## Exercícios e perguntas para estudo

1. O que é paradigma? Quais são as três principais dimensões dos paradigmas?
2. O que foram as "guerras paradigmáticas"?
3. Como paradigmas e métodos estão conectados?
4. O que é uma abordagem de pesquisa conduzida por paradigmas? O que é uma abordagem de pesquisa pragmática? Qual é a diferença entre as duas?
5. Como seria uma *descrição* do clima do inverno de Londres (p. ex.)? Como seria uma *explicação* desse clima? Qual é a diferença?
6. A quais tipos de tópicos e perguntas de pesquisa a pesquisa pré-estruturada seria apropriada?
7. A quais tipos de tópicos e perguntas de pesquisa a pesquisa emergente seria apropriada?

# Leitura complementar

Anfara, V.A. e Mertz, N.T. (2006) *Theoretical Frameworks in Qualitative Research*. Thousand Oaks, CA: Sage.

Babbie, E. (2012) *The Practice of Social Research*. 13. ed. Belmont, CA: Wadsworth.

Bailey, K.D. (2008) *Methods of Social Research*. 4. ed. Nova York: Simon & Schuster.

Creswell, J.W. (2013) *Research Design: Qualitative and Quantitative Approaches*. 4. ed. Thousand Oaks, CA: Sage.

Lewins, F. (1992) *Social Science Methodology*. Melbourne: Macmillan.

Little, D. (1991) *Varieties of Social Explanation: An Introduction to the Philosophy of Social Science*. Boulder, CO: Westview.

Marshall, C. e Rossman, G.B. (2010) *Designing Qualitative Research*. 5. ed. Thousand Oaks, CA: Sage.

Maxwell, J.A. (2012) *Qualitative Research Design: An Interactive Approach*. 3. ed. Thousand Oaks, CA: Sage.

Miles, M.B., Huberman, A.M. e Saldana, J. (2013) *Qualitative Data Analysis*. 3. ed. Thousand Oaks, CA: Sage.

Neuman, W.L. (2010) *Social Research Methods: Qualitative and Quantitative Approaches*. 7. ed. Harlow: Pearson.

Wolcott, H.F. (1994) *Transforming Qualitative Data: Description, Analysis, and Interpretation*. Thousand Oaks, CA: Sage.

# Notas

1. As "guerras paradigmáticas" foram especialmente vigorosas na área de pesquisa em educação. Um bom registro dessas "guerras", incluindo os movimentos de reconciliação e trégua, pode ser encontrado numa série de artigos em *The Educational Researcher*, começando na década de 1970.

2. O nível "difícil" se refere a definições precisas dos dois termos e investigações filosóficas sobre o conceito de explicação – cf., por exemplo, Little (1991) e Lewins (1992).

3. Explicação em si é um conceito filosófico complexo. Outra forma é a de "ligações perdidas". Aqui, um evento, ou generalização empírica, é explicado(a) demonstrando-se as ligações que o(a) provocam. Portanto, a relação entre classe social e sucesso escolástico pode ser explicada pelo uso do capital cultural (Bourdieu, 1973) como ligação entre eles. Ou a relação entre

classe social e autoestima pode ser explicada usando-se a relação pai/mãe--filho como ligação entre elas (Rosenberg, 1968: 54-82).

4. Uma visão nomotética considera o conhecimento generalizado, as leis universais e as explicações dedutivas como baseados principalmente em probabilidades derivadas de amostras amplas e fora das restrições cotidianas. Uma visão ideográfica considera o conhecimento nomotético insensível a significados locais e baseados em casos, e direciona a atenção aos detalhes de casos particulares. Prefere considerar o conhecimento algo local e situado (Denzin e Lincoln, 2011). A visão ideográfica, portanto, aponta para o entendimento e a interpretação como objetivos importantes de pesquisa, além da descrição e explicação.

5. Observe também a crítica de Atkinson (1978) a essa obra, concentrando-se em como as taxas de suicídio são construídas e o que significam.

# 3
# ÉTICA NA PESQUISA EM CIÊNCIAS SOCIAIS

*Alis Oancea*

## Sumário

3.1 Introdução
3.2 Princípios éticos e situações de pesquisa
3.3 Exigências procedimentais: a função dos códigos éticos
3.4 Desafios na ética de pesquisa das ciências sociais
3.5 A ética da pesquisa de alunos como deliberação situada
   Resumo do capítulo
   Termos-chave
   Exercícios e perguntas para estudo
   Leitura complementar

---

**OBJETIVOS DE APRENDIZAGEM**

**Após estudar este capítulo, você saberá:**

• Apreciar a importância de princípios filosóficos e exigências procedimentais na formatação de decisões sobre questões éticas na pesquisa em ciências sociais;
• Descrever as principais questões éticas envolvidas em todos os estágios da pesquisa em ciências sociais;
• Identificar fontes apropriadas de orientação ética para a sua pesquisa;
• Deliberar sobre as implicações éticas da sua pesquisa.

---

## 3.1 Introdução

Ética é o estudo do que são atitudes boas, corretas ou virtuosas; a ética aplicada concentra tal estudo em questões e contextos particulares e complexos. Ética de pesquisa é um ramo da ética aplicada que se concentra em contextos específicos de planejamento, condução, comunicação e acompanhamento de pesquisa. O estudo desses contextos e dos aspectos éticos dos julgamentos complexos necessários produziu uma vasta literatura que define uma série de valores, princípios gerais e regras específicas norteadores da prática de pesquisa e que explora as formas pelas quais determinados contextos moldam o processo ético decisório em pesquisa.

Alguns desses princípios foram formalizados em códigos de prática ética, que sinalizam áreas em comunidades de pesquisa que definem consensos sobre o que é aceitável fazer e em que condições. Por exemplo, os códigos podem estimular os pesquisadores a considerar questões de acesso e consentimento, de confidencialidade e anonimato ou de prejuízos e benefícios na pesquisa à luz de recomendações pautadas em princípios morais, experiência na área e ideias originárias de debates históricos e contínuos acerca de ética em pesquisa. Algumas dessas áreas de acordo ainda foram institucionalizadas para produzir regulações éticas consistindo em conjuntos de exigências procedimentais para os pesquisadores (p. ex., para obter a aprovação de um comitê de ética) considerados importantes pelas organizações envolvidas no escrutínio da prática de pesquisa, inclusive instituições de ensino superior e patrocinadores de pesquisas.

Desafios éticos na pesquisa surgem em todos os desenhos e abordagens e em todos os estágios de um projeto, desde a escolha do tópico de pesquisa, o que suscita questões sobre a utilidade da pesquisa, até o estágio do relatório e da publicação e, além disso, outros usos e resultados. A abordagem-padrão à ética de pesquisa envolve um movimento dedutivo que parte dos princípios e regras em direção à aplicação. Por exemplo, no contexto do escrutínio das propostas de pesquisa por comitês de ética institucionais, os revisores podem identificar uma regra relevante (como "deve-se evitar prejuízo") e usar a informação descritiva relevante sobre a conduta proposta de pesquisa para decidir se em determinado projeto sob escrutínio é provável que a regra seja violada ou não. Essa abordagem foi criticada por alguns estudiosos, ao perceberem que princípios e regras não determinam a prática, que é aberta e situada (cf. McNamee e Bridges, 2002). Ademais, além dos princípios éticos, muitas outras restrições às decisões éticas podem existir, como considerações legais, metodológicas, políticas e econômicas, e ser capazes de formatar os procedimentos éticos de pesquisa.

Os pesquisadores das ciências sociais precisam estar atentos às várias restrições que cercam a sua pesquisa e às implicações éticas de quaisquer decisões que tomem. Eles estão envolvidos numa deliberação norteada por princípios sobre questões moralmente significativas e atitudes aceitáveis em determinadas situações de pesquisa. Ao fazê-lo, podem se pautar no próprio entendimento sobre os detalhes de cada situação e dos valores pessoais e profissionais infundidos, assim como na sua interpretação crítica da regulamentação e várias orientações disponíveis.

## 3.2 Princípios éticos e situações de pesquisa

Observemos um exemplo hipotético de uma situação de pesquisa eticamente rica:
Uma aluna deseja estudar práticas de ensino efetivas no ensino superior. Após rever a literatura, a aluna está preocupada com dois aspectos da pesquisa anterior: o potencial para uma parcialidade introduzida pelo pesquisador e, além disso, o que considera um foco insuficiente nas relações de poder em sala de aula. Na tentativa de reduzir a parcialidade e revelar relações de poder em sala de aula, a aluna está considerando fazer uma pesquisa de observação oculta na sua própria instituição de ensino superior. Ela espera não somente produzir um relato confiável de situações que ocorrem naturalmente, mas também um relato autêntico que possa ajudar a fortalecer participantes eventualmente em desvantagem no equilíbrio de poder em tais situações, incluindo mulheres e participantes de minorias étnicas. Uma pesquisa oculta nesse cenário seria eticamente aceitável?

Independentemente da precisão na avaliação da literatura executada pela aluna hipotética e do realismo das suas expectativas, esse exemplo convida o leitor a se envolver numa forma de raciocínio "normativo" que implica afirmativas sobre o que deve ser feito e por quê. Tal forma de raciocínio se pauta em afirmativas factuais sobre qual é o caso em determinada situação e as vincula a afirmativas de crença concernentes a objetivos, regras e princípios sobre como as coisas devem ser. A diferença básica entre pensar (p. ex.) sobre a obtenção de uma coleta e análise de dados tecnicamente precisas e deliberar sobre ações responsáveis em situações de pesquisa eticamente complexas é crucial para entender o contexto ético da pesquisa, as responsabilidades dos pesquisadores na pesquisa e os recursos disponíveis para ajudá-los na sua condução. O que essa distinção sugere é que, embora afirmativas factuais sobre a pesquisa, códigos, orientações e princípios básicos sejam úteis, a prática de pesquisa ética definitivamente é uma questão de julgamento responsável e situado.

Então como poderia raciocinar a aluna que está considerando fazer uma pesquisa oculta na própria instituição? Não existe uma resposta absolutamente objetiva. As diretrizes institucionais podem simplesmente dispor que práticas enganosas injustificadas devem ser evitadas e deixar mais ou menos a critério do pesquisador construir um caso para o que pode ser considerado prática enganosa justificada ou razoável. Na ética filosófica, há muitas tradições que podem auxiliar nesse processo, cada uma podendo ajudar a iluminar um conjunto sutilmente diferente de aspectos eticamente importantes de situações de pesquisa.

Por exemplo, a aluna poderia argumentar que a sua decisão precisará estar pautada num compromisso relativo à aplicação de diferentes regras e princípios morais. Poderia argumentar que "não enganar" é uma regra de prioridade mais baixa numa situação de discriminação percebida do que "maximizar benefícios a quem mais precisa deles". Contudo, ela poderia, do mesmo modo, argumentar que objetivos moralmente corretos não justificam meios moralmente errados e que, portanto, não há fundamentos razoáveis para a decisão de enganar.

Para resolver o dilema, ela pode recorrer a princípios de ordem superior, como o imperativo de tratar os outros com respeito, ou exemplos de comportamento moral antigo nos quais ela pode se espelhar. A decisão é definitivamente dela, embora possa partir de consensos profissionais cristalizados em códigos de ética profissional, ser sancionada por comitês relevantes e informada por debates em comunidades de pesquisa. Ela também assume a responsabilidade moral – e legal, embora talvez nem sempre ou não unicamente – pelas consequências da própria escolha.

O exemplo anterior se refere a uma prática enganosa. Podemos interrogar outras situações hipotéticas de maneiras similares. Por exemplo, é aceitável não oferecer benefícios aos participantes na pesquisa experimental, se não for oferecida ao grupo de controle uma alternativa comparável ao tratamento potencialmente benéfico recebido pelo grupo de intervenção? E num modelo diferente de pesquisa, o que o pesquisador deve fazer quando evidências de comportamento perigoso surgirem em entrevistas confidenciais ao longo da pesquisa?

Para tomar uma decisão sobre a aceitabilidade de determinada forma de conduzir a pesquisa numa situação concreta, o pesquisador precisa encontrar maneiras de interrogar a situação e deliberar sobre os seus objetivos e os modos pelos quais serão alcançados à luz de informações empíricas, princípios éticos e regras básicas, exemplos de ações, e aspirações morais e profissionais individuais e coletivas.

O Quadro 3.1 ilustra três formas pelas quais podemos começar a interrogar um cenário de pesquisa eticamente complexo, cada uma indicando aspectos éticos de certa forma diferentes e pautando-se em determinadas tradições da ética filosófica. Elas mostram que pode haver uma série de pontos focais para pensar sobre ética na pesquisa (mas note que também há muitas abordagens híbridas que atravessam determinadas tradições).

---

## QUADRO 3.1

### Interrogando a prática de pesquisa a partir de uma série de perspectivas éticas

1. Deveres: Qual é o meu dever/dever dos meus colegas nesta situação? O que é o certo neste caso? Os erros foram cometidos deliberadamente ou devido à negligência? Como podem ser revertidos ou corrigidos?

2. Consequências: Quais são as prováveis consequências das atitudes disponíveis para mim (inclusive não fazer nada)? Como cada potencial atitude afetará os indivíduos e comunidades relevantes (inclusive a mim) nesta situação? Quais danos potenciais podem resultar de cada atitude? Quais seriam os benefícios de atitudes diferentes que eu posso tomar? Como esses prejuízos e benefícios diferentes se comparam? Em termos de equilíbrio, qual é a melhor atitude a tomar agora?

3. Virtudes: Como uma pessoa virtuosa agiria nesta situação? Quais valores desejo expressar na minha ação? Como os meus exemplos morais atuariam nesta situação? Como eu deveria viver – que tipo de pessoa me esforço para ser? Quem desejo ser em toda esta situação?

---

O primeiro grupo de perguntas do Quadro 3.1 se concentra nas ideias de dever, obrigações e direitos, incentivando o pesquisador a pensar sobre a identificação da atitude **correta** na situação descrita. As perguntas refletem uma tradição consagrada na ética que muitos chamam de ética deontológica (do grego *deon*, que significa *dever*), a qual enfatiza a ação inspirada no dever, e não no prazer, inclinação ou interesse. Essa abordagem é centrada em princípios universais (que independem de condições particulares); um exemplo é o imperativo categórico de Immanuel Kant, formulação que enuncia: "aja de tal forma que trate a humanidade, tanto na sua pessoa como na pessoa de qualquer outro, nunca simplesmente como meio, mas sempre e ao mesmo tempo como fim" (1964: 96). Nessa tradição, as decisões éticas tendem a ser dedutivas: começa com princípios (como confiabilidade, respeito e beneficência) a partir dos quais derivam regras (como "não distorça deliberadamente os seus dados", "não engane", "não prejudique os participantes"). Julgamentos reais se referem a essas regras, que são obrigatórias independentemente das consequências. As abordagens éticas deontológicas funcionam se houver uma série de regras baseadas em princípios e valores absolutos; se essas regras forem justas e amplamente aceitas; se indivíduos e grupos estiverem preparados para apoiá-las apesar das consequências imediatas; e se indivíduos e grupos tiverem acesso a orientações para a seleção e aplicação das regras, especialmente em casos de conflito (como um possível conflito entre confiabilidade e beneficência).

O segundo grupo de perguntas do Quadro 3.1 se concentra nas consequências das ações e no equilíbrio resultante entre benefícios e prejuízos. O seu objetivo é encontrar a **melhor** atitude, ou seja, aquela que provavelmente resultaria no melhor para todos os envolvidos. Na ética teleológica (do grego *telos* – meta, objetivo, fim, destinação), o foco passa de deveres e fatos universais para consequências ou resultados das ações. O valor moral é determinado pelas consequências de um ato; a natureza do ato é secundária. A boa ação objetiva alcançar o bem maior (saúde, felicidade, bem-estar, conhecimento) em geral. É a chamada "maior felicidade" ou princípio da utilidade: "as ações são corretas na medida em que tendem a promover a felicidade, erradas na medida em que tendem a promover o reverso da felicidade" (Mill, 1863: 9-10). Outras versões incluem conquistar "a maior felicidade possível para o maior número possível" de pessoas (Bentham, 1823: 9), "o maior equilíbrio possível do bem sobre o mal no mundo" (Frankena, 1973: 34); a maximização de benefícios e a minimização de prejuízos para todos aqueles previsivelmente afetados por uma ação; e a garantia de que a ação, inclusive a pesquisa, tem a probabilidade razoável de gerar benefícios e que nenhuma alternativa de efetividade comparável existe (WMA, 2000, Art. 19). A ética da consequência exige entendimento abrangente dos fatos da situação, previsão precisa das prováveis consequências e habilidade de assegurar justiça enquanto se maximiza o bem sobre o prejuízo.

O último grupo de perguntas passa da ênfase em princípios e consequências universais para ações que surgem de determinadas disposições em determinadas situações. As perguntas estimulam o escrutínio dos modos de ser individuais e dos outros e buscam as disposições ou traços que incorporem excelência moral, ou virtude, através da sua ação. Em outras palavras, essas perguntas buscam os modos mais **virtuosos** de ser e viver. Para a ética aretaica (do grego *arete* – virtude, valor, excelência), agir eticamente significa agir de acordo com os traços ou disposições da pessoa virtuosa. Isso pode incluir imparcialidade intelectual, benevolência, honestidade ou pode referir-se a um conceito mais holístico de integridade e excelência na pesquisa. A ação virtuosa se baseia em sabedoria moral e discernimento, o que inclui uma apreciação da situação – ou seja, a capacidade de entender a situação e discernir as suas questões moralmente significativas. Também é um exercício de virtuosidade – a transposição habilidosa de tais disposições para uma ação moralmente apropriada. Culturas de pesquisa eticamente saudáveis sustentam uma prática de pesquisa virtuosa e o florescimento de pesquisadores virtuosos. Não existe um único princípio ou código que capte tudo isso; na melhor das hipóteses, temos somente princípios básicos e exemplos de outras pessoas para nos ajudar a reconhecer, escolher e sustentar uma pesquisa virtuosa. Assim, uma abordagem aretaica tem como premissa a habilidade de reconhecer, entender e escolher a virtude, associada a leituras afinadas e sensíveis da situação, incluindo o entendimento de si mesmo e dos outros (cf., p. ex., Aristóteles e, nos dias atuais, Elizabeth Anscombe, Alasdair MacIntyre, Martha Nussbaum e Linda Zagzebski).

Outras abordagens à ética na pesquisa também enfatizam a importância de determinadas situações na definição e tratamento de questões éticas. Abordagens éticas situadas enfatizam que as decisões éticas são contextuais e os problemas éticos nunca são claramente definidos nem totalmente resolvidos. Elas mostram que as preocupações éticas na pesquisa, como debates éticos mais gerais na sociedade, são mais abrangentes do que pode ser delimitado por conjuntos de regras. A ética feminista aplicada tem um foco agudo em temas fundamentais de poder, responsabilidade e compromisso, além de questionar a noção de conhecimento neutro e importância da prescrição ética que desconta ponto de vista, experiência pessoal, emoção, nutrição e cuidado (Edwards e Mauthner, 2002; Usher, em Simmons e Usher, 2000).

### 3.3 Exigências procedimentais: a função dos códigos éticos

Os debates sobre ética na pesquisa têm uma história longa, mas tornaram-se mais intensos no século XX. Esses debates foram estimulados por escândalos em estudos prejudiciais e exploradores, especialmente na pesquisa médica, como o estudo sobre sífilis de Tuskegee, com homens negros, o estudo sobre hepatite na escola Willowbrook, com crianças portadoras de deficiência mental, e muitos experimentos terríveis com seres humanos durante a Segunda Guerra Mundial e a Guerra Fria. A pesquisa psicológica e social também entrou no páreo – por exemplo, o estudo sobre gagueira em Iowa, com crianças órfãs, o experimento na prisão de Stanford, e os experimentos de Milgram (1974) sobre obediência foram alvos de intensa controvérsia. Reações a esses experimentos levaram ao estabelecimento de uma regulação formal sobre ética em pesquisa, como o Código de Nuremberg de 1947, a Declaração de Helsinque de 1964 da Associação Médica Mundial, o Relatório de Belmont de 1979, nos EUA, e uma série de leis de proteção a dados e experimentação humana no mundo inteiro. Embora muitas dessas questões consideradas controversas na época desses debates agora seriam consideradas práticas de pesquisa inaceitáveis, novas questões difíceis têm emergido desde então, à medida que as tecnologias disponíveis aos pesquisadores se tornaram mais complexas. Isso levou ao desenvolvimento de novas áreas de ética na pesquisa (como a ética nas pesquisas de geoengenharia, realidade virtual, células-tronco ou melhoramento humano), mas também a áreas desafiadoras de consenso anterior (como aquelas que envolvem pesquisa com sujeitos incapazes). Portanto, a ética na pesquisa continua a ser uma área dinâmica.

Regulamentações profissionais e códigos de ética, inclusive aqueles para a pesquisa, tendem a incluir regras detalhadas que são mais específicas e limitadas em escopo do que os princípios filosóficos que porventura subjazam a eles. Podem pautar-se desigualmente em diferentes tradições éticas, muitas vezes privilegiando uma abordagem deontológica. Eles estipulam padrões de conduta ou formas "próprias" de comportamento para membros de uma profissão, assim como uma série de condições e procedimentos para a sua aplicação. Esses padrões, como aqueles concernentes a confidencialidade e consentimento informado, são o produto de um acordo negociado sobre a prática aceitável em certos contextos profissionais, ocupacionais e institucionais. Eles agregam dimensões coletivas e institucionais aos processos éticos decisórios na pesquisa. A sua função é (a) oferecer recursos que possam informar eticamente decisões aceitáveis dos pesquisadores; e (b) construir estruturas de consensos diante das quais atitudes e condutas de pesquisa propostas e reais possam ser julgadas e sancionadas por autoridades relevantes (p. ex., um comitê que defira ou indefira uma "autorização ética", ou um examinador que considere a abordagem descrita numa tese eticamente aceitável ou não). Em âmbito institucional, o estabelecimento de mecanismos formalizados para escrutínio ético também surge a partir de uma preocupação com litígio.

Como exemplo, o Quadro 3.2 descreve alguns dos códigos mais conhecidos produzidos por associações profissionais e patrocinadores na área da pesquisa educacional. Algumas das suas prescrições são especialmente estritas, além de desafiadoras, na pesquisa que envolve populações vulneráveis, incluindo crianças (segundo a Convenção das Nações Unidas sobre os Direitos da Criança, qualquer pessoa menor de 18 anos).

---

**QUADRO 3.2**

### Regulamentações e códigos de ética para a pesquisa educacional

O código de ética da Associação Australiana para Pesquisa em Educação (2005, www.aare.edu.au/ethics/ethcfull.htm) começa com afirmativas detalhadas de princípios ecleticamente pautadas numa série de tradições éticas. Esses princípios incluem: consideração da amplitude em que as consequências da pesquisa melhoram o bem-estar geral; reconhecimento da variedade de visões sobre o que é considerado uma vida boa e, portanto, educacionalmente vantajosa; e priorização do respeito pela dignidade, valor e bem-estar de pessoas sobre considerações de benefício público ou interesses dos pesquisadores. O código, então, concentra-se em questões procedimentais referentes a minimização de prejuízos, consentimento informado e participação voluntária, confidencialidade, integridade e responsabilidade social na execução, relatórios e publicação da pesquisa.

O código da Associação de Pesquisa Educacional Americana (2011, www.aera.net/Portals/38/docs/About_AERA/CodeOfEthics(1).pdf) pauta-se em princípios de competência, integridade, responsabilidade e respeito profissional pelos direitos, dignidade e diversidade das pessoas. Busca estabelecer padrões para diferentes estágios e contextos de pesquisa, desde planejamento até publicação e uso da pesquisa. Os padrões incluem prática acadêmica (p. ex., competência e treinamento, questões contratuais, conflitos de interesses, publicação e revisão, autoria e integridade acadêmica) e estipulam minuciosamente as condições para garantir confidencialidade e consentimento informado.

As diretrizes éticas da Associação de Pesquisa Educacional Britânica (2011, http://bera.dialsolutions.net/system/files/3/BERA-Ethical-Guidelines-2011.pdf) declaram o compromisso da associação com "uma ética de respeito pela pessoa, conhecimento, valores democráticos, qualidade da pesquisa educacional e liberdade acadêmica". Descrevem exigências procedimentais em termos de responsabilidades dos pesquisadores: para os participantes da pesquisa (como garantir consentimento informado voluntário, direito de abandono e evitar danos); para os patrocinadores da pesquisa; para a comunidade de pesquisadores educacionais (inclusive conduta apropriada e reconhecimento de autoria); e para os profissionais da educação, legisladores e público em geral.

Finalmente, vários patrocinadores também emitiram padrões éticos que podem ser altamente prescritivos – vão além de sinalizar valores profissionais e funcionam como regulação ética. A estrutura ética do Conselho de Pesquisa Social e Econômica do Reino Unido (2012, www.esrc.ac.uk/_images/Framework-for-Research-Ethics_tcm8-4586.pdf) abre com uma declaração de seis "princípios", que são uma mistura de princípios morais e exigências procedimentais. Depois apresenta uma descrição técnica detalhada dos procedimentos éticos e requisitos mínimos para projetos patrocinados. Similarmente, a Comissão Europeia (http://cordis.europa.eu/fp7/ethics_en.html) desenvolveu uma estrutura ética que combina preocupação com os princípios de respeito pela dignidade humana, utilidade, precaução e justiça com exigências legais e técnicas minuciosas.

## 3.4 Desafios na ética de pesquisa das ciências sociais

Punch (1994) resume as principais questões éticas na pesquisa social como prejuízo, consentimento, engano, privacidade e confidencialidade de dados. Miles e Huberman (1994: 290-297) têm uma lista mais ampla de 11 questões éticas que normalmente precisam de atenção antes, durante e depois de estudos qualitativos, embora muitas também se apliquem a estudos quantitativos. A lista inclui:

- Questões que surgem no início do projeto de pesquisa: mérito do projeto; competência para executar o projeto; consentimento informado; benefícios, custos e reciprocidade.
- Questões que surgem ao longo do projeto: prejuízo e risco; honestidade e confiança; privacidade, confidencialidade e anonimato; intervenção (p. ex., quando um comportamento errado ou ilegal é testemunhado) e defesa (p. ex., dos interesses dos participantes).
- Questões que surgem no final ou depois do projeto: integridade e qualidade da pesquisa; propriedade de dados e conclusões; uso e mau uso de resultados.

Mais recentemente, Hammersley e Traianou (2012) concentram a sua discussão nas seguintes preocupações: risco de prejuízo; autonomia e consentimento informado; e privacidade, confidencialidade e anonimato. Ao mesmo tempo, alertam sobre os perigos do que consideram "moralismo" excessivo ou ética "exagerada" na pesquisa (p. 136): consideram a ética um conjunto de valores extrínsecos ao trabalho central dos pesquisadores, que é a produção de conhecimento "de modos que respondam perguntas que valham a pena de acordo com o nível exigido de validade provável" (p. 1-2). Recomendam um foco primário nas virtudes de pesquisa "intrínsecas", como objetividade, independência e dedicação como forma de resolver potenciais tensões entre valores morais e objetivos de conhecimento, ou entre "virtude e validade" na pesquisa (Figueroa, em Simmons e Usher, 2000: 82).

Esta seção discute algumas das exigências mais comuns direcionadas à pesquisa em universidades e enfatiza alguns dos desafios éticos na condução de pesquisa em cenários educacionais. O foco da discussão será em exigências e procedimentos para o tratamento dos participantes, oriundos de princípios de autonomia, confidencialidade e beneficência. Outras exigências, como aquelas concernentes a conduta e má conduta acadêmica (falsificação, plágio, exploração, discriminação, prática de publicação inaceitável, conflito de interesses etc.), não são discutidas aqui, mas estão incluídas nos códigos de ética descritos no Quadro 3.2.

### Autonomia

O acesso a um cenário e/ou dados secundários da pesquisa normalmente é negociado com os guardiões relevantes (como o diretor da escola, p. ex.). A guarda responsável inclui entender a pesquisa, sensibilidade ao cenário e cuidado com os participantes. Os pesquisadores, por sua vez, precisam estar cientes das complexidades das funções dos guardiões (Homan, 2004). Um diretor, por exemplo, pode precisar levar muitos fatores em conta diante de uma solicitação de acesso à sua escola para então saber se deve priorizar demandas concomitantes referentes ao tempo dos alunos e professores.

---

**EXEMPLO 3.1**

**Desafios de acesso e consentimento**

*Burgess, R.G. (1989) Grey areas: Ethical dilemmas in educational ethnography. In: R.G. Burgess (ed.) The Ethics of Educational Research. Barcombe: The Falmer Press.*

"Quando fui autorizado a fazer as entrevistas de emprego com os professores, cheguei a um acordo com o diretor para que ele me apresentasse a todos os candidatos ou me desse abertura para fazer isso sozinho. Porém, logo percebi que isso raramente acontecia de modo siste-

> mático. Nas primeiras entrevistas de emprego em que estive presente, o diretor me deu a oportunidade de me apresentar aos candidatos e perguntar se tinham alguma objeção à minha presença. Desnecessário dizer que nenhum candidato se opôs a essa nem a outras entrevistas. Porém, é dúbio se esse tipo de situação pode ser considerado como algo que constitui consentimento informado, em vista das relações de poder envolvidas na situação. "Que candidato arriscaria me expulsar da entrevista se estava claro que o diretor e os dirigentes haviam me convidado para a situação?" (p. 60).
>
> Leia o livro: Burgess, R.G. (1983) *Experiencing Comprehensive Education – A study of Bishop McGregor School.* Londres: Methuen

Após acesso a um cenário, a coleta de dados primários normalmente acontece mediante consentimento explícito dos participantes ou dos seus representantes legais no caso de populações em que a probabilidade de consentimento direto é questionável, como no caso de crianças. Essa exigência normalmente é denominada "consentimento informado voluntário", significando que os participantes concordam livremente em ser parte da pesquisa, que entendem o que envolve a sua participação e como ela será relatada, e que se sentem livres para cancelar o seu acordo a qualquer momento durante o processo de pesquisa. O consentimento pode ser dado ativamente, através de procedimentos de opção de participação (p. ex., quando os participantes assinam ativamente e devolvem um formulário de consentimento em um ou vários momentos do processo de pesquisa – por exemplo, um professor que concorde em participar de uma entrevista presencial); ou passivamente, através de procedimentos de opção de saída (p. ex., quando os participantes ou seus representantes somente devolvem o formulário caso se recusem a participar – quando os pais optam por sair antes que o questionário seja distribuído a todas as crianças da escola).

Esse processo pode ser mais desafiador em pesquisas conduzidas em cenários onde possa ser inusitado, indesejável ou inviável solicitar confirmação escrita de acordos verbais, como pesquisas em contextos culturais diferentes, pesquisas com participantes cujos níveis de letramento possam não permitir um consentimento assinado ou pesquisas em ambientes virtuais (Eynon, Fry e Schroeder, 2008). Tais pesquisas podem exigir formas mais criativas de documentar o consentimento, como gravação de acordo verbal ou uso de marcadores eletrônicos de consentimento. Embora documentar o consentimento seja importante, mais importante ainda é garantir que o consentimento seja genuíno e monitorado continuamente, em vez de ser visto como um evento único que subsequentemente possa vir a ser uma forma de constrangimento implícito aos participantes.

A pesquisa em escolas e outros cenários educacionais tem as suas restrições próprias envolvendo os procedimentos para a obtenção de consentimento informado voluntário. Algumas dessas complicações se originam da natureza assimétrica das relações educacionais, outras da habilidade variável, entre possíveis participantes, de oferecer consentimento informado. Por exemplo, o consentimento será totalmente voluntário quando dado após uma carta ou mensagem de alguém que ocupe uma posição de autoridade, como o diretor da escola (cf. Exemplo 3.1)? As pessoas sentirão que têm a liberdade de dizer "não" ou sair a qualquer momento sem consequências para si mesmas? E se um professor pesquisar a própria prática – os seus alunos estarão em condições de concordar?

Similarmente, qual volume de informações sobre o projeto que sejam relevantes à idade deve ser oferecido a possíveis participantes, e quais tipos de verificações precisam ocorrer para assegurar que eles entenderam, a fim de garantir com segurança que os participantes tomaram uma decisão informada? Essas duas perguntas são ainda mais cruciais em pesquisas que envolvam crianças. Nesse caso, a prática comum é solicitar o consentimento dos pais ou outros representantes legais em nome do menor; muitos pesquisadores também asseguram o consentimento do menor em participar e desenvolvem protocolos para o monitoramento contínuo do consentimento (principalmente no caso de crianças muito pequenas) e planos de ações se, a qualquer momento, o consentimento for retirado.

---

**EXEMPLO 3.2**

**Para refletir: exemplos hipotéticos**

A diretora permite que o pesquisador conduza um estudo observacional (sem envolver gravação em áudio/vídeo) da reunião da manhã na sua escola porque acredita que a pesquisa beneficiaria professores e alunos. Entretanto, avisa ao pesquisador que escrever para os pais pode provocar reações negativas. A permissão da diretora será suficiente para conduzir o estudo?

Leia mais sobre guardiões responsáveis e acesso privilegiado: Homan (1998).

Uma pesquisadora planeja estudar o uso da linguagem de crianças da escola primária na construção de gênero. Ela está preocupada com a validade e autenticidade do estudo se os seus objetivos forem divulgados às crianças que estão sendo observadas e entrevistadas. Portanto, decide pedir a permissão dos professores e o consentimento informado dos pais (dando aos dois grupos informações completas sobre os objetivos e foco do projeto), enquanto apresenta o estudo às crianças como algo a respeito de jogos e amizades. A sua decisão é justificada?

Leia mais sobre consentimento de crianças e limites do acordo/consentimento "informado": Alderson e Morrow (2011, Capítulo 8).

Ao planejar um cenário de estudo numa comunidade muito unida com forte tradição e cultura oral, uma pesquisadora fica sabendo que solicitar consentimento individual dos membros da comunidade depois que o consentimento da autoridade principal (guardião) houver sido concedido publicamente pode ser considerado desrespeito a tal autoridade. Ademais, percebe que solicitar consentimento escrito além do consentimento verbal pode ser considerado sinal de desconfiança. Ela deve insistir em documentar um consentimento individual escrito?

Leia mais sobre desafios éticos da pesquisa em diferentes cenários culturais: Gomm (2004).

## Confiança

No seu trabalho, os pesquisadores recebem informações sobre os participantes, boa parte de natureza pessoal e delicada. Há contextos legais muito claros para a gravação, armazenagem, arquivamento e uso de alguns elementos de dados pessoais, como a Lei de Proteção a Dados de 1998, no Reino Unido. Essas exigências legais se aplicam a dados pessoais coletados para fins de pesquisa, assim como a dados originalmente coletados para outros fins, mas que os pesquisadores podem desejar acessar e usar em projetos novos. Regulamentações éticas, como aquelas do ESRC ou da Comissão Europeia (Quadro 3.2), incluem recomendações minuciosas para gravação, armazenagem e arquivamento de dados de pesquisa em conformidade com a legislação atual.

---

**EXEMPLO 3.3**

**Desafios de confiança e confidencialidade**

Nathan, R. (pseudônimo) (2005) An anthropologist goes under cover. *The Chronicle of Higher Education*, 9 de julho.

> "Três anos atrás, quando estava de licença como professor titular, conduzi uma pesquisa matriculando-me como calouro na minha universidade [...]. Depois que concluí a pesquisa, estava saindo de um prédio quando uma aluna de um dos meus grupos de trabalho de calouros estava entrando. Ficamos batendo papo animadamente quando a minha amiga me perguntou aonde eu estava indo, e respondi que ia para a aula.
>
> 'Como assim?', ela perguntou.
>
> 'Ah, uma aula de antropologia... Na verdade sou professor.'
>
> 'Mentira!!!', ela exclamou. 'Como você conseguiu? Quero assistir!'
>
> 'Bem', respondi timidamente, 'é porque na verdade também sou professor. Eu fui aluno no ano passado para fazer uma pesquisa, mas agora voltei a ser professor.'
>
> 'Não acredito', ela respondeu e depois fez uma pausa. 'Eu me sinto traída.'"
>
> Leia o livro: Nathan, R. (2005) *My Freshman Year: What a professor learned by becoming a student*. Nova York: Cornell University Press

Contudo, as questões relativas a privacidade, anonimato e confidencialidade não podem ser reduzidas a um mero cumprimento de conjuntos predeterminados de exigências legais e técnicas. O Exemplo 3.2 se baseia numa pesquisa que recebeu autorização ética, não usou os nomes reais e afiliações dos participantes e foi originalmente publicada sob pseudônimo na tentativa de se proteger a identidade dos participantes. Ao que parece, essas medidas não bastaram: os participantes ficaram psicologicamente tensos, enquanto a capa do anonimato se mostrou frágil a longo prazo.

*Privacidade* se refere ao direito do indivíduo de controlar a divulgação do que julga informações pessoais ou não públicas sobre si mesmo. Há dispositivos legais em vários países que protegem o direito à privacidade (p. ex., legislação sobre a divulgação de dados pessoais). O direito à privacidade pode ser considerado o direito das pessoas de estarem livres de qualquer intervenção de pesquisa que possam interpretar como inoportuna e invasiva, e de guardar quaisquer informações que julguem pessoais ou delicadas. Porém, os limites que cercam o que é considerado privado podem variar em culturas diferentes e com o decorrer do tempo, e também em relação às experiências e histórias de vida individuais, sendo especialmente difíceis de definir em áreas como pesquisas na internet (Jones, 2011) ou pesquisa visual (Wiles et al., 2008).

Os pesquisadores precisam estar atentos ao fato de que invasões de privacidade são possíveis em todos os estágios da pesquisa, desde a escolha do tópico até a publicação e depois (p. ex., ao guardar, arquivar, acompanhar e replicar a pesquisa). A noção de sigilo, e não de privacidade, muitas vezes é usada em relação a agentes coletivos, como grupos, comunidades e organizações, especialmente em situações em que expectativas de sigilo possam colidir com demandas de prestação pública de contas.

A *confidencialidade* surge a partir do respeito pelo direito à privacidade e funciona como "princípio acautelador" (Hammersley e Traianou, 2012: 121). Interações de pesquisa, desde questionários até entrevistas e observações, baseiam-se na escolha dos respondentes de divulgar informações aos pesquisadores, algumas das quais podem ser delicadas. Na maioria dos casos, essa divulgação acontece confidencialmente, ou seja, baseada na garantia do pesquisador de que a conexão entre o respondente individual e a informação divulgada não será transmitida a terceiros pelo pesquisador, nem será inferida no relatório da pesquisa. Para tanto, os pesquisadores podem decidir somente oferecer relatos agregados, compostos (ex.: respondentes "típicos" ou "médios") ou ficcionais dos dados. Também deverão garantir que os dados estão guardados em segurança e que o acesso a eles é estritamente controlado durante e após o projeto.

Contudo, manter a confidencialidade nem sempre é algo objetivo. Os guardiões e outros membros de uma comunidade podem usar uma ampla gama de pistas contextuais para deduzir a identidade das pessoas citadas num relatório de pesquisa; por exemplo, uma diretora pode ser capaz de deduzir a identidade de professores de disciplinas individuais da sua escola. Também podem existir situações em que guardar as informações para si pode ser emocionalmente difícil demais para o pesquisador ou o pesquisador pode sentir um conflito entre continuar a buscar conhecimentos (portanto, mantendo o sigilo) e recusar-se a ser conivente com os participantes quando considerar um comportamento moralmente inaceitável. Trocar confidências com outras pessoas nesses casos pode levar a quebras de confidencialidade. Em algumas situações, quando o pesquisador se depara com informações sobre atividades criminosas ou comportamento perigoso, por exemplo, ele pode ser legalmente intimado a divulgar tais informações às autoridades relevantes.

Uma das estratégias usadas pelos pesquisadores para garantir a confidencialidade (e proteger os participantes de prejuízos) é remover quaisquer informações dos dados guardados e analisados que possam sujeitar os respondentes individuais a serem facilmente rastreáveis e identificáveis. Essa estratégia é conhecida como *anonimização*. Técnicas de anonimização comumente usadas incluem: supressão de informações pessoais (como nomes, cargo, local de trabalho, nome da escola, datas e locais de eventos cruciais, descritores institucionais detalhados e outras informações que o pesquisador julgue relevantes) dos dados ou substituição delas por pseudônimos e categorias mais genéricas; uso de identificadores numéricos; e guarda de quaisquer informações pessoais separadamente dos dados.

Entretanto, em algumas formas de pesquisa qualitativa em especial, o anonimato é uma questão de grau que não é clara (Hammersley e Traianou, 2012). Por exemplo, em certas pesquisas com levantamentos de perguntas fechadas que não coletam informações de identificação dos respondentes, o anonimato (inclusive anonimato para os pesquisadores) pode ser quase completo. Enquanto isso, é muito difícil, se não for impossível, garantir a mesma coisa em pesquisas profundas presenciais ou pesquisas visuais. Nesses casos, a não rastreabilidade, e não o total anonimato, pode ser um objetivo mais realista. Outra complicação surge em situações de pesquisa em que os participantes podem de fato preferir ser nomeados no relatório de pesquisa, pessoalmente ou institucionalmente. Pode ser o caso quando asseveram um grau de posse do material que produziram (p. ex., em algumas pesquisas on-line ou na pesquisa-ação – Simons, 2009) ou quando há preocupação com possíveis representações equivocadas dos participantes através de relatos anônimos, agregados ou ficcionais (como em algumas pesquisas etnográficas sobre questões delicadas em âmbito pessoal, institucional ou político – cf. Pendlebury e Enslin, 2001 e Walford, 2005).

---

### EXEMPLO 3.4

**Para refletir: exemplos hipotéticos**

Enquanto conduz uma pesquisa com crianças e suas famílias, um pesquisador percebe indícios de tratamento violento na casa e decide romper o acordo de confidencialidade e informar as autoridades relevantes.

Leia mais sobre delação e divulgação: McNamee e Bridges (2002, Capítulo 8), Holmes (1998).

> Um estudo sobre as experiências no ano sabático de jovens usa dados de blogues. A pesquisadora argumenta que – como os blogues estão publicamente disponíveis – não são necessários procedimentos de consentimento, mas fica preocupada porque alguns blogueiros podem ter escrito sobre questões pessoais e dado detalhes pessoais sem perceberem o grau de exposição pública que as informações teriam após estarem on-line. Ela decide que os URLs dos blogues e os nomes dos blogueiros não devem ser mencionados na sua tese. Porém, questiona se usar citações anônimas pode contrariar o desejo provável de alguns blogueiros de serem reconhecidos pelo que escreveram no blogue.
>
> Leia mais sobre as fronteiras entre dados públicos e privados on--line: Snee (2010).

## Beneficência

Normalmente espera-se que a pesquisa minimize o risco de causar prejuízos (*não maleficência*), conduza um trabalho proveitoso e potencialmente benéfico (*beneficência*) e distribua quaisquer benefícios e riscos sem discriminação durante e após o projeto de pesquisa (*justiça*). (Conheça críticas aos modelos racionalistas e de justiça distributiva da prática ética em Edwards e Mauthner, 2002.) Às vezes esses objetivos podem ir em direções diferentes, porém; por exemplo, um desenho de intervenção pode ao mesmo tempo reter ou retardar potenciais benefícios para um grupo de controle e/ou expor o grupo de intervenção a riscos desconhecidos. O equilíbrio desses riscos pode envolver uma avaliação de risco detalhada associada à identificação de um conjunto alternativo de benefícios a ser oferecido ao grupo de controle.

Há muitos tipos diferentes de *prejuízos* (ou danos) que podem estar associados à pesquisa, como, em âmbito individual, prejuízos físicos, psicológicos, sociais e de reputação, além de prejuízos práticos e ocupacionais (Hammersley e Traianou, 2012). As pessoas expostas ao risco de prejuízos podem ser participantes individuais, seus colegas, parentes ou conhecidos, mas também pesquisadores individuais e membros das suas redes. Organizações, comunidades e profissões também podem estar em risco: por exemplo, a pesquisa e a publicação dos seus resultados podem representar ameaças econômicas a uma organização ou abalar a reputação de um grupo profissional. O limiar para o que é considerado um prejuízo mais ou menos grave e duradouro – portanto, para a aceitabilidade percebida de diferentes práticas de pesquisa – pode variar em termos históricos, culturais e contextuais. Além disso, nem todos os prejuízos relacionados à pesquisa podem ser de total responsabilidade do pesquisador; por exemplo, usos da pesquisa subsequentes e imprevisíveis podem causar danos. Avaliar e monitorar riscos, obter consentimento e confidencialidade continuamente, e não uma única vez, e ter um seguro relevante podem ajudar a minimizar o risco de prejuízos e conter o seu impacto. Entretanto, nenhuma dessas estratégias é infalível; não é viável prever e defletir todos os riscos em potencial, e podem existir diferenças de opinião sobre a probabilidade e gravidade de certos riscos entre aqueles envolvidos no projeto (Exemplo 3.3).

---

**EXEMPLO 3.5**

**Desafios para prever prejuízos**

Sikes, P. e Piper, H. (2010) *"A courageous proposal, but... this would be a high risk study"*: Ethics review procedures, risk and censorship. In: Sikes e Piper (2010).

"O principal objetivo do procedimento de ética ao qual estamos sujeitos é definido para proteger potenciais participantes da pesquisa (e pesquisadores). Em nosso caso, os participantes eram professores específicos que haviam sido acusados de abuso sexual, membros das suas famílias, seus colegas e pessoas associadas às suas escolas. Porém, fomos repreendidos por não proteger crianças desconhecidas e sobretudo hipotéticas que não participariam do processo da pesquisa. Embora apreciemos e aceitemos a necessidade de tentar prever consequências imprevistas que surjam durante ou após um projeto real, achamos que se trata de uma questão totalmente diferente tentar prever futuros danos a pessoas inteiramente desconectadas e sem envolvimento com a pesquisa. Achamos que essa previsão e preempção de problemas está além do escopo da maioria dos mortais. Além disso, tentar obviar todos os riscos possíveis poderia levar a uma situação em que somente o mais anódino dos projetos receberia autorização" (p. 29-30).

Leia o livro: Sikes, P. e Piper, H. (2010) *Researching Sex and Lies in the Classroom: Allegations of sexual misconduct in schools*. Abingdon: Routledge.

O conceito de *benefícios* também é complexo e situado. Pesquisas requerem tempo e esforço e parte desse tempo e esforço é dos participantes, sejam eles crianças e jovens, professores e diretores, gestores ou legisladores. O resultado esperado da pesquisa, tanto em termos de progresso e corroboração de conhecimentos e benefícios individuais ou coletivos práticos, justifica o ônus causado aos participantes?

Pode-se afirmar que o benefício mais importante da pesquisa é a criação de conhecimentos valiosos (Hammersley e Traianou, 2012). Como Denzin (1997) argumentou em relação à etnografia, o próprio ato de escrever, assim como o compartilhamento da escrita, podem ser atos poderosos de descoberta moral e transformação sociopolítica. Outros potenciais benefícios incluem: suporte e resultados educacionais e de aprendizagem; efeitos terapêuticos da pesquisa; apreciação e senso de pertencimento e fortalecimento; relacionamentos e rede de contatos; ou serviços prestados pelos pesquisadores no local, por exemplo, em algumas formas de pesquisa participativa (ex.: ensino de idiomas, atividades extracurriculares, redação e arquivamento de documentos, direção). Práticas comuns que objetivam proteger crianças e outros grupos vulneráveis devem evitar a oferta de incentivos financeiros aos participantes da pesquisa (reembolso de despesas de viagem não se inclui nessa categoria) e escrutinar atentamente o uso de quaisquer outras induções para recrutar e reter participantes. Podem ser aceitáveis algumas formas de *recompensa* pós-participação, como vales-livros ou participação em atividades educacionalmente proveitosas, dependendo das circunstâncias. Certificados de participação na pesquisa ou adesivos (no caso de crianças), cartas ou cartões de agradecimento, se apropriados à luz dos acordos de confidencialidade, agradecimentos em publicações também podem ser formas aceitáveis de *reconhecimento* não financeiro. Em pesquisas com crianças, independentemente de potenciais benefícios, há a expectativa de que os riscos e ônus sejam mínimos em relação a uma situação ideal "sem prejuízos".

O posicionamento do pesquisador na área da (ou relativa à) sua pesquisa também é importante. Por exemplo, pergunta Figueroa, como os valores pessoais dos pesquisadores afetam a sua abordagem à pesquisa, suas interpretações e julgamentos sobre linhas de ação ética? Ademais, é ético pesquisar uma comunidade pela qual não se sente empatia? (Figueroa, em Simmons e Usher, 2000: 88). Os pesquisadores podem sentir dificuldade em evitar o emudecimento ou a marginalização de certas preocupações dos participantes devido a valores pessoais e falta de empatia (McNamee e Bridges, 2002). Reflexividade na análise e na redação e envolvimento dos participantes podem ajudar a aliviar algumas dessas questões.

Dependendo da abordagem adotada em relação à pesquisa, os participantes podem envolver-se na verificação de interpretações dos dados, na busca de interpretações alternativas e na exploração das suas implicações. Às vezes, como é o caso da pesquisa conduzida com participantes vulneráveis ou em comunidades desfavorecidas, pode ser muito tentador estender a função do pesquisador ao ativismo político, defesa e suporte; em outras palavras, priorizar a reciprocidade e a voz, não a articulação e a comunicação do conhecimento. Isso pode ser um projeto pessoal muito gratificante para o pesquisador, mas pode dificultar mais a produção e publicação de um relatório do seu trabalho – portanto, a obtenção de um título de doutorado, no caso da pesquisa de doutoramento – e a desvinculação da área após o fim do projeto. A questão é como manter o equilíbrio entre rigor na pesquisa e cuidado com os participantes e seu cenário.

---

### EXEMPLO 3.6

**Para refletir: exemplos hipotéticos**

Uma pesquisadora está trabalhando com meninas adolescentes vítimas de abuso. Ela se comprometeu a contar as estórias das participantes de modo autêntico, confiável e convincente. Ela considera a sua função como a possibilidade de que as vozes dessas jovens sejam ouvidas em arenas profissionais. As participantes a consideram empática, confiável e conversam abertamente com ela; as entrevistas têm um tom terapêutico. Porém, apesar das suas melhores intenções, após a publicação do relatório algumas participantes se sentem expostas e ficam psicologicamente abaladas, com uma sensação de traição, mágoa e revolta.

Leia mais sobre ativismo e voz: Thomson (2008).

Um estudo de intervenção usa a alocação aleatória de crianças de 7 anos de uma escola para grupos experimentais e de controle. O grupo experimental recebe 6 meses de suporte suplementar intensivo em leitura provido por um assistente treinado, usando uma plataforma eletrônica, enquanto o grupo de controle continua como antes, sem suporte suplementar. Os pesquisadores consideram esse desenho um modo altamente eficiente de gerar bons dados, mas se preocupam com questões de justiça envolvidas em não prestar suporte ao grupo de controle durante a intervenção.

> Leia mais sobre benefícios a participantes: Eynon, Fry e Schroeder (2008).
>
> Um pesquisador usa fotografias tiradas por crianças na sua comunidade. As crianças e os pais consentiram a participação no projeto e cederam os direitos autorais das imagens ao pesquisador, com o entendimento formal de que todos os rostos seriam apagados antes que as fotografias fossem guardadas no computador dos pesquisadores. Os pesquisadores desejam usar as imagens nos seguintes contextos: (a) numa apresentação sobre a pesquisa, sem distribuição de folhetos; (b) no relatório publicado; (c) como parte de um arquivo de dados qualitativos para uso de outros pesquisadores. Eles acham que cada um desses contextos suscita questões éticas distintas e acabam usando as imagens com base no consentimento original na situação (a), também buscando, imagem por imagem, consentimento para (b) e decidindo contra (c).
>
> Leia mais sobre responsabilidades éticas na pesquisa visual: Wiles et al. (2008).

## 3.5 A ética da pesquisa de alunos como deliberação situada

Códigos de ética variam em estrutura e conteúdo. Por exemplo, podem envolver-se mais ou menos explicitamente com os fundamentos morais de exigências procedimentais. Em termos de conteúdo, podem variar, por exemplo, no modo de equilibrar regras genéricas de conduta acadêmica com princípios e regras que instruam a relação entre pesquisadores ou instituições de pesquisa e participantes e beneficiários. Nenhum código é perfeito e nenhuma tentativa de aplicá-lo a situações de pesquisa da vida real é totalmente objetiva.

Portanto, os códigos deixam espaços importantes para instituições, equipes e pesquisadores individuais deliberarem sobre o que seria uma linha de ação eticamente aceitável em determinadas situações e contextos de pesquisa. A relação entre padrões e princípios abstratos e gerais e situações concretas e particulares é responsabilidade dos pesquisadores, que os interpretam à luz de valores específicos à pesquisa como forma de prática concentrada na geração de conhecimento (Pring, 2004). Hammersley e Traianou consideram a ética na pesquisa "uma forma de ética ocupacional: trata do que os pesquisadores sociais devem e não devem fazer *enquanto pesquisadores* e/ou do que é considerado vício e virtude *ao se fazer pesquisa*" (2012: 36).

Como está explicado neste capítulo, pensar sobre ética em pesquisa envolve o questionamento constante tanto dos objetivos quanto dos meios de pesquisa, pautando-se no entendimento em primeira mão dos atores e circunstâncias particulares de uma situação de pesquisa em seu desdobramento. Justificar decisões éticas é uma questão de raciocínio fundamentado e compromisso ativo – um processo contínuo através do qual os pesquisadores precisam prestar atenção à situação e às formas pelas quais tal processo molda o seu julgamento. Parafraseando McNamee (McNamee e Bridges, 2002: 13), é *este* pesquisador (ou *esta* equipe) *neste* conjunto de circunstâncias que precisa exercer um julgamento sensível ao contexto e incorporá-lo à sua prática. Em outras palavras, o pesquisador deve identificar os aspectos eticamente significativos de uma situação e conectá-los, conforme for adequado, a princípios, regras, consequências e outros casos a fim de agir eticamente por todo o tempo de vida de um projeto de pesquisa.

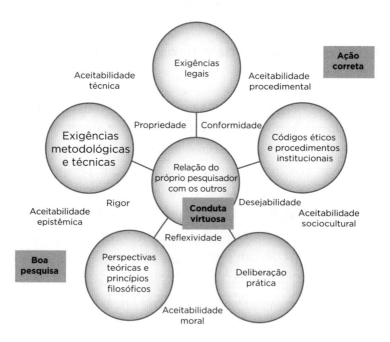

Figura 3.1 Ética de pesquisa como deliberação situada

As relações entre o próprio pesquisador e os outros (inclusive comunidades relevantes de prática de pesquisa) estão no centro da deliberação ética situada. Um pesquisador pode ingressar numa situação de pesquisa com uma série de funções e objetivos que podem estar em conflito entre si e que, portanto, precisam ser negociados na sua prática de pesquisa. Essa prática pode estar sujeita a muitas demandas às vezes contraditórias. A Figura 3.1 ilustra algumas das diferentes demandas apresentadas à pesquisa, os critérios de aceitabilidade que a moldam e as tradições éticas que a estruturam. Para começar, a pesquisa está sujeita a exigências legais; é guiada por códigos de ética, procedimentos institucionais (como exigências para autorização ética em universidades) e exigências metodológicas e técnicas; no caso de pesquisa de alunos, é moldada por exigências do curso, incluindo definições de sucesso e critérios de avaliação. Como forma de prática, também espera-se articulá-la a outras práticas, incluindo, no caso de pesquisa em educação, ensino, aprendizagem e legislação. Além disso, em virtude da sua natureza de pesquisa, de forma diferente de qualquer outra forma de prática profissional, tem objetivos epistêmicos e pauta-se em teorias metodológicas e substantivas e abordagens filosóficas. Essas demandas formam um espaço de valores específico à pesquisa, ao contrário de outras práticas. A pesquisa que negocia com sucesso essas diferentes demandas e posições enquanto preserva a integridade é considerada "aceitável" de várias formas: procedimentalmente, tecnicamente, epistemologicamente, moralmente e socioculturalmente.

A complexidade dos contextos e demandas ilustrados na Figura 3.1 e dos julgamentos, inclusive morais, necessários para conduzi-los sugere que a ética na pesquisa é mais do que a aplicação linear de regras específicas para sair de dilemas e cumprir exigências institucionais. Ela envolve uma deliberação reflexiva que se baseia num entendimento rico de situações concretas e pode empregar formas de raciocinar e agir que podem ser associadas a mais de uma tradição de ética. Também pode ser experimentada como um processo emocionalmente carregado, cheio de indecisão, frustração ou, às vezes, uma sensação de culpa. Como a ética na pesquisa concerne não somente ao tratamento dos outros (desde participantes e guardiões até colegas), mas também de si mesmo, as formas pelas quais os pesquisadores reconhecem e entendem essas emoções é parte da textura ética geral de um projeto de pesquisa.

Outras discussões de questões éticas com foco específico na pesquisa e na internet podem ser encontradas no Capítulo 13.

# Resumo do capítulo

- As ações éticas na pesquisa partem de uma deliberação rica e sensível ao contexto na interseção de sabedoria prática, entendimento teórico e raciocínio pautado em princípios.
- Diferentes tradições em ética filosófica, incluindo dever, consequência, virtude e ética situada, podem ajudar os pesquisadores a identificar os aspectos eticamente significativos de uma situação de pesquisa, refletir sobre o valor relativo de diferentes linhas de ação disponíveis e agir eticamente durante o processo de pesquisa.
- Diretrizes e códigos éticos podem oferecer outros recursos para a deliberação ética, assim como prover a estrutura procedimental para a sanção institucional das linhas de ação e conduta real escolhidas pelos pesquisadores.
- Para os pesquisadores individuais, é importante não somente obter conformidade técnica (logo "aprovação" ou "autorização" ética) dos seus projetos com códigos de ética e outras exigências procedimentais, conforme estipulado em listas de verificação, guias e formulários, mas também desenvolver o seu entendimento pessoal acerca de princípios e contextos éticos, seu compromisso com a pesquisa ética e a habilidade de agir sabiamente em situações eticamente complexas.

## Termos-chave

Códigos éticos: acordos negociados de associações profissionais sobre a prática aceitável em determinados contextos profissionais, ocupacionais e institucionais; tendem a incluir regras minuciosas para a condução da pesquisa.

Ética: estudo do que são linhas de ação boas, corretas ou virtuosas; pode ser abordada de pontos de vista diferentes.

Ética aretaica: enfatiza as formas mais virtuosas de ser e viver. Qual linha de ação nesta situação está de acordo com os traços ou disposições da pessoa virtuosa?

Ética deontológica: enfatiza ações movidas pelo dever, e não pelo prazer, inclinação ou interesse. Qual é a linha de ação correta nesta situação?

Ética de pesquisa como deliberação situada: os pesquisadores precisam interpretar os códigos éticos – que muitas vezes incluem padrões e princípios abstratos – no contexto de certas situações de pesquisa.

Ética situacional: enfatiza que as decisões éticas são contextuais e nunca são claramente definidas nem totalmente resolvidas.

Ética teleológica: enfatiza a escolha da melhor linha de ação, usando o princípio da "maior felicidade" ou "utilidade". Qual linha de ação nesta situação provavelmente resultará no maior bem para todos os envolvidos?

Princípio da Autonomia: obrigação do investigador de respeitar cada participante como pessoa capaz de tomar uma decisão informada referente à participação no estudo da pesquisa.

Princípio da Beneficência: obrigação do investigador de tentar maximizar benefícios para o participante individual e/ou a sociedade, enquanto minimiza o risco de prejuízo ao indivíduo.

Princípio da Confiança: obrigação que os investigadores têm de proteger as informações que lhes são confiadas pelos participantes na pesquisa; inclui os princípios da confidencialidade, privacidade e anonimato.

## Exercícios e perguntas para estudo

1. Descreva o significado destes itens:
   - Abordagem deontológica a questões éticas;
   - Abordagem teleológica a questões éticas;
   - Abordagem aretaica a questões éticas;
   - Abordagem situacional a questões éticas.
2. Aplique cada uma dessas quatro abordagens aos seis exemplos hipotéticos mostrados nos dois quadros intitulados "Para refletir" (p. 80 e p. 84). A quais conclusões as diferentes abordagens levam em cada uma das seis situações?
3. Quais semelhanças você vê nessas quatro abordagens? Que diferenças você vê?
4. Estude um dos códigos de ética para a pesquisa em educação mencionados no Quadro 3.2. Esse código seria útil para resolver questões éticas na sua pesquisa proposta? Quais dificuldades seriam geradas?
5. Leia os códigos de ética para pesquisa em outra área das ciências sociais – por exemplo, a Associação Sociológica Britânica (www.britsoc.co.uk/media/27107/StatementofEthicalPractice.pdf) ou a Associação Psicológica Americana (www.apa.org/ethics/code/index.aspx). Em que medida você acha que são úteis? Quais dificuldades poderiam causar? Você ficou surpreso com alguma coisa que leu?

## Leitura complementar

Alderson, P. e Morrow, V. (2011) *The Ethics of Research with Children and Young People: A Practical Handbook*. Londres: Sage.

Hammersley, M. e Traianou, A. (2012) *Ethics in Qualitative Research*. Londres: Sage.

Jones, C. (2011) *Ethical issues in online research*. Recurso on-line da British Educational Research Association. www.bera.ac.uk

Simons, H. (2009) "Whose data are they?" In: *Case Study Research in Practice*. Londres: Sage.

Snee, H. (2010) *Using Blog Analysis*. NCRM Realities Toolkit 10. On-line em http://eprints.ncrm.ac.uk/1321/2/10-toolkit-blog-analysis.pdf

Walford, G. (2005) "Research ethical guidelines and anonymity". *International Journal of Research and Method in Education*, 28(1): 83-93.

Wiles, R., Prosser, J., Bagnoli, A., Clark, A., Davies, K., Holland, S. e Renold, E. (2008) *Visual Ethics: Ethical Issues in Visual Research*. ESRC National Centre for Research Methods Review Paper. Southampton: NCRM. On-line em http://eprints.ncrm.ac.uk/421/1/MethodsReviewPaperNCRM-011.pdf

World Medical Association (WMA) (2000) *Declaration of Helsinki*.

# 4
# PERGUNTAS DE PESQUISA

**Sumário**

4.1 Uma hierarquia de conceitos
4.2 Áreas e tópicos de pesquisa
4.3 Perguntas de pesquisa gerais e específicas
4.4 Perguntas para coleta de dados
4.5 Desenvolvimento de perguntas de pesquisa
4.6 A função das perguntas de pesquisa
4.7 Hipóteses
4.8 Um modelo simplificado de pesquisa
4.9 A função da literatura
   Resumo do capítulo
   Termos-chave
   Exercícios e perguntas para estudo
   Leitura complementar
   Notas

---

**OBJETIVOS DE APRENDIZAGEM**

**Após estudar este capítulo, você saberá:**

- Listar os diferentes níveis na hierarquia de cinco partes de conceitos para o planejamento da pesquisa;
- Aplicar a hierarquia de conceitos ao desenvolvimento de perguntas de pesquisa;
- Descrever a função das perguntas de pesquisa numa proposta de pesquisa;
- Descrever a pesquisa que testa hipóteses e a relação entre hipóteses e teoria.

Como produto final, uma pesquisa empírica precisa demonstrar clareza conceitual e uma boa adequação entre seus diferentes componentes, especialmente entre suas perguntas e métodos. Para o relatório da pesquisa completa, o que importa não é a ordem sequencial das coisas, e sim clareza conceitual e boa adequação. Isso pode ser obtido de modos diferentes – as perguntas podem ser desenvolvidas primeiro, e os métodos alinhados; ou a pesquisa pode começar com apenas uma abordagem geral ao seu tópico e depois desenvolver o foco nas perguntas e métodos ao longo do processo; ou pode haver uma mistura de ambos em que o pesquisador vai e volta entre questões, métodos e alguns dados iniciais.

Como a pesquisa empírica é norteada pelas perguntas de pesquisa, os dois próximos capítulos descrevem um modelo de pesquisa com perguntas de pesquisa bem desenvolvidas "adiantadas". É um bom modelo para aprender sobre pesquisa, facilitar a percepção das conexões entre perguntas, conceitos e dados, e assim promover adequação e clareza conceitual. Vale a pena ter como objetivo esse modelo – se for recusado sob a alegação de não ser apropriado, os motivos para a recusa ajudam a entender a área e confeccionar uma abordagem mais adequada. Isso ajuda a esclarecer em que ponto do *continuum* da estrutura o pesquisador deseja estar. Essa posição pode então ser articulada para assegurar que a abordagem ao desenho e aos dados seja adequada.

Miles, Huberman e Saldana (2013) argumentam que desenvolver perguntas de pesquisa é uma defesa valiosa contra a confusão e sobrecarga possíveis nos estágios iniciais da pesquisa. Muitas vezes, também, o pesquisador pode progredir consideravelmente na identificação de perguntas de pesquisa específicas, especialmente quando conhecimentos profissionais sobre o tópico são levados para a pesquisa. Porém, quando as perguntas de pesquisa emergem durante o projeto e não antes dele, ainda surge a necessidade de clareza conceitual e adequação, por isso as questões nos dois capítulos seguintes permanecem relevantes. Elas não desaparecem, simplesmente surgem depois.

## 4.1 Uma hierarquia de conceitos

Uma vantagem de planejar a pesquisa em termos de perguntas de pesquisa é que isso explicita a ideia dos níveis de abstração na pesquisa. Podemos distinguir cinco níveis de conceitos e perguntas, o que varia em graus de abstração, formando uma hierarquia indutiva-dedutiva:

- Área de pesquisa;
- Tópico de pesquisa;
- Pergunta(s) de pesquisa geral(gerais);
- Perguntas de pesquisa específicas;
- Perguntas para coleta de dados.

Afirmar que esses cinco itens formam uma hierarquia é afirmar que variam sistematicamente em graus de abstração e generalidade e que precisam estar conectados entre si logicamente, por indução e dedução, em todos esses graus. O grau mais alto é o mais geral e mais abstrato. O nível mais baixo é o mais específico e mais concreto.

Portanto, de cima para baixo, a área de pesquisa é mais geral do que o tópico de pesquisa, que por sua vez é mais geral do que a(s) pergunta(s) de pesquisa geral(gerais), que são mais gerais do que as perguntas de pesquisa específicas, que por sua vez são mais gerais do que as perguntas para coleta de dados. Outra maneira de afirmar isso, e agora partindo de baixo para cima, é que as perguntas para coleta de dados resultam das perguntas de pesquisa específicas, que por sua vez resultam das perguntas de pesquisa gerais e assim sucessivamente até o alto da hierarquia.

Um benefício de pensar assim, planejar e organizar a pesquisa assim, é expor e destacar as relações entre esses diferentes graus de abstração. É necessário que existam relações lógicas estreitas entre esses graus para que a pesquisa tenha consistência interna, coerência e validade. É isso que significa "resultar de" no parágrafo anterior. Os processos envolvidos aqui são dedução e indução. Nós vamos para baixo na hierarquia por dedução, e para cima por indução. Os dois processos são regidos pela lógica.

Nem todos os projetos de pesquisa podem ser organizados ou planejados assim. Em especial, aqueles com desenho mais emergente não se adequariam facilmente a essa abordagem pré-estruturada. Também há questões referentes a perguntas de pesquisa "generalizantes" *versus* "particularizantes" (Maxwell, 2012)[1], e à ênfase pretendida num desses tipos de perguntas em determinado estudo. Ao mesmo tempo, porém, diversos projetos se adaptam muito bem a essa abordagem e, em qualquer caso, essa hierarquia de conceitos é útil tanto em termos pedagógicos quanto práticos. Pensar nesses termos não somente ajuda a organizar a proposta sendo desenvolvida, como também ajuda você a se comunicar claramente sobre a sua pesquisa e escrever a proposta (e depois a dissertação).

## 4.2 Áreas e tópicos de pesquisa

As áreas de pesquisa geralmente são definidas em algumas palavras e às vezes numa única palavra. Similarmente, os tópicos também são em algumas palavras, mas geralmente mais do que aquelas que descrevem a área de pesquisa. O tópico fica dentro da área. É um aspecto ou parte da área; um passo para tornar a área geral mais específica. Está incluído na área, mas é claro que não é o único tópico dentro da área.

**Tabela 4.1 Da área de pesquisa aos tópicos de pesquisa**

| |
|---|
| *Área de pesquisa* |
| Suicídio de jovens |
| *Quatro tópicos de pesquisa possíveis* |
| **1.** Índices de suicídio entre diferentes grupos. |
| **2.** Fatores associados à incidência de suicídio de jovens. |
| **3.** Administração de comportamento suicida entre adolescentes. |
| **4.** Cultura jovem e significado do suicídio. |

*Nota*

Os Tópicos 1 e 2 sugerem uma abordagem predominantemente quantitativa.
Os Tópicos 3 e 4 sugerem uma abordagem predominantemente qualitativa.

Exemplos de áreas de pesquisa são absenteísmo na escola, cultura jovem, satisfação profissional, conflito no local de trabalho, mudança em organizações, tomada de decisões, dissonância emocional e suicídio de jovens. Quatro tópicos de pesquisa possíveis na área de pesquisa "suicídio de jovens" são mostrados na Tabela 4.1. Este capítulo mostra como desenvolver tópicos e perguntas de pesquisa para a área de pesquisa. Vejamos, por exemplo, a área de suicídio de jovens.

Identificar primeiro a área de pesquisa e depois o tópico nessa área imediatamente provê um primeiro grau de foco para a pesquisa, um primeiro estreitamento de possibilidades. É claro que qualquer área de pesquisa inclui muitos tópicos, então duas decisões estão envolvidas aqui – a primeira é a seleção de uma área, a segunda é a seleção de um tópico nessa área. Na maioria das vezes, os alunos têm pouca dificuldade com a primeira decisão, a área. Sabem em geral qual é a área de pesquisa do seu interesse. Normalmente têm mais dificuldade com a segunda decisão: com tantos tópicos possíveis nessa área, qual devo escolher?

Uma consequência valiosa de identificar a área de pesquisa é que ela permite que você, enquanto pesquisador, imediatamente conecte o seu trabalho à literatura. Isso define a relevância de certa literatura à pesquisa em questão. Identificar um tópico numa área possibilita uma direção ainda mais específica à literatura. Permite a identificação de uma literatura mais específica como algo centralmente relevante à pesquisa.

## 4.3 Perguntas de pesquisa gerais e específicas

Perguntas de pesquisa gerais e específicas chegam ao grau seguinte de especificidade, estreitando mais o foco da pesquisa proposta. A distinção entre elas é em termos de especificidade. Perguntas de pesquisa gerais são mais amplas, mais gerais, mais abstratas e (normalmente) não são por si mesmas diretamente passíveis de serem respondidas porque são gerais demais. Perguntas de pesquisa específicas são mais específicas, minuciosas e concretas. São diretamente passíveis de serem respondidas porque apontam diretamente para os dados necessários para respondê-las. O ponto é elaborado na Seção 5.1 do capítulo seguinte.

**Tabela 4.2  Do tópico de pesquisa às perguntas de pesquisa gerais**

*Tópico de pesquisa:*
Fatores associados à incidência de suicídio de jovens.
*Pergunta de pesquisa geral 1*
Qual é a relação entre fatores de formação familiar e a incidência de suicídio de jovens?

*Pergunta de pesquisa geral 2*
Qual é a relação entre fatores de experiência escolar e a incidência de suicídio de jovens?

*Nota*
Mais perguntas de pesquisa gerais são possíveis. Esses são apenas dois exemplos. Como observamos na Tabela 4.1, esse tópico e essas perguntas gerais têm uma tendência quantitativa.

Perguntas de pesquisa gerais norteiam o nosso pensamento e são de grande valor na organização do projeto de pesquisa. Perguntas de pesquisa específicas resultam de (e se adaptam a) perguntas gerais. Direcionam os procedimentos empíricos e são as perguntas de fato respondidas diretamente pelos dados na pesquisa.

São úteis para planejar a identificação e separação das perguntas de pesquisa gerais e as específicas.

Assim como há muitos tópicos de pesquisa numa área de pesquisa, há muitas perguntas de pesquisa gerais possíveis num tópico de pesquisa. Perguntas de pesquisa específicas estendem o processo dedutivo, subdividindo uma pergunta geral nas perguntas específicas resultantes.

Uma pergunta geral normalmente é ampla demais para ser respondida diretamente, ampla demais para satisfazer o critério empírico para perguntas de pesquisa (cf. Seção 5.1). Os seus conceitos são gerais demais. Por isso é necessária a subdivisão lógica – ou "desembalagem" – em várias perguntas de pesquisa específicas. A pergunta de pesquisa geral é respondida indiretamente através da acumulação e integração das respostas às perguntas de pesquisa específicas correspondentes. Um estudo pode ter mais do que uma pergunta de pesquisa geral. Nesse caso, cada uma exigirá análise e subdivisão em perguntas de pesquisa específicas apropriadas. As tabelas 4.2 e 4.3 ilustram esse processo com a área de pesquisa "suicídio de jovens".

Tal distinção realmente é uma questão de senso comum e, na prática de planejamento da pesquisa, não é difícil fazê-la. E, como já observamos, embora a descrição aqui seja apresentada dedutivamente, não é absolutamente necessário que as coisas aconteçam assim. Elas também podem acontecer indutivamente e, como provavelmente é mais comum, por alguma mistura cíclica e iterativa de indução e dedução.

Em termos práticos, uma boa forma de distinção entre perguntas de pesquisa gerais e específicas é aplicar o critério empírico (cf. Seção 5.1) a cada pergunta ao longo do seu desenvolvimento. Esse critério pergunta: Está claro quais dados serão necessários para responder essa pergunta de pesquisa? Se a resposta para cada pergunta de pesquisa for afirmativa, podemos passar das perguntas para os dados e métodos. Se a resposta for negativa, algo provavelmente necessário é mais especificidade. Esse critério também é uma boa verificação para decidir se chegamos a um conjunto de perguntas pesquisáveis.

**Tabela 4.3 Da pergunta de pesquisa geral a perguntas de pesquisa específicas**

*Pergunta de pesquisa geral*

Qual é a relação entre fatores de formação familiar e incidência de suicídio de jovens?

*Pergunta de pesquisa específica 1*

Qual é a relação entre renda familiar e incidência de suicídio de jovens?

*ou*

Índices de suicídio de jovens diferem entre famílias com níveis diferentes de renda?

*Pergunta de pesquisa específica 2*

Qual é a relação entre separação dos pais e incidência de suicídio de jovens?

*ou*

Índices de suicídio de jovens diferem entre famílias cujos pais são divorciados ou separados e famílias cujos pais não são?

---

*Nota*

Mais perguntas de pesquisa específicas são possíveis. Esses são apenas dois exemplos.

No âmago desta discussão está o processo de tornar um conceito geral mais específico mostrando as suas dimensões, aspectos, fatores, componentes ou indicadores. Com efeito, você está definindo um conceito geral "para baixo" em direção aos seus indicadores de dados – você está desembalando-o. Entre os vários termos mostrados anteriormente (dimensões, aspectos, fatores, componentes, indicadores), prefiro o termo *indicadores* devido à sua ampla aplicabilidade em diferentes tipos de pesquisa. Ele se aplica a contextos quantitativos e qualitativos, enquanto os termos *dimensões*, *fatores* e *componentes* têm conotações mais quantitativas.

Um aviso provavelmente mais necessário em estudos qualitativos é que a pesquisa pode proceder para cima em abstração a partir de indicadores até conceitos gerais, não para baixo em abstração a partir de conceitos gerais até indicadores. Repetindo: o importante não é o modo pelo qual a pesquisa procede. Você pode proceder para baixo, usando dedução, do conceito geral até o conceito específico e indicadores ou você pode proceder para cima, usando indução, de indicadores a conceitos específicos e gerais. Ou dedução e indução podem ser usadas. O importante é que o produto final enquanto proposta (e por fim enquanto pesquisa) mostre conexões lógicas em níveis diferentes de abstração.

## 4.4 Perguntas para coleta de dados

No nível mais baixo dessa hierarquia estão as perguntas para coleta de dados. Elas são perguntas no nível mais específico.

O motivo para separar as perguntas para coleta de dados aqui é que os alunos às vezes confundem perguntas de pesquisa com perguntas para coleta de dados. Uma pergunta de pesquisa é uma pergunta que a própria pesquisa está tentando responder. Uma pergunta para coleta de dados é uma pergunta feita para coletar dados que ajudem a responder a pergunta de pesquisa. Nesse sentido, é ainda mais específica do que a pergunta de pesquisa. Também nesse sentido, mais do que uma pergunta para coleta de dados, às vezes várias e às vezes muitas, estarão envolvidas na montagem dos dados necessários para responder uma pergunta de pesquisa[2].

O que essa hierarquia de conceitos significa para o desenvolvimento da proposta de pesquisa? Eu entrei nessa análise detalhada porque costuma ser um aspecto crucial do estágio pré-empírico de montagem da pesquisa e porque mostra claramente os graus diferentes de abstração. É importante entender essa hierarquia de conceitos, mas é improvável que seja aplicável como fórmula no desenvolvimento da proposta. Como já observado, o estágio de desenvolvimento da pergunta provavelmente será desorganizado, iterativo e cíclico, podendo proceder de qualquer maneira[3]. Mas se você conhecer essa hierarquia, poderá usá-la para ajudar a desembaraçar e organizar as muitas perguntas que serão produzidas pela consideração séria de quase qualquer área e tópico de pesquisa.

## 4.5 Desenvolvimento de perguntas de pesquisa

Uma forma de chegar às perguntas de pesquisa é identificar uma área e um tópico de pesquisa, e depois desenvolver perguntas nessa área e tópico, trabalhando dedutivamente de perguntas gerais a específicas. Outra forma é mais indutiva – começar com algumas perguntas específicas e trabalhar a partir delas voltando para perguntas mais gerais.

Às vezes os conceitos mais abstratos de área e tópico de pesquisa, e perguntas de pesquisa gerais e específicas, não são suficientes para iniciar o processo de identificação e desenvolvimento de perguntas de pesquisa. Quando isso acontece, é bom concentrar-se na pergunta "O que estamos tentando descobrir?" O foco nessa pergunta quase sempre mostra que "aqui há mais do que os olhos conseguem ver". O tópico se expande e muitas perguntas são geradas. O que talvez parecesse simples e direto se torna mais complicado, multilateral e cheio de possibilidades. Isso pode acontecer se o pesquisador proceder dedutivamente ou indutivamente. Por um lado, qualquer área de pesquisa, quando plenamente analisada, gerará muitas perguntas de pesquisa, gerais e específicas. Por outro, qualquer pergunta de pesquisa, quando considerada atentamente, gerará outras que por sua vez gerarão mais.

Que tipo de trabalho é esse, no estágio de desenvolvimento de perguntas? Primeiro é gerar possibilidades. Respostas à pergunta "O que estamos tentando descobrir?" são provisórias nesse estágio. Não desejamos chegar a um conjunto final de perguntas tão rapidamente porque podemos não perceber possibilidades. A geração de possibilidades não deve ser infinita, mas queremos ter tempo suficiente para ver quais são as possibilidades. Segundo, é uma mistura de subdivisão de perguntas, quando desdobramos uma pergunta geral em componentes, e de desembaraço das diferentes perguntas. Terceiro, é ordenar essas perguntas e desenvolver o foco progressivamente.

Normalmente é um processo iterativo obter uma visão estável do que se está tentando descobrir. Há benefícios em fazer parte desse trabalho com outras pessoas – outro aluno ou um grupo pequeno, que pode incluir orientador(es), colegas ou outros pesquisadores. Outras pessoas muitas vezes verão perguntas possíveis que o pesquisador individual pode não perceber, e a discussão com as outras pessoas também pode ser um estímulo para pensar mais profundamente e talvez distintamente sobre o tópico.

O que geralmente acontece após um período de desenvolvimento de perguntas é que todo o processo se expande, às vezes enormemente. Isso pode provocar ansiedade, mas deve acontecer para a maioria dos projetos. De fato, se não acontecer, devemos nos preocupar, pois pode ser um sinal de trabalho insuficiente de desenvolvimento de perguntas. Portanto, deve ser encorajado de forma razoável como um estágio importante. Sondar, explorar e ver outras possibilidades num tópico pode ser valioso antes de encerrar as direções específicas do projeto.

Quando um pequeno conjunto de perguntas iniciais tiver se multiplicado num conjunto maior, é necessário desembaraçar e organizar. Desembaraçar é necessário porque uma pergunta muitas vezes terá outras perguntas dentro dela. Organização envolve categorização e agrupamento das perguntas. Isso logo passará a ser hierárquico, e perguntas de pesquisa gerais e específicas começam a se distinguir entre si.

O último estágio envolve o encurtamento do projeto, pois geralmente ele fica grande demais. Na verdade, isso provavelmente sugere um programa de pesquisa com vários projetos de pesquisa até o momento. Como esse encurtamento é feito? É importante decidir quais perguntas são administráveis em vista das restrições práticas desse projeto e quais parecem mais importantes. É claro que há limites em torno de qualquer projeto – ainda que tal projeto envolva uma bolsa de pesquisa e uma equipe de pesquisadores. O princípio aqui é que é melhor fazer um projeto menor abrangente do que um projeto maior superficial. Encurtar um projeto é uma questão de julgamento, e a experiência na pesquisa desempenha uma função importante aqui. Mais uma vez, portanto, esse estágio é melhor em colaboração com outras pessoas.

Quantas perguntas de pesquisa devem existir? Há limitações práticas em qualquer projeto e, como citado anteriormente, é melhor ter um projeto pequeno abrangente do que um projeto grande superficial. Ter mais do que aproximadamente três ou quatro perguntas de pesquisa gerais, pressupondo que cada uma é subdividida em (p. ex.) duas ou três perguntas específicas, testa o limite superior do que pode ser executado num estudo[4].

Esse estágio de desenvolvimento de perguntas é pré-empírico no sentido de que não estamos realmente nos concentrando em questões de método, que vêm depois. Dentro do possível, estamos seguindo a regra de posicionar questões substantivas ou de conteúdo antes de questões metodológicas. Perguntas sobre método sempre serão invasivas de certa forma, mas é importante mantê-las por perto durante esse estágio. As perguntas "Como farei isso?" ou "Devo usar este ou aquele método?" são importantes, mas o ponto aqui é que elas podem aparecer cedo demais.

Durante esse estágio de planejamento, é benéfico "apressar-se vagarosamente". Como as perguntas de pesquisa quase nunca surgem na primeira vez, várias iterações muitas vezes são necessárias, e somente chegamos a uma resposta à pergunta "O que estamos tentando descobrir?" após uma reflexão atenta. Esse estágio de desenvolvimento de perguntas precisa de tempo – tempo para ver as possíveis perguntas enterradas numa área e ver perguntas relacionadas que resultam de uma análise de certas perguntas. O estágio de montagem da pesquisa é importante porque as decisões tomadas aqui influenciarão o que for feito nos estágios seguintes. Isso não significa que as decisões não possam ser variadas, como acontece quando a iteração direcionada às perguntas de pesquisa finais acontece durante os primeiros estágios empíricos do projeto. Mas a variação delas não deve ser leve se um esforço considerável tiver sido investido para se chegar até elas durante o estágio de montagem.

O foco no que estamos tentando descobrir é útil não somente neste estágio, mas em todos os estágios da pesquisa. Isso ajuda a manter o foco durante o planejamento, desenho e execução do projeto – especialmente durante a análise dos dados – e ajuda na redação do relatório da pesquisa.

## 4.6  A função das perguntas de pesquisa

As perguntas de pesquisa são fundamentais. Elas fazem cinco coisas principais:
- Organizam o projeto, dando-lhe direção e coerência;
- Delimitam o projeto, mostrando os seus limites;
- Mantêm o pesquisador focado durante o projeto;
- Propiciam uma estrutura para escrever o projeto;
- Indicam os dados que serão necessários.

O terceiro ponto (manter-se focado durante o projeto) pede um comentário. A pesquisa pode ficar complicada; portanto, é fácil que qualquer um de nós se perca no caminho. Quando definidas claramente, as perguntas de pesquisa têm o grande valor de trazer o pesquisador de volta naquelas situações em que complicações ou questões colaterais ameacem uma perda de rumo. Poder sair de complicações e detalhes, e consultar novamente as perguntas de pesquisa, pode ser de grande auxílio.

O último ponto, indicando quais dados serão necessários no projeto, é o critério empírico, a ser discutido no Capítulo 5. A ideia é que uma pergunta bem feita indica quais dados serão necessários para respondê-la. Isso traz à tona novamente a distinção entre pergunta de pesquisa e pergunta para coleta de dados. Pergunta de pesquisa é aquela que guia o projeto e para a qual a pesquisa é desenhada. A pergunta para coleta de dados é mais específica e feita (frequentemente numa entrevista ou questionário de levantamento) para prover dados relevantes a uma pergunta de pesquisa.

O Capítulo 5 também discute estruturas conceituais. A estrutura conceitual mostra a condição conceitual dos fatores, variáveis ou fenômenos com os quais estamos trabalhando, normalmente em forma de diagrama. O desenvolvimento das perguntas de pesquisa costuma envolver o desenvolvimento de uma estrutura conceitual para a pesquisa também. Essas duas coisas não precisam estar juntas, mas serão de grande valia se estiverem. Isso porque desenvolver as perguntas muitas vezes traz para o foco a estrutura conceitual (implícita) que estamos usando em nosso pensamento sobre o tópico. Quando esse for o caso, é uma boa ideia explicitar essa estrutura. As perguntas de pesquisa, então, operacionalizam a estrutura conceitual, apontando para os dados. Na pesquisa quantitativa, isso normalmente é muito claro, desconsiderando-se que a estrutura conceitual para o estudo aparecerá. Desenvolver uma estrutura conceitual pode ser muito útil na pesquisa qualitativa também, focando e delimitando o estudo, e direcionando as decisões de amostragem que serão necessárias. Exemplos de estruturas conceituais são dados no Capítulo 5.

Até agora este capítulo tratou da identificação e desenvolvimento das perguntas de pesquisa e sua função fundamental num projeto. Agora é o momento de considerar a hipótese e sua função na pesquisa.

## 4.7 Hipóteses

Definições complicadas de hipótese podem ser encontradas em parte da literatura mais antiga sobre metodologia de pesquisa em ciências sociais (Brodbeck, 1968; Nagel, 1979; Kerlinger, 1999), mas elas não serão usadas aqui. Em vez disso, usarei a definição simples de hipótese como uma resposta prevista a uma pergunta de pesquisa. Afirmar que temos uma hipótese é afirmar que podemos prever o que encontraremos em resposta a uma pergunta. Fazemos essa previsão antes de executar a pesquisa – *a priori*. Uma pergunta de pesquisa específica declara o que estamos tentando descobrir. A hipótese prevê, *a priori*, a resposta a tal pergunta.

Como podemos fazer essa previsão? Por que esperamos encontrar isso (o que prevemos), e não outra coisa? Em geral, há apenas duas respostas para essa última pergunta. A primeira é: Porque outro pesquisador fez alguma pesquisa parecida e é isso que foi encontrado. Embora isso responda a pergunta, não explica a previsão. A outra resposta a "por que prever isso?" envolve uma explicação. Proposições são formuladas para explicar por que a resposta prevista (a hipótese) pode ser esperada. Podemos chamar esse conjunto de proposições de "teoria". Isso se encaixa na descrição de teoria substantiva dada no Capítulo 2 (Seção 2.2).

Nesse caso, temos uma teoria, o que explica a hipótese, da qual resulta a hipótese, por dedução, como uma proposição "se... então..." Se a teoria for verdadeira, então a hipótese será o resultado. Portanto, ao executar a pesquisa e testar a hipótese, na verdade estamos testando a teoria que subjaz à hipótese. Esse é o modelo de pesquisa hipotético-dedutivo clássico. A propósito, devemos observar que isso mostra por que teorias não podem ser provadas, somente refutadas. Não podemos provar a parte "se..." (a teoria) validando a parte "então..." (a hipótese)[5]. Por isso costuma-se afirmar que o conhecimento científico se desenvolve pela refutação das suas teorias (Popper, 2002).

Dois pontos resultam quando vemos a estrutura de conhecimento e a estrutura de investigação assim. O primeiro diz respeito à função das hipóteses na pesquisa empírica. Somente devemos ter hipóteses quando for apropriado. E quando é? Quando temos uma explicação (uma teoria) em mente que subjaza às nossas hipóteses. Se for o caso, devemos sempre formular hipóteses como respostas previstas às perguntas de pesquisa e testá-las. Se não for, podemos ignorar as hipóteses e prosseguir com as perguntas de pesquisa. Afinal, não há uma diferença lógica entre perguntas de pesquisa e hipóteses de pesquisa no que se refere às suas implicações para as operações empíricas de desenho, coleta de dados e análise de dados.

Portanto, existe um procedimento simples para determinar se é apropriado ter hipóteses. Quando tivermos perguntas de pesquisa específicas, poderemos perguntar rotineiramente para cada uma e antes de executar a pesquisa: "Qual resposta esperamos (ou prevemos) para esta pergunta?" Se não conseguirmos prever com confiança, não precisamos continuar no assunto das hipóteses; em vez disso, podemos prosseguir com as perguntas de pesquisa. Se conseguirmos prever, perguntamos: "Por que prevemos isso (e não outra coisa)?" Se a única resposta para a pergunta for "Porque outro pesquisador descobriu que era verdade", mais uma vez não precisamos propor hipóteses. Se, porém, realmente tivermos alguma explicação em mente da qual a(s) resposta(s) prevista(s) resulte(m), então vale a pena propor hipóteses, expor e analisar a teoria que subjaza a elas. Ao testar as hipóteses, estamos testando a teoria. A hipótese tem uma função fundamental no teste de teorias e não deve ser separada de tal função. Isso significa que não há sentido em apresentar hipóteses para teste se não pudermos também apresentar a teoria que subjaza a elas.

A segunda implicação dessa forma de considerar a hipótese concerne à estrutura geral do conhecimento científico e nos leva de volta ao diagrama mostrado na Figura 2.1 do Capítulo 2. A estrutura mostrada nesse diagrama ilustra o ponto explanado anteriormente (que uma hipótese deriva da teoria de ordem superior acima dela e é explicada por tal teoria). Também mostra a estrutura hierárquica do conhecimento, com níveis crescentes de poder, abstração e generalidade até o alto do diagrama, e a função fundamental das generalizações empíricas. Essa visão de hipótese e a sua relação com as perguntas de pesquisa e com a teoria que lhe subjaz mostram no microcosmo a mesma estrutura. Isso sublinha o ponto de que há conceitos e proposições em graus diferentes de abstração num projeto de pesquisa e, portanto, é necessário haver relações entre esses diferentes graus de abstração.

As hipóteses ocupam um lugar muito proeminente em alguns livros sobre métodos de pesquisa, especialmente quantitativos (cf., p. ex., Burns, 2000), mas esse não é o caso aqui. A sequência de ideias anterior ajuda a entender a função e o lugar da hipótese, e possibilita julgamentos sobre a adequação das hipóteses num estudo. Se adequadas, podemos usá-las. Caso contrário, é melhor manter o estudo no nível das perguntas de pesquisa. Não faz sentido ter hipóteses sem motivo algum. O que vale em todos os casos é percorrer a sequência de perguntas anterior depois que as perguntas de pesquisa estiverem definidas, perguntando se a resposta para cada pergunta de pesquisa pode ser prevista e, em caso afirmativo, com base em quê.

## 4.8 Um modelo simplificado de pesquisa

Saber se as hipóteses são adequadas, organizar a pesquisa em torno das perguntas de pesquisa e insistir para que cada pergunta se conforme ao critério empírico descrito no capítulo seguinte conduzem ao modelo simples do processo de pesquisa mostrado no Capítulo 1, mas agora com duas versões, como ilustrado na Figura 4.1.

Esse modelo simplificado de pesquisa enfatiza:
- Estruturação da pesquisa em termos de perguntas de pesquisa;
- Determinação de quais dados são necessários para responder tais perguntas;
- Desenho da pesquisa para a coleta e análise desses dados;
- Uso dos dados para responder as perguntas.

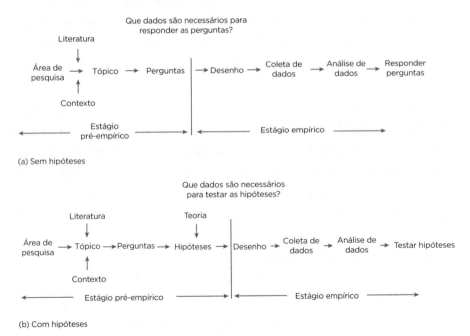

**Figura 4.1 Modelo simplificado de pesquisa**

O modelo na parte superior do diagrama mostra as perguntas de pesquisa sem as hipóteses. O modelo na parte inferior mostra as perguntas de pesquisa com as hipóteses. O modelo é essencialmente o mesmo nos dois casos.

Com base nesse modelo, podemos ver que duas perguntas gerais norteiam o processo de planejamento da pesquisa. Elas também são as perguntas em torno das quais pode ser escrita a proposta de pesquisa e depois, com alguns acréscimos, o relatório de pesquisa. Estas são as perguntas objetivas:

- O quê/Qual(Quais)? (Quais perguntas a pesquisa está tentando responder? O que a pesquisa está tentando descobrir?)
- Como? (Como a pesquisa responderá estas perguntas?)

Este capítulo e o seguinte tratam de formas de responder a pergunta "o quê/qual(quais)". Os capítulos 7 ao 12 se concentram na pergunta "Como", primeiro na pesquisa qualitativa, depois na pesquisa quantitativa. Também há uma terceira pergunta:

- Por quê? (Por que vale a pena responder estas perguntas? Por que vale a pena fazer esta pesquisa?)

Essa pergunta se refere à justificativa para fazer a pesquisa e é discutida no Capítulo 15. Esse modelo de pesquisa ajuda a organizar o planejamento, a execução e a redação da pesquisa. Especialmente durante o planejamento, também ajuda a reagir a possíveis confusões e sobrecarga. É efetivo com pesquisas que usem métodos quantitativos, qualitativos e mistos. Precisa de modificação quando perguntas de pesquisa pré-especificadas não forem possíveis ou desejáveis e quando o plano for o seu desenvolvimento à medida que o trabalho empírico anterior possibilite um foco. Nesses casos, como já observamos, ainda é válido ter esse modelo em mente para ver onde e por que não é apropriado. Quando as perguntas de pesquisa forem desenvolvidas à medida que a pesquisa fique mais focada, o processo analítico descrito neste capítulo será retardado. Ele vem depois de algum trabalho empírico, não antes. Quando isso acontece, o desenvolvimento da pergunta será influenciado pelos dados iniciais. Senão, é o mesmo processo, que também é importante para garantir a adequação entre as partes da pesquisa.

## 4.9 A função da literatura

Sendo o ponto apropriado no processo de planejamento no qual devemos nos concentrar, a literatura é algo que pode variar em estilos diferentes de pesquisa. Num modelo tradicional de pesquisa, a literatura é revista (em geral de modo abrangente) como parte do planejamento da pesquisa e do estágio de desenvolvimento da pergunta. A própria literatura se torna um estímulo à análise e ao planejamento durante esse estágio. Essa é a forma recomendada de procedimento em muitas situações de pesquisa e é o modelo tipicamente seguido na pesquisa quantitativa e em alguns tipos de pesquisa qualitativa. Na outra extremidade da escala podemos ter, por exemplo, um estudo de teoria fundamentada em que a cobertura da literatura é deliberadamente retardada até que as direções emerjam da análise de dados anterior. A literatura é trazida depois e tratada como outros dados para análise. O motivo para tanto, como explicado no Capítulo 7, é que o pesquisador deseja que as categorias e conceitos emerjam dos dados – estejam totalmente fundamentados nos dados – e não sejam levados aos dados partindo da literatura. Considerando que esses dois exemplos são as duas extremidades da escala, obviamente há pontos entre eles que combinam elementos das duas abordagens.

Saber em que parte da literatura devemos nos concentrar é uma questão de julgamento. Os fatores envolvidos nesse julgamento incluem o estilo da pesquisa, a estratégia geral da pesquisa, quais são os objetivos do estudo proposto, a natureza do problema substantivo e o quanto se sabe sobre ele, o grau de desenvolvimento da literatura na área e até que ponto esse estudo deseja seguir as instruções estabelecidas por essa literatura. Outro fator importante é o conhecimento profissional ou experimental que o pesquisador já tenha, especialmente quando o tópico da pesquisa se origina da prática ou experiência.

Em áreas diferentes da pesquisa em ciências sociais, muitos tópicos e perguntas provêm do mundo da prática profissional e costumam estar em cenários organizacionais, institucionais, comunitários ou públicos. Normalmente, também, o pesquisador é um praticante profissional ou está estritamente vinculado à prática profissional, nesse cenário. Numa situação assim, o pesquisador tem conhecimento considerável sobre o tópico antes de começar a pesquisa. Tal conhecimento pode ser usado como ponto de partida para o trabalho de desenvolvimento da pergunta descrito anteriormente. Isso inclui explorar e articular tal conhecimento, uma atividade que muitas vezes será valiosa ao indivíduo para o encorajamento de reflexões sobre o tema. Para a própria pesquisa, esse conhecimento é um estímulo valioso ao seu processo de planejamento. Maxwell (2012) oferece algumas sugestões específicas para lidar com o "conhecimento experimental" e dá o exemplo (p. 32-34) de "anotações de experiência" sobre o tema da diversidade.

Nesses casos, em geral há algum benefício em retardar um pouco o uso da literatura durante o estágio de desenvolvimento das perguntas. Em outras palavras, há benefício em ter certo trabalho para desenvolver as perguntas (e talvez a estrutura conceitual) antes de consultar a literatura, porque a literatura normalmente influenciará esse processo e talvez devamos minimizar ou retardar tal influência. É claro que a literatura pode ser uma fonte fértil de conceitos, teorias e evidências sobre um tópico, mas também pode influenciar o nosso olhar para o tópico, assim impedindo o desenvolvimento de alguma forma nova. O Capítulo 6 trata de busca e revisão da literatura. Antes, o Capítulo 5 discute a relação entre perguntas de pesquisa e dados.

## Resumo do capítulo

Uma hierarquia de conceitos pode ajudar a planejar e organizar a pesquisa. Do mais geral ao mais específico, esta é a hierarquia:

- Área de pesquisa;

- Tópico de pesquisa;

- Pergunta(s) de pesquisa geral(gerais);

- Perguntas de pesquisa específicas;

- Perguntas para coleta de dados.

- O planejamento da pesquisa pode se mover para baixo na hierarquia (por dedução), para cima (por indução) ou ambos. Uma boa pesquisa mostra ligações lógicas estreitas entre os diferentes graus da hierarquia.

- Desenvolver as perguntas de pesquisa geralmente é um processo de geração de possíveis perguntas, subdividindo-as, depois desembaraçando-as e organizando-as. Um trabalho atento nesse estágio pré-empírico ajuda a construir uma pesquisa internamente consistente.

- Uma hipótese pode ser definida como uma resposta prevista a uma pergunta de pesquisa. Ela se posiciona como relação "se...então..." diante da teoria explicativa. Isso leva a uma sequência de questionamento objetivo para determinar quando a pesquisa de teste de hipóteses é apropriada.

- Um modelo de pesquisa simples, mas robusto, pode ser construído em torno de duas perguntas fundamentais: Quais perguntas a pesquisa está tentando responder? Como ela responderá essas perguntas?

- É muito comum que a revisão da literatura anteceda e seja parte do desenvolvimento das perguntas de pesquisa. Às vezes, porém, pode ser melhor retardar a revisão da literatura até um estágio mais apropriado do planejamento da pesquisa.

## Termos-chave

Dedução: de um grau mais geral a um grau mais específico.

Graus de abstração: graus diferentes de generalidade e especificidade – mais geral significa mais abstrato, mais específico significa mais concreto.

Hierarquia de conceitos: área de pesquisa; tópico de pesquisa; pergunta(s) geral(gerais) de pesquisa; perguntas de pesquisa específicas; perguntas para coleta de dados.

Hipóteses: respostas previstas a perguntas de pesquisa.

Indução: de um grau mais específico a um grau mais geral.

Perguntas para coleta de dados: perguntas de levantamentos e entrevistas para coletar dados.

Pesquisa de teste de hipóteses: pesquisa que objetiva testar hipóteses que sejam idealmente derivadas de uma teoria explicativa.

## Exercícios e perguntas para estudo

1. O que "hierarquia" em "hierarquia de conceitos" significa? Qual é a sua relação com indução e dedução?

2. Identifique quatro áreas diferentes de pesquisa na sua área de ciências sociais.

3. Este capítulo mostra como desenvolver tópicos e perguntas de pesquisa para a área de pesquisa sobre suicídio de jovens. Siga esse exemplo para desenvolver tópicos e perguntas de pesquisa para as áreas de pesquisa que você identificou no item (2).

4. Identifique dimensões específicas diferentes para esses conceitos gerais: sucesso educacional, satisfação profissional, alienação do local de trabalho, autoestima, estilo de liderança.

5. O que são perguntas para coleta de dados e como diferem de perguntas de pesquisa?

6. Escolha um dos conceitos gerais do exercício 4. Usando as dimensões que você identificou, formule uma ou mais perguntas de pesquisa para cada dimensão. Depois desenvolva algumas perguntas para coleta de dados para (a) entrevistas qualitativas e (b) levantamentos quantitativos que possam ajudar você a responder as perguntas de pesquisa.

7. Por que as perguntas de pesquisa são importantes numa proposta de pesquisa?

8. O que é uma hipótese e qual é a sua relação com a teoria? Descreva a pesquisa que testa hipóteses.

**9.** Quais exemplos de relações teoria-hipótese você pode encontrar na sua área de ciências sociais?

## Leitura complementar

Babbie, E. (2012) *The Practice of Social Research*. 13. ed. Belmont, CA: Wadsworth.

Brewer, J. e Hunter, A. (2005) *Foundations of Multimethod Research: A Synthesis of Styles*. Thousand Oaks, CA: Sage.

Campbell, J.P., Daft, R.L e Hulin, C.L (1982) *What to Study: Generating and Developing Research Questions*. Beverly Hills, CA: Sage.

Clark, A.W. (1983) *Social Science: Introduction to Theory and Method*. Sydney: Prentice-Hall.

Marshall, C. e Rossman, G.B. (2010) *Designing Qualitative Research*. 5. ed. Thousand Oaks, CA: Sage.

Maxwell, J.A. (2012) *Qualitative Research Design: An Interactive Approach*. 3. ed. Thousand Oaks, CA: Sage.

Miles, M.B., Huberman, A.M. e Saldana, J. (2013) *Qualitative Data Analysis*. 3. ed. Thousand Oaks, CA: Sage.

Neuman, W.L. (2010) *Social Research Methods: Qualitative and Quantitative Approaches*. 7. ed. Harlow: Pearson.

Punch, K.F. (2006) *Developing Effective Research Proposals*. 2. ed. Londres: Sage.

## Notas

**1.** Uma questão generalizante busca afirmativas nomotéticas de conhecimento universalizado e semelhantes a leis, aplicando-se em geral a toda uma classe de pessoas, situações, eventos ou fenômenos. Uma pergunta particularizante busca conhecimento ideográfico – proposições locais, baseadas em casos e específicas.

**2.** Isso não se aplica literalmente a todas as perguntas para coleta de dados que possam ser usadas num estudo. Assim, algumas perguntas para coleta de dados podem ser perguntas bem gerais – por exemplo, perguntas introdutórias ou guiadas numa entrevista de pesquisa qualitativa. Mas o ponto aqui é que a função da maioria das perguntas para coleta de dados é operar no grau mais específico. Como afirma Maxwell (2012), as perguntas de pesquisa identificam o que você deseja entender; as perguntas de entrevistas, como as perguntas para coleta de dados, fornecem os dados necessários para entender essas coisas. O mesmo se aplica às perguntas de levantamentos na pesquisa quantitativa. Por serem o grau mais específico de perguntas, as verdadeiras perguntas para coleta de dados provavelmente não serão mostradas numa proposta.

3. Locke et al. (1993: 99) exemplificam esse processo de desenvolvimento de perguntas, inclusive indutivamente e dedutivamente. Maxwell (2012), escrevendo para a pesquisa qualitativa, faz distinções entre perguntas de pesquisa (generalizantes-particularizantes, instrumentalistas-realistas, variância-processo). Também dá um exemplo do desenvolvimento de perguntas de pesquisa e um exercício de ajuda (p. 83-86).

4. Miles e Huberman são mais ambiciosos: sugerem que perguntar mais de aproximadamente doze perguntas de pesquisa gerais é "procurar problemas" (1994: 25).

5. Afirmar fazer isso é cometer a falácia lógica de "afirmar o consequente".

# 5

# DAS PERGUNTAS DE PESQUISA AOS DADOS

**Sumário**

5.1 O critério empírico
5.2 Relacionando conceitos e dados
5.3 Perguntas de pesquisa boas e ruins
5.4 Juízos de valor
5.5 Causação
5.6 Estruturas conceituais
5.7 Das perguntas de pesquisa aos dados
    5.7.1 Dados quantitativos
    5.7.2 Dados qualitativos
5.8 Combinando dados quantitativos e qualitativos
Resumo do capítulo
    Termos-chave
    Exercícios e perguntas para estudo
    Leitura complementar
    Notas

---

**OBJETIVOS DE APRENDIZAGEM**

**Após estudar este capítulo, você saberá:**

- Dizer o que significa critério empírico para as perguntas de pesquisa;
- Definir juízo de valor e descrever a lacuna "fato-valor";
- Descrever as duas principais visões de causação e explicar por que a causação é um conceito difícil na pesquisa empírica;
- Nomear termos substitutos para causa e efeito;
- Descrever o processo de mensuração e sua relação com as escalas;
- Discutir, em termos gerais, quando a mensuração é apropriada ou não à pesquisa.

## 5.1 O critério empírico

A ideia essencial do critério empírico para as perguntas de pesquisa é que uma pergunta de pesquisa bem formulada indica quais dados serão necessários para respondê-la. Vale aplicar esse critério a todas as perguntas de pesquisa à medida que forem desenvolvidas. Outra forma de dizer isso é que "uma pergunta bem feita é uma pergunta metade respondida" – a forma em que uma pergunta de pesquisa bem feita é formulada indica quais dados serão necessários para respondê--la. Como pesquisa empírica significa coletar dados, não saberemos como proceder se as perguntas de pesquisa não fornecerem indicações claras sobre os dados necessários para respondê-las.

Esse critério se aplica com mais clareza a perguntas de pesquisa pré-especificadas. E quando não há perguntas de pesquisa claramente pré-especificadas – quando a estratégia de pesquisa é para as perguntas emergirem? Ainda assim deve existir uma adequação estreita entre perguntas e dados, mas agora, em vez de perguntas conducentes a dados, podemos ter dados conducentes a perguntas. De fato, é mais provável que haja uma "interação recíproca" entre as perguntas e os dados. Nesse tipo de situação emergente, os processos de identificação de perguntas e desenvolvimento de perguntas são retardados. Em vez de ocorrerem antes da pesquisa, esses processos ocorrem depois, com os dados influenciando a forma pela qual as perguntas são identificadas e desenvolvidas. Mas ainda assim é importante que perguntas e dados se encaixem.

## 5.2 Relacionando conceitos e dados

A pesquisa empírica requer a relação entre dados e conceitos, o que significa conectar um conceito aos seus indicadores empíricos. Na pesquisa quantitativa, em que os conceitos são variáveis, essa ideia é descrita como operacionalismo. As variáveis têm definições conceituais em que são definidas usando conceitos abstratos acompanhados de definições operacionais, nas quais são conectadas – por meio de operações empíricas – a indicadores de dados. A mesma ideia se aplica à pesquisa qualitativa, mas surge na análise dos dados.

O critério empírico reforça a relação entre perguntas de pesquisa e dados, e entre conceitos e seus indicadores empíricos. A relação é uma parte importante da adequação entre as diferentes partes de um projeto de pesquisa. Também faz parte da cadeia lógica geral de uma pesquisa. Relações lógicas estreitas são necessárias entre todos os níveis de abstração nessa cadeia. A Figura 2.1 no Capítulo 2 mostra os graus diferentes de abstração em teorias, generalizações empíricas e fatos de primeira ordem. Os fatos de primeira ordem são muito concretos, enquanto as generalizações empíricas usam conceitos abstratos e as teorias usam conceitos ainda mais abstratos. Conexões firmes devem existir entre os conceitos em cada nível de abstração dessa estrutura hierárquica.

Podemos ilustrar esses pontos usando o exemplo de Charters na sua discussão sobre hipótese, lembrando que uma hipótese é uma resposta prevista a uma pergunta de pesquisa. Charters (1967) mostra as proposições em graus diferentes de generalidade e demonstra a necessidade de relações lógicas entre esses graus[1].

**Proposição teórica**: ocorre agressão quando alguém é frustrado no processo de conquista das suas metas. Ou seja, sempre que alguém é impedido de conseguir algo que deseja, um ímpeto agressivo surge nele, induzindo-o a agir agressivamente contra a parte responsável pela sua frustração.

**Hipótese conceitual**: alunos do ensino fundamental impedidos pelo professor de terem folga num dia ensolarado expressarão maior hostilidade nos seus comentários para o professor durante o restante do dia na escola do que os alunos do ensino fundamental que não forem impedidos de terem folga, sendo as outras condições iguais.

**Hipótese operacional**: a razão entre comentários "hostis" e "não hostis" feitos pelos alunos e classificados como "direcionados ao professor", com base na observação da interação em sala de aula por um observador treinado entre as 14:00 e 15:30 de dias ensolarados, será significativamente inferior sob a Condição A (27 alunos do segundo ano da Hawthorne School cujo professor disse: "Vocês podem sair de folga agora") do que sob a Condição B (36 alunos do segundo ano da Hawthorne School cujo professor disse: "Em vez de terem folga hoje, acho melhor trabalharmos mais a ortografia").

Num estudo quantitativo estritamente prefigurado como o usado nesse exemplo, a relação entre conceitos e dados é realizada antes do trabalho empírico de coleta e análise de dados. Essa relação é feita *a partir dos conceitos até os dados*. Na linguagem da pesquisa quantitativa, as variáveis são definidas operacionalmente. Num estudo qualitativo mais "aberto", como um estudo com teoria fundamentada, essa relação é feita durante o trabalho empírico. De fato, um objetivo desse estudo é desenvolver conceitos relacionados aos dados ou fundamentados neles. Nesse tipo de estudo, a relação é feita *a partir dos dados até os conceitos*. Anteriormente, na comparação entre pesquisa com verificação de teoria e pesquisa com geração de teoria, usei a descrição de teoria antes ou teoria depois, de Wolcott. Aqui, temos conceitos antes ou conceitos depois. Não importa quando, antes ou durante a parte empírica da pesquisa, a relação atenta é necessária, e os princípios são os mesmos. Esses mesmos pontos são enfatizados por Lewins (1992).

Vale aplicar o critério empírico a todas as perguntas de pesquisa. Quando todas as perguntas atenderem o critério, estaremos prontos para passar de conteúdo a método. Quando as perguntas de pesquisa são reprovadas na prova desse critério, uma de duas situações será aplicável: temos mais trabalho de desenvolvimento de perguntas conceitual analítico para fazer, o que significa que as perguntas provavelmente ainda não são suficientemente específicas (Isso é típico de perguntas que estejam sendo desenvolvidas dedutivamente, do geral ao específico.); ou temos perguntas de pesquisa defeituosas de algum modo. Isso nos leva ao tópico de perguntas de pesquisa boas e ruins.

## 5.3 Perguntas de pesquisa boas e ruins

Vimos no Capítulo 4 que perguntas de pesquisa boas são:
- Claras: podem ser facilmente entendidas e não são ambíguas;
- Específicas: seus conceitos estão em grau suficientemente específico para se conectarem aos indicadores de dados;
- Empíricas, no sentido de serem respondíveis com os dados: conseguimos ver quais dados são necessários para respondê-las e como os dados serão obtidos;
- Interconectadas: relacionam-se entre si de algum modo significativo em vez de serem desconectadas;
- Substantivamente relevantes: são perguntas interessantes e proveitosas para investimento de esforço na pesquisa.

Perguntas de pesquisa ruins deixam de atender um ou mais desses critérios. Muitas vezes isso ocorre porque não são claras nem suficientemente específicas ou porque são reprovadas na prova do critério empírico, o que é expresso no segundo e terceiro pontos anteriores. Se não conseguirmos afirmar como responderíamos cada pergunta de pesquisa e quais dados seriam necessários para respondê-la, não poderemos prosseguir.

Embora haja muitas formas diferentes em que as perguntas de pesquisa possam ser inadequadas ou insatisfatórias, dois tipos de problemas muitas vezes ocorrem.

O primeiro concerne a juízos de valor, o segundo concerne a causação. Ambos suscitam importantes questões filosóficas, ambos são problemáticos para a pesquisa empírica e ambos são proeminentes nas discussões sobre paradigmas já mencionadas.

## 5.4 Juízos de valor

Juízos de valor são afirmações ou julgamentos morais (ou éticos). São afirmações sobre o que é bom ou ruim, certo ou errado (ou quaisquer sinônimos dessas palavras), não no sentido de valores instrumentais (meios), mas no sentido de valores terminais (fins). Costumam ser descritos como afirmações de "dever" e contrastam com afirmações de "ser"[2]. Enquanto afirmações de "ser" são afirmações de fato, afirmações de "dever" são afirmações de valor. O problema é que não está claro como (ou se) podemos usar evidências empíricas (ou seja, fatos) para fazer tais juízos de valor. Há duas posições principais sobre esse tema importante.

*Uma posição principal* é que não podemos usar evidências empíricas ao fazermos juízos de valor devido ao que é chamado de "lacuna fato-valor". A lacuna fato-valor afirma que existe uma diferença fundamental entre fatos e valores e que, devido a essa diferença, não há um modo lógico de transitarmos de afirmações de fato para afirmações de valor. Se isso for verdade, significa que evidências são irrelevantes à construção de juízos de valor e que juízos de valor não podem ser justificados por evidências. Alguma outra base será necessária para a sua justificação. Para os proponentes dessa visão, a ciência deve permanecer silenciosa a respeito de questões sobre juízo de valor, já que a pesquisa científica, por estar pautada em dados empíricos, somente consegue lidar com os fatos. Esse problema não é pequeno, pois os juízos de valor estão entre os julgamentos mais importantes que as pessoas (em âmbito individual e coletivo) devem fazer. Segundo tal visão, a ciência não tem a função de fazer esses juízos de valor. Tampouco os juízos de valor ocupam algum lugar nas investigações científicas. Essa é a visão convencional, positivista e que defende a ciência como algo livre de valores, cuja história é longa (cf., p. ex., O'Connor (1957), especialmente o Capítulo 3).

*A outra posição principal* é que essa lacuna se baseia num dualismo equivocado que considera fatos e valores coisas bem diferentes. Segundo essa visão, tal distinção é inválida, e a lacuna fato-valor, portanto, é uma falácia enganosa. O raciocínio que subjaz a essa visão não é fácil de ser resumido, mas é descrito por Lincoln e Guba (1985: Capítulo 7). Nesse capítulo, eles indicam os diversos significados possíveis de valores, mostram por que o dualismo fato-valor não tem mérito, enfatizam a carga de valor de todos os fatos e mostram as quatro formas principais pelas quais os valores exercem um impacto direto na pesquisa. Eles concluem o seu capítulo com o seguinte apelo para eliminarmos a dicotomia falaciosa entre fatos e valores e paremos de tentar excluir os valores da pesquisa:

> Neste ponto ao menos devemos estar preparados para admitir que os valores desempenham um papel importante na investigação, para fazer o nosso melhor em cada caso para expô-los e explicá-los... e, finalmente, para considerá-los ao máximo. Esse procedimento é infinitamente preferível a continuar na autoilusão de que a metodologia pode nos proteger e nos protege das nossas incursões inoportunas (1985: 186).

Essa rejeição à visão positivista parte de várias vertentes. Estudiosos feministas, por exemplo, repetidamente desafiam o "mito positivista persistente" (Haig, 1997) de que a ciência é livre de valores, e tanto teóricos críticos quanto feministas consideram a distinção entre fatos e valores simplesmente um dispositivo que disfarça a função dos valores conservadores em boa parte da pesquisa em ciências sociais. Em vez de pesquisa livre de valores, os teóricos críticos especialmente argumentam que a pesquisa deve ser usada a serviço da emancipação de grupos oprimidos – em outras palavras, que deve ser abertamente ideológica (Hammersley, 1993).

> A tentativa de se produzir uma ciência social neutra de valores vem sendo cada vez mais abandonada por ser irrealizável, na melhor das hipóteses, e autoenganosa, na pior das hipóteses, e está sendo substituída por ciências sociais pautadas em ideologias explícitas (Hesse, 1980: 247).

Embora a posição positivista livre de valores tenha uma história longa, a oposição a ela tem crescido enfaticamente nos últimos 30 anos. Ironicamente, a posição positivista é por si mesma uma afirmação de valores, e muitos a consideram sem mérito ao afirmar que a investigação pode ser livre de valores. Um problema com a rejeição à posição livre de valores, porém, é que não há clareza sobre o lugar aonde leva. Isso pode complicar o desenvolvimento de perguntas de pesquisa, já que a área de juízos de valor é controversa. Diante dessas dificuldades, sugiro a consideração de três pontos ao se planejar a pesquisa. Primeiro, devemos saber que há posições diferentes sobre esse tema de juízos de valor; portanto, não se surpreenda se encontrar reações diferentes. Segundo, devemos reconhecer quando afirmações de valor estão sendo feitas e ter cuidado ao enunciar perguntas de pesquisa em termos de juízo de valor – admitir a carga de valor dos fatos não justifica fazer juízos de valor indiscriminados. Devemos conhecer sinônimos de "bom-ruim" e "certo-errado" que possam camuflar os juízos de valor, mas não remover a questão[3]. Terceiro, se termos de juízo de valor forem usados nas perguntas, podemos primeiramente determinar se estão sendo usados em sentido instrumental ou terminal. Se instrumental, podemos refazer a pergunta e eliminar o(s) termo(s) de juízo de valor. Se terminal, devemos indicar como as evidências serão usadas em relação aos juízos de valor.

## 5.5 Causação

A pesquisa científica tradicionalmente busca as causas dos efeitos (ou eventos ou fenômenos). De fato, uma definição útil de pesquisa científica em qualquer área é a busca pela descrição de relações causa-efeito. Nesse sentido, a ciência reflete o cotidiano. O conceito de causação está profundamente arraigado em nossa cultura e satura as nossas tentativas de entender e explicar o mundo. Em âmbito cotidiano, nós o consideramos uma forma muito útil de organizar o nosso pensamento sobre o mundo – a palavra "porque", por exemplo, é uma das principais em nosso idioma e visão de mundo. Como afirmam Lincoln e Guba (1985), a nossa preocupação com a causação pode estar relacionada às nossas necessidades de previsão, controle e poder. Seja isso verdade ou não, o conceito de causação é arraigado e talvez embutido em nossa forma de pensar sobre o mundo.

Mas causação também é um conceito filosófico difícil. O que significa causação e como sabemos quando temos uma causa (ou a causa ou as causas) de algo? A pergunta que define causação não tem uma resposta fácil. Por exemplo, Lincoln e Guba (1985: Capítulo 6) analisam seis principais formulações do conceito de causação. Similarmente, Brewer e Hunter (2005) discutem tipos diferentes de causas. Sem entrar nos detalhes de definição, uma forma de simplificar essa questão complicada é ver a diferença entre duas das principais visões de causação – a visão de conjunção constante e a visão de conexão necessária.

### A visão de conjunção constante da causação

Na visão de conjunção constante, afirmar que X (p. ex., a violência na televisão) causa Y (p. ex., o desenvolvimento de atitudes antissociais) é afirmar que sempre que X ocorre, Y ocorre. Isso significa simplesmente que Y sempre vem depois de X, que há uma constante conjunção entre eles. Essa visão é clara o bastante, mas tem um problema. A noite sempre vem depois do dia, parece existir uma conjunção constante entre eles, mas não queremos dizer que o dia causa a noite. Portanto, a conjunção constante isoladamente não parece suficiente para definir a causação.

### A visão de conexão necessária da causação

Por outro lado, segundo a visão da conexão necessária, afirmar que X causa Y é afirmar não somente que X resulta em Y, mas que X *deve* resultar em Y. Nessa visão, a causação significa que as variáveis estão *necessariamente* conectadas. O problema com essa visão é que não podemos observar que X *deve* resultar em Y. Apenas podemos observar se X resulta ou não em Y. Não podemos observar o dever ou a necessidade. Como não podemos observar, somente podemos inferir. Assim, a causação, de acordo com essa visão, não é observável, somente pode ser inferida. Em outras palavras, é um conceito metafísico, não empírico.

A visão da conexão necessária da causação, portanto, conduz à pergunta: sob que condições é plausível inferir que uma relação observada é causal? É uma pergunta difícil precisamente porque o mundo é cheio de relações que podemos observar, mas a maioria delas não é causal. É uma pergunta para a qual muitas respostas foram propostas (cf., p. ex., Rosenberg, 1968; Lincoln e Guba, 1985; Brewer e Hunter, 2005). Sem tentar esgotar a pergunta aqui, algumas das principais condições para inferir que X (a violência na televisão) causa Y (o desenvolvimento de atitudes antissociais) são:

- As variáveis X e Y devem estar relacionadas e essa relação deve ser demonstrada empiricamente.
- Uma ordem cronológica entre as variáveis deve ser demonstrada, com a causa X precedendo o efeito Y; se a ordem cronológica não puder ser estabelecida, a "alterabilidade e fixidade relativa" das variáveis deve sustentar a inferência causal proposta – cf. Rosenberg (1968).
- Deve haver uma teoria plausível mostrando as relações pelas quais as variáveis são causalmente relacionadas – i. e., as relações ausentes que provocam a conexão causal devem ser especificadas.
- Hipóteses rivais plausíveis para a hipótese causal preferencial devem ser eliminadas.

Talvez nenhum tópico tenha recebido mais atenção no desenho da pesquisa quantitativa do que esse. Por muito tempo, e ainda em algumas vertentes, o experimento tem sido o desenho de pesquisa empírica preferido precisamente porque, ao eliminarmos as hipóteses rivais sistematicamente, é a base mais segura que temos para inferir relações causais entre as variáveis. Veremos isso no Capítulo 10. Mais recentemente, houve progresso nos desenhos para se inferir a causação, tanto na pesquisa quantitativa através do desenvolvimento de desenhos semiexperimentais e não experimentais quanto na pesquisa qualitativa (cf., p. ex., Miles, Huberman e Saldana, 2013).

Diferentes pesquisadores têm visões distintas de causação (Huberman e Miles, 1994: 434), e a credibilidade de afirmações causais depende da visão que se tem. Apesar da resistência ao conceito e terminologia da causação entre alguns pesquisadores qualitativos, e apesar da visão de Lincoln e Guba (1985) de que o conceito pode haver superado a sua utilidade, parece um pressuposto seguro que muitos pesquisadores continuarão a desejar pensar causalmente sobre o mundo. Mas é importante estarmos atentos ao modo em que usamos a palavra causa(s). Em especial, precisamos nos lembrar de que a causação somente pode ser inferida, de acordo com a visão de conexão necessária descrita anteriormente. Esse é um dos motivos pelos quais a palavra causa(s) não é usada com frequência pelos pesquisadores experientes. Outras palavras a substituem. Por isso precisamos estar atentos a certas afirmações numa proposta, como "Nesta pesquisa descobriremos a(s) causa(s) de..." Precisamos estar ainda mais atentos a afirmações num relatório de conclusão, como "Nesta pesquisa descobrimos a(s) causa(s) de..."[4].

**Tabela 5.1 Termos substitutos para causa e efeito**

| Causa | Efeito |
| --- | --- |
| Variável independente | Variável dependente |
| Variável de tratamento | Variável de resultado |
| Variável de previsão | Variável de critério |
| Antecedentes | Consequências |
| Determinantes | |

**"Correlatos" às vezes é um termo usado para causas e efeitos. Às vezes "relação causa-efeito" é substituída por "relação funcional".**

Sobre o pressuposto de que reteremos a ideia de causação, sugiro o seguinte procedimento: primeiro, quando estivermos pensando causalmente, substituímos as palavras "causa" e "efeito" por outros termos, escolhendo aqueles mostrados na Tabela 5.1, especialmente em estudos quantitativos. Segundo, estudamos a extensão e os modos pelos quais as coisas estão interconectadas e as variáveis estão inter-relacionadas de acordo com o desenho que tenhamos escolhido. Terceiro, reservamos qualquer descrição causal de relações observadas até o momento de interpretar os resultados. Uma coisa é observar, descrever e relatar uma relação. Outra coisa é interpretá-la, dizer como a relação surgiu. Se a interpretação que preferirmos for causal, estaremos seguros se indicarmos que essa interpretação é uma inferência e depois defendermos essa inferência com base nos tipos de condições já mencionados.

A distinção no terceiro ponto é importante e será abordada novamente neste livro. É a diferença entre observar e descrever uma relação entre variáveis (ou uma conexão entre as coisas) por um lado, e interpretar essa relação ou explicá-la e dizer como surgiu, por outro lado. A dificuldade na pesquisa normalmente não é em mostrar que uma relação existe. É mais provável que a dificuldade resida na interpretação da relação. (Um exemplo conhecido disso é "correlação não é causação". Correlação é mostrar a relação. Causação é interpretá-la.) Outros capítulos mostrarão que há muitos trabalhos sobre esse tema tanto em abordagens quantitativas quanto qualitativas. Por enquanto é importante ver claramente essa distinção entre descrever e interpretar uma relação.

Que termos podem substituir causa e efeito? Num contexto quantitativo, em vez de causa, usamos o termo "variável independente". Em vez de efeito, usamos "variável dependente". Esses são os termos mais comuns usados em pesquisa. Outros sinônimos são variável de "tratamento" ou "previsão" para variável independente, e variável de "resultado" ou "critério" para variável dependente. Ainda em outros contextos, "antecedentes" e "determinantes" são usados para causas, "consequências" para efeitos e "correlatos" para ambos. A tônica desses termos é se afastar da parte metafísica do termo "causa".

Dois outros pontos são observados antes de deixarmos o tópico da causação. O primeiro é mais aplicável à pesquisa quantitativa, o segundo, à pesquisa qualitativa. Os dois têm implicações para o desenho de pesquisa e a análise de dados.

### Causação múltipla

A discussão nesta seção até agora foi simplificada, já que falamos basicamente sobre uma causa e um efeito. Na pesquisa em ciências sociais atuais, especialmente na pesquisa quantitativa, o pensamento causa-e-efeito único é incomum, e a causação múltipla é vista como algo muito mais realista. Causação múltipla significa que provavelmente haverá mais do que uma causa e provavelmente várias causas para determinado efeito. Considera-se que os efeitos têm diversas causas, e essas causas podem agir juntas de várias maneiras, podendo flutuar em importância no modo em que geram o efeito. Os termos "causas múltiplas" e "causação múltipla" expressam essas ideias. Embora a discussão neste capítulo tenha sido simplificada e situada em termos de uma causa e um efeito, tudo o que falamos sobre a natureza das causas e a lógica da causação permanece no caso mais complicado da causação múltipla.

O mesmo ponto também se aplica aos efeitos. Muitas pesquisas passaram de um único efeito a efeitos múltiplos. Efeitos múltiplos significam que provavelmente haverá vários efeitos de determinada causa ou conjunto de causas. Essa transição de causas e efeitos únicos para múltiplos tem consequências importantes para o desenho de pesquisa, conforme mostrado na Figura 5.1. Esse diagrama exibe as diversas combinações de causas e efeitos únicos e múltiplos. Na célula esquerda superior, há o desenho de causa única/efeito único, agora um tanto ultrapassado na pesquisa em ciências sociais. Na célula direita superior, há o desenho de causas múltiplas/efeito único, o desenho mais comum na pesquisa quantitativa e a base da importante abordagem da regressão múltipla descrita nos capítulos 10 e 12. Na célula esquerda inferior, vemos o desenho de causa única/efeitos múltiplos, enquanto a célula direita inferior ilustra o desenho de causas múltiplas/efeitos múltiplos[5].

<table>
<tr><td></td><td colspan="2" align="center">Causas<br>(variável independente, VI)</td></tr>
<tr><td></td><td align="center">**Únicas**</td><td align="center">**Múltiplas**</td></tr>
<tr><td align="center">**Únicos**</td><td align="center">Causa única, efeito único<br><br>$VI \rightarrow VD$</td><td align="center">Causas múltiplas,<br>efeito único<br><br>$\begin{bmatrix} VI \\ VI \\ VI \\ VI \end{bmatrix} \rightarrow VD$</td></tr>
<tr><td align="center">Efeitos (variável<br>dependente, VD)<br><br>**Múltiplos**</td><td align="center">Causa única, efeitos<br>múltiplos<br><br>$V \rightarrow \begin{bmatrix} VD \\ VD \\ VD \\ VD \end{bmatrix}$</td><td align="center">Causas múltiplas, efeitos múltiplos<br><br>$\begin{bmatrix} VI \\ VI \\ VI \\ VI \end{bmatrix} \rightarrow \begin{bmatrix} VD \\ VD \\ VD \\ VD \end{bmatrix}$</td></tr>
</table>

**Figura 5.1 Combinações e desenhos causa-efeito**

**Causação na pesquisa qualitativa**

O segundo ponto se refere à causação na pesquisa qualitativa. O termo causação tem conotações positivistas (Hammersley e Atkinson, 2007) e isso, combinado com a dificuldade de avaliar afirmações causais, deixa alguns pesquisadores qualitativos relutantes para usar o conceito. Alguns pós-modernistas, por exemplo, como destacado por Neuman (1994), rejeitam a busca pela causação porque consideram a vida complexa demais e em rápida mutação. Portanto, a causação tem sido normalmente uma preocupação da pesquisa quantitativa.

Entretanto, como argumentam Hammersley e Atkinson (2007), modelos e teorias causais são comuns em trabalhos etnográficos, ainda que usados implicitamente. Similarmente, Miles, Huberman e Saldana (2013) esclarecem a importância da causação na pesquisa qualitativa. De fato, eles alegam que os estudos qualitativos são especialmente adequados para encontrar relações causais. Os estudos qualitativos podem:

> observar diretamente e longitudinalmente os processos locais subjacentes a uma série temporal de eventos e estados, mostrando como eles levaram a resultados específicos e eliminando hipóteses rivais. Efetivamente, entramos na caixa preta; podemos entender não apenas que algo aconteceu, mas como e por que aconteceu (Huberman e Miles, 1994: 434).

E consideramos a análise qualitativa um método muito poderoso para avaliar a causalidade... A análise qualitativa, com seu olhar próximo, pode identificar *mecanismos*, indo além da pura associação. É impiedosamente *local* e lida com a rede complexa de eventos e processos numa situação. Pode ordenar a dimensão *temporal*, mostrando claramente a ordem de procedência através da observação direta ou *retrospectiva*. Está bem equipada para se mover para a frente e para trás entre as *variáveis* e *processos* mostrando que as estórias não são inconstantes, mas incluem variáveis subjacentes e que as variáveis não são desincorporadas, mas têm conexões com o passar do tempo (Miles e Huberman, 1994: 147; ênfase no original).

Em *Qualitative Data Analysis*, Miles e Huberman mostram como as redes causais podem ser desenvolvidas para modelar os dados qualitativos, assim como diagramas de curso causais modelam os dados quantitativos.

## 5.6 Estruturas conceituais

Estrutura conceitual é uma representação gráfica ou narrativa dos principais conceitos ou variáveis e sua suposta relação mútua. Geralmente é ilustrada melhor na forma de diagrama. Alguns tipos de estruturas conceituais muitas vezes são implícitos, à medida que o desenvolvimento de perguntas descrito no Capítulo 4 ocorre. Explicitar essa estrutura conceitual pode ajudar no desenvolvimento das perguntas de pesquisa. Nesses casos, os processos de desenvolvimento das perguntas de pesquisa e da estrutura conceitual caminham juntos. A direção do pensamento pode ser da estrutura conceitual para as perguntas de pesquisa ou vice-versa, ou elas podem interagir de modo recíproco. O desenvolvimento de ambas juntas, como as próprias perguntas, geralmente é um processo iterativo.

Se é apropriado ou não ter uma estrutura conceitual predeterminada depende da quantidade de conhecimento prévio e teorização trazida para a pesquisa. Ao discutir o desenvolvimento de perguntas de pesquisa, apontou-se que muitas vezes há um considerável conhecimento prévio, e o mesmo ponto se aplica à estrutura conceitual. Vale expor o nosso conhecimento prévio e teorização, e organizá-los numa estrutura conceitual à medida que as perguntas de pesquisa se desenvolvam pode gerar vários benefícios:

- Isso traz clareza e foco, ajudando-nos a ver e organizar as perguntas de pesquisa mais nitidamente;
- Ajuda a explicitar o que já sabemos e pensar sobre a área e o tópico;
- Pode ajudar consideravelmente a comunicar ideias sobre a pesquisa; portanto, pode simplificar a preparação da proposta de pesquisa e também pode torná-la mais convincente;
- Estimula a seleção e auxilia a focar e delimitar o pensamento durante o estágio de planejamento.

Na pesquisa quantitativa, em que perguntas de pesquisa bem desenvolvidas são típicas, a estrutura conceitual é comum, geralmente em forma de diagrama. O(s) diagrama(s) normalmente mostrará (mostrarão) as variáveis, sua condição conceitual entre si e as relações conjecturadas entre si. Na pesquisa qualitativa, normalmente há mais de um espectro. As estruturas conceituais geralmente são menos comuns na pesquisa qualitativa, mas, como Miles, Huberman e Saldana (2013) e Maxwell (2012) esclarecem, pode-se defender a sua utilidade ali também. O Exemplo 5.1 se refere a estruturas conceituais para estudos quantitativos e qualitativos.

> **EXEMPLO 5.1**
>
> **Estruturas conceituais**
>
> **Quantitativas**
>
> - Neuman (1994: 47) mostra cinco estruturas conceituais para representar possíveis relações causais entre as variáveis.
> - Rosenberg (1968: 54-83) mostra diversas estruturas conceituais para representar relações entre variáveis intervenientes e antecedentes.
> - Calder e Sapsford (1996) mostram várias estruturas conceituais multivariadas.
>
> **Qualitativas**
>
> - Miles e Huberman (1994: 18-20) mostram estruturas conceituais para os seus estudos sobre a disseminação de inovações educacionais e melhorias escolares.
> - Miles e Huberman (1994: 21) também mostram duas estruturas conceituais usadas por outros pesquisadores qualitativos: uma é um estudo etnográfico sobre a experiência escolar de crianças de minorias, a outra é uma estrutura conceitual emergente para o estudo da criação de uma nova escola.

## 5.7 Das perguntas de pesquisa aos dados

Se, após estabilizar as nossas perguntas de pesquisa, elas estiverem satisfatórias em termos de critério empírico e outros critérios listados na Seção 5.3, podemos passar de conteúdo para método. A conexão de conteúdo para método acontece através dos dados – quais dados serão necessários e como serão coletados e analisados. Antes de abordarmos os detalhes do método, portanto, precisamos considerar mais a natureza dos dados.

O que exatamente são dados? Como já observamos, sinônimos de dados são evidências, informações e materiais empíricos. A ideia essencial é a observação em primeira mão e informações sobre o mundo ou experiência de mundo. Obviamente, isso poderia incluir todos os tipos de coisas, então o termo "dados" é muito amplo e está subdividido em quantitativos e qualitativos. Ambos são empíricos.

## 5.7.1 Dados quantitativos

Aqui o conceito-chave é quantidade, e números são usados para expressar quantidade. Portanto, dados quantitativos são numéricos – são informações sobre o mundo na forma de números.

Informações sobre o mundo não ocorrem naturalmente na forma de números. Somos nós, enquanto pesquisadores, que transformamos dados em números. Impomos a estrutura do sistema numérico aos dados, trazendo tal estrutura para os dados. Isso significa que não há nada "inato" na estrutura numérica que impomos – ao contrário, essa estrutura é muito "fabricada". Portanto, não é inevitável, tampouco essencial, que organizemos os nossos dados empíricos como números. A questão é se achamos útil impor tal estrutura aos dados. Se julgarmos útil (e se for viável), devemos fazê-lo. Senão, não somos obrigados de forma alguma a fazê-lo.

A mensuração é o processo pelo qual transformamos dados em números. Mensuração envolve atribuir números a objetos, pessoas, eventos etc. de acordo com determinados conjuntos de regras, como discutiremos no Capítulo 11. Logo, coletar dados quantitativos é coletar mensurações. Por definição, dados quantitativos coletados com instrumentos de mensuração são pré-estruturados, situando-se na extremidade esquerda do *continuum* de estruturação apresentado no Capítulo 2. A estrutura numérica é imposta aos dados antes da pesquisa.

Dois tipos de operações produzem números – contagem e escalas. *Contagem* é uma ocorrência cotidiana tão comum que nem pensamos duas vezes sobre ela. Fazemos automaticamente, é objetiva, não é problemática, e a consideramos extremamente útil para lidar com o mundo. Quando contamos, estamos contando a respeito de algo. Há uma dimensão de interesse, alguma escala ou quantidade que temos em mente e dão significado à contagem.

As *escalas* são diferentes[6], embora também as façamos o tempo todo. A ideia básica aqui é que temos em mente alguma característica, propriedade ou traço – usaremos traço – e imaginamos um *continuum*, ou escala, variando de muito (ou talvez 100%) até pouco (ou talvez 0%) desse traço. Ademais, imaginamos diferentes localizações ao longo desse *continuum*, correspondendo a diferentes montantes ou quantidades desse traço. Usamos esse tipo de pensamento e descrição com muita frequência na linguagem cotidiana, e não é difícil encontrar muitos exemplos. Tampouco normalmente consideramos um problema fazer isso. Em outras palavras, a ideia de escalas (embora normalmente não chamemos assim) está profundamente arraigada à nossa visão de mundo e linguagem. Isso precisa de destaque devido às eventuais controvérsias com essa mesma operação numa situação de pesquisa. Como estágio final, na mensuração real, atribuímos números para representar esses diferentes locais ao longo do *continuum* em escalas. Normalmente não seguimos esse último estágio no cotidiano e é aí que existem as controvérsias. A ideia de uma escala é útil para nós no cotidiano porque nos ajuda a sistematizar o nosso pensamento e comparar objetos (ou eventos ou pessoas) em algum tipo de forma padronizada. Fazer comparações padronizadas é algo que frequentemente desejamos fazer, e a mensuração formaliza essas comparações, permitindo-nos torná-las mais precisas e sistemáticas.

Em resumo, dados quantitativos são dados na forma de números originados de contagem, escalas ou ambas. A mensuração transforma dados em números e a sua função é nos ajudar a fazer comparações. Embora a mensuração seja uma ferramenta técnica, é uma ferramenta técnica com muitas semelhanças com o que fazemos com grande frequência no cotidiano. É importante ressaltar esse ponto porque o processo de mensuração propriamente dito tem ocupado o centro de boa parte do debate entre pesquisadores quantitativos e qualitativos. A mensuração também parece haver insuflado posturas entrincheiradas nesse debate. Uma postura entrincheirada dedica-se submissamente à mensuração e acredita apenas na pesquisa cujos dados sejam quantitativos. A outra, por sua vez, é submissamente contra a mensuração, descrendo de toda pesquisa quantitativa. Neste livro, quero evitar tais posturas entrincheiradas sobre mensuração, o que podemos fazer partindo de duas perguntas: primeiro, seremos ajudados se mensurarmos o que desejamos estudar? Ou seja, isso será útil para as comparações que desejamos fazer? Segundo, se for útil, de fato é possível mensurar nesta situação em especial? Retomaremos essa última pergunta no Capítulo 11.

Contagem e escalas são parte da mensuração, e variáveis é que são mensuradas. O conceito de uma variável (algo que varia) é crucial na pesquisa quantitativa. O desenho de pesquisa quantitativa e a sua estrutura conceitual associada mostram como as variáveis são vistas e organizadas entre si. A coleta de dados quantitativos se refere ao modo pelo qual as variáveis serão mensuradas, e a análise de dados quantitativos se refere ao modo pelo qual as mensurações das variáveis serão analisadas. Portanto, o conceito de variável e a mensuração de variáveis são essenciais à forma pela qual a pesquisa quantitativa acontece.

## 5.7.2 Dados qualitativos

Definimos dados quantitativos como informações empíricas na forma de números. Dados qualitativos podem ser definidos, então, como informações empíricas sobre o mundo que não têm a forma de números. Na maior parte do tempo na pesquisa em ciências sociais, como já observamos, isso significa palavras.

Tal definição abrange um espectro amplo, e os dados qualitativos de fato incluem muitos tipos diferentes de coisas. Denzin e Lincoln (2011) usam o termo "materiais empíricos qualitativos" e afirmam que ele inclui transcrições de entrevistas, gravações e notas, registros e anotações de observações, documentos e os produtos e registros da cultura material, materiais audiovisuais e materiais de experiência pessoal (como artefatos, informações de diários e narrativas). O pesquisador qualitativo, portanto, tem um espectro bem mais amplo de materiais empíricos possíveis do que o pesquisador quantitativo e normalmente também usará múltiplas fontes de dados num projeto. Para alguns pesquisadores qualitativos, literalmente tudo são dados. Neste livro, a concentração é em dados qualitativos originados de observação (e observação de participantes), entrevistas e documentos – ou, como Wolcott (1992) afirma – em dados qualitativos originados de "assistir, perguntar ou examinar".

Vimos que os dados quantitativos têm uma estrutura predeterminada, localizados na extremidade esquerda do *continuum* da estrutura. E os dados qualitativos? Assim como as perguntas de pesquisa e os desenhos de pesquisa, os dados qualitativos podem estar em qualquer ponto do *continuum*. Logo, podem tender à extremidade esquerda, e bem estruturados, como o caso de perguntas de entrevistas padronizadas com categorias de respostas predeterminadas, ou observações baseadas num programa de observação predeterminado. Por outro lado, os dados qualitativos podem ser relativamente desestruturados no momento da coleta, como na transcrição de uma entrevista aberta ou notas de campo provenientes da observação de participantes. Nesse caso, não existiriam categorias ou códigos predeterminados. Em vez disso, a estrutura nos dados emergirá durante a análise. A base dessa estrutura são códigos e categorias e normalmente derivam dos dados nos estágios iniciais da análise, conforme a descrição no Capítulo 9.

Já vimos comparações entre "teoria antes" e "teoria depois", entre "conceitos antes" e "conceitos depois" e entre "perguntas de pesquisa antes" e "perguntas de pesquisa depois". Aqui trata-se de "estrutura antes" ou "estrutura depois" nos dados. Mas aqui, com os dados, outro ponto emerge. "Estrutura antes" significa que o pesquisador impõe códigos, categorias ou conceitos aos dados – são conceitos impostos pelo pesquisador. A mensuração na pesquisa quantitativa é um exemplo nítido de conceitos e estrutura impostos aos dados pelo pesquisador. A "estrutura depois", por sua vez, possibilita que os respondentes da pesquisa "falem com as próprias palavras" mais amplamente. Isso costuma ser um grande problema num projeto de pesquisa. Uma crítica comum aos dados pré-estruturados é exatamente este ponto: que a pré-estruturação dos dados não permite que as pessoas forneçam informações usando suas próprias palavras, significados e entendimentos. Por outro lado, quando coletamos dados usando as próprias palavras e significados das pessoas, pode ser difícil fazer comparações padronizadas. Isso é um exemplo do tipo de escolha que o pesquisador costuma enfrentar. Como todas as outras escolhas, ela precisa ser analisada, e há vantagens e desvantagens em cada maneira de fazê-lo. Portanto, muitas vezes parecerá bom começar com os dados nas próprias palavras e conceitos dos respondentes. Mas as comparações sistemáticas que a estrutura e as mensurações permitem também são valiosas e exigem que as mesmas palavras e conceitos sejam usados por diferentes respondentes – que sejam padronizados. Isso sugere a combinação das duas abordagens de forma a reter as vantagens de cada uma. Alguns modos de fazer isso são sugeridos no Capítulo 14.

Dados qualitativos abertos costumam atrair os pesquisadores ávidos por captarem diretamente a "experiência vivida" das pessoas. Mas dados qualitativos desestruturados exigem certo processamento para prepará-los para análise. Logo, os dados propriamente ditos representam um texto construído pelo pesquisador. Uma coisa é experimentar o mundo (ou algum aspecto do mundo). Outra coisa é representar tal experiência em palavras. Depois que os dados são colocados em palavras, é o texto construído pelo pesquisador que é usado na análise. É inevitável que as palavras que usamos para registrar dados de campo reflitam, de certa forma, os nossos próprios conceitos. Portanto, como afirmam Miles, Huberman e Saldana (2013), por trás da aparente simplicidade dos dados qualitativos existe uma boa dose de complexidade[7], exigindo cuidado e autoconsciência do pesquisador. Nesse sentido também, a pesquisa qualitativa é parecida com a quantitativa – em ambas, o pesquisador leva algo para os dados.

## 5.8 Combinando dados quantitativos e qualitativos

Agora podemos resumir essas seções sobre a natureza dos dados. Dados quantitativos são informações sobre o mundo em forma numérica, enquanto dados qualitativos são (essencialmente) informações sobre o mundo em forma de palavras. Dados quantitativos são necessariamente estruturados em termos do sistema numérico e refletem construtos impostos pelo pesquisador. Os dados qualitativos podem variar de estruturados a desestruturados, e podem ou não envolver construtos impostos pelo pesquisador. A diferença básica entre os dois tipos de dados está no processo de mensuração, o que muitas vezes provoca posturas rígidas sobre a pesquisa e ocupa o centro dos debates entre os proponentes das duas abordagens.

Superar as posturas rígidas muitas vezes adotadas nesses debates obviamente não significa que devamos combinar os dois tipos de dados – mas que podemos fazer isso quando adequado. Assim, há três possibilidades para qualquer estudo empírico:
- Todos os dados podem ser quantitativos;
- Todos os dados podem ser qualitativos; ou
- Os dois tipos de dados podem ser combinados em quaisquer proporções.

Saber qual dos três deve ser aplicado não é uma questão de regras. Os tipos de dados com os quais concluímos devem ser determinados principalmente pelo que estamos tentando descobrir, considerando o pano de fundo do contexto, circunstâncias e aspectos práticos do projeto de pesquisa em questão. Concentrar-se primeiro no que estamos tentando descobrir significa que questões substantivas ditam as escolhas metodológicas. O "cachorro substantivo" abana a "cauda metodológica", não o contrário.

Esse tópico sobre a combinação de dados quantitativos e qualitativos é discutido novamente na pesquisa com métodos mistos, no Capítulo 14. Antes, precisamos observar atentamente cada um dos dois diferentes tipos de dados – os desenhos que os produzem, os métodos para coletá-los e como podem ser analisados. Para facilitar a apresentação, agora separamos as abordagens qualitativa e quantitativa, lidando com elas individualmente. Assim, os capítulos 7, 8 e 9 tratam da pesquisa qualitativa, e os capítulos 10, 11 e 12 tratam da pesquisa quantitativa. Nos dois casos, primeiro falamos sobre desenho, depois sobre coleta de dados e a seguir sobre análise de dados. As duas abordagens são reunidas no Capítulo 14. Antes disso tudo, o Capítulo 6 discute busca e revisão da literatura.

# Resumo do capítulo

- A ideia que subjaz ao critério empírico é que uma pergunta de pesquisa bem formulada indica quais dados são necessários para respondê-la.
- A relação atenta entre conceitos e dados é necessária para a consistência interna na pesquisa. Isso se adapta à importância de conexões lógicas em graus diferentes de abstração na pesquisa.
- Juízos de valor são afirmações ou julgamentos morais, e são afirmações de valor(es). Muitas vezes contrastam com afirmações de fato. Alguns autores afirmam que a lacuna "fato-valor" não pode ser resolvida logicamente, e que evidências empíricas, portanto, não funcionam para a criação de juízos de valor. Outros afirmam que a lacuna "fato-valor" é uma falácia enganosa.
- A visão de conexão necessária de causação é geralmente preferida à visão de conjunção constante. Porém, uma implicação disso é que a causação deve ser inferida e não pode ser observada diretamente. Isso levou ao uso de termos substitutos para causa e efeito na linguagem da pesquisa – "variável independente" e "variável dependente" são os termos substitutos mais comuns.
- Uma estrutura conceitual mostra os principais conceitos ou variáveis na pesquisa e suas supostas relações mútuas. As estruturas conceituais são muito comuns na pesquisa quantitativa e também podem ser úteis na pesquisa qualitativa.
- Dados quantitativos são números, que vêm da mensuração – através de contagem ou escalas. Os pesquisadores quantitativos impõem a estrutura do sistema numérico aos dados.
- Dados qualitativos são em sua maioria palavras, que vêm de assistir, perguntar ou examinar. Os dados qualitativos podem variar no seu grau de estrutura, mas costumam ser bem mais abertos.
- A dúvida sobre mensurar ou não numa pesquisa deve ser respondida analisando-se a utilidade e a viabilidade da mensuração na situação de pesquisa em questão. Utilidade e viabilidade também devem ser usadas para decidir se devemos combinar ou não dados quantitativos e qualitativos numa pesquisa.

## Termos-chave

Causação múltipla: fenômenos de interesse na pesquisa em ciências sociais muitas vezes têm muitas causas.

Causa como conexão necessária: afirmar que X causa Y significa que não somente X é seguido de Y, mas que X *deve* ser seguido de Y.

Causa como conjunção constante: afirmar que X causa Y significa que, sempre que X ocorrer, Y acontecerá depois.

Critério empírico: uma pergunta de pesquisa bem elaborada indica quais dados são necessários para respondê-la.

Estrutura conceitual: geralmente em forma de diagrama, uma estrutura conceitual mostra os conceitos ou variáveis na pesquisa e sua relação mútua.

Juízo de valor: julgamento moral ou ético sobre o que é bom ou ruim, certo ou errado etc.

Lacuna fato-valor: considera que afirmações de fato são fundamentalmente diferentes de afirmações de valor e que não há conexão lógica entre as duas.

Mensuração: o processo que transforma dados em números; inclui contagem e escalas.

Variável dependente: termo substituto mais comum para efeito.

Variável independente: termo substituto mais comum para causa.

## Exercícios e perguntas para estudo

1. Qual é o critério empírico para as perguntas de pesquisa? Quando sabemos que ele foi atendido?

2. O que são valores e o que são juízos de valor? O que significa lacuna fato-valor? Na sua opinião, é uma distinção importante ou uma falácia enganosa?

3. As seguintes perguntas são empíricas? Em caso negativo, como podem ser transformadas em perguntas empíricas? (sugestão: concentre-se na palavra "dever")

   • Os professores devem saber o QI dos alunos?

   • Os professores devem usar castigos físicos para o comportamento delinquente dos alunos?

   • Os enfermeiros devem usar uniformes brancos?

   • Os gestores devem usar estilos de liderança democráticos, autoritários ou liberais?

4. Quais são as dificuldades de usar os termos "causação" e "causa" na pesquisa empírica?

5. Cite três termos substitutos para causa e três para efeito. Qual par de termos substitutos é mais comum?

6. Liste várias "causas" possíveis (i. e., variáveis independentes) para sucesso escolar diferencial (como variável dependente). Liste vários "efeitos" possíveis (i. e., variáveis dependentes) da introdução da instrução coeducacional (como variável independente) no antigo sistema escolar de sexo único.

7. O que é escala e o que significa escalonar uma variável? Quais são alguns dos problemas envolvidos em escalonar estas variáveis: atitudes dos alunos referentes à escola; crenças sobre imigração; uso de questionamento pelo professor; estilos de liderança de gestores?

8. Em geral, quando a mensuração é apropriada na pesquisa? Quando não é apropriada?

## Leitura complementar

Blalock, H.M., Jr. (1982) *Conceptualization and Measurement in the Social Sciences*. Beverley Hills, CA: Sage.

Brewer, J. e Hunter, A. (2005) *Foundations of Multimethod Research: Synthesizing Styles*. 2. ed. Thousand Oaks, CA: Sage.

Charters, W.W., Jr. (1967) "The hypothesis in scientific research". Trabalho não publicado, University of Oregon, Eugene, OR.

Davis, J.A. (1985) *The Logic of Causal Order*. Beverley Hills, CA: Sage.

Guba, E.G. e Lincoln, Y.S. (1989) *Fourth Generation Evaluation*. Newbury Park, CA: Sage.

Hage, J. e Meeker, B.F. (1988) *Social Causality*. Boston, MA: Unwin Hyman.

Lieberson, S. (1992) *Making It Count: The Improvement of Social Research and Theory*. 2. ed. Berkeley, CA: University of California Press.

Miles, M.B., Huberman, A.M. e Saldana, J. (2013) *Qualitative Data Analysis*. 3. ed. Thousand Oaks, CA: Sage.

Rosenberg, M. (1968) *The Logic of Survey Analysis*. Nova York: Basic Books.

## Notas

1. Este trabalho de Charters é uma discussão valiosa sobre funções, anatomia e patologia da hipótese. Porém, salvo melhor juízo, nunca foi publicado.

2. Valores terminais são fins em si mesmos. Valores instrumentais são meios para alcançar tais fins. Leia uma discussão sobre juízos de valor na ciência em Broudy et al. (1973: 502-508) e também Brodbeck (1968: 79-138).

3. Exemplos são "digno-imprestável", "eficaz-ineficaz" e "eficiente-ineficiente".

4. Às vezes, palavras diferentes de "causa" são usadas, mas as conotações causais permanecem. Alguns exemplos são "devido a", "afeta", "contribui para", "impacta em", "é uma função de" e "determina".

5. A pesquisa quantitativa também acomoda mais do que uma direção para as influências causais. As ideias de causação mútua e influências recíprocas

entre variáveis podem ser construídas como modelos de trajetória causais, que especificam as redes de influências causais entre um conjunto de variáveis (cf., p. ex., Asher, 1976; Davis, 1985).

6. O escalonamento é usado aqui de modo a significar o posicionamento numa escala ou *continuum*. No Capítulo 11, o termo mais geral "mensuração" é usado. Aqui o escalonamento, associado à contagem, é visto como um tipo de mensuração. Em geral, o termo "escalonamento" é usado com mais frequência na psicologia, o termo "mensuração" na pesquisa educacional.

7. Essa complexidade tem outro aspecto também, centrando-se no uso da linguagem e na condição analítica dos dados qualitativos, discutidos no Capítulo 8.

# 6
# BUSCA E REVISÃO DA LITERATURA

## Sumário

6.1 Literatura da pesquisa empírica
6.2 Literatura teórica
6.3 Objetivos de uma revisão da literatura
6.4 Conduzindo uma revisão da literatura
    6.4.1 Busca
    6.4.2 Exame
    6.4.3 Resumo e documentação
    6.4.4 Organização, análise e síntese
    6.4.5 Redação
6.5 Senso crítico
6.6 Alguns problemas comuns
6.7 Revisões sistemáticas
6.8 A literatura dos periódicos de pesquisa
    Resumo do capítulo
    Termos-chave
    Exercícios e perguntas para estudo
    Leitura complementar

---

**OBJETIVOS DE APRENDIZAGEM**

### Após estudar este capítulo, você saberá:

- Descrever a diferença entre literatura da pesquisa empírica e literatura teórica;
- Definir o objetivo central que norteia a revisão da literatura da pesquisa empírica;
- Identificar e explicar os objetivos de uma revisão da literatura numa dissertação;
- Descrever os cinco principais estágios na realização de uma revisão da literatura;

- Explicar o que significa ser crítico numa revisão da literatura;
- Reconhecer e avaliar criticamente tipos diferentes de revisões sistemáticas da pesquisa.

Dissertações do ensino superior, especialmente em âmbito de doutorado, devem demonstrar domínio da literatura relevante. Este capítulo inicia com uma distinção entre literatura da pesquisa empírica e literatura teórica, e depois considera os objetivos de uma revisão da literatura numa dissertação. Em seguida descreve a conduta de uma revisão da literatura em cinco estágios principais – busca; exame; resumo e documentação; organização-análise-síntese; e redação. Depois, há seções que abordam como ser crítico na revisão da literatura e alguns problemas comuns ao redigir uma revisão da literatura para uma dissertação. Revisões de literatura sistemáticas são então discutidas e a seção final chama atenção para a literatura de diários de pesquisa.

Neste capítulo, assim como no Capítulo 2, a distinção é feita novamente entre metodologia, por um lado, e conteúdo ou substância, por outro. A primeira se refere aos métodos usados na pesquisa, e a última ao conteúdo e assunto da pesquisa. Para a literatura da pesquisa empírica, são necessários julgamentos sobre a sua sensatez metodológica, conforme descrição nas seções 6.1 e 6.4.2. Ademais, tanto para a pesquisa empírica quanto para a literatura teórica, são necessários julgamentos sobre a sua relevância substantiva. Numa revisão da literatura para dissertação, o foco está na literatura substantivamente relevante. A revisão da literatura para dissertação deve concentrar-se na literatura que é mais fundamentalmente relevante ao tópico e às perguntas de pesquisa. Menos atenção é direcionada à literatura que é apenas marginalmente relevante. Portanto, "revisão da literatura" significa "revisão da literatura relevante".

Os capítulos anteriores, e especialmente o Capítulo 4, concentraram-se na função crucial das perguntas de pesquisa, localizando-as nesta hierarquia de cinco partes: área de pesquisa, tópico de pesquisa, pergunta(s) de pesquisa geral(gerais), perguntas de pesquisa específicas, perguntas para coleta de dados. Para alguns tipos de pesquisa, o processo de ler e rever a literatura ocorre antes do desenvolvimento das perguntas de pesquisa. De fato, a literatura pode ser importante para identificar o tópico de pesquisa numa área e desenvolver perguntas de pesquisa. Quando for esse o caso, a leitura inicial da literatura é geralmente mais exploratória. Porém, a dissertação que relata a pesquisa ainda precisará de uma revisão da literatura formal. Por motivos de clareza, portanto, este capítulo é escrito como se o tópico de pesquisa e a(s) pergunta(s) de pesquisa geral(gerais) estivessem claramente identificados. Usando a hierarquia anterior, o capítulo se concentra primeiro no âmbito da pergunta de pesquisa geral para discutir a revisão da literatura da pesquisa empírica. Depois segue para o âmbito do tópico, discutindo a revisão da literatura teórica. Os termos "literatura da pesquisa empírica" e "literatura teórica" agora precisam de definição.

## 6.1 Literatura da pesquisa empírica

Literatura da pesquisa empírica é a literatura que relata resultados da pesquisa empírica. Depois de identificados o tópico e a pergunta de pesquisa geral, podemos usá-los como guias para identificar a literatura da pesquisa empírica relevante. Depois precisamos examinar essa literatura metodologicamente, conforme descrevemos na Seção 6.4.2.

A revisão da literatura da pesquisa empírica relevante à pergunta de pesquisa se concentra nesta questão fundamental:

> Que evidência empírica anterior sobre esta pergunta existe e o que a evidência empírica nos fala sobre a resposta a esta pergunta? Em outras palavras, com base em pesquisas anteriores, o que se sabe – e não se sabe – sobre esta pergunta?

O processo para tratar esse problema, portanto, é reunir as evidências de pesquisas anteriores e, após um exame metodológico adequado (cf. Seção 6.4.2), determinar até que ponto um retrato coerente emerge das evidências em resposta à pergunta. É muito comum o retrato que emerge da literatura da pesquisa não ser especialmente coerente ou consistente, e várias lacunas, tensões e inconsistências são reveladas. Quando isso ocorre, abre-se um caminho conveniente para localizar o seu estudo em relação à literatura: o seu estudo poderá, então, objetivar tratar das lacunas ou inconsistências nas evidências. Assim, a revisão da literatura da pesquisa se concentra em evidências empíricas anteriores. Não surpreende que a maioria das evidências da pesquisa empírica seja relatada na literatura de periódicos de pesquisa.

## 6.2 Literatura teórica

Erguer o foco da pergunta de pesquisa para o tópico de pesquisa revela a literatura teórica. Enquanto a literatura da pesquisa empírica se concentra em descobertas da pesquisa empírica, a literatura teórica inclui conceitos relevantes, teorias relevantes e contextos teóricos, e a literatura discursiva e analítica que contém ideias e informações relevantes ao tópico. Assim, o uso do termo "teórico" aqui é um tanto amplo e inclui elementos substantivos e metodológicos.

Na pesquisa em ciências sociais, às vezes é difícil encontrar corpos amplos de evidências empíricas sistemáticas sobre tópicos de interesse, de modo que às vezes a literatura de pesquisa relevante é bem pequena. Porém, é muito comum que diferentes autores e pesquisadores abordem um tópico de pesquisa em ciências sociais partindo de pontos de vista diferentes. Além disso, às vezes grupos diferentes de conceitos são usados, às vezes teorias substantivas diferentes são usadas e às vezes metodologias e paradigmas de investigação diferentes são usados. Essa redação faz parte da literatura teórica para um tópico, e espera-se que a dissertação lide com isso. A literatura teórica para a maioria dos tópicos de pesquisa em ciências sociais é, portanto, geralmente bem ampla, como reflete-se nesta definição de revisão da literatura:

> A seleção de documentos disponíveis (publicados ou não) sobre o tópico que contenham informações, ideias, dados e evidências escritos a partir de determinado ponto de vista para atender certos objetivos ou expressar certas visões sobre a natureza do tópico e como é ser investigado, e a avaliação efetiva desses documentos em relação à pesquisa sendo proposta (Hart, 1998: 13).

A revisão da literatura teórica é, então, muito mais ampla do que a revisão de evidências empíricas e agora inclui "informações" e "ideias", e também reconhece diferentes "pontos de vista particulares".

Em resumo, podemos dizer que:

Revisar literatura teórica significa revisar ideias, pensamentos e discussões sobre um tópico ou questão,

enquanto

Revisar literatura da pesquisa empírica significa revisar as evidências sobre um tópico ou pergunta.

Essa descrição traça uma distinção clara entre literatura empírica e teórica, e as duas precisam ser abrangidas numa dissertação. Mas é uma questão de julgamento, ao se escrever a revisão, se elas devem ser apresentadas juntas ou separadas.

## 6.3 Objetivos de uma revisão da literatura

Agora podemos identificar três objetivos para a revisão da literatura numa dissertação. Um se relaciona à literatura da pesquisa empírica, o segundo à literatura teórica e o terceiro à relação do seu estudo com toda essa literatura.

**Literatura da pesquisa empírica**

O objetivo desta parte da revisão é descrever o conhecimento atual, unindo e resumindo as evidências empíricas sobre a pergunta de pesquisa, não importando se o retrato das evidências empíricas anteriores está incompleto ou inconsistente. Como indicado, a questão que guia esta parte da revisão é: até que ponto as evidências empíricas sobre esta pergunta podem ser acumuladas e integradas a um retrato geral coerente? Outros problemas relacionados se referem à qualidade da pesquisa disponível e à necessidade de uma nova pesquisa (Fink, 2005: 227), além de questões metodológicas como as abordagens usadas na pesquisa sobre esta pergunta, quais questões metodológicas emergem e quais lacunas metodológicas existem.

**Literatura teórica**

O objetivo desta parte da revisão é mais amplo – avaliar criticamente o estado geral de conhecimento sobre o tópico e o estado da pesquisa, pensamento e teorização sobre o tópico. Isso inclui o entendimento da história da pesquisa sobre o tópico. De acordo com Hart (1998: 14), estes são exemplos de certas questões que podem orientar esta parte da revisão:

- Quais são as fontes teóricas e filosóficas fundamentais que serviram de base aos estudiosos para estudar o tópico?
- Quais são as principais questões e debates sobre o tópico?
- Quais são os pontos de vista políticos?
- Quais são as origens e definições do tópico?
- Quais são os conceitos, teorias e ideias fundamentais?
- Quais são os fundamentos epistemológicos e ontológicos para a disciplina?
- Quais são as principais dúvidas e problemas tratados até agora?
- Como é estruturado e organizado o conhecimento sobre o tópico?

E, de forma geral,

- Como as nossas abordagens a essas perguntas aumentaram o nosso entendimento e conhecimento?

**Relação do seu estudo com a literatura**

O objetivo aqui é localizar o seu estudo em relação à literatura. A questão crucial agora é: qual é a relação da minha pesquisa com a literatura que está sendo revisada? O foco nessa questão ajuda a integrar a revisão da literatura à sua dissertação. Uma crítica comum às revisões de literatura para dissertação é que elas estão desconectadas do restante da dissertação – poderíamos remover a seção com a revisão da literatura e a dissertação não perderia nada. O foco nessa questão garante que a revisão da literatura fique integrada e conectada à pesquisa que você conduziu e está relatando. Isso funciona nos primeiros capítulos da dissertação, na localização da pesquisa em relação à sua literatura, e pode ser um elemento importante para justificar a pesquisa. Também funciona nos estágios seguintes, quando as descobertas estiverem sendo relatadas. As descobertas podem ser interpretadas e discutidas em relação à literatura do estudo. As duas estratégias ajudam a dar consistência e coerência interna à dissertação.

## 6.4 Conduzindo uma revisão da literatura

A revisão da literatura pode ser dividida em cinco estágios principais – busca; exame; resumo e documentação; organização-análise-síntese; e redação.

**Figura 6.1 Geração e comunicação de informações e conhecimentos de pesquisas**
**Fonte: Hart, 1998: 4.**

## 6.4.1 Busca

O entendimento da estrutura do mundo da pesquisa e da produção da literatura da pesquisa ajuda a direcionar a sua busca pela pesquisa empírica e literatura teórica relevantes ao seu tópico e pergunta de pesquisa. Para alguns tópicos, a literatura política também será relevante (Wallace e Poulson, 2003: 21). O diagrama de Hart (1998: 4) resume a geração e a comunicação das informações da pesquisa (cf. Figura 6.1).

A biblioteca da universidade obviamente é um lugar fundamental para encontrar a literatura necessária para a revisão. Hoje as bibliotecas das universidades normalmente têm três principais domínios de busca – o catálogo principal da biblioteca, o catálogo de periódicos e o índice de recursos eletrônicos. O aluno da pós-graduação precisa estar familiarizado com os três, mas deve estar especialmente atento à literatura de periódicos de pesquisa. As ciências sociais têm um grande número de periódicos de pesquisa, e conhecer os principais para a sua área e tópico é essencial neste nível do trabalho. Os melhores periódicos de pesquisa de referência internacional sempre foram o principal meio de comunicação usado pelos maiores pesquisadores para o seu trabalho e são uma fonte essencial de descobertas de pesquisa empíricas e importantes discussões teóricas. Bancos de dados eletrônicos são de grande valia aqui, já que cada vez mais periódicos ficam on-line. Catálogos de citações, como Scopus e Web of Science, e ferramentas como o Google Acadêmico possibilitam a identificação e o acompanhamento de cadeias de referências relevantes, incluindo livros, consultando, por exemplo, as fontes citadas em determinado artigo ou textos mais recentes que o citem.

Embora os periódicos da pesquisa em ciências sociais tenham importância cabal na revisão da literatura, também importantes nos bancos de dados eletrônicos são os acervos de teses e dissertações de diferentes países e coletâneas de resumos. Exemplos de acervos de dissertações são Theses Canada, Dissertation Abstracts International (para a América do Norte), Digital Access to Research Theses (para a Europa), British Library Electronic Theses Online Service (para o Reino Unido) e Education Research Theses (para a Austrália). Exemplos de acervos de resumos, que em geral são reunidos por disciplina, são ERIC (Education Resources Information Center), British Education Index, Education Abstracts, Social Science Abstracts, Psychological Abstracts, Sociological Abstracts e Applied Social Sciences Index and Abstracts (ASSIA). Ademais, as principais conferências de pesquisa em diferentes áreas das ciências sociais, geralmente realizadas anualmente, publicam programas que resumem os trabalhos a serem apresentados. Algumas conferências particularmente importantes publicam os procedimentos completos da conferência.

Em resumo, há múltiplas fontes para localizar a literatura relevante, e a tecnologia facilita substancialmente o processo de busca da literatura. Os julgamentos de relevância nessa busca de literatura são guiados pela pergunta de pesquisa para a literatura da pesquisa e pelo tópico para a literatura teórica mais ampla.

Essa riqueza de fontes pode parecer assustadora, mas pode ser administrada com uma estratégia de busca bem planejada e documentada. Com base no resumo de Phelps, Fisher e Ellis (2007), a estratégia pode incluir:

- Esclarecer os objetivos e cronograma da busca.
- Conceituar a sua busca: identificar termos-chave (e seus sinônimos, variações na forma e conceitos coincidentes e conectados).
- Decidir como os termos-chave serão combinados e usados. As técnicas fundamentais listadas no Quadro 6.1 podem gerar resultados diferentes, então vale a pena experimentar uma série de técnicas.
- Manter um registro das suas buscas para que você possa repeti-las futuramente, mas também para evitar desvios ou um esforço de duplicação desnecessário. Além disso, manter registros de modo eficiente ajuda a avaliar o valor relativo de diferentes bancos de dados para os seus objetivos, gerenciar as suas referências e descrever claramente a sua abordagem à identificação de literatura relevante na sua dissertação.
- Salvar os resultados das suas buscas: boa administração das referências (p. ex., usar pacotes de software como Mendeley, RefWorks ou EndNote) e um sistema de arquivamento com bom *back-up* e facilmente acessível são necessários.
- Monitorar os bancos de dados para a nova literatura: isso pode ser feito manualmente, por exemplo repetindo algumas das buscas num estágio posterior, ou automaticamente, por exemplo assinando os serviços de monitoramento de conteúdo de periódicos, serviços de índices ou informativos.

> **QUADRO 6.1**
>
> **Buscas eletrônicas: técnicas fundamentais para combinar e inserir termos de busca (adaptado de Phelps, Fisher e Ellis, 2007)**
>
> 1. Usar lógica booleana: combinar termos usando os conectores E, OU e NÃO.
> 2. Usar a busca por enunciados: usar certas cadeias de palavras como termos de busca. Ex.: Colocar os enunciados entre aspas.
> 3. Usar operadores de proximidade: dependendo da funcionalidade do banco de dados, usar termos que sejam PRÓXIMOS, os MESMOS ou venham COM os termos-chave inseridos.
> 4. Usar truncadores e curingas: substituir partes dos termos por caracteres especiais, como *, para incluir grafias diferentes, sufixos, palavras com a mesma raiz etc.
> 5. Determinar quais áreas do banco de dados são relevantes para a busca: a maioria dos bancos de dados oferece uma escolha de várias áreas pelas quais as buscas podem ser executadas – incluindo autor, título, resumo, data de publicação, área disciplinar ou o texto completo de um documento.
> 6. Limitar as buscas, por exemplo, por data de publicação, idioma, país de publicação ou tipo de material (trabalho de conferência, artigo de periódico etc.)

## 6.4.2 Exame

Dois tipos de exame são necessários, já que a literatura teórica e de pesquisa é localizada e lida – exame substantivo ou de conteúdo e exame metodológico.

**Exame substantivo (ou de conteúdo)**

O exame de conteúdo se aplica aos dois tipos de literatura e é importante porque a revisão de literatura para a sua dissertação precisa se concentrar na literatura essencialmente relevante ao seu tópico e pergunta. A literatura marginalmente relevante não deve receber tanta atenção e em geral pode ser notada apenas rapidamente. O tópico e a pergunta de pesquisa são os seus pontos de referência para esse exame substantivo.

**Exame metodológico**

Aplica-se à literatura de pesquisa empírica. O seu objetivo é avaliar criticamente a qualidade metodológica da pesquisa que tenha produzido as evidências e descobertas. A questão aqui é: até que ponto podemos confiar nas evidências relatadas e nas descobertas afirmadas numa pesquisa publicada? Há formas diferentes pelas quais uma pesquisa pode ser reprovada no teste de qualidade, e o Capítulo 14 considera minuciosamente a avaliação da qualidade da pesquisa. Mas dois pontos gerais são relevantes aqui. O primeiro é que a pesquisa relatada nos melhores periódicos de referência internacional terão passado por uma rigorosa revisão paritária, ou seja, os seus métodos terão sido inteiramente escrutinados por especialistas da área (cf. Seção 6.8). Uma implicação disso é que podemos confiar na qualidade da pesquisa relatada em periódicos de referência internacional. Outra implicação é que as "descobertas" relatadas em periódicos ou conferências que não passem por revisão paritária precisam ser avaliadas atentamente a respeito dos métodos usados. O segundo ponto geral é que os principais temas que devem ser usados para avaliar a qualidade metodológica são aqueles que norteiam a nossa discussão sobre métodos de pesquisa no restante deste livro. Especificamente:

- *Desenho* – O desenho é adequado para responder as perguntas de pesquisa? As deficiências no desenho foram identificadas e controladas? As questões éticas foram tratadas?
- *Amostra* – A amostra ou o caso é adequada(o) à pesquisa descrita? Até que ponto as descobertas podem ser generalizáveis (ou transferíveis) com base nessa amostra? Até que ponto o caso é típico ou único?
- *Coleta de dados* – Os dados coletados têm qualidade suficiente para que as descobertas sejam confiáveis? O controle de qualidade na coleta de dados é um tema importante no Capítulo 8 (para dados qualitativos) e no Capítulo 11 (para dados quantitativos) neste livro.
- *Análise de dados* – Similarmente, a análise dos dados é adequada e completa o bastante para que as descobertas sejam confiáveis?

O uso sistemático dessas perguntas de avaliação gerais (e das perguntas de avaliação mais específicas no Capítulo 14) enquanto você lê ajuda a julgar o grau de confiança a ser depositado nas evidências e descobertas relatadas. Isso também tem dois outros benefícios. Mostra que você está avaliando criticamente a literatura da pesquisa enquanto a revê, expectativa que você precisa atender na sua revisão de literatura (cf. Seção 6.5) e permite que você comente analiticamente as abordagens metodológicas usadas na pesquisa sobre esse tópico e pergunta. Ambos contribuem para a sua demonstração de domínio da literatura relevante.

### 6.4.3 Resumo e documentação

O resumo é uma atividade essencial na revisão da literatura. Também é parte essencial da administração da literatura e provê a base para a organização, análise e síntese seguintes. Porém, embora os resumos sejam alicerces importantes, a revisão propriamente dita precisa ir muito além de meros resumos. Uma revisão da literatura não é simplesmente um resumo em série ou cronológico do que os outros fizeram – não é, em outras palavras, uma bibliografia anotada. Revisar a literatura nesse nível requer a construção de um argumento baseado em temas, que por sua vez requer organização e estrutura, análise e síntese, como discutiremos na próxima seção. Os resumos da literatura são os alicerces para essa organização, análise e síntese.

Resumir concentra-se em captar os pontos principais de um trabalho, tanto em âmbito substantivo quanto metodológico. O trabalho do resumo é abreviar significativamente, sem perda importante de informações. Para relatórios de pesquisa, resumos dos principais pontos substantivos podem concentrar-se no tópico e na(s) pergunta(s) de pesquisa, no contexto, nos dados e nas descobertas de cada pesquisa. Resumos dos principais pontos metodológicos podem concentrar-se no desenho, na amostra, na coleta de dados, na análise de dados e na orientação e base teórica de cada pesquisa.

No momento do resumo, é importante definir um sistema de documentação, catalogação e arquivamento. Isso faz parte da organização e deve incluir detalhes bibliográficos completos além dos pontos de resumo substantivos e metodológicos. Resumir a literatura enquanto você lê é um primeiro estágio importante na revisão da literatura. Fazer isso sistematicamente, com detalhes bibliográficos completos e arquivamento organizado, sempre rende dividendos. A sua revisão da literatura completa precisará ter todas as referências e detalhes bibliográficos corretos e isso se torna um trabalho particularmente custoso se os detalhes não forem registrados ao longo do trabalho de revisão.

### 6.4.4 Organização, análise e síntese

Essas atividades não são sequenciais. Elas se sobrepõem e normalmente ocorrerão mais ou menos simultaneamente à medida que a literatura é lida e resumida. Além de resumirem, elas ajudam você a administrar a literatura que lê. Desenvolver uma estrutura de organização para lidar com a literatura, em geral em termos de temas principais, faz parte de uma leitura crítica e analítica. Muitas vezes ajudará a desenvolver uma estrutura conceitual para o seu estudo. Também ajudará a tornar temática a revisão de literatura que você escrever (e não meramente um resumo do que os outros fizeram), além de integrada ao seu estudo. O seu estudo precisa estar conectado à sua literatura para que haja um motivo para a revisão da literatura.

*Organizar* o material dos seus resumos da literatura ajuda a desenvolver uma estrutura. Uma revisão completa precisa de estrutura porque a alternativa a uma revisão estruturada é uma massa amorfa de redação desestruturada, o que dificulta o trajeto e a compreensão do leitor. A estrutura na revisão normalmente é desenvolvida através de temas e subtemas principais, e a estrutura na apresentação da revisão é feita por seções e subseções. Elas podem ser reunidas por "organizadores de conteúdo" e resumos interconectados. A integração e síntese da literatura normalmente sugerirão uma estrutura para redigir a revisão.

*Análise* aqui significa dividir a literatura em partes constituintes e descrever como as partes se relacionam entre si (Hart, 1998: 110). Quando você submete a metodologia de uma pesquisa às perguntas sugeridas sob o exame anterior, você está analisando-a metodologicamente. Similarmente, quando você comenta sobre tendências metodológicas, inconsistências ou lacunas num corpo de literatura de pesquisa, você está tratando-a analiticamente. Uma análise substantiva da literatura significa refletir criticamente sobre a sua organização, completude, coerência e consistência. As perguntas sugeridas por Hart e mostradas antes na parte sobre literatura teórica da Seção 6.3 podem ajudar a tratar analiticamente a substância ou o conteúdo da literatura.

Ao contrário da análise, a *síntese* envolve fazer conexões entre as partes identificadas e mostrar padrões e ajustes novos entre elas (Hart, 1998: 110). Assim, a síntese envolve a consideração da convergência e divergência das descobertas, teorias, métodos e às vezes das implicações encontradas na literatura. Burton e Steane (2004: 131-132) sugerem o processo dialético de tese-antítese-síntese como estrutura para desenvolver a síntese numa revisão da literatura. Eles usam a metáfora da tapeçaria para ilustrar a síntese numa revisão, enfatizando o entrelaçamento e a integração dos fios contidos na redação anterior sobre o tópico. Esse tipo de processo está estreitamente conectado à construção de um argumento – de fato sintetizar é uma forma importante de construir um argumento. Tal foco enquanto se redige a revisão da literatura assegura que seja muito mais do que um resumo ou bibliografia anotada. A síntese do conteúdo da literatura também ajuda a avaliar a sua qualidade. Uma postura crítica em toda a revisão da literatura garante que a avaliação seja um tema contínuo. Além disso, algumas afirmativas avaliativas de resumo são uma forma efetiva de concluir uma síntese e ao mesmo tempo apresentam outra oportunidade para mostrar as conexões do seu estudo com a literatura. É claro que a síntese precisa de uma exposição clara, o que nos leva ao próximo estágio de redação da revisão.

## 6.4.5 Redação

Redigir a revisão da literatura reúne tudo isso. Esse trabalho costuma ser visto pelo aluno da pós-graduação como formidável ou assustador, mas também é uma oportunidade de demonstrar o seu domínio. Um plano de redação consagrado para revisões da literatura tem três partes principais:
- Desenvolver uma estrutura;
- Redigir uma primeira minuta;
- Revisar e redigir minutas subsequentes e finais.

É necessária uma estrutura na forma pela qual você redige a sua revisão e isso significa que seções e títulos de seções na revisão são importantes. Às vezes, também, subseções serão necessárias, mas elas não devem ser excessivas. Um ótimo benefício de criar seções na revisão da literatura é que a redação se torna modularizada. Em vez de um trabalho formidável (redigir a revisão), você o divide numa série de trabalhos gerenciáveis (redigir cada seção). Parágrafos interconectados, que unam a revisão, podem ser adicionados nos estágios posteriores da redação.

Outra coisa útil, mas geralmente escrita no estágio final, são "organizadores de conteúdo" adequadamente localizados onde você descreve brevemente a estrutura e o argumento do material seguinte, dando ao leitor um "mapa" para percorrer a revisão. O organizador de conteúdo mais importante vem no início da revisão, onde os objetivos são descritos e a estrutura é vista de forma panorâmica. A descrição de objetivos é desenvolvida iterativamente com a estrutura seguinte na revisão, de modo que a descrição concluída dos objetivos conduza naturalmente à estrutura e se encaixe facilmente nela. Os títulos de seções e subseções, quando listados como sumário, devem ter uma progressão lógica e prover indicações do argumento que une a revisão.

Uma parte importante da redação é o processo de referências. A redação acadêmica consiste em ideias originais e formas de expressão, mas também, fundamentalmente, pauta-se em ideias de outras pessoas. Essas ideias (e não simplesmente certas frases e orações citadas) precisam ser propriamente atribuídas aos seus autores e aos textos em que foram encontradas. Essa atribuição pode ser realizada por citação direta, paráfrase ou uso indireto.

Tendo em vista o trabalho de redação, quatro pontos importantes devem ser lembrados:

- Reconheça que toda pesquisa tem uma história metodológica e teórico-substantiva e que tal história fornece o corpo da sua revisão.
- Use a revisão não somente para demonstrar o seu domínio da literatura, mas também para justificar o seu estudo e abordagem. Especificamente, use a revisão como uma racionalização substantiva e metodológica para o seu estudo. Isso significa construir o seu argumento através da revisão da literatura e além dela. Isso garantirá conexões satisfatórias entre o seu estudo e a revisão da literatura.
- Reconheça as fontes de ideias extraídas da literatura e marque-as claramente em relação às suas próprias ideias.
- Seja crítico.

## 6.5 Senso crítico

Especialmente em dissertações de nível superior, espera-se que a revisão da literatura seja crítica, não simplesmente descritiva. Ser crítico significa, entre outras coisas, não aceitar simplesmente o que está escrito ao pé da letra, mas submeter o que se lê a uma análise a avaliação atenta. Portanto, é importante adotar uma postura crítica desde o início ao ler e resumir a literatura. Mais especificamente, Wallace e Poulson (2003: 6) definem senso crítico como:

- Adotar uma atitude de ceticismo ou dúvida ponderada;
- Questionar habitualmente a qualidade de afirmativas de conhecimento;
- Escrutinar afirmativas e ver até que ponto são convincentes;
- Sempre respeitar as outras pessoas;
- Ter a mente aberta;
- Ser construtivo.

Se a literatura em questão for um artigo de periódico de pesquisa, além do que já foi dito (cf. Seção 6.4.2), as seguintes perguntas podem ajudar a obter e manter uma orientação crítica enquanto você lê e revê a literatura:

- O autor identificou um tópico ou formulou um problema ou questão, com as perguntas de pesquisa resultantes guiando a investigação?
- Isso está claramente definido? A sua importância está claramente estabelecida?
- Qual é a orientação ou perspectiva de pesquisa do autor? O problema poderia ter sido abordado mais efetivamente de outra perspectiva?
- Qual é a estrutura teórica do autor? Os conceitos principais estão claramente definidos e usados consistentemente?
- O autor avaliou a literatura relevante ao problema? A literatura foi tratada de modo abrangente e imparcial?
- Se for um estudo empírico, os componentes básicos são bons? O desenho, a amostragem, a qualidade dos dados coletados, a análise de dados? As conclusões são justificadas pelos dados?
- Como o autor estrutura o argumento que subjaz à pesquisa? Você consegue "desembalar" o fluxo do argumento e ver se ele tem consistência lógica?
- O trabalho está escrito adequadamente?
- De que forma esse trabalho contribui para o nosso entendimento do problema? De que forma é útil para a prática? Quais são os pontos fortes e as limitações?
- Como esse trabalho se relaciona à pesquisa que estou desenvolvendo e propondo?

Interrogar a literatura assim ajuda a desenvolver e manter um foco crítico apropriado. Além disso, conforme já observamos, a Seção 14.5 mostra critérios de avaliação que podem ser usados para avaliar relatórios de pesquisa empíricos. Ao resumirem, Wallace e Poulson (2003: 27-28) consideram que uma revisão da literatura tem qualidade se for focada, estruturada, crítica, com referências precisas, claramente expressa, fácil de ler, informativa e equilibrada.

## 6.6 Alguns problemas comuns

Uma pergunta comum em revisões da literatura de dissertações em ciências sociais é: a revisão precisa ser abrangente e exaustiva, abarcando toda a literatura? Ou até que ponto pode ser seletiva? A primeira parte da resposta a tal pergunta é enfatizar novamente que "literatura" aqui significa "literatura relevante". À medida que a literatura for lida e resumida, vale a pena classificá-la como essencialmente relevante, marginalmente relevante ou apenas de relevância secundária e contextual. A segunda parte da resposta é reconhecer que, para alguns tópicos, o volume de literatura relacionada é tão grande que uma única revisão da literatura para a dissertação não consegue ser abrangente, abarcando tudo. Isso se aplica especialmente àqueles tópicos em que mais de um corpo de literatura é relevante, como costuma ser o caso nas ciências sociais aplicadas. Nesses casos, o pesquisador é obrigado a ser seletivo. Quando isso ocorre, o autor deve indicar a base sobre a qual a seleção é realizada e por que está sendo realizada. É aqui que revisões da literatura anteriores, se disponíveis e razoavelmente recentes, podem ser de valor extremo. Se você encontrar uma boa revisão da literatura, poderá usá-la, obviamente com os agradecimentos apropriados. Vale lembrar que dissertações concluídas normalmente contêm uma revisão da literatura. Encontrar uma dissertação recente sobre o seu tópico (ou próxima ao seu tópico) pode poupar muito tempo e trabalho.

No extremo oposto do *continuum*, cuidado ao afirmar que não existe uma literatura relevante para a(s) sua(s) pergunta(s) de pesquisa. Elevar o grau de abstração – de uma pergunta de pesquisa específica para uma pergunta de pesquisa geral, e às vezes de uma pergunta de pesquisa geral a um tópico – pode ajudar a mostrar as suas conexões com a literatura. Um exemplo é dado no Quadro 6.2.

---

**QUADRO 6.2**

**Usando a literatura: graus de abstração**

Suponha que a pergunta específica para a pesquisa se refira ao desempenho educacional de crianças aborígenes em Narrogin, Austrália Ocidental. É muito provável que não haja literatura ou pesquisa prévia sobre esse tópico específico. Porém, crianças aborígenes são um grupo minoritário étnico indígena; Narrogin é uma comunidade rural. Agora a busca pela literatura relevante é mais ampla: o desempenho educacional de crianças minoritárias de etnia indígena em comunidades rurais.

---

Seis outros problemas comuns são apresentados como uma "lista do que não se deve fazer" no Quadro 6.3.

**QUADRO 6.3**

**O que não se deve fazer na revisão da literatura**

*Ao revisar a literatura, cuidado para NÃO fazer o seguinte:*

- Citar em excesso. Bom-senso, experiência e as reações do(s) orientador(es) sobre a quantidade de citações podem ajudar, mas citações diretas demais ou citações diretas longas demais suscitam dúvidas sobre o seu domínio da literatura. Rudestam e Newton dão um bom conselho: "Restrinja o uso de citações àquelas com um impacto particular ou àquelas enunciadas de modo tão único que sejam difíceis de recapturar" (2000: 59).

- Confiar demais em fontes secundárias. Nesse nível do trabalho, espera-se que você estude fontes primárias, se possível. Fontes secundárias são aceitáveis se a fonte primária não estiver disponível ou acessível ou se a fonte secundária agregar pontos importantes à discussão. Mais uma vez, contudo, confiar demais em fontes secundárias suscita dúvidas sobre o seu conhecimento e domínio da literatura referente ao seu tópico.

- Negligenciar a literatura voltada a profissionais. Embora a literatura de pesquisa sobre o seu tópico obviamente seja importante, muitas vezes há a literatura voltada a profissionais que é relevante e útil.

- Sucumbir à tentação de incluir e relatar tudo o que você sabe ou leu. A sua revisão precisa ser adequadamente seletiva. Como Rudestam e Newton comentam, "construa um argumento, não uma biblioteca" (2000: 59).

- Confiar demais na literatura "antiga". Dois julgamentos estão envolvidos aqui. Primeiro, o que é antigo demais? Segundo, o que é literatura antiga muito importante? Esses julgamentos estão relacionados. A idade de uma literatura ou pesquisa clássica não importa. Assim, por exemplo, a obra de Piaget (a partir da década de 1950) ou o Relatório Coleman (Coleman et al., 1966) permanecem importantes, apesar da idade, e não há problema em usá-las como referência. Mas, para a vasta maioria da literatura de pesquisa que não se enquadre na categoria "clássica", voltar a mais de 15 ou certamente 20 anos pode ser problemático. O conselho se resume ao seguinte: não produza uma revisão da literatura para dissertação em que a maioria das referências seja a uma literatura com mais de 15-20 anos de idade.

- Não mencionar adequadamente ideias extraídas da literatura. A boa prática de citações não é simplesmente uma tecnicidade, mas

> um elemento essencial do trabalho acadêmico, parte do processo de construir e testar o conhecimento criticamente. Logo, é importante assegurar-se adequadamente das fontes de ideias que possam ser usadas, sejam elas citadas literalmente, parafraseadas ou somente mencionadas circunstancialmente.

## 6.7 Revisões sistemáticas

Todas as revisões da literatura precisam ser sistemáticas em sua busca, documentação e resumo da literatura, assim como em sua análise, síntese e apresentação. O termo "revisão sistemática", porém, tem um outro sentido mais técnico. Refere-se a determinada abordagem à investigação, cujo desenvolvimento foi fortemente estimulado pelo movimento baseado em evidências na prática e política profissional. Nesse sentido, revisões sistemáticas da literatura podem ser projetos de pesquisa independentes: elas buscam responder perguntas de pesquisa específicas usando métodos explícitos e rigorosos e comunicam as suas descobertas a uma gama de públicos. Gough, Oliver e Thomas (2012) definem revisões sistemáticas como uma forma de pesquisa que identifica, descreve, avalia e sintetiza a literatura de pesquisa disponível "usando métodos compreensíveis sistemáticos e explícitos" (p. 5). Os objetivos das revisões, argumentam os autores, podem estar em qualquer ponto de um *continuum* desde a síntese agregadora (i. e., revisões que somam ou adicionam dados de estudos primários para responder uma pergunta) até a síntese configuradora (i. e., revisões que organizam e interpretam dados sem necessariamente somá-los). Usando o exemplo da pesquisa em educação, alguns bancos de dados são compostos dessas revisões sistemáticas; algumas delas (como What Works Clearinghouse e Campbell Collaboration) podem priorizar revisões agregadoras da pesquisa quantitativa, especialmente de testes de controle randomizados, para mostrar "o que funciona" em determinadas áreas de intervenção. Os tópicos abrangidos pelas revisões sistemáticas incluídos nesses bancos de dados são muito diversos (Quadro 6.4).

**QUADRO 6.4**

**Exemplos de revisões sistemáticas recentes na pesquisa em educação**

- Obesidade infantil e sucesso educacional (uma síntese narrativa da literatura empírica do EPPI-Centre – Caird et al., 2011).
- Intervenções para aumentar a assiduidade escolar entre alunos gazeteiros crônicos (uma meta-análise crítica do Campbell Collaboration – Maynard et al., 2012).
- Competências do professor e sucesso do aluno (síntese narrativa e mapeamento da literatura do Danish Clearinghouse of Educational Research – Nordenbo et al., 2008).

Nesse sentido técnico, revisões sistemáticas são formas de tratar perguntas de pesquisa substantivas independentemente. O principal objetivo não é propiciar um pano de fundo no qual determinado projeto empírico ou teórico possa ser apresentado e entendido, mas unir e integrar todas as evidências de pesquisa de qualidade disponíveis sobre determinada pergunta. Tempo, esforço (em geral de uma equipe de pesquisadores experientes capazes de verificar mutuamente suas interpretações) e recursos consideráveis podem ser necessários para alcançar tal objetivo. Isso pode tornar revisões sistemáticas desse tipo difíceis de realizar por alunos individuais, embora em princípio seja possível produzir uma dissertação baseada em metodologias de revisão sistemáticas como projeto independente. A maioria dos alunos pode, porém, usar algumas das técnicas de revisão sistemática para desenvolver um mapeamento inicial da literatura relevante às suas dissertações.

Independentemente da metodologia específica adotada, revisões sistemáticas desse tipo têm em comum uma série de estágios e princípios. Elas usam protocolos pré-especificados e ferramentas formalizadas para busca, exame, codificação, ponderação e integração da literatura. Enfatizam bastante a repetitividade e confiabilidade de todos os processos envolvidos. O seu objetivo é produzir sínteses de evidências que não sejam somente rigorosas no sentido acadêmico, mas também relevantes a profissionais e legisladores. Para alcançar tal objetivo, podem envolver "usuários" desde o início do projeto para definir a pergunta de revisão e desenvolver a sua especificação. Os estágios de revisão são pré-definidos e, embora os nomes e descrições desses estágios possam variar de acordo com a metodologia adotada, incluem de alguma forma os estágios listados no Quadro 6.5.

## QUADRO 6.5

**Estágios de uma revisão sistemática**

1. Inicie a revisão, incluindo a criação da equipe e participação de investidores e especificando os objetivos e contexto da revisão.

2. Formule a(s) pergunta(s) da revisão e desenvolva uma estrutura conceitual e protocolo para realizar a revisão.

3. Decida sobre a natureza e método da revisão, desenvolva critérios de inclusão/exclusão e uma estratégia de busca (critérios de inclusão e exclusão para a relevância e aceitabilidade da literatura a revisar, o que pode incluir: os tipos de estudos, população, variáveis importantes, métodos de pesquisa, espectro cultural e linguístico, cronograma, tipos de publicação).

4. Execute uma busca abrangente, fazendo registros, e examine os resultados usando os critérios de inclusão.

5. Desenvolva ferramentas para extração e codificação de dados ou adote/adapte ferramentas padronizadas e extraia dados dos estudos incluídos.

6. Aplique critérios de qualidade para avaliar os estudos incluídos.

7. Analise e sintetize os dados extraídos, e faça verificações da qualidade da revisão propriamente dita (p. ex., em termos de confiabilidade, parcialidade, adequação de quaisquer técnicas de agregação etc.).

8. Interprete e comunique as descobertas aos públicos relevantes num relatório e por outros meios.

Embora aplicáveis mais diretamente à literatura empírica quantitativa, os métodos de revisão sistemática pré-definida também foram refinados para uso com as descobertas qualitativas e a literatura conceitual. Logo, revisões temáticas e narrativas, e outras formas de sintetizar a literatura qualitativa (p. ex., metaetnografia) objetivam entrelaçar ideias da literatura com um relato mais rico e texturizado do que pode vir somente de estudos individuais. As metaetnografias, propostas por Noblit e Hare (1988), tentam traduzir conceitos de um estudo etnográfico ou mais amplamente qualitativo em outro e desenvolver outras interpretações deles a fim de organizar as diferentes "linhas de argumento" numa "narrativa mais ampla" (Gough, Oliver e Thomas, 2012: 199).

Na pesquisa quantitativa, um tipo de revisão sistemática que se pauta nos resultados da literatura é a técnica especializada da meta-análise. Proposta pela primeira vez na pesquisa em educação (Glass, 1976), agora é amplamente usada em outras áreas de pesquisa. Usa técnicas estatísticas formais para combinar estudos separados num "meta"-estudo maior, considerando como dados os resultados e as descobertas de estudos quantitativos que subsistem ao exame metodológico. Descrições de meta-análise podem ser encontradas em Glass, McGaw e Smith (1981), Wolf (1986) e Hunter e Schmidt (2004). Inúmeros exemplos de meta-análises na pesquisa em educação podem ser encontrados no periódico *Review of Educational Research*, e o livro *Visible Learning* (Hattie, 2008) sintetiza mais de 800 meta-análises sobre os fatores que influenciam o sucesso de alunos em idade escolar (Quadro 6.6).

---

### QUADRO 6.6

**Exemplo de síntese quantitativa: "Visible Learning"**

*Visible Learning* (Hattie, 2008) é uma das sínteses mais conhecidas de evidências de pesquisa na área da educação. É uma síntese quantitativa de mais de 800 meta-análises da pesquisa em educação – i. e., de estudos quantitativos que agregam informações sobre a efetividade de diferentes métodos e estratégias que os professores podem usar para capacitar a aprendizagem. Em 2012, o autor produziu um livro bônus voltado a alunos e professores que conecta as descobertas aos desafios da prática de ensino cotidiana e os comunica em linguagem e gráficos acessíveis.

---

Além da distinção qualitativa-quantitativa, as revisões sistemáticas também podem ser históricas, conceituais e/ou teóricas. Exemplos disso, mais uma vez da área de pesquisa em educação, podem ser encontrados na *Review of Educational Research*, publicada pela Associação de Pesquisa Educacional Americana. Esse periódico é publicado quatro vezes ao ano há mais de 80 anos. É um periódico renomado de referência internacional que publica revisões da literatura sobre importantes tópicos de pesquisa em educação. Publica diferentes tipos de revisões, inclusive meta-análises quantitativas e revisões metanarrativas ou narrativas qualitativas, mas também revisões críticas de literatura teórica, além de sínteses conceituais e interpretativas. O Quadro 6.7 dá vários exemplos de revisões críticas e teóricas publicadas na RER. Outro periódico que se especializa nessas revisões é da Associação de Pesquisa Educacional Britânica, *Review of Education*.

> **QUADRO 6.7**
>
> **Exemplos de revisões críticas, históricas e conceituais-teóricas (de edições recentes da RER)**
>
> - Desenvolvimento acadêmico na educação superior (uma revisão conceitual, Amundsen e Wilson, 2012).
> - Desabrigo de alunos (uma revisão temática crítica, Miller, 2011).
> - Teorias baseadas em aulas sobre a resistência dos alunos na educação (uma revisão teórica, McGrew, 2011).
> - O impacto da tecnologia na aprendizagem (uma meta-análise de segunda ordem crítica, Tamim, Bernard, Borokhovski, Abrami e Schmid, 2011).
> - Educação à distância e on-line (uma revisão histórica de última geração – Larreamendy-Joerns e Leinhardt, 2006).

## 6.8 A literatura dos periódicos de pesquisa

Os pesquisadores das ciências sociais precisam conhecer a literatura dos periódicos de pesquisa em ciências sociais, que é o principal meio de comunicação de publicações dos pesquisadores profissionais. Há um número vasto desses periódicos. Porém, como em qualquer área acadêmica, os periódicos de referência internacional (i. e., com revisão paritária) são os mais importantes e publicam as pesquisas de maior qualidade. Uma revisão paritária rigorosa é crucial para conquistar e manter essa condição. Os trabalhos publicados em periódicos de referência internacional de alta qualidade são revistos por especialistas da área e normalmente são submetidos a uma ou mais revisões após a leitura.

Além do uso e descrição transparente do processo de revisão paritária, há outros indicadores que podem ser usados para identificar quais periódicos são de referência internacional e de alta qualidade. Por exemplo, tais periódicos:

- Geralmente são publicados por editoras renomadas e muitas vezes partem de universidades;
- Têm um editorial e comitê consultivo internacional;
- Têm público leitor e colaboradores internacionais;
- Publicam, em cada edição, declarações de políticas de publicação e revisão;
- Fornecem diretrizes claras para os autores.

# Resumo do capítulo

- Literatura da pesquisa empírica se refere à literatura que relata resultados da pesquisa empírica. As perguntas fundamentais que norteiam uma revisão da literatura de pesquisa são: existem evidências empíricas prévias sobre essa pergunta? O que as evidências empíricas nos dizem sobre a resposta à pergunta?

- Literatura teórica se refere a teorias e conceitos, e à literatura discursiva e analítica relevante ao tópico. Embora rever a literatura de pesquisa signifique rever as evidências, rever a literatura teórica significa rever o pensamento, a teorização e a discussão sobre um tópico.

- Uma dissertação precisa rever a literatura de pesquisa empírica relevante e a literatura teórica relevante, e relacionar o estudo em questão a tal literatura.

- Cinco estágios da revisão da literatura são buscar, examinar, resumir, organizar-analisar-sintetizar e redigir.

- Em todos os estágios, a revisão da literatura precisa ser crítica, submetendo a literatura relevante a uma análise e avaliação atentas.

- Há alguns problemas comuns na revisão da literatura, e algumas sugestões do que se deve ou não fazer são observadas.

- São descritos revisões sistemáticas, enquanto método de investigação, desenvolvidas em resposta ao movimento baseado em evidências nas políticas e práticas profissionais, e estágios gerais para realizar uma revisão sistemática. Metaetnografias (qualitativas) e meta-análises (quantitativas) são exemplos específicos de revisões sistemáticas, mas também há revisões históricas, conceituais e teóricas.

## Termos-chave

Análise: dividir a literatura em suas partes constituintes e mostrar como as partes se relacionam.

Exame metodológico: exame que avalia criticamente a qualidade metodológica da pesquisa relatada.

Exame substantivo: exame que se concentra na literatura da pesquisa empírica e na literatura teórica, e que é fundamentalmente relevante ao tópico e à pergunta de pesquisa.

Literatura da pesquisa empírica: literatura que relata resultados da pesquisa empírica sobre o tópico ou pergunta de pesquisa sob consideração.

Literatura teórica: literatura que inclui conceitos, teorias, discussões e análises relevantes ao tópico.

Organização: desenvolver uma estrutura para a literatura sob revisão; organizar requer temas, seções e subseções.

Resumo: reduzir significativamente, captando os pontos principais de um trabalho, tanto substantivamente quanto metodologicamente.

Revisão sistemática: certa abordagem à investigação que pode ser um projeto de pesquisa independente; estimulada pelo movimento baseado em evidências na prática e política profissional.

Ser crítico: submeter a literatura a uma análise e avaliação atentas em vez de simplesmente aceitá-la ao pé da letra.

Síntese: fazer conexões entre as partes e mostrar ajustes e padrões novos entre elas.

## Exercícios e perguntas para estudo

1. Por que o domínio da literatura relevante é esperado numa dissertação de doutorado?

2. Qual questão fundamental norteia a revisão da literatura da pesquisa empírica?

3. Cite três objetivos da revisão da literatura numa dissertação.

4. O que significa ser crítico numa revisão da literatura e por que é importante?

5. Como podemos saber se um periódico de pesquisa é um periódico de referência internacional de qualidade?

6. Encontre uma revisão da literatura sobre um tópico do seu interesse em qualquer periódico recente de revisões na sua área de ciências sociais. Analise a revisão, concentrando-se na sua estrutura, nível de avaliação crítica, grau de análise e síntese e a sua utilidade para os pesquisadores da área.

7. Avalie criticamente a revisão da literatura numa dissertação recente da biblioteca da sua universidade ou departamento.

8. Localize a seção relevante do periódico de pesquisa em ciências sociais da sua biblioteca. Dedique um tempo buscando:

    i. os títulos dos periódicos;

    ii. as declarações de política dos periódicos;

    iii. os títulos dos artigos dos periódicos;

    iv. resumos dos artigos.

    Discuta o que aprendeu com essa atividade.

## Leitura complementar

Gough, D., Oliver, S. e Thomas, J. (2012) *An Introduction to Systematic Reviews*. Londres: Sage.

Hart, C. (1998) *Doing a Literature Review: Releasing the Social Science Research Imagination*. Londres: Sage.

Hart, C. (2001) *Doing a Literature Search: A Comprehensive Guide for the Social Sciences*. Londres: Sage.

Ridley, D. (2012) *The Literature Review: A Step-by-Step Guide for Students*. Londres: Sage.

Wallace, M. e Poulson, L. (2003) *Learning to Read Critically in Educational Leadership and Management*. Londres: Sage.

# 7
# DESENHO DE PESQUISA QUALITATIVA

**Sumário**

7.1  O que é desenho de pesquisa?
7.2  Diversidade na pesquisa qualitativa
   7.2.1  Temas comuns na diversidade
7.3  Estudos de caso
   7.3.1  A ideia geral
   7.3.2  Quatro características dos estudos de caso
   7.3.3  Estudos de caso e generalizabilidade
   7.3.4  Preparando um estudo de caso
7.4  Etnografia
   7.4.1  Introdução
   7.4.2  Algumas características principais
   7.4.3  Comentários gerais
7.5  Teoria fundamentada
   7.5.1  O que é teoria fundamentada?
   7.5.2  Uma breve história da teoria fundamentada
   7.5.3  Geração de teoria *versus* verificação de teoria
   7.5.4  Amostragem teórica: relações entre coleta de dados e análise de dados
   7.5.5  O uso da literatura na teoria fundamentada
   7.5.6  O lugar da pesquisa com teoria fundamentada
7.6  Pesquisa-ação
   Resumo do capítulo
   Termos-chave
   Exercícios e perguntas para estudo
   Leitura complementar
   Notas

**OBJETIVOS DE APRENDIZAGEM**

### Após estudar este capítulo, você saberá:

- Descrever os principais componentes do desenho de pesquisa e como as perguntas, o desenho e os dados estão conectados.
- Descrever e explicar as estratégias que subjazem aos estudos de caso, etnografia, teoria fundamentada e pesquisa-ação.
- Discutir os pontos fortes e vulneráveis dos estudos de caso, etnografia, teoria fundamentada e pesquisa-ação.
- Discutir a potencial contribuição dos estudos de caso, etnografia, teoria fundamentada e pesquisa-ação.
- Comparar e contrastar estudos de caso, etnografia, teoria fundamentada e pesquisa-ação como desenhos de pesquisa qualitativa.

Começamos este capítulo abordando o desenho de pesquisa em geral de modo a definir um contexto para o desenho qualitativo neste capítulo e o desenho quantitativo no Capítulo 10. Depois o nosso foco será em quatro desenhos comuns usados na pesquisa qualitativa – estudos de caso, etnografia, teoria fundamentada e pesquisa-ação.

## 7.1 O que é desenho de pesquisa?

Três usos do termo "desenho de pesquisa" podem ser distinguidos na literatura, aproximadamente ordenados do geral ao específico. No *nível mais geral*, o termo significa todas as questões envolvidas no planejamento e execução de um projeto de pesquisa – desde identificar o problema até relatar e publicar os resultados. É assim que é usado por Ackoff (1953) e Miller e Salkind (2002), por exemplo. Por outro lado, em seu *nível mais específico*, o desenho de um estudo se refere ao modo pelo qual um pesquisador se acautela e tenta eliminar interpretações alternativas dos resultados. *Entre os dois níveis* existe a ideia geral de desenho como algo que situa o pesquisador no mundo empírico e conecta as perguntas de pesquisa aos dados (Denzin e Lincoln, 2011). A primeira visão é ampla demais para os nossos objetivos neste capítulo, e a segunda surgirá à medida que percorrermos este capítulo e o Capítulo 10. Aqui, o nosso foco será no terceiro uso do termo, pois precisamos de uma forma de pensar sobre o desenho que seja geral o bastante para acomodar tanto abordagens qualitativas quanto quantitativas.

Nessa visão, o desenho de pesquisa situa o pesquisador no mundo empírico e conecta as perguntas de pesquisa aos dados, como mostrado na Figura 7.1. O desenho de pesquisa é o plano básico de uma pesquisa e inclui quatro ideias principais. A primeira é a estratégia. A segunda é a estrutura conceitual. A terceira é a pergunta que questiona quem ou o que será estudado. A quarta se refere às ferramentas e procedimentos que serão usados para coletar e analisar os materiais empíricos. O desenho de pesquisa, portanto, trata de quatro questões principais correspondendo a essas ideias.

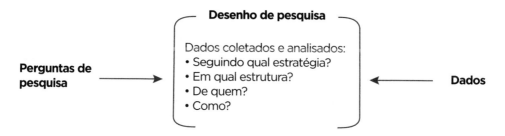

Figura 7.1 O desenho de pesquisa conecta as perguntas de pesquisa aos dados

Os dados serão coletados (e analisados):
- Seguindo qual estratégia?
- Em qual estrutura?
- De quem?
- Como?

Essas perguntas se sobrepõem, especialmente as duas primeiras. A segunda pergunta também, em especial, é mais típica em desenhos quantitativos, embora seja pertinente a certas pesquisas qualitativas. Agora falaremos brevemente sobre cada uma das quatro perguntas.

**Seguindo qual estratégia?**

No centro do desenho de um estudo está sua lógica ou motivação – os argumentos ou conjunto de ideias pelos quais o estudo pretende proceder a fim de responder as suas perguntas de pesquisa. O termo "estratégia" se refere a isso. Assim, na pesquisa qualitativa, um desenho de estudo de caso múltiplo envolve uma estratégia (p. ex.: "a investigação detalhada, usando fontes múltiplas de dados, com número pequeno de casos deliberadamente escolhidos, guiada por perguntas de pesquisa cujo foco seja em comparações entre os casos"). Etnografia e teoria fundamentada são tipos diferentes de estratégias que o pesquisador qualitativo pode usar, como explicamos nas seções 7.4 e 7.5. Similarmente, na pesquisa quantitativa, o experimento inclui uma estratégia desenhada para conseguirmos certas comparações. O mesmo acontece com o estudo correlativo. Respostas à pergunta "seguindo qual estratégia?" serão diferentes de acordo com o tipo de abordagem: qualitativa, quantitativa ou métodos mistos. Se for qualitativa, a estratégia é o estudo de caso, a etnografia, a teoria fundamentada, a pesquisa-ação ou alguma combinação deles? Se for quantitativa, a estratégia é experimental, semiexperimental ou não experimental? Se for a combinação de abordagens quantitativas e qualitativas, qual é a mistura de estratégias? Outra pergunta importante está associada a essa questão da estratégia: até que ponto o pesquisador manipulará ou organizará a situação da pesquisa diante de um estudo naturalista? Em outras palavras, até que ponto o pesquisador intervirá na situação da pesquisa, planejando-a e construindo-a para os objetivos da pesquisa, se a estuda à medida que ocorre? O desenho de pesquisa qualitativa geralmente não é intervencionista. O desenho de pesquisa quantitativa pode variar de extremamente intervencionista a não intervencionista.

A estratégia é importante porque conduz o desenho. Ou, em outras palavras, por trás do desenho existe uma motivação lógica para responder as perguntas de pesquisa – é essa a estratégia. No Capítulo 14, sobre a pesquisa com métodos mistos (Seção 14.4), recomenda-se que um breve parágrafo descrevendo a estratégia e o desenho de um estudo seja incluído numa proposta (e numa dissertação). Esse mesmo conselho se aplica a todos os estudos qualitativos e quantitativos.

### Em qual estrutura?

Estrutura aqui significa estrutura conceitual – a condição conceitual do que está sendo estudado e sua relação mútua. Desenhos quantitativos normalmente têm estruturas conceituais pré-especificadas bem desenvolvidas, mostrando variáveis e sua relação mútua, enquanto desenhos qualitativos mostram muito mais variabilidade. Enquanto muitos estudos qualitativos acontecem sem uma estrutura conceitual, muitas vezes há uma função para as estruturas conceituais na pesquisa qualitativa – Miles e Huberman (1994: 18-22) dão exemplos. Uma estrutura conceitual pode ser desenvolvida antes do estudo ou emergir durante o estudo. Associada à estratégia, é a estrutura conceitual que determina a quantidade de estrutura pré-especificada que um estudo terá.

**De quem os dados serão coletados?**

Essa pergunta se refere à amostragem para a pesquisa. Dessa forma, a pergunta tende aos estudos quantitativos. A pergunta mais geral "Quem ou o que será estudado?" (Denzin e Lincoln, 2011) abrange abordagens com métodos qualitativos, quantitativos e mistos.

**Como os dados serão coletados e analisados?**

Tal pergunta questiona as ferramentas e procedimentos que serão usados na coleta e análise dos dados, tópicos abordados nos capítulos 8 e 9 para a pesquisa qualitativa e nos capítulos 11 e 12 para a pesquisa quantitativa.

Juntos, esses quatro componentes do desenho de pesquisa situam o pesquisador no mundo empírico. O desenho fica entre as perguntas de pesquisa e os dados, mostrando como as perguntas de pesquisa serão conectadas aos dados, e quais ferramentas e procedimentos serão usados para respondê-las. Logo, o desenho precisa vir após as perguntas e se adequar aos dados. O desenho deve ser guiado pela estratégia. O ponto de partida é a estratégia – a lógica da abordagem pela qual os dados serão usados para responder as perguntas de pesquisa. O desenho implementa ou formaliza essa estratégia.

Neste livro, as abordagens qualitativas e quantitativas são apresentadas sob os mesmos três termos principais – desenho, coleta de dados e análise de dados. Antes de considerar esses termos para a pesquisa qualitativa, a próxima seção discute a natureza complexa dessa área, enfatizando a sua diversidade.

## 7.2 Diversidade na pesquisa qualitativa

Ao contrário da pesquisa quantitativa, que parece relativamente unidimensional em termos metodológicos, apesar dos seus debates técnicos internos, um elemento dominante da pesquisa qualitativa atual é a sua diversidade. Em seu livro *Handbook*, Denzin e Lincoln (1994: ix) escrevem:

> Não demoramos muito para descobrir que a "área" da pesquisa qualitativa está longe de ser um conjunto unificado de princípios promulgados por grupos interconectados de estudiosos. De fato, descobrimos que a área da pesquisa qualitativa é definida principalmente por uma série de hesitações, contradições e tensões essenciais. Tais tensões vão para a frente e para trás entre definições e concepções concorrentes da área.

Os métodos de pesquisa qualitativa são uma área complexa, dinâmica e contestada – um ponto de múltiplas metodologias e práticas de pesquisa. "Pesquisa qualitativa", portanto, não é uma entidade única, mas um termo abrangente que abarca uma variedade enorme.

Quatro aspectos dessa diversidade se referem a paradigmas, estratégias e desenhos, abordagens a dados, e métodos para a análise de dados. Os últimos três são tratados nos capítulos 7, 8 e 9, respectivamente. Esta seção comenta a diversidade de paradigmas e perspectivas na pesquisa qualitativa. Precisamos estar atentos às diferenças entre pesquisa qualitativa e quantitativa a respeito dessa questão.

Diversidade e debate sobre paradigmas não são um tema típico da pesquisa quantitativa. Em geral, a pesquisa quantitativa se baseia principalmente no positivismo – como aponta Tesch (1990), toda a abordagem da construção de conceitos e mensuração de variáveis é inerentemente positivista[1]. A situação na pesquisa qualitativa é bem diferente, com várias posturas paradigmáticas diferentes, e muitos debates e discussões paradigmáticos. Em comparação com a pesquisa quantitativa, a área da pesquisa qualitativa é multidimensional e pluralista a respeito de paradigmas. Os principais paradigmas alternativos na pesquisa qualitativa incluem positivismo, pós-positivismo, teoria crítica e construtivismo, mas há distinções mais sutis do que essas e subdivisões mais detalhadas. Ademais, desenvolvimentos paradigmáticos na pesquisa qualitativa continuam, por isso ainda não temos um retrato final, embora certa convergência agora pareça acontecer (cf. Seção 2.1). É importante conhecer esse espectro de possibilidades paradigmáticas na pesquisa qualitativa, especialmente ao ler a literatura.

Um efeito desses desenvolvimentos na metodologia qualitativa é destacar a natureza política de muitas pesquisas em ciências sociais – o reconhecimento de que a pesquisa, como outras atividades das pessoas, é uma construção humana, estruturada e apresentada em determinado grupo de discursos (e às vezes ideologias), e conduzida num contexto social com certos tipos de ajustes sociais, especialmente envolvendo financiamento, autoridade cognitiva e poder. Os conceitos substantivos e os métodos que a pesquisa usa são modos de descrever o mundo social para certos objetivos, não meras ferramentas acadêmicas abstratas e neutras. Em outras palavras, a pesquisa em ciências sociais é – e sempre foi – em parte um processo político. Assim, Apple (1991, em Lather, 1994: vii) enfatiza os contextos inescapavelmente políticos em que falamos e trabalhamos, e indica que nenhum dos nossos discursos é politicamente inocente. Ou, como Punch (1994) argumenta, a política cobre toda a pesquisa em ciências sociais, desde a micropolítica das relações pessoais num projeto de pesquisa até questões envolvendo unidades de pesquisa, universidades e departamentos de universidades, e por fim o governo e suas agências.

Alguns aspectos da natureza e contexto políticos da pesquisa são discutidos por Sapsford e Abbott (1996) e pelos vários autores de *Beyond Methodology* (Fonow e Cook, 1991). Uma coletânea de leituras de Hammersley (1993) considera a política da pesquisa em relação aos estudos do desenvolvimento no terceiro mundo, feminismo, teoria crítica, estudos de avaliação e à metodologia e aos dados propriamente ditos. Hammersley (1995) também apresenta uma revisão abrangente das mudanças na natureza das ideias sobre a pesquisa social, fazendo referência a questões e interesses políticos. No Capítulo 6 desse livro, ele faz uma análise minuciosa da pergunta "a pesquisa social é política?"

Os métodos e estilos de pesquisa podem ser vistos dessa perspectiva "politizada". Sapsford e Abbott (1996) argumentam que escolhas sobre estilos de pesquisa são escolhas que têm elementos políticos. Os estilos de pesquisa não são neutros, mas incorporam modelos implícitos do que o mundo social é ou deveria ser, e do que conta como conhecimento e como obtê-lo. Uma consequência disso é que uma área expressiva do conhecimento é suprimida por ser considerada "não científica" pelas limitações das metodologias de pesquisa prevalentes. Os próprios métodos de pesquisa, enquanto área de estudo, podem ser analisados e entendidos usando-se as abordagens e técnicas desenvolvidas na área para estudar outras coisas. A política dos métodos de pesquisa, e os contextos das universidades em que as escolhas sobre os métodos costumam ocorrer, são discutidos por Jayaratne e Stewart (1991) e Eisner (1991).

*Feminismo* e *pós-modernidade* são duas perspectivas a partir das quais os aspectos políticos da pesquisa têm recebido muita atenção. A primeira enfatiza a função do poder na pesquisa, especialmente na relação hierárquica tradicional entre pesquisador e pesquisado. Assim como a análise crítica e alguns tipos de estudos sobre classe, raça e etnia, o feminismo muitas vezes tem a emancipação como objetivo. A segunda perspectiva costuma "chamar atenção" para o poder diretamente, insistindo que a pesquisa não é mais imune à conexão poder-conhecimento do que qualquer outra atividade humana (Lather, 1991). Tais perspectivas se aplicam praticamente a todas as partes do processo de pesquisa – a concepção de pesquisa propriamente dita, os propósitos da pesquisa, a função do pesquisador, abordagens ao desenho, coleta e análise de dados, considerações éticas e critérios de avaliação.

## 7.2.1 Temas comuns na diversidade

Embora a pesquisa qualitativa seja muito mais diversificada do que a pesquisa quantitativa, ao mesmo tempo há importantes temas recorrentes na pesquisa qualitativa.

O primeiro é que uma característica importante da pesquisa qualitativa, refletida nas suas estratégias e desenhos, é ser naturalista, preferindo estudar pessoas, objetos e eventos em seus cenários naturais. Embora boa parte da pesquisa quantitativa (p. ex., um experimento) não seja naturalista, ela pode ser naturalista também ao estudar as pessoas em seus cenários naturais, sem planejar as situações artificialmente para fins de pesquisa. Alguns estudos de observação e levantamentos correlativos se enquadram nessa categoria, mas é provável que tenham desenho e estrutura conceitual prefigurados, com dados prefigurados. É mais provável que desenhos qualitativos retardem a conceituação e estruturação dos dados até uma fase posterior da pesquisa. É também muito menos provável que planejem ou criem uma situação para fins de pesquisa.

Além dessa característica principal, há várias tentativas de classificar as muitas variedades de pesquisa qualitativa, identificando os seus temas comuns (p. ex., Tesch, 1990; Wolcott, 1992). Reproduzimos aqui um resumo dos elementos recorrentes na pesquisa qualitativa dado por Miles e Huberman (1994: 6-7):

- A pesquisa qualitativa é conduzida através de contato intenso e/ou prolongado com uma "área" ou situação de vida. Essas situações são tipicamente "banais" ou normais, refletindo o cotidiano de indivíduos, grupos, sociedades e organizações.
- A função do pesquisador é ganhar um panorama "holístico" do contexto estudado: sua lógica, ajustes, regras explícitas e implícitas.
- O pesquisador tenta captar dados sobre as percepções de atores locais "de dentro para fora" através de um processo de atenção profunda, entendimento empático e preconcepções suspensivas ou "agrupadas" sobre os tópicos em discussão.
- Lendo esses materiais, o pesquisador pode isolar certos temas e expressões que podem ser revistos com os informantes, mas isso deve ser mantido nas suas formas originais em todo o estudo.
- Um trabalho fundamental é explicar os modos pelos quais as pessoas em determinados cenários entendem, relatam, agem e administram de outra forma as situações do seu cotidiano.

- Muitas interpretações desse material são possíveis, mas algumas necessitam mais de motivos teóricos ou consistência interna.
- Relativamente pouca instrumentação padronizada é usada no início. O pesquisador é essencialmente o principal "instrumento" no estudo.
- A maioria da análise é efetuada com palavras. As palavras podem ser reunidas, subgrupadas, divididas em segmentos semióticos. Podem ser organizadas de modo a permitir que o pesquisador contraste, compare, analise e lhes conceda padrões.

Muitos desses elementos surgirão de maneiras diferentes neste e nos dois próximos capítulos. Eles geram um bom cenário onde podemos observar alguns principais desenhos de pesquisa qualitativa. Nesse cenário, este capítulo agora descreve estudos de caso, etnografias, teoria fundamentada e pesquisa-ação como estratégias e desenhos comumente usados na pesquisa qualitativa. Muitas vezes haverá uma sobreposição entre os quatro – qualquer estudo qualitativo não necessariamente será somente uma coisa ou outra. Mesmo reconhecendo isso, é válido considerar cada um separadamente.

## 7.3 Estudos de caso

Os estudos de caso serão discutidos sob quatro enunciados – ideia geral de estudos de caso; algumas características principais; estudos de caso e generalizabilidade; e preparação de um estudo de caso. Alguns estudos de caso clássicos na pesquisa em ciências sociais são mostrados no Exemplo 7.1.

---

**EXEMPLO 7.1**

**Exemplos de estudos de caso**

*Beachside Comprehensive: A Case Study of Secondary Schooling* (Ball, 1981), estudo de ensino com habilidades mistas numa escola de formação geral, utilizou comparações de observações de aulas entre aquelas da pesquisa e aquelas fornecidas pelos professores.

*Street Corner Society: The Social Structure of an Italian Slum* (Whyte, 1955) é um exemplo clássico de um estudo de caso descritivo. Descreve uma subcultura ítalo-americana, "Cornerville", abrangendo um bairro em Boston na década de 1940. Questões sobre jovens de baixa renda e sua habilidade (ou inabilidade) de romper os laços do bairro são discutidas.

*In Search of Excellence: Lessons from America's Best-Run Companies*, de Peters e Waterman (1982) baseia-se em mais de 60 estudos de caso de empresas americanas de grande porte bem-sucedidas. O texto contém análises de vários casos em que cada capítulo trata das características associadas à excelência organizacional.

*TVA and the Grass Roots: A Study of Politics and Organization*, estudo clássico de Selznick (1949) sobre a Tennessee Valley Authority (TVA), descreve o comportamento político e a descentralização organizacional que ocorreram como resultado da Lei TVA. Sob tal lei, a TVA foi incumbida de planejar o uso adequado, a conservação e o desenvolvimento dos recursos naturais da bacia de drenagem do rio Tennessee e seu território adjacente.

### 7.3.1 A ideia geral

O que é estudo de caso? A ideia básica é que um caso (ou talvez um número pequeno de casos) será estudado minuciosamente, usando quaisquer métodos e dados que pareçam adequados. Embora existam objetivos específicos e perguntas de pesquisa, o objetivo geral é desenvolver um entendimento mais pleno possível desse caso. Podemos estar interessados apenas nesse caso ou podemos ter em mente não somente esse caso que estamos estudando, mas outros parecidos. Isso suscita a questão da generalizabilidade, que discutiremos adiante.

Quando comparado a outras abordagens na pesquisa qualitativa, o estudo de caso pretende entender o caso profundamente e no seu cenário natural, reconhecendo a sua complexidade e contexto. Também tem um foco holístico, objetivando preservar e entender a totalidade e unidade do caso. Portanto, o estudo de caso é mais uma estratégia do que um método. Como Goode e Hatt (1952: 331) argumentaram muitos anos atrás: "O estudo de caso, portanto, não é uma técnica específica; é uma forma de organizar os dados sociais para preservar o caráter unitário do objeto social estudado". Essa estratégia de entendimento contrasta expressivamente com a abordagem reducionista de algumas pesquisas quantitativas.

O que é, então, um caso? É difícil dar uma resposta completa para essa pergunta, já que quase qualquer coisa pode servir como um caso, que pode ser simples ou complexo. Mas, com Miles, Huberman e Saldana (2013), podemos definir caso como um fenômeno de alguma natureza ocorrendo num contexto limitado. Portanto, o caso pode ser um indivíduo, uma função, um pequeno grupo, uma organização, uma comunidade ou nação. Também pode ser uma decisão, uma política, um processo, um incidente ou algum tipo de evento, e também há outras possibilidades. Brewer e Hunter (2005) listam seis tipos de unidades que podem ser estudadas na pesquisa – indivíduos, atributos de indivíduos, ações e interações, resíduos e artefatos de comportamento, cenários, incidentes e eventos, e coletividades. Qualquer um deles pode ser o foco da pesquisa com estudo de caso.

Assim como existem tipos diferentes de casos, também há tipos diferentes de estudos de caso. Stake (1994) distingue três tipos principais:

- *Estudo de caso intrínseco*, em que o estudo é realizado porque o pesquisador deseja um entendimento melhor do caso em questão.
- *Estudo de caso instrumental*, em que o caso em questão é examinado para que sejam geradas ideias sobre certo tema ou uma teoria seja refinada.
- *Estudo de caso coletivo*, em que o estudo de caso instrumental é estendido de modo a abranger vários casos para se aprender mais sobre o fenômeno, população ou condição geral.

Os dois primeiros são estudos de caso individuais, em que o foco está no caso. O terceiro envolve casos múltiplos, em que o foco está nos casos e atravessando os casos. Também é chamado de *estudo de caso múltiplo* ou às vezes de *estudo de caso comparativo*.

Devido à grande variação, não é fácil definir o estudo de caso. Stake sugere uma "definição bastante vaga" (1988: 258) – estudo de caso é "um estudo de um sistema restrito, enfatizando a unidade e totalidade de tal sistema, mas confinando a atenção aos aspectos relevantes ao problema na pesquisa no momento". Yin (2013) ressalta que um estudo de caso é uma investigação empírica que:

- Investiga um fenômeno contemporâneo no seu contexto da vida real, quando
- As fronteiras entre fenômeno e contexto não estão claramente evidentes e em que
- Múltiplas fontes de evidências são usadas.

Um dicionário de termos sociológicos define estudo de caso como:

> método de estudo dos fenômenos sociais através de uma análise abrangente de um caso individual. O caso pode ser uma pessoa, um grupo, um episódio, um processo, uma comunidade, uma sociedade ou qualquer outra unidade de vida social. Todos os dados relevantes ao caso são reunidos, e todos os dados disponíveis são organizados nos termos do caso. O método do estudo de caso empresta um caráter

unitário aos dados estudados através da inter-relação entre uma variedade de fatos com um caso único. Também possibilita a análise intensa de muitos detalhes específicos que muitas vezes são ignorados com outros métodos (Theodorson e Theodorson, 1969).

Tais definições ressaltam quatro principais características dos estudos de caso.

## 7.3.2 Quatro características dos estudos de caso

- O caso é um "sistema restrito" – tem limites. Yin argumenta que os limites entre caso e contexto não são necessariamente evidentes. Porém, o pesquisador precisa identificar e descrever os limites do caso do modo mais claro possível.
- O caso é um caso de algo. Isso pode parecer óbvio, mas precisa de destaque para dar foco à pesquisa e esclarecer a lógica e a estratégia da pesquisa. Identificar que o caso é um caso também é importante para determinar a unidade de análise, uma ideia importante na análise dos dados.
- Há uma tentativa explícita de se preservar a totalidade, unidade e integridade do caso. A palavra "holístico" costuma ser usada nessa conexão. Ao mesmo tempo, como nem tudo pode ser estudado, até mesmo sobre um caso, foco específico e amostragem de caso interno são necessários. As perguntas de pesquisa ajudam a definir tal foco.
- O uso de múltiplas fontes de dados e métodos de coleta de dados múltiplos é bem provável, tipicamente num cenário naturalista. Muitos estudos de caso usarão métodos de campo sociológicos e antropológicos, como observações em cenários naturais, entrevistas e relatórios narrativos. Mas também podem usar questionários e dados numéricos. Isso significa que o estudo de caso não é necessariamente uma técnica totalmente qualitativa, embora a maioria dos estudos de caso seja predominantemente qualitativa.

## 7.3.3 Estudos de caso e generalizabilidade

Uma crítica comum ao estudo de caso se refere à sua generalizabilidade: "Este estudo se baseia em apenas um caso, então como podemos generalizar?" Como essa reação é muito comum, precisamos levar a pergunta a sério.

O primeiro ponto é perguntar se devemos generalizar a partir de determinado estudo de caso. Há dois tipos de situações de estudo de caso em que a generalização não seria o objetivo. *Primeira*, o caso pode ser tão importante, interessante ou mal-entendido a ponto de merecer um estudo individual. Ou pode ser único em alguns aspectos muito importantes; portanto, digno de estudo. Estes são exemplos do estudo de caso intrínseco de Stake. Não é intenção do estudo generalizar, mas entender o caso na sua complexidade e integridade, assim como no seu contexto. *Segunda*, muitas vezes discute-se enfaticamente sobre estudar o "caso negativo". É aí que determinado caso parece ser visivelmente diferente do padrão geral de outros casos, talvez até completamente oposto, gerando a necessidade de entender por que o caso é tão diferente. A lógica é que podemos aprender sobre o típico estudando o atípico, por exemplo quando estudamos uma doença para aprender sobre a saúde. Esse é o segundo tipo de estudo de caso de Stake, o estudo de caso instrumental. Portanto, o contexto e os objetivos do projeto em questão é que determinam se um estudo de caso deve tentar generalizar e afirmar sua representatividade. A generalização não deve ser necessariamente o objetivo de todos os projetos de pesquisa, sejam estudos de caso ou não (Denzin, 1983).

Além dessas duas situações, entretanto, há muitos estudos de caso em que temos em mente mais do que apenas o caso estudado e em que desejamos encontrar algo mais amplamente aplicável. Como um estudo de caso pode produzir algo que possa ser generalizável? Há duas formas principais pelas quais um estudo de caso pode produzir resultados potencialmente generalizáveis. As duas dependem dos objetivos do estudo de caso e especialmente do modo de análise dos dados. *A primeira é pela conceituação*, a *segunda é pelo desenvolvimento de proposições*. Nas duas instâncias, as descobertas de um estudo de caso podem ser apresentadas como potencialmente aplicáveis a outros casos.

*Conceituar* significa que, com base no estudo disciplinado e profundo do caso e usando métodos para a análise dos dados cujo foco é na conceituação, não na descrição (p. ex., aqueles descritos no Capítulo 9 sob análise com teoria fundamentada), o pesquisador desenvolve um ou mais conceitos novos para explicar algum aspecto do que foi estudado. De fato, desenvolver esses novos conceitos pode exigir o tipo de estudo profundo que somente é possível num estudo de caso. *Desenvolver proposições* significa que, com base no caso estudado, o pesquisador apresenta uma ou mais proposições – que poderiam ser chamadas de hipóteses – sobre conceitos ou elementos ou fatores no caso. Eles podem, então, ser avaliados em termos da própria aplicabilidade e transferibilidade a outras situações. Isso vira do avesso o modelo tradicional de pesquisa. Na pesquisa quantitativa tradicional, muitas vezes começamos com proposições ou hipóteses – elas são entradas na pesquisa. Nessa visão de pesquisa com estudo de caso, finalizamos com elas – elas se tornam resultados da pesquisa.

Em nenhuma dessas instâncias o estudo de caso terá provado a generalizabilidade das suas descobertas. Mas ele pode certamente sugerir tal generalizabilidade, apresentando conceitos ou proposições para testes em outras pesquisas. Obviamente, cada caso que pode ser estudado é único em alguns aspectos. Mas cada caso também é, em alguns aspectos, similar a outros casos. A questão é se desejamos focar no que é único sobre certo caso ou no que é comum a outros casos. Em momentos diferentes precisamos fazer cada um deles e estar cientes de quando estamos fazendo cada um. É uma questão que deve ser tratada nos objetivos e perguntas de pesquisa desenvolvidos para guiar um estudo de caso. Quando a generalizabilidade é uma meta, e estamos focando nos potenciais elementos comuns de um caso, é necessário que a análise dos dados do estudo de caso seja conduzida num grau suficiente de abstração. Quanto mais abstrato for um conceito, mais generalizável ele é. Desenvolver proposições e conceitos abstratos eleva a análise acima da simples descrição e assim um estudo de caso pode contribuir com descobertas potencialmente generalizáveis.

O processo de generalização não é mecânico, embora isso seja reconhecido mais livremente na pesquisa qualitativa, não quantitativa. Já houve tentativas de se observar a complexidade da generalização no contexto quantitativo (p. ex., Bracht e Glass, 1968), mas ela ainda é amplamente considerada como generalização que parte da amostra para a população. De fato, contudo, como Firestone (1993) aponta, há três graus de generalização – generalização partindo da amostra para a população, generalização analítica ou conectada à teoria e transferência caso a caso. Similarmente, Stake (1988: 260) faz uma distinção entre generalização científica, constituída por experimentação e indução, e generalização naturalista, em que entendimentos gerais são complementados por estudos de caso e experiências em eventos individuais[2].

Mesmo diante dessa crítica que alega falta de generalizabilidade na pesquisa com estudo de caso, que costuma ser uma reação "instintiva" ao estudo de caso, devemos notar a função crucial atribuída ao método de ensino que usa casos em faculdades de administração, medicina e direito, além de enfermagem, administração pública, serviço social e psicanálise (Reinharz, 1992). Nessas situações de formação, casos históricos são estudados minuciosamente e usados para treinar administradores, médicos, advogados etc. a lidar com situações que enfrentarão futuramente. Isso sublinha nitidamente a potencial generalizabilidade do conhecimento construído a partir de estudos de caso. Se cada caso fosse totalmente único, não haveria transferibilidade de conhecimento de um caso para outro, e pouco sentido no método de treinamento que usa casos.

Estudos de caso ocupam um lugar ambíguo na pesquisa em ciências sociais (Reinharz, 1992) e historicamente existe uma atitude desaprovadora perante o estudo de caso. Tal atitude normalmente se baseia na crítica à generalizabilidade e é expressa no comentário condescendente "não passa de um estudo de caso". Este livro tem uma visão diferente. Estudos de caso adequadamente conduzidos, especialmente em situações em que o nosso conhecimento é superficial, fragmentado, incompleto ou inexistente, têm uma valiosa contribuição a dar para a pesquisa em ciências sociais de três formas principais:

> A *primeira* é o que podemos aprender com o estudo de certo caso individualmente. Como observamos, o caso em estudo pode ser inusitado, único ou ainda não entendido; portanto, construir um entendimento profundo do caso é valioso. Isso pode abranger todos os três tipos de estudos de caso descritos por Stake.
>
> A *segunda* é que apenas o estudo de caso profundo pode propiciar o entendimento dos aspectos importantes de uma nova ou persistentemente problemática área de pesquisa. Isso se aplica em particular quando um comportamento social complexo está envolvido, como é o caso em muitas pesquisas em ciências sociais. A melhor forma de conseguirmos descobrir os elementos importantes, desenvolver entendimento sobre eles e conceituá-los para outros estudos é através da estratégia do estudo de caso. Seguindo essa linha de argumento, pode ser que pesquisas demais já tenham tentado ir diretamente para a mensuração e mapeamento quantitativo sem um entendimento mais completo dos fenômenos e processos envolvidos que são conquistados mais satisfatoriamente pelos estudos de caso.
>
> A *terceira* é que o estudo de caso pode fazer uma contribuição importante em combinação com outras abordagens de pesquisa.

Por exemplo, um estudo de caso antes de um levantamento pode dar um direcionamento a esse levantamento que não seria possível de outro modo sem o entendimento construído a partir do estudo de caso. Similarmente, um levantamento poderia ser seguido ou realizado em associação a um ou mais estudos de caso. Devido às limitações do levantamento, o estudo de caso pode "encorpar" a situação de um modo que seja crucial ao nosso entendimento e impossível usando-se técnicas mais superficiais. Ademais, o estudo de caso pode ser especialmente adequado numa dissertação ou projeto de alunos com recursos limitados, inclusive tempo.

Essas potenciais contribuições do estudo de caso se opõem às atitudes reprovadoras descritas antes. Ao mesmo tempo, essa atitude crítica pode ter validade, especialmente quando um estudo de caso está sozinho, sem estar integrado a outras abordagens ao seu assunto e simplesmente descritivas ou quando mais é exigido das suas descobertas do que os dados conseguem suportar. Portanto, devido a essas críticas e à diversidade na pesquisa com estudos de caso, parece especialmente importante ser claro sobre os motivos que subjazem ao estudo de caso e seu(s) objetivo(s). Isso significa esclarecer a estratégia do estudo de caso e desenvolver perguntas de pesquisa para nortear o estudo antecipadamente ou quando os pontos focais no caso se tornarem claros.

### 7.3.4 Preparando um estudo de caso

Agora podemos resumir o que foi dito num conjunto de diretrizes para preparar um estudo de caso. Uma proposta de pesquisa com estudo de caso precisa:
- Ser clara sobre o assunto do caso e sobre o que é o caso de modo a prever e se conectar à estratégia que subjaz à pesquisa;
- Ter clareza sobre a necessidade do estudo do caso e o(s) objetivo(s) geral (gerais) do estudo de caso;
- Traduzir esse objetivo geral em objetivos específicos e perguntas de pesquisa (que podem emergir durante o trabalho empírico anterior);
- Identificar a estratégia geral do estudo de caso, especialmente se for um caso ou forem múltiplos casos e por quê;
- Mostrar como a estratégia conduz ao(s) caso(s) selecionado(s) para o estudo;
- Mostrar quais dados serão coletados, de quem e como;
- Mostrar como os dados serão analisados.

O último ponto será retomado no Capítulo 9, especialmente quando tratarmos sobre graus de abstração na análise de dados qualitativos. Similarmente, o primeiro ponto, sobre identificar e restringir o caso, tem implicações para a unidade da análise no estudo e para a análise dos dados do estudo.

## 7.4 Etnografia

Esta seção tem três partes. Primeiro, resume a introdução à etnografia sugerida por Hammersley e Atkinson em seu conhecido livro sobre o tema. Segundo, identifica alguns elementos importantes da abordagem etnográfica à pesquisa. Terceiro, tece alguns comentários gerais sobre o lugar da etnografia na pesquisa em ciências sociais. Exemplos de estudos etnográficos são mostrados no Exemplo 7.2. O próprio termo *etnografia* vem da antropologia cultural. "Etno" significa pessoas ou povo, e "grafia" se refere à descrição de algo. Logo, etnografia significa descrever uma cultura e entender um modo de vida do ponto de vista dos seus participantes – etnografia é a arte e a ciência de descrever um grupo ou cultura (Fetterman, 2010; Neuman, 1994). Fielding (2008) discute as origens da etnografia e examina a história do seu uso na pesquisa americana e britânica colonial.

## 7.4.1 Introdução

Hammersley e Atkinson (2007) têm uma visão "um tanto liberal" da etnografia, em que o etnógrafo participa, de modo aberto ou oculto, do cotidiano das pessoas por um longo período, observando o que acontece, ouvindo o que é dito, fazendo perguntas e coletando quaisquer outros dados relevantes. Eles apontam a conexão da etnografia com o naturalismo, uma forma de fazer pesquisa social desenvolvida pelos etnógrafos diante das dificuldades que viam no positivismo. Na pesquisa naturalista, ao contrário de outras abordagens, o mundo social é estudado em seu estado natural ao máximo possível, sem interferência do pesquisador. A pesquisa usa métodos sensíveis à natureza do cenário, e o principal objetivo é descrever o que acontece no cenário e como os envolvidos veem as próprias ações, as ações dos outros e o contexto.

Pautado especialmente no interacionismo simbólico (cf. Quadro 7.1), mas também na fenomenologia e hermenêutica, o naturalismo vê os fenômenos sociais com caráter bem diferente dos fenômenos físicos. As ideias básicas aqui são que o comportamento humano é baseado em significados que as pessoas atribuem e levam às situações, que o comportamento não é "causado" de algum modo mecânico, e sim continuamente construído e reconstruído com base nas interpretações que as pessoas fazem das situações em que estão inseridas.

---

**QUADRO 7.1**

**Interacionismo simbólico**

Há uma afinidade natural entre etnografia e interacionismo simbólico. Mas interacionismo simbólico também tem uma grande importância geral na pesquisa qualitativa, além da etnografia. Interacionismo simbólico é uma teoria geral sobre o comportamento humano enfatizando que as pessoas definem, interpretam e dão significado às situações, e depois comportam-se em resposta a tais definições, interpretações e significados. É a "definição que o ator faz da situação" ou a visão de quem está do lado de dentro, que é importante para relatar o comportamento humano, não alguma realidade "objetiva" da situação. A visão de quem está do lado de dentro e os significados das situações e ações para os participantes são cruciais, e os pesquisadores interacionistas simbólicos querem acessar essa visão e esses significados. Tratamentos teóricos do interacionismo simbólico são dados por Blumer (1969) e Woods (1992). (Exemplos do uso do interacionismo simbólico na pesquisa em educação podem ser encontrados em van den Berg, 2002; Evans, 2007; e O'Donoghue, 2007.)

Portanto, para entender o comportamento, precisamos de uma abordagem que dê acesso aos significados que norteiam o comportamento. São as capacidades que todos nós desenvolvemos enquanto atores sociais – a capacidade de fazer observação de participantes (cf. Capítulo 8) – que podem nos dar esse acesso. Como observadores participantes, podemos aprender a cultura ou subcultura das pessoas que estamos estudando e aprender a entender o mundo como elas. Os estudos antropológicos clássicos demonstram como tal abordagem é usada para estudar sociedades diferentes da nossa, mas pode ser usada para o estudo de todas as sociedades, incluindo a nossa. Isso ocorre porque há muitas camadas diferentes de conhecimento cultural em qualquer sociedade, especialmente na sociedade industrializada moderna.

Assim, a etnografia:

> explora a capacidade que qualquer ator social possui de aprender culturas novas, e a objetividade suscitada por esse processo. Mesmo quando ele(a) está pesquisando um grupo ou cenário conhecido, o observador participante deve tratar isso como antropologicamente estranho no esforço de explicitar os pressupostos que ignora enquanto membro da cultura. Assim, espera-se que a cultura seja transformada num objeto disponível para estudo. O naturalismo propõe que através da marginalidade, em posição e perspectiva social, seja possível construir um relato da cultura investigada que entenda isso de dentro para fora e o capte como externo e independente do pesquisador: em outras palavras, como fenômeno natural. Logo, a *descrição* das culturas se torna a meta primária (Hammersley e Atkinson, 2007: 9).

O conceito de cultura é fundamental na etnografia. Pode-se pensar em *cultura* como um conjunto compartilhado de significados ou um mapa cognitivo de significados (Spradley, 1980). O conhecimento cultural que qualquer grupo de pessoas tem é o seu conhecimento desse mapa. A etnografia se desenvolveu na antropologia como a estratégia central para estudar a cultura, e muitos antropólogos consideram a interpretação cultural como a principal contribuição da etnografia. Uma discussão completa sobre o conceito de cultura está além do nosso escopo aqui, mas referências úteis são Keesing (1976), Haviland et al. (2013) e Howard (1997). Derivado da cultura, o conceito de subcultura tem grande aplicabilidade na pesquisa em ciências sociais. Qualquer grupo estável de pessoas desenvolve com o passar do tempo um conjunto compartilhado de significados e assim uma subcultura se desenvolve. Pautada nisso, a pesquisa pode estudar etnograficamente a subcultura de qualquer grupo estável, sejam crianças ou adultos.

Podemos resumir esta introdução à etnografia usando as palavras de um proeminente etnógrafo educacional:

> Etnografia significa, literalmente, um retrato do modo de viver de algum grupo identificável de pessoas. Possivelmente, essas pessoas podem ser qualquer grupo que tenha cultura, em qualquer época e lugar. Antigamente, o grupo em geral era uma unidade social pequena, intacta e essencialmente autossuficiente, e sempre era um grupo notavelmente "estranho" para o observador. O objetivo do antropólogo como etnógrafo era aprender, registrar e finalmente retratar a cultura desse outro grupo. Os antropólogos sempre estudam o comportamento humano em termos de contexto cultural. Determinados indivíduos, costumes, instituições ou eventos são de interesse antropológico porque se relacionam a uma descrição generalizada do modo de vida de um grupo socialmente interagente. Porém a cultura em si é sempre uma abstração, independentemente de alguém se referir à cultura em geral ou à cultura de um grupo social específico (Wolcott, 1988: 188).

### 7.4.2 Algumas características principais

A característica abrangente da abordagem etnográfica é o seu *compromisso com a interpretação cultural*. O ponto da etnografia é estudar e entender os aspectos culturais e simbólicos do comportamento e o contexto desse comportamento, seja qual for o foco específico da pesquisa. Tal foco específico normalmente é algum grupo de pessoas ou um caso (ou um pequeno número de casos), focando em comportamentos culturalmente significativos. Além dessa característica central, podemos identificar seis elementos importantes e inter-relacionados da abordagem etnográfica.

1. Ao estudar um grupo de pessoas, a etnografia começa partindo do pressuposto de que os *significados culturais compartilhados do grupo* são fundamentais para entender o seu comportamento. Isso faz parte do seu compromisso com a interpretação cultural. Como afirma Goffman (1961: ix-x): "qualquer grupo de pessoas – prisioneiros, primitivos, pilotos ou pacientes – desenvolve uma vida própria que se torna significativa, razoável e normal quando você se aproxima dela..." O trabalho do etnógrafo é revelar tal significado.

2. O etnógrafo é sensível aos *significados* que o comportamento, as ações, os eventos e contextos têm aos olhos das pessoas envolvidas. O que é necessário é a *perspectiva de quem está do lado de dentro* sobre esses eventos, ações e contextos. Como apontam Spindler e Spindler (1992: 73): "O conhecimento sociocultural detido pelos participantes sociais torna o comportamento social e a comunicação sensatos. Logo, boa parte do trabalho etnográfico é obter esse conhecimento dos participantes informantes". O estudo etnográfico será desenhado, e as suas técnicas de coleta de dados serão organizadas de modo alinhado a isso.

3. O grupo ou caso será estudado no seu *cenário natural*. Uma verdadeira etnografia, portanto, envolve a integração do pesquisador a esse cenário natural (Fielding, 2008). Isso explica por que a observação de participantes, discutida no Capítulo 8, é o método favorito na pesquisa etnográfica. Para entender qualquer grupo ou qualquer ato, evento ou processo culturalmente significativo, é necessário estudar o comportamento em seu cenário natural, com referência especial ao mundo simbólico associado a esse comportamento.

4. É provável que a etnografia seja um *tipo de estudo emergente e revelador*, não pré-estruturado. Como parte do desenvolvimento de um foco para o estudo, normalmente não estará claro o que devemos estudar profundamente até que algum trabalho de campo tenha sido executado. Embora perguntas de pesquisa específicas e talvez hipóteses sejam usadas na pesquisa, é mais provável que elas se desenvolvam durante o estudo, em vez de serem formuladas antes da pesquisa. Esse ponto também se aplica a procedimentos de coleta de dados. A coleta de dados em etnografia pode usar várias técnicas,

mas qualquer estruturação dos dados ou dos instrumentos de coleta de dados será gerada *in situ* durante o estudo.

5. Do ponto de vista das *técnicas de coleta de dados*, a etnografia é *eclética*, não restrita. Quaisquer técnicas podem ser usadas, mas o trabalho de campo é sempre fundamental. Um *continuum* de um trabalho de campo etnográfico variaria da observação direta sem participantes até a observação de participantes, depois até as entrevistas etnográficas com um ou mais informantes e depois até as palavras das próprias pessoas (em geral chamadas, no meio etnográfico, de "vozes dos nativos"). A coleta de dados pode variar em todo esse *continuum* na etnografia e pode ser suplementada por qualquer coisa que proporcione um retrato mais completo dos dados ao vivo, como gravações em vídeo ou áudio, documentos, diários etc. Também pode usar questionários estruturados e quantitativos com variáveis escalonadas, embora isso seria desenvolvido durante o estudo.

6. A *coleta de dados* etnográfica normalmente será *longa e repetitiva*. Há um motivo geral e outro específico para tanto. O motivo geral é que a realidade estudada, os significados, a significância simbólica e a interpretação cultural existem em vários níveis. Demora para o pesquisador obter acesso aos níveis mais profundos e importantes dessa realidade (Woods, 1992). O motivo específico é que o registro etnográfico precisa ser abrangente e minucioso e geralmente o seu foco é o que acontece repetidamente. O etnógrafo, portanto, precisa observar isso um número suficiente de vezes. Chega-se a uma conclusão após o reconhecimento do ponto onde nada novo sobre a sua significância cultural está sendo aprendido.

## 7.4.3 Comentários gerais

Embora a etnografia seja uma estratégia distintiva, não existe um desenho para um estudo etnográfico. O seu desenho pode coincidir total ou parcialmente com outros desenhos. Portanto, por exemplo, pode usar elementos das abordagens de estudo de caso ou teoria fundamentada que sejam consistentes com a sua orientação. Também pode ser usado em combinação com experimentação de campo e levantamentos. Seja qual for o desenho específico, a etnografia normalmente usa materiais empíricos relativamente desestruturados, um número pequeno de casos e um estilo de análise e redação que enfatiza a descrição e a interpretação (Atkinson e Hammersley, 1994). A etnografia também é tanto processo quanto produto. "Processo" significa que é uma abordagem particular à pesquisa e tem certo modo distintivo de lidar com ela. "Produto" significa que certo tipo de relatório de pesquisa (às vezes chamado de registro etnográfico ou descrição etnográfica completa) será produzido. O termo "uma etnografia" ilustra a ideia de etnografia enquanto produto.

Uma etnografia em escala completa significa realizar um estudo minucioso e exigente, com trabalho de campo e coleta de dados acontecendo por um longo período. Quando essas demandas excedem o tempo e os recursos do projeto, é de grande valor, entretanto, levar a abordagem etnográfica ao tópico. Assim, elementos da abordagem etnográfica, ou o "empréstimo de técnicas etnográficas" (Wolcott, 1988), são usados em alguns projetos de pesquisa em ciências sociais, e não a produção de etnografias em escala completa. Fazer empréstimos de etnografias também é útil na pesquisa qualitativa em ciências sociais através do estudo de subculturas, como observamos.

Quando a abordagem etnográfica seria mais adequada? Em geral, quando precisamos entender o contexto cultural do comportamento, além do significado e da significância simbólicos do comportamento nesse contexto. A abordagem etnográfica, por ser um método de descoberta, é particularmente útil quando estamos lidando com algo novo, diferente ou desconhecido. É uma forma excelente de obter ideias sobre uma cultura, subcultura ou processo social, especialmente aqueles em cenários comportamentais complexos, e especialmente aqueles envolvendo outras culturas e subculturas, inclusive aquelas das organizações e instituições do mundo moderno. A abordagem etnográfica pode nos sensibilizar ao contexto cultural e significância simbólica do comportamento que precisamos entender de um modo que outras abordagens de pesquisa não conseguem. Como aponta Fielding (2008: 265), costuma ser inovadora e, "como meio de obter uma primeira ideia sobre uma cultura ou processo social, como fonte de hipóteses para investigações minuciosas usando outros métodos, é incomparável".

Com a cultura e subcultura de grupos diferentes, e de instituições e organizações diferentes, há um escopo amplo e uma contribuição importante para a abordagem etnográfica na pesquisa em ciências sociais. Alguns estudos etnográficos proeminentes são mostrados no Exemplo 7.2.

**EXEMPLO 7.2**

**Etnografias**

*Translated Woman: Crossing the Border with Esperanza's Story* (Behar, 1993) é a estória de vida de uma índia mexicana conhecida por haver enfeitiçado o ex-marido após sofrer abuso e ser trocada por outra mulher. Os rumores sobre os seus poderes de feiticeira foram reforçados quando o marido ficou cego de repente.

*When Prophecy Fails: A Social and Psychological Study of a Modern Group that Predicted the Destruction of the World*, estudo com observação de participantes de Festinger et al. (1964) realizado oportunisticamente com dois grupos pequenos que afirmavam haver recebido mensagens de outro planeta, "Clarion", prevendo uma inundação catastrófica em três meses. Os pesquisadores e alguns observadores contratados uniram-se ao grupo e conduziram investigações intensas antes do desastre previsto e depois, durante o período de não confirmação.

*The National Front* (Fielding, 1981) é uma etnografia de uma organização racista de extrema direita. O pesquisador se uniu ao grupo como membro e conduziu uma observação de participantes em reuniões e entrevistas com representantes do partido e opositores, além de análise do conteúdo dos documentos do partido.

O estudo etnográfico de McLaren (1986), *Schooling as a Ritual Performance: Towards a Political Economy of Educational Symbols and Gestures*, é sobre uma escola católica de um gueto em Toronto, Canadá, onde a população escolar é em sua maioria de alunos portugueses e italianos. McLaren analisa as posturas corporais e gestos dos alunos e gera uma estrutura teórica para conceituar o poder e o significado incorporado.

*The Man in the Principal's Office: An Ethnography* é a investigação de Wolcott (1973) sobre o comportamento do diretor de uma escola de ensino fundamental. O pesquisador passou dois anos seguindo um diretor escolar típico em todas as suas atividades profissionais e muitas das suas atividades particulares.

## 7.5 Teoria fundamentada

Enquanto estratégia de pesquisa, a teoria fundamentada é específica e diferente. Ao mesmo tempo, ela atravessa as outras estratégias e desenhos discutidos neste capítulo, e "atualmente é o método de pesquisa qualitativa mais amplamente usado e popular num extenso espectro de disciplinas e áreas disciplinares" (Bryant e Charmaz, 2007a: 1). Este livro tem duas seções sobre teoria fundamentada, uma neste capítulo e outra no Capítulo 9. Isso porque a teoria fundamentada é tanto uma estratégia de pesquisa quanto uma forma de análise de dados. O Capítulo 9 (Seção 9.5) trata da análise com teoria fundamentada. Neste capítulo abordamos a teoria fundamentada enquanto estratégia sob seis itens:

- O que é teoria fundamentada?
- Uma breve história da teoria fundamentada.
- Pesquisa com geração de teoria *versus* pesquisa com verificação de teoria.
- Amostragem teórica: relações entre coleta de dados/análise de dados.
- O uso da literatura na teoria fundamentada.
- O lugar da pesquisa com teoria fundamentada.

Exemplos de estudos com teoria fundamentada são mostrados no Exemplo 7.3 e outros são observados no Capítulo 9.

---

**EXEMPLO 7.3**

**Exemplos de estudos com teoria fundamentada**

Usando um banco de dados com 33 entrevistas com diretores de departamentos acadêmicos, Creswell e Brown (1992) em "How chairpersons enhance faculty research: a grounded theory study" desenvolveram uma teoria fundamentada relacionando categorias de influência da diretoria no desempenho acadêmico da faculdade.

*Fresh Starts: Men and Women after Divorce* (Cauhape, 1983) descreve os processos pelos quais homens e mulheres reconstroem seus mundos sociais após um divórcio na meia-idade. Os participantes eram homens e mulheres em ascensão profissional que tinham origens não profissionais.

*Awareness of Dying* (Glaser e Strauss, 1965) foi a primeira publicação descrevendo os estudos com teoria fundamentada originais. Esses estudos (e o livro) se concentram no processo de morrer: o que acontece quando as pessoas morrem em hospitais, como os hospitais gerenciam a situação, e a interação entre funcionários e pacientes. A pesquisa foi realizada em seis hospitais de São Francisco.

*Time for Dying* (Glaser e Strauss, 1968) foi o segundo relatório do estudo com teoria fundamentada. O livro se baseia em trabalho de campo intenso com entrevistas e observação combinadas nos seis hospitais. Mais uma vez o foco é na organização do cuidado terminal nos hospitais, e o objetivo do livro é descrever os elementos temporais da morte, vendo-a como processo social.

*From Practice to Grounded Theory* (Chenitz e Swanson, 1986: capítulos 14 a 19) descreve seis estudos com teoria fundamentada que tratam de tópicos como "Vivendo com enfisema" e "Entrada num asilo como mudança de situação".

O foco do estudo de Davis (1973) *Living with Multiple Sclerosis: A Social Psychological Analysis* foi em pacientes com esclerose múltipla que, em certas circunstâncias, tomaram a iniciativa de estender a continuidade do tratamento.

## 7.5.1 O que é teoria fundamentada?

O primeiro ponto é que a teoria fundamentada não é uma teoria. É uma estratégia de pesquisa ou, segundo alguns pontos de vista, uma abordagem ou método de pesquisa. Teoria fundamentada é uma estratégia de pesquisa cujo objetivo é gerar teoria a partir dos dados. "Fundamentada" significa que a teoria será gerada com fundamento nos dados; a teoria, portanto, será fundamentada nos dados. "Teoria" significa que o objetivo da coleta e análise dos dados de pesquisa é gerar teoria para explicar os dados. A ideia essencial na teoria fundamentada é que uma teoria explicativa será desenvolvida indutivamente a partir dos dados. Teoria fundamentada, portanto, é uma estratégia geral para fazer pesquisa. Para implementar tal estratégia, a teoria fundamentada tem um conjunto particular de técnicas e procedimentos. Assim como a estratégia da teoria fundamentada, podemos, então, também falar sobre a análise com teoria fundamentada – aquele estilo de análise que usa procedimentos para desenvolver uma teoria fundamentada nos dados, conforme descrição no Capítulo 9.

## 7.5.2 Uma breve história da teoria fundamentada

Uma breve descrição da história da teoria fundamentada ajuda a entendê-la e ver o seu lugar atual na pesquisa em ciências sociais. A sua história antiga pode ser traçada principalmente através de cinco publicações essenciais. Na década de 1960, Glaser e Strauss começaram um trabalho colaborativo em sociologia médica e publicaram dois estudos de referência sobre a morte em hospitais (Glaser e Strauss, 1965, 1968). Esses livros exerceram um impacto importante e representaram um estilo diferente de sociologia com base empírica. Em resposta aos vários "como vocês fizeram isso?" dos leitores após a publicação de *Awareness of Dying*, os autores escreveram um livro que detalhava os métodos que haviam desenvolvido e usado nos estudos sobre a morte. O livro, publicado em 1967 com o título *The Discovery of Grounded Theory*, foi a primeira descrição do método e a primeira publicação importante sobre teoria fundamentada. De acordo com Strauss e Corbin (2008: 326), *The Discovery of Grounded Theory* tinha três objetivos – oferecer motivos para a teoria que era fundamentada, sugerir a lógica e as especificidades das teorias fundamentadas e legitimar a pesquisa qualitativa cuidadosa. Nos anos após a publicação, Glaser e depois Strauss ministraram um seminário ao estilo da teoria fundamentada em análise qualitativa na Universidade da Califórnia, em São Francisco.

Embora boa parte da pesquisa usando a teoria fundamentada para investigar vários fenômenos tenha sido publicada por vários alunos desse curso, o próximo trabalho metodológico, que foi a segunda publicação importante, veio 11 anos depois com *Theoretical Sensitivity*, de Glaser, publicado em 1978. Os seus objetivos eram atualizar os desenvolvimentos metodológicos em teoria fundamentada e ajudar os analistas a desenvolver sensibilidade teórica. Mais uma vez, embora estudos relatando pesquisas com teoria fundamentada continuassem a ser publicados, a afirmação metodológica seguinte somente surgiu após nove anos. Foi *Qualitative Analysis for Social Scientists*, de Strauss, publicado em 1987, sendo ela a terceira publicação importante sobre teoria fundamentada. Nesse livro, o foco é ampliado para a análise qualitativa em geral, mas a teoria fundamentada ainda desempenha o papel principal. Ela é descrita como "um manual diferente para entender melhor os fenômenos sociais através de um estilo particular de análise qualitativa de dados (*teoria fundamentada*). Tal modo de fazer análise... é projetado especialmente para *gerar e testar teoria*" (ênfase no original).

A quarta publicação importante surgiu em 1990, com *Basics of Qualitative Research*, de Strauss e Corbin, com o subtítulo "Técnicas e Procedimentos de Teoria Fundamentada". É voltada a pesquisadores de várias disciplinas que pretendam construir teoria através da análise de dados qualitativos. Apresenta o modo analítico da teoria fundamentada e salienta que a habilidade nesse método de análise pode ser aprendida por qualquer pessoa que se dê ao trabalho de estudar os seus procedimentos. Isso provocou como resposta a quinta publicação importante – a crítica de Glaser ao livro de Strauss e Corbin – intitulada *Basics of Grounded Theory Analysis*, com o subtítulo "Emergência *vs*. Obrigação" (Glaser, 1992).

Nesse livro, Glaser propõe-se a corrigir o que considera concepções erradas sobre teoria fundamentada evidentes no livro de Strauss e Corbin.

Essas cinco publicações compõem a história antiga do desenvolvimento da teoria fundamentada. Elas não são as únicas afirmações metodológicas sobre teoria fundamentada desse período, mas são as principais. Desde o início da década de 1990, porém, houve um considerável desenvolvimento e diversificação nas abordagens e métodos com teoria fundamentada. Os elementos recentes principais incluem a teoria fundamentada construtivista (Charmaz, 2006) e a publicação em 2007 de *The Sage Handbook of Grounded Theory* (Bryant e Charmaz, 2007b). Como apontam Bryant e Charmaz no Capítulo 1 de *Handbook*, os métodos com teoria fundamentada agora parecem haver assumido vida própria. Uma classificação tripartida básica na diversificação atual da teoria fundamentada incluiria: (a) teoria fundamentada "tradicional" ou "clássica", como a prática de Glaser e seus seguidores, (b) seguidores da abordagem de Strauss e Corbin e (c) seguidores da teoria fundamentada construtivista de Charmaz. Por outro lado, em âmbito mais minucioso, Denzin identifica sete versões. Logo, a melhor visão de teoria fundamentada hoje não é como um método, mas uma família de métodos (Bryant e Charmaz, 2007a: 10).

### 7.5.3 Geração de teoria versus verificação de teoria

A teoria fundamentada tem como objetivo explícito a geração de teoria a partir dos dados. Isso acentua o contraste entre a pesquisa que pretende gerar teoria e a pesquisa que pretende verificar teoria. Como indicado no Capítulo 2, tal contraste representa uma diferença nos estilos de pesquisa. Tradicionalmente, muitas pesquisas, especialmente a pesquisa quantitativa, seguem o modelo de verificação de teoria, conforme indicado na importância tradicionalmente dada à função da hipótese. Muitos textos sobre métodos de pesquisa insistiam que as hipóteses eram essenciais à pesquisa e que, como a hipótese era deduzida de alguma teoria mais geral, o ponto da pesquisa era testar a teoria.

Como observamos no Capítulo 4, este livro tem uma visão diferente da hipótese, recomendando que ela seja incluída somente quando for pertinente. Na abordagem com teoria fundamentada, que objetiva gerar teoria, não se propõe nenhuma teoria "direta", e nenhuma hipótese é formulada para teste antes da pesquisa. A pesquisa não inicia com uma teoria de onde deduz hipóteses para teste. Inicia com algumas perguntas de pesquisa e uma mente aberta, depois passa para os dados, com o objetivo de finalizar com uma teoria. Essa ênfase foi desenvolvida delibe-radamente por Glaser e Strauss em reação à insistência exclusiva na pesquisa com verificação de teoria, especialmente na sociologia americana da década de 1950.

Vale fazer um contraste enfático entre geração *vs.* verificação de teoria para salientar a diferença nos estilos de pesquisa. Mas na verdade, na prática, a distin-ção não é tão enfática, porque, embora possamos começar sem uma teoria e ter o objetivo de criar uma teoria, não demora muito no processo de teorização para que também desejemos testar ideias teóricas que estejam emergindo. Então, de fato, a geração de teoria depende de uma verificação progressiva também. Outra forma de afirmar isso é que a teoria fundamentada é essencialmente uma técnica indutiva, mas usa a dedução também. Ela enfatiza a indução como ferramenta principal para o desenvolvimento da teoria, mas, ao desenvolver a teoria, a dedução muitas vezes também será necessária.

## 7.5.4 Amostragem teórica: relações entre coleta de dados e análise de dados

A teoria fundamentada tem uma abordagem específica a esse tópico que é di-ferente de muitas outras abordagens. (Não é única, porém – cf. Hughes (1958) e Becker (1971).)

Na visão tradicional de pesquisa, a coleta de dados é um estágio discreto na pesquisa, geralmente a ser concluída antes que a análise dos dados comece. Na teo-ria fundamentada, o padrão é diferente. Guiado por algumas perguntas de pesquisa iniciais, o pesquisador coletará um primeiro conjunto de dados, geralmente bem pequeno. Nesse ponto começa a análise dos dados, usando os procedimentos des-critos no Capítulo 9. O segundo conjunto de dados será coletado após a primeira análise de dados, norteada pelas direções emergentes nessa análise. É o princípio da amostragem teórica – a ideia de que a coleta de dados subsequente deve ser guiada por desenvolvimentos teóricos que emergem na análise de dados previa-mente coletados. Esse ciclo de alternância entre coleta e análise de dados não pa-rará em duas repetições. Ele continua até a saturação teórica ser atingida – i. e., até que os novos dados não estejam mostrando elementos teóricos novos, mas estejam confirmando o que já foi descoberto. Esse padrão é mostrado na Figura 7.2.

É cada vez mais comum encontrar esse tipo de relação coleta de dados/análise de dados na pesquisa qualitativa hoje. É diferente da pesquisa tradicional, mas se parece com o que fazemos normalmente no cotidiano, quando nos deparamos com uma situação intrigante. Como quase tudo na teoria fundamentada, ele modela a forma pela qual as pessoas sempre aprenderam. Nesse aspecto, a teoria fundamentada é fiel às suas raízes filosóficas no pragmatismo (Glaser e Strauss, 1967).

Figura 7.2 Amostragem teórica: relações coleta de dados/análise de dados

### 7.5.5 O uso da literatura na teoria fundamentada

A teoria fundamentada também tem uma perspectiva diferente sobre essa questão oriunda de outras abordagens de pesquisa. A diferença está no modo pelo qual se lida com a literatura e quando é introduzida, e resulta da tensão que a teoria fundamentada coloca na geração de teoria.

Se uma teoria satisfatória já existir sobre certo tópico, não faz sentido montar um estudo para gerar uma nova teoria sobre o tópico. O motivo para se realizar um estudo com teoria fundamentada é não existir uma teoria satisfatória sobre o tópico e não entendermos o suficiente sobre ela para iniciar a teorização. Nesse caso, devemos abordar os dados com a maior abertura de mente possível, guiados pelas perguntas de pesquisa. Embora um comentário geral sobre a literatura possa ser necessário para orientar um estudo e mostrar a falta de uma teoria satisfatória, o problema com uma revisão da literatura substantiva minuciosa antes do estudo é que ela pode nos influenciar fortemente ao iniciarmos o trabalho com os dados.

Conforme detalhamos no Capítulo 9, devemos iniciar a análise encontrando categorias e conceitos nos dados, não os levando aos dados a partir da literatura ou de qualquer outro lugar. Nesse caso, faz sentido retardar o estágio de revisão da literatura do trabalho ao menos até que as direções conceituais nos dados tenham ficado claras. Introduziremos a literatura mais tarde do que ocorreria normalmente, considerando a literatura relevante como dados complementares ao estudo. Este é o conceito fundamental ao se usar a literatura na teoria fundamentada: a literatura é vista como dados complementares que integrarão a análise, mas num estágio da análise de dados em que as direções teóricas tenham ficado claras. Esse uso da literatura está em consonância com a lógica geral da pesquisa com teoria fundamentada. A abordagem inteira é organizada em torno do princípio de que a teoria desenvolvida será fundamentada nos dados.

### 7.5.6 O lugar da pesquisa com teoria fundamentada

Não surpreende que a teoria fundamentada tenha se tornado uma abordagem amplamente usada na pesquisa qualitativa. Acredito que existam cinco motivos principais para tanto:

1. Embora fale-se muito na literatura sobre metodologia de pesquisa a respeito da necessidade de gerar teoria na pesquisa, fala-se muito pouco sobre *como* fazê-lo. A teoria fundamentada aborda essa questão explicitamente.
2. Ela representa uma estratégia de pesquisa geral coordenada, sistemática, mas flexível, contrastando com as abordagens *ad hoc* e descoordenadas que às vezes caracterizam a pesquisa qualitativa.
3. Proporciona uma abordagem disciplinada e organizada à análise de dados qualitativos. No contexto da pesquisa qualitativa, com o seu histórico de ausência de métodos bem formulados para a análise de dados, esse ponto é atraente.
4. Há demonstrações impressionantes do que a abordagem com teoria fundamentada pode produzir numa área de pesquisa. Elas começaram com os estudos de Glaser e Strauss sobre a morte e continuaram, inicialmente na área da sociologia médica e agora muito mais amplamente (Bryant e Charmaz, 2007b).
5. Um quinto motivo se refere à identificação dos problemas de pesquisa da prática profissional, e de contextos organizacionais e institucionais. Nessas situações, uma abordagem tradicional de teste de hipóteses não é adequada. Muitos desses problemas enfrentados pelos pesquisadores em ciências sociais, especialmente em áreas aplicadas, são substantivamente novos porque vêm de novos desenvolvimentos na prática profissional e/ou de contextos organizacionais desenvolvidos recentemente. A pesquisa empírica, boa parte dela qualitativa, é necessária nessas áreas, e a abordagem com verificação de teoria seria inadequada. A abordagem com geração de teoria da teoria fundamentada é bem recomendada nessas áreas substantivamente novas onde há uma falta de conceitos fundamentados para descrever e explicar o que acontece. A teoria fundamentada é interessante porque se concentra na descoberta de conceitos, hipóteses e teorias.

## 7.6 Pesquisa-ação

No início do *Handbook of Action Research*, os editores Reason e Bradbury (2007: 1) nos falam que não existe uma resposta curta para a pergunta "O que é pesquisa-ação?" Em vez disso, o termo é usado para uma família de estratégias relacionadas que compartilham certas ideias comuns importantes, embora difiram nos detalhes da sua abordagem à pesquisa. As diferenças levaram a uma variedade de nomes que são usados pelos pesquisadores para descrever a sua abordagem – pesquisa-ação técnica, pesquisa-ação prática, pesquisa-ação emancipatória, pesquisa-ação participativa e pesquisa-ação colaborativa são exemplos, além da pesquisa-ação feminista – mas o termo genérico "pesquisa-ação" provavelmente engloba a maioria das abordagens (Kemmis e McTaggart, 2000: 567). Esta seção se concentra nas principais ideias comuns que subjazem às diferentes correntes da pesquisa-ação[3].

A ideia central é transmitida pelo próprio termo "pesquisa-ação". Ação e pesquisa são unidas: os pesquisadores da pesquisa-ação "trabalham com uma investigação atenta e diligente não com o objetivo de descobrir fatos novos ou rever teorias ou leis aceitas, mas adquirir informações com aplicação prática à solução de problemas específicos relativos ao seu trabalho" (Stringer, 2004: 3). A pesquisa-ação reúne a ação (ou o fazer) e a pesquisa (ou a investigação). Contrastando com as ideias de investigação e construção de conhecimento com fim em si mesmos, a pesquisa-ação objetiva criar uma investigação e construir conhecimento para uso no serviço da ação de resolver problemas práticos. Portanto, na pesquisa-ação, a investigação começa deliberadamente com uma questão ou problema aplicado ou prático específico. O seu objetivo é chegar a uma ação que resolva esse problema prático ou responda essa questão prática. Como afirmam Reason e Bradbury (2008: 1), a pesquisa-ação "tenta reunir ação e reflexão, teoria e prática, em participação com os outros, em busca de soluções práticas para questões de preocupação premente às pessoas". Mais uma vez (2008: 2): "Um objetivo principal da pesquisa-ação é produzir conhecimento prático que seja útil às pessoas na conduta cotidiana da vida". Similarmente, a sequência de pesquisa-ação em cinco partes de Stringer mostra a "pesquisa básica" em quatro partes (desenho de pesquisa, coleta de dados, análise de dados, comunicação), com a pesquisa-ação agregando a elas uma quinta parte – a ação propriamente dita.

A sequência de pesquisa-ação em cinco partes de Stringer mostra claramente que a pesquisa é essencial na sequência. Ou seja, uma investigação sistemática e disciplinada – pesquisa – é trazida de modo relevante para um problema prático que requer solução – ação. Tudo isso é feito numa estrutura cuidadosamente organizada. Essa investigação sistemática e disciplinada – essa pesquisa – obviamente é empírica. Portanto, ela se pauta nas abordagens à pesquisa cobertas neste livro. Logo, a pesquisa-ação pode envolver métodos e desenhos com dados quantitativos, métodos e desenhos qualitativos ou desenhos e dados com métodos mistos. Embora geralmente pensa-se na pesquisa-ação como abordagem qualitativa, estando incluída aqui sob os desenhos de pesquisa qualitativa, ela não se baseia unicamente em dados qualitativos. Ao contrário, usa dados quantitativos sempre que forem apropriados e estiverem disponíveis. Nesse aspecto, é como a pesquisa com estudo de caso.

Uma característica importante da pesquisa-ação que a diferencia de outros desenhos é que ela normalmente é *cíclica* em sua natureza, refletindo o fato de que as pessoas geralmente buscam soluções para os seus problemas de formas cíclicas e iterativas. As palavras "ciclo", "espiral" e (menos comum) "hélice" são usadas pelos autores na pesquisa-ação para descrever isso. Elas transmitem a ideia de que a pesquisa que conduz ao grupo de ações não é o fim do processo, mas o início de um ciclo ou espiral. A pesquisa produz resultados que levam a uma iniciativa, o que por sua vez gera outras perguntas para a pesquisa, que por sua vez geram mais ações etc. Kemmis e McTaggart (2000: 595-596) ilustram a pesquisa-ação como uma espiral e escrevem que, embora seja difícil descrever o processo como uma série de etapas, geralmente pensa-se que a pesquisa-ação participativa envolve uma espiral com os seguintes ciclos autorreflexivos:

• Planejamento de uma mudança;
• Ação e observação das consequências da mudança;
• Reflexão sobre esses processos e consequências, e depois:
• Replanejamento;
• Ação e observação;
• Reflexão etc.

Stringer começa com o ciclo de pesquisa-ação, depois o amplia até a hélice e depois até a espiral da pesquisa-ação. Seja qual for a versão considerada, a principal ideia aqui é que a pesquisa-ação é repetitiva, contínua e cíclica.

Para muita gente, a espiral de ciclos de autorreflexão, envolvendo planejamento, ação e observação, reflexão, replanejamento etc. se tornou o elemento dominante da pesquisa-ação enquanto abordagem. Para Kemmis e McTaggart, entretanto, há sete elementos importantes adicionais de pesquisa-ação participativa – é um processo social, participativo, prático e colaborativo, emancipatório, crítico, recursivo e objetiva transformar tanto teoria quanto prática.

Assim como a pesquisa-ação não separa investigação de ação, também não separa o pesquisador do pesquisado. Uma versão mais antiga da pesquisa-ação, especialmente na pesquisa em educação na década de 1970, situava as duas funções numa pessoa – o professor se tornava o pesquisador da pesquisa-ação. Isso gerou problemas de credibilidade para a pesquisa-ação, já que a maioria dos professores não tinha conhecimentos de pesquisa para se comunicar eficazmente com uma comunidade de pesquisa muitas vezes cética. Agora a ação e a pesquisa são consideradas funções diferentes e normalmente são realizadas por pessoas diferentes, mas a colaboração e a participação entre as diferentes pessoas são enfatizadas. Stringer (2004) distingue pesquisa de praticante em educação de pesquisa-ação em educação exatamente nesse ponto. Quando o professor recua, reflete, coleta informações, observa a interação na sala de aula etc., isso é pesquisa de praticante. Quando o professor envolve outras pessoas no processo de investigação com o intento de resolver um problema de trabalho educacional juntos, isso é pesquisa--ação. A participação colaborativa se torna essencial.

Similarmente, Kemmis e McTaggart (2000: 595) acreditam que, embora algumas pesquisas-ação dependam de processos solitários de autorreflexão sistemática pelo pesquisador, as etapas na espiral de autorreflexão são realizadas melhor colaborativamente pelos coparticipantes do processo de pesquisa. É por isso que preferem o termo *pesquisa-ação participativa*. A formulação deles salienta a função da participação e colaboração em alguns tipos de pesquisa-ação. Quando participação e colaboração estão envolvidas, a pesquisa-ação desenvolve novas relações de pesquisa e muitas vezes busca construir uma comunidade de aprendizes. Independentemente de isso ocorrer ou não, pesquisador e pesquisado se tornam copesquisadores, participantes colaborativos na pesquisa-ação.

A pesquisa-ação tem diversas origens. Muitos autores a atribuem aos experimentos sociais de Kurt Lewin na década de 1940, mas Reason e Bradbury (2007: 2-4) identificam outras influências importantes também. Elas incluem a crítica contemporânea à ciência positivista e ao cientificismo, marxismo ("o importante não é entender o mundo, mas mudá-lo"), as perspectivas liberais sobre gênero e raça, as práticas de aprendizagem experimental e psicoterapia, e alguns tipos de práticas espirituais. Kemmis e McTaggart (2000: 568) também observam a conexão da pesquisa participativa com a teologia da libertação e movimentos do Terceiro Mundo voltados à transformação social. Na educação, a pesquisa-ação se tornou popular na década de 1970, mas depois perdeu popularidade e credibilidade na década de 1980, ressurgindo com força na década de 1990. Uma indicação da sua atual popularidade na pesquisa em educação é a vasta literatura sobre pesquisa-

-ação em educação (Stringer, 2004). Uma indicação da sua atual proeminência na pesquisa em ciências sociais em geral vem do recente e já mencionado *Handbook of Action Research* (Reason e Bradbury, 2007).

## Resumo do capítulo

- O desenho de pesquisa conecta as perguntas de pesquisa aos dados. Baseia-se numa estratégia, muitas vezes envolve uma estrutura conceitual e mostra de quem, e como, os dados serão coletados e analisados.
- Múltiplos paradigmas, perspectivas, estratégias e desenhos caracterizam a pesquisa qualitativa atual. Ao mesmo tempo, há importantes elementos comuns perpassando tal diversidade.
- Na pesquisa com estudo de caso, um caso (ou um pequeno número de casos) é estudado profundamente, em contexto, no seu cenário natural e holisticamente. Deve haver uma lógica por trás da seleção de casos, e perguntas de pesquisa e fontes múltiplas de dados normalmente estão envolvidas.
- A etnografia se concentra no modo de vida de algum grupo de pessoas que somente pode ser entendido da perspectiva de quem está do lado de dentro. A cultura – enquanto conjunto compartilhado de significados – é o conceito central, e múltiplas fontes de dados, a maioria qualitativa, são usadas pelo etnógrafo para revelar significados culturais.
- Teoria fundamentada é uma estratégia de pesquisa cujo objetivo é gerar teoria explicativa fundamentada em dados. Hoje evoluiu para uma família de métodos, com abordagens e conceitos distintos.
- Pesquisa-ação é uma família de abordagens relacionadas que enfatizam a reunião de pesquisa e ação num padrão cíclico direcionado a resolver problemas práticos, muitas vezes numa situação participativa.

## Termos-chave

Amostragem teórica: os estágios finais da coleta de dados são norteados por desenvolvimentos teóricos que emergem dos primeiros dados.

Cultura: conjunto de significados compartilhados por um grupo de pessoas sem o qual o seu comportamento e ações não podem ser entendidos.

Desenho de pesquisa: conecta perguntas de pesquisa a dados; o desenho se baseia numa estratégia e mostra de quem e como os dados serão coletados e analisados.

Estudo de caso: estudo minucioso, holístico e contextualizado de um caso ou de um pequeno número de casos.

Etnografia: estratégia de pesquisa concentrada em revelar os significados compartilhados que se desenvolvem entre qualquer grupo estável de pessoas.

Interacionismo simbólico: teoria geral que enfatiza que as pessoas se comportam em termos do modo pelo qual definem as situações (ou as interpretam, ou lhes atribuem significado).

Perspectiva de quem está do lado de dentro: definição, interpretação ou significado atribuído a uma situação pelos participantes da situação.

Pesquisa-ação: estratégia de pesquisa que combina pesquisa e ação em espirais cíclicas para focar na solução de um problema.

Teoria fundamentada: estratégia de pesquisa para gerar teoria fundamentada em dados.

## Exercícios e perguntas para estudo

1. Liste quatro perguntas que possam nos ajudar a entender o desenho de pesquisa. Qual é a função do desenho de pesquisa?

2. O que significa estratégia de pesquisa e qual é a sua relação com o desenho de pesquisa?

3. O que é estudo de caso e quais são os seus pontos fortes e fracos enquanto estratégia de pesquisa?

4. Defina a estratégia e o desenho para estudo de um caso (um indivíduo, um grupo, uma organização, uma decisão etc.) que seja familiar. Siga os pontos dados na Seção 7.3.4.

5. O que significa etnografia? Qual é a sua conexão com a antropologia e com o conceito de cultura?

6. Como a etnografia pode ser aplicada na pesquisa em ciências sociais?

7. O que "perspectiva de quem está do lado de dentro" significa em pesquisa?

8. Por que Glaser e Strauss usaram o termo "fundamentada" para descrever o método com teoria fundamentada que desenvolveram?

9. O que significa afirmar que teoria fundamentada é vista melhor como uma família de métodos?

10. O que é amostragem teórica?

11. Quais características essenciais da pesquisa-ação a tornam uma estratégia de pesquisa distinta?

# Leitura complementar

## Estudos de caso

Ragin, C.C. e Becker, H.S. (eds.) (1992) *What is a Case? Exploring the Foundations of Social Inquiry*. Nova York: Cambridge University Press.

Stake, R.E. (1988) "Case study methods in educational research: seeking sweet water", in R.M. Jaeger (ed.), *Complementary Methods for Research in Education*. Washington, DC: American Educational Research Association. p. 253-300.

Stake, R.E. (1994) "Case studies", in N.K. Denzin e Y.S. Lincoln (eds.), *Handbook of Qualitative Research*. Thousand Oaks, CA: Sage, p. 236-247.

Stake, R.E. (2006) *Multiple Case Study Analysis*. Nova York: Guilford Press.

Yin, R.K. (2013) *Case Study Research: Design and Methods*. 5. ed. Thousand Oaks, CA: Sage.

## Etnografia

Agar, M. (1986) *Speaking of Ethnography*. Beverly Hills, CA: Sage.

Atkinson, P. e Hammersley, M. (1994) "Ethnography and participant observation". In: N.K. Denzin e Y.S. Lincoln (eds.), *Handbook of Qualitative Research*. Thousand Oaks, CA: Sage, p. 248-261.

Atkinson, P., Delamont, S., Coffey, A., Lofland, J. e Lofland, L. (eds.) (2007) *Handbook of Ethnography*. Londres: Sage.

Crang, M. e Cook, I. (2007) *Doing Ethnographies*. Londres: Sage.

Fetterman, D.M. (2010) *Ethnography Step by Step*. 3. ed. Thousand Oaks, CA: Sage.

Gobo, G. (2007) *Doing Ethnography*. Londres: Sage.

Hammersley, M. e Atkinson, P. (2007) *Ethnography: Principles in Practice*. 3. ed. Londres: Routledge.

Spindler, G. e Spindler, L. (1992) "Cultural process and ethnography: an anthropological perspective". In: M.D. LeCompte, W.L. Millroy e J. Preissle (eds.), *The Handbook of Qualitative Research in Education*. São Diego, CA: Academic Press, p. 53-92.

Wolcott, H.F. (1988) "Ethnographic research in education". In: R.M. Jaeger (ed.), *Complementary Methods for Research in Education*. Washington, DC: American Educational Research Association, p. 187-249.

Woods, P.H. (1986) *Inside Schools: Ethnography in Educational Research*. Londres: Routledge & Kegan Paul.

## Teoria fundamentada

Bryant, A. e Charmaz, K. (eds.) (2007) *The Sage Handbook of Grounded Theory*. Thousand Oaks, CA: Sage.

Charmaz, K. (2006) *Constructing Grounded Theory*. Thousand Oaks, CA: Sage.

Glaser, B. (1978) *Theoretical Sensitivity*. Mill Valley, CA: Sociology Press.

Glaser, B. (1992) *Basics of Grounded Theory Analysis: Emergence vs Forcing*. Mill Valley, CA: Sociology Press.

Glaser, B. e Strauss, A. (1967) *The Discovery of Grounded Theory: Strategies for Qualitative Research*. Chicago: Aldine.

Strauss, A. (1987) *Qualitative Analysis for Social Scientists*. Nova York: Cambridge University Press.

Strauss, A. e Corbin, J. (1994) "Grounded theory methodology: an overview". In: N.K. Denzin e Y.S. Lincoln (eds.), *Handbook of Qualitative Research*. Thousand Oaks, CA: Sage, p. 273-285.

Strauss, A. e Corbin, J. (2008) *Basics of Qualitative Research: Grounded Theory Procedures and Techniques*. 3. ed. Thousand Oaks, CA: Sage.

## Pesquisa-ação

Herr, K. e Anderson, G.L. (2005) *The Action Research Dissertation*. Londres: Sage.

Kemmis, S. e McTaggart, R. (2000) "Participatory action research". In: N.K. Denzin e Y.S. Lincoln (eds.) (2011), *Handbook of Qualitative Research*. 4. ed. Thousand Oaks, CA: Sage.

Reason, P. e Bradbury, H. (eds.) (2007) *Handbook of Action Research*. 2. ed. Londres: Sage.

Sagor, R. (2004) *Action Research Guidebook*. Londres: Sage.

Stringer, E. (1996) *Action Research: A Handbook for Practitioners*. Thousand Oaks, CA: Sage.

Stringer, E. (2007) *Action Research in Education*. 2. ed. Upper Saddle River, NJ: Pearson.

Taylor, C., Wilkie, M. e Baser, J. (2006) *Doing Action Research*. Londres: Sage.

## Notas

1. Devemos ter cuidado, porém, ao rotular toda a pesquisa quantitativa de positivista, por dois motivos. Um é que o termo "positivismo" tem muitas interpretações diferentes (Blaikie, 1993); outro é que alguns pesquisadores (p. ex., Marsh, 1982) apontam que alguns trabalhos quantitativos não são positivistas.

2. Stake também relata uma comunicação pessoal de Julian Stanley: "Quando quero descobrir algo importante para mim, costumo usar a abordagem com estudo de caso" (1988: 262). Vale a pena citar essa afirmativa aos críticos da pesquisa com estudo de caso, já que vem de um pesquisador quantitativo respeitado e importante colaborador da sua literatura.

3. Kemmis e McTaggart (2000: 568-572) identificam sete abordagens na área geral da pesquisa-ação participativa, quais sejam: pesquisa participativa, pesquisa-ação crítica, pesquisa-ação em sala de aula, aprendizagem-ação, ciência-ação, abordagens SSM e pesquisa-ação industrial.

# 8

# COLETA DE DADOS QUALITATIVOS

**Sumário**

8.1  A entrevista
    8.1.1  Tipos de entrevistas
    8.1.2  Perspectivas feministas sobre entrevistas
    8.1.3  Aspectos práticos das entrevistas
    8.1.4  Condição analítica dos dados de entrevistas: a função da linguagem
8.2  Observação
    8.2.1  Abordagens estruturadas e desestruturadas à observação
    8.2.2  Questões práticas na observação
8.3  Observação de participantes
8.4  Dados documentais
8.5  Procedimentos para coleta de dados
8.6  Amostragem na pesquisa qualitativa
    Resumo do capítulo
    Termos-chave
    Exercícios e perguntas para estudo
    Leitura complementar
    Notas

**OBJETIVOS DE APRENDIZAGEM**

**Após estudar este capítulo, você saberá:**

- Identificar e descrever os principais tipos de entrevistas de pesquisas;
- Listar as questões práticas envolvidas no gerenciamento de entrevistas qualitativas;
- Descrever os pontos fortes e fracos de observação e entrevistas estruturadas e desestruturadas;
- Descrever a observação de participantes e explicar a sua relação com a etnografia;
- Identificar oportunidades para usar dados documentais nas pesquisas em ciências sociais;

- Explicar como os procedimentos para coleta de dados podem afetar a qualidade dos dados de entrevistas;
- Explicar a função da amostragem na pesquisa qualitativa e a necessidade de uma estratégia de amostragem.

Os pesquisadores qualitativos das ciências sociais estudam representações e registros orais e escritos da experiência humana, usando múltiplos métodos e múltiplas fontes de dados. Vários tipos de coletas de dados podem ser usados num projeto qualitativo. Neste capítulo, discutiremos algumas das principais formas de coletar dados qualitativos – entrevista, observação, observação de participantes e documentos.

## 8.1 A entrevista

A entrevista é a ferramenta mais proeminente de coleta de dados na pesquisa qualitativa. É uma ótima forma de acessar percepções, significados, definições de situações e construções da realidade das pessoas. Também é uma das formas mais poderosas que temos para entender os outros. Como afirma Jones (1985: 46):

> para entender as construções de realidade de outras pessoas, faríamos bem em questioná-las... e questioná-las de modo que possam falar em seus termos (e não naqueles impostos rigidamente e *a priori* por nós) e numa profundidade que se direcione ao contexto rico que é a substância dos seus significados.

Embora as entrevistas sejam basicamente fazer perguntas e receber respostas, há muito mais a respeito, especialmente em contexto de pesquisa qualitativa. Considere esta descrição:

> As entrevistas têm uma grande variedade de formas e uma multiplicidade de usos. O tipo mais comum de entrevista é o intercâmbio verbal presencial individual, mas também pode assumir a forma de entrevista em grupo presencial, questionários postais ou autoadministrados e levantamentos por telefone. As entrevistas podem ser estruturadas, semiestruturadas ou desestruturadas. Podem ser usadas para fins comerciais, para coletar opiniões políticas, por motivos terapêuticos ou para produzir dados para análise acadêmica. Podem ser usadas para fins de mensuração ou seu escopo pode ser o entendimento de uma perspectiva individual ou em grupo. Uma entrevista pode ser uma interação curta, uma única vez, talvez cinco minutos por telefone, ou pode acontecer em sessões longas e múltiplas, às vezes levando dias, como em entrevistas de histórias de vida (Fontana e Frey, 1994: 361).

Em resumo, há muitos tipos de entrevistas.

| Entrevistas estruturadas | Entrevistas focadas ou semiestruturadas | Entrevistas desestruturadas |
|---|---|---|
| Entrevistas padronizadas<br>Entrevistas de levantamentos<br>Obtenção de histórico clínico | Entrevistas profundas<br>Entrevistas de levantamentos<br>Entrevistas em grupo | Entrevistas profundas<br>Entrevistas clínicas<br>Entrevistas em grupo<br>Entrevistas orais ou sobre histórias de vida |

**Figura 8.1 Modelo de *continuum* para entrevistas**

Fonte: Minichiello et al., 1990: 89.

## 8.1.1 Tipos de entrevistas

Muito já foi escrito sobre o tópico de tipos diferentes de entrevistas. Por exemplo, Patton (2002) distingue três tipos principais de entrevistas – entrevista conversacional informal, abordagem de guia de entrevista geral e entrevista aberta padronizada. Minichiello et al. (1990) sugerem um *continuum* útil de métodos de entrevista com base no grau da estrutura envolvida. Ele é mostrado na Figura 8.1 e é similar à tipologia que Fielding (1996a) descreve, usando os termos "padronizadas", "semipadronizadas" e "não padronizadas". Similarmente, Fontana e Frey (1994) usam uma classificação tripartida de entrevistas estruturadas, semiestruturadas e desestruturadas, e a aplicam a entrevistas individuais e em grupo. Esta seção se pauta no trabalho deles.

Independentemente da tipologia que usamos, as dimensões importantes dessa variação são o grau da estrutura na entrevista e o nível de profundidade que a entrevista tenta atingir. À esquerda do *continuum*, as entrevistas são rigorosamente estruturadas e padronizadas. Aqui, as perguntas da entrevista são planejadas e padronizadas antecipadamente, categorias pré-codificadas são usadas para as respostas e a entrevista não tenta atingir uma profundidade significativa. Na extremidade direita, por sua vez, as entrevistas são desestruturadas e abertas. As perguntas da entrevista não são pré-planejadas nem padronizadas; em vez disso, há perguntas gerais para manter a continuidade da entrevista. Perguntas complementares específicas emergirão à medida que a entrevista se desdobre, e o enunciado dessas perguntas dependerá dos rumos da entrevista. Não há categorias pré-estabelecidas para as respostas.

Com tantos tipos diferentes, a entrevista é uma ferramenta de coleta de dados de grande flexibilidade que pode ser adotada para se adequar a uma ampla variedade de situações de pesquisa. Tipos diferentes de entrevistas têm pontos fortes e fracos diferentes, e objetivos distintos na pesquisa. O tipo de entrevista selecionado, portanto, deve estar alinhado à estratégia, aos objetivos e às perguntas de pesquisa, como afirmam Fontana e Frey (1994: 373):

> É obvio que tipos diferentes de entrevistas são adequados a situações diferentes. Se desejarmos descobrir quantas pessoas são contra um depósito nuclear, a pesquisa com levantamento é a melhor ferramenta. Podemos quantificar e codificar as respostas e usar modelos matemáticos para explicar as nossas descobertas (Frey, 1993). Se estivermos interessados em opiniões sobre determinado produto, uma entrevista com um grupo focal proporcionará os resultados mais eficientes; se desejarmos saber e entender a vida de mulheres palestinas na resistência (Gluck, 1991), precisaremos entrevistá-las de modo detalhado, profundo e desestruturado.

Logo, iniciamos reconhecendo primeiro que existem muitos tipos diferentes de entrevistas e depois selecionamos o tipo de entrevista baseado nos objetivos e perguntas de pesquisa. O tipo de entrevista que escolhermos influenciará os aspectos práticos da entrevista e a nossa forma de administrar o processo.

### Entrevistas estruturadas

Nas entrevistas estruturadas, uma série de perguntas pré-estabelecidas, com categorias de resposta predefinidas, é feita ao respondente. Há pouco espaço para variação na resposta, embora perguntas abertas às vezes possam ser usadas também. Todos os respondentes recebem as mesmas perguntas na mesma ordem, apresentadas de maneira padronizada. A variação e a flexibilidade são minimizadas, enquanto a padronização é maximizada. Nesse tipo de entrevista, o entrevistador tenta desempenhar uma função neutra, e uma maneira e conduta neutras são encorajadas na execução de tal função. A natureza estímulo-resposta desse tipo de entrevista enfatiza respostas racionais e factuais, não emocionais (Fontana e Frey, 1994). O programa de entrevistas padronizadas é minuciosamente descrito por Wilson (1996), e Fielding (1996b) oferece sugestões para o desenvolvimento de programas de entrevistas estruturadas e semiestruturadas.

### Entrevistas em grupo – grupos focais

"Entrevista em grupo" é um termo genérico que se refere a situações em que o pesquisador trabalha com várias pessoas simultaneamente, não apenas com uma. O grupo focal originalmente era certo tipo de entrevista em grupo usada em pesquisas publicitárias e políticas, mas agora os termos "entrevista em grupo focal" e "entrevista em grupo" são mais usados. A entrevista em grupo agora é popular na pesquisa em ciências sociais, embora não seja nova.

Há vários tipos de entrevistas em grupo e, como outras entrevistas, elas podem ser desestruturadas, semiestruturadas ou altamente estruturadas. Como tipos diferentes de entrevistas em grupo têm objetivos diferentes, o tipo que deve ser usado em certa situação de pesquisa depende do contexto e dos objetivos de pesquisa. Fontana e Frey (1994) tabulam as características de cinco tipos diferentes de entrevistas em grupo, e Morgan (1988) e Shamdasani e Rook (2006) também discutem as características de tipos diferentes de entrevistas em grupo, além dos seus objetivos, pontos fortes e fracos.

A função do pesquisador muda numa entrevista em grupo, funcionando mais como moderador ou facilitador e menos como entrevistador. Não se trata de um processo de alternar perguntas e respostas, como na entrevista tradicional. Em vez disso, o pesquisador facilita, modera, monitora e grava a interação do grupo. A interação do grupo é direcionada por perguntas e tópicos apresentados pelo pesquisador. Isso significa que certas habilidades são necessárias no entrevistador do grupo (Merton et al., 1990; Fontana e Frey, 1994).

As entrevistas em grupo podem fazer uma contribuição importante para as pesquisas em ciências sociais. Ao escrever sobre grupos focais, Morgan (1988: 12) aponta que "a marca dos grupos focais é o uso explícito da interação em grupo para produzir dados e ideias que seriam menos acessíveis sem a interação encontrada num grupo". Uma interação em grupo bem facilitada pode ajudar a trazer à tona aspectos de uma situação que poderia não ser exposta de outra maneira. A situação do grupo também pode estimular as pessoas a expressar suas opiniões, percepções, motivos e razões. Isso torna as entrevistas em grupo uma opção de coleta de dados atraente quando a pesquisa estiver tentando sondar esses aspectos do comportamento das pessoas. São baratas, ricas em dados, flexíveis, estimulantes, cumulativas, elaborativas e ajudam as pessoas a se lembrarem dos fatos. Mas também podem existir problemas associados à cultura e à dinâmica do grupo e na obtenção de equilíbrio na interação do grupo (Fontana e Frey, 1994).

Os dados de entrevistas em grupo são as transcrições (ou outros registros) da interação do grupo. Elas podem ser usadas como a única técnica de coleta de dados num estudo ou, frequentemente, associadas a outras técnicas qualitativas ou quantitativas. Assim como na pesquisa com métodos mistos (cf. Capítulo 14), hoje é cada vez mais comum ver entrevistas em grupo usadas com levantamentos, às vezes para auxiliar no desenvolvimento de questionários e outras vezes usadas após o levantamento para detalhar opiniões e informações sobre os tópicos do levantamento. As inúmeras questões práticas específicas que precisam ser consideradas ao se planejar o uso de entrevistas em grupo são tratadas nas duas monografias de Morgan (1997) e Shamdasani e Rook (2006). A última inclui uma tipologia útil de perguntas de grupos focais.

### Entrevistas desestruturadas

A variedade é grande quando o assunto são as entrevistas desestruturadas. O tipo tradicional de entrevista desestruturada é a entrevista não padronizada, aberta e profunda, às vezes denominada entrevista etnográfica. É usada como forma de entender o comportamento complexo das pessoas sem impor categorizações *a priori* que possam limitar a área de investigação. Também é usada para explorar as interpretações das pessoas e os significados de eventos e situações, além da sua significância simbólica e cultural. Fontana e Frey discutem sete aspectos das entrevistas desestruturadas e usam vários exemplos da literatura de pesquisa para ilustrar cada aspecto. Esses aspectos compõem uma lista útil do que se deve pensar ao planejar a coleta de dados com entrevistas desestruturadas ou etnográficas:

- Acessar o cenário;
- Entender a linguagem e a cultura dos respondentes;
- Decidir como se apresentar;
- Localizar um informante;
- Ganhar confiança;
- Conquistar empatia;
- Coletar os materiais empíricos.

A maneira de lidar com cada um varia de acordo com a natureza da situação e os respondentes. Existe, e é necessário que exista, flexibilidade na situação da entrevista desestruturada (o que Douglas (1985) chama de entrevista criativa), especialmente em projetos de história oral e história de vida. A entrevista desestruturada é uma ferramenta de pesquisa poderosa, amplamente usada na pesquisa em ciências sociais e em outras áreas, e capaz de produzir dados ricos e valiosos. Uma entrevista profunda bem-sucedida tem muitas das características de uma conversa prolongada e íntima. A habilidade nesse tipo de entrevista e especialmente na sondagem de significados, interpretações e significância simbólica não surge naturalmente, e a maioria de nós precisa ao menos de algum treinamento para desenvolvê-la.

## 8.1.2 Perspectivas feministas sobre entrevistas

A pesquisa feminista usa expressivamente a entrevista semiestruturada e desestruturada. "O uso de entrevistas semiestruturadas se tornou o meio principal pelo qual as feministas buscam obter o envolvimento ativo dos seus respondentes na construção de dados sobre a sua vida" (Graham, citado em Reinharz, 1992: 18).

A pesquisa feminista também redefine a entrevista de maneiras significativas, já que a perspectiva feminista considera a entrevista tradicional um paradigma masculino enraizado numa cultura masculina, enfatizando traços masculinos e excluindo sensibilidade, emotividade e outros traços culturalmente considerados femininos. Oakley (1981) identifica a contradição entre pesquisa positivista científica que requer objetividade e distanciamento e entrevista feminina que requer abertura, envolvimento emocional e desenvolvimento de confiança numa relação potencialmente de longo prazo.

Uma consideração fundamental para as feministas se refere à função do pesquisador. A preferência feminista normalmente é por relações de pesquisa não hierárquicas. A entrevista tradicional é considerada não apenas paternalista, condescendente em suas atitudes diante da mulher e indiferente às diferenças de gênero, mas também baseada numa relação hierárquica com o respondente em posição subordinada. Como apontam Fontana e Frey (1994), há objeções tanto morais quanto éticas e metodológicas também – dados melhores estão sob risco. A minimização de diferenças de condição entre entrevistador e respondente, e o desenvolvimento de uma relação mais igual pautada em confiança, que inclua abertura do pesquisador e reciprocidade, podem evitar a "armadilha hierárquica" (Reinharz, 1992), possibilitando maior abertura e ideias, um espectro maior de respostas e, portanto, dados mais ricos. Nessa perspectiva, como Haig (1997) aponta e como sugere a citação anterior de Graham, pesquisador e pesquisado se tornam cocriadores de dados através da entrevista. A redefinição feminista da situação da entrevista transforma entrevistadores e respondentes em coiguais que estão conduzindo uma conversa sobre questões mutuamente relevantes e muitas vezes biograficamente críticas (Denzin e Lincoln, 1994: 354).

Reinharz (1992) afirma que não existe uma única perspectiva uniforme no feminismo sobre tópicos como relações pesquisador-entrevistado e autoabertura. Em vez disso, existe abertura a diferentes significados possíveis dessas coisas em diferentes situações de pesquisa. A pesquisa com entrevistas de cunho feminista já modificou conceitos das ciências sociais e criou novas formas importantes de ver o mundo. Ao ouvir as mulheres, entender a associação das mulheres a certos sistemas sociais e estabelecer a distribuição de fenômenos acessíveis somente através de entrevistas sensíveis, as pesquisadoras feministas revelaram mundos de experiência anteriormente negligenciados ou equivocados. (Reinharz, 1992: 44). Reinharz também menciona que as pesquisadoras feministas provavelmente continuarão a refinar e elaborar o método das entrevistas à medida que cada vez mais experiências sejam construídas.

Compartilhando parte dos mesmos interesses feministas, os etnógrafos pós-modernos se interessam por aspectos morais da entrevista tradicional entre pesquisador-sujeito, com a função controladora do entrevistador e a influência do entrevistador nos dados e relatório. Assim como o gênero, eles enfatizam a importância da raça (Stanfield, 1985) e as perspectivas dos descolonizados, desfavorecidos e destituídos. Fontana e Frey (1994) observam várias direções onde os pesquisadores pós-modernos consideram tais questões. Elas incluem entrevistas polifônicas, interacionismo interpretativo, análise oral e etnografia crítica, tópicos especializados além do nosso escopo neste livro.

### 8.1.3 Aspectos práticos das entrevistas

Uma decisão importante é tomada quando o tipo de entrevista é selecionado, de acordo com a estratégia da pesquisa, considerações paradigmáticas (se relevantes), objetivos e perguntas do estudo. Aspectos práticos das entrevistas incluem a escolha de respondentes, administração da entrevista e gravação.

**Respondentes da entrevista**

Estas são as principais questões que precisam ser consideradas:

- Quem será entrevistado e por quê?
- Quantos serão entrevistados e quantas vezes cada pessoa será entrevistada?
- Quando e por quanto tempo cada respondente será entrevistado?
- Onde cada respondente será entrevistado?
- Como o acesso à situação de entrevista será organizado?

Todas essas questões dependem do tipo de entrevista selecionada, onde se posiciona no *continuum* "estruturada-desestruturada" mostrado antes e da perspectiva que norteia a condução da pesquisa. As duas primeiras perguntas se relacionam ao plano de amostragem para o projeto, que depende dos objetivos e perguntas de pesquisa. As duas perguntas seguintes, concernentes a tempo e local, são pontos óbvios que precisam de organização, mas a sua influência na qualidade dos dados pode ser decisiva. Reconhecer a importância dessas perguntas e considerar atentamente as alternativas em qualquer situação de pesquisa particular possibilita que as decisões sejam tomadas de modo a maximizar a qualidade dos dados à luz das responsabilidades éticas para com os entrevistados. O último ponto se refere à obtenção de acesso. Muito se escreveu a respeito (p. ex., Lofland et al., 2004; Hammersley e Atkinson, 2007) e a maneira pela qual é feita depende do projeto de pesquisa em questão, seu cenário e contexto. Como os entrevistadores entram em contato com os respondentes e organizam o acesso pode afetar todos os estágios da relação entrevistador-entrevistado e com isso a qualidade, confiabilidade e validade dos dados da entrevista.

### Administração da entrevista

Uma lista geral para administrar a entrevista inclui:
• Preparação para a entrevista: o programa da entrevista;
• Início da entrevista: estabelecimento de empatia;
• Habilidades de comunicação e escuta;
• Perguntas: a sequência e tipos de perguntas;
• Conclusão da entrevista.

A importância de cada item e como cada um é tratado são determinados pelo tipo de entrevista selecionado. Portanto, uma entrevista altamente estruturada requer um programa, que precisará de desenvolvimento e teste prévio. Se for prática, a triagem do processo e da situação para esse tipo de entrevista também é recomendada, pois a qualidade da preparação influenciará a qualidade dos dados. Por outro lado, uma entrevista desestruturada teria apenas um sentido geral das perguntas ou tópicos a discutir, seria mantida deliberadamente aberta e não haveria tentativa de padronização.

Quanto mais desestruturada a entrevista, mais habilidades de comunicação em geral, escuta e perguntas complementares em especial são importantes. Existe uma literatura considerável sobre esse tópico – por exemplo, Woods (1986), Keats (1988) e McCracken (1988) – que é útil para desenvolver as habilidades envolvidas. Em especial, Minichiello et al. (1990) mostram 16 sub-habilidades de escuta cuja prática recomendam aos pesquisadores para melhorar sua competência auditiva.

O ato de fazer perguntas ocupa o centro da entrevista e foi extensamente analisado na literatura sobre métodos de pesquisa. Tal análise inclui o modo de fazer perguntas, o enunciado usado, a sequência e os tipos de perguntas que podem ser feitas. Esse último tópico em especial foi assunto de sistemas de classificação. Por exemplo, Patton (2002) classifica as perguntas em experiência/comportamento, opinião/crença, sentimento, conhecimento, sensórias e demográficas/referentes a origem. Patton também discute e classifica as perguntas de sondagem, sugerindo uma lista útil de perguntas que muitas vezes serão necessárias em estágios diferentes durante a entrevista. Outras classificações são descritas por Sudman e Bradburn (1982) e Foddy (1993). Finalmente, formas de conclusão da entrevista também podem exigir atenção, e seis estratégias para concluir a entrevista são descritas por Minichiello et al. (1990). A aplicabilidade desses pontos e de boa parte da literatura citada depende muito da perspectiva, da abordagem usada na entrevista de certo projeto e do tipo de entrevista escolhido.

### Gravação

O modo de gravação dos dados da entrevista precisa ser considerado no planejamento da pesquisa. Para entrevistas altamente estruturadas que usem categorias de respostas pré-codificadas, a gravação das respostas provavelmente é uma simples questão de assinalar os itens de uma folha de respostas. Para entrevistas mais abertas, as possibilidades incluem gravação em áudio, vídeo e/ou anotações. Embora a literatura não seja unânime sobre esse ponto (cf. Lincoln e Guba, 1985; Patton, 2002), há vantagens importantes (descritas por Seidman (2013)) em gravar entrevistas abertas em áudio. Talvez a situação dite o método de gravação. Se, por exemplo, a entrevista for no campo, pode não haver oportunidade para uma gravação eletrônica. Mas outras situações serão diferentes. As várias possibilidades precisam ser avaliadas em relação às restrições práticas da situação, cooperação e aprovação do respondente, e tipo de entrevista escolhido. Seja qual for o método de gravação escolhido, algum trabalho de preparação ocorre. Se uma gravação eletrônica estiver envolvida, o pesquisador deverá saber usar o equipamento (Minichiello et al., 1990; Patton, 2002). Se houver anotações, é necessário desenvolver habilidades de anotação. Após a conclusão da entrevista, os dados precisarão ser transcritos.

## 8.1.4 Condição analítica dos dados de entrevistas: a função da linguagem

A grande variedade e flexibilidade da entrevista enquanto ferramenta de pesquisa lhe conferem ampla aplicabilidade, com tipos diferentes de entrevistas adequados a diferentes situações. Em alguns aspectos, porém, os dados das entrevistas são problemáticos, já que nunca são simplesmente puros, mas sempre situados e textuais (Silverman, 2011).

A entrevista é uma conversa, a arte de fazer perguntas e ouvir. Não é uma ferramenta neutra, já que o entrevistador cria a realidade da situação da entrevista. Nessa situação, as respostas são dadas. Logo, a entrevista produz entendimentos situados fundamentados em episódios interacionais específicos. Esse método é influenciado pelas características pessoais do entrevistador, incluindo raça, classe, etnia e gênero (Denzin e Lincoln, 1994: 353).

A condição analítica dos dados da entrevista é discutida, entre outros, por Mishler (1986), Silverman (1985, 2011) e Fielding (2008). A discussão nesta seção acompanha principalmente a de Fielding.

A questão geral é como interpretar as respostas recebidas na entrevista de pesquisa. Em âmbito técnico, essa questão se refere à validade das respostas da entrevista, cujos aspectos incluem a possibilidade de parcialidade e efeitos do entrevistador, precisão das memórias dos respondentes, tendências de respostas das pessoas, desonestidade, autoengano e desejabilidade social. As situações especiais de pesquisa transcultural suscitam outros problemas na interpretação das respostas da entrevista. Mas, como Fielding aponta, tais questões técnicas geralmente podem ser equilibradas por um desenho atento, planejamento e treinamento. O problema mais difícil se refere à correspondência entre respostas verbais e comportamento, a relação entre o que as pessoas dizem, fazem e o que dizem fazer, e o pressuposto de que a linguagem é um bom indicador de pensamento e ação.

Qual é a relação entre relatos de entrevistados e os mundos que descrevem? Tais relatos são potencialmente verdadeiros ou falsos? Ou esses conceitos não se aplicam? Silverman (1993: 90-98) descreve a resposta positivista a essas perguntas (em que os dados de entrevistas são considerados como permissões de acesso a fatos sobre o mundo social) e a resposta interacionista simbólica (em que a entrevista é considerada um evento social baseado em observação mútua de participantes, e a questão principal é gerar dados, sem usar perguntas ou formato fixo, o que enseja ideias autênticas sobre as experiências das pessoas). Há outras posições teóricas sobre essa questão da condição analítica dos dados da entrevista. Porém, alguns pesquisadores têm tantas dúvidas sobre a condição dos dados que abandonam qualquer interesse no conteúdo da resposta, favorecendo a análise da sua forma. Assim, para os etnometodologistas, os dados de entrevistas não são um relatório sobre a realidade externa, mas uma realidade construída pelas duas partes à medida que planejam conseguir uma entrevista e podem ser estudados como tais. Ao se concentrarem na forma, não no conteúdo, tratam os dados da entrevista como um tópico, não um recurso (Fielding, 1996a;

cf. tb. Silverman, 2011; Hammersley e Atkinson, 2007). Esse ponto se aplica não apenas aos dados das entrevistas, mas a quaisquer relatos de pessoas sobre o seu mundo. Esses relatos podem ser defendidos, desconstruídos ou submetidos à mesma distinção "tópico *vs.* recurso" observada aqui (Hammersley e Atkinson, 1995: 124-126). A condição analítica dos dados da entrevista é um exemplo da condição analítica dos dados qualitativos em geral.

Outro aspecto dessa questão se concentra na linguagem propriamente dita. Uma visão mais antiga de linguagem defende que ela representa um meio transparente à realidade, que as palavras são usadas para transmitir informações sobre o mundo "externo", com base numa correspondência entre as palavras usadas, seus significados e os aspectos do mundo que descrevem. Tal visão não é mais sustentável, já que várias ideias importantes mudaram a forma como vemos a linguagem e especialmente a sua relação com a vida social (Wooffitt, 1996). Tais ideias vêm da filosofia, linguística e sociologia. Wittgenstein, em especial, enfatizou a importância do uso da linguagem, mostrando que o significado das palavras deriva enormemente do seu uso e que a linguagem é um elemento crucial da situação sociocultural em que é usada, não meramente um sistema de símbolos para representar o mundo "externo". Similarmente, o linguista Saussure salientou que os signos da linguagem, como todos os signos, derivam o significado da sua relação com outros signos. Uma visão de correspondência da linguagem, portanto, é substituída por uma visão relacional. O uso da linguagem é por si mesmo uma forma de ação social, e descrições são ações – elas não simplesmente representam o mundo, mas cumprem tarefas específicas no mundo (Wooffitt, 1996: 297).

Essa mudança no modo de ver a linguagem, e especialmente de ver o uso da linguagem como forma de ação social, abriu novas perspectivas importantes na análise qualitativa. Os exemplos incluem a análise da conversa na sociologia (com suas conexões com a etnometodologia), análise do discurso, semiótica e desconstrução. A análise da conversa se concentra na fala oral, mas as outras podem ser aplicadas tanto à linguagem escrita quanto à linguagem falada (a propósito, a todos os tipos de material verbal e textual). Seja aplicada(o) à linguagem oral ou escrita, a transcrição ou o texto não se reduz a uma condição secundária na pesquisa. Retomaremos esses tópicos no Capítulo 9.

## 8.2 Observação

A observação tem uma longa tradição nas ciências sociais, tendo sido extensamente empregada em especial por pesquisadores da educação (Foster, 1996b) e psicólogos (Irwin, 1980; Brandt, 1981; Liebert, 1995). Como as entrevistas, a observação enquanto técnica de coleta de dados pode, em vários graus, ser estruturada ou desestruturada.

### 8.2.1 Abordagens estruturadas e desestruturadas à observação

Na observação naturalista, os observadores não manipulam nem estimulam o comportamento daqueles observados – a situação sob observação naturalista não é planejada para fins de pesquisa. Trata-se de observação direta ou sem participantes, contrastando com a observação de participantes, que discutimos na Seção 8.3.

Na literatura que trata da observação como técnica de coleta de dados, os termos "quantitativa" e "qualitativa" são usados frequentemente. Os termos "estruturada" e "desestruturada" são mais adequados neste livro, porque os dados observacionais podem ser altamente estruturados sem necessariamente serem transformados em números. A questão não é se os dados observacionais serão transformados em números, mas sim a quantidade de estrutura que as observações envolverão.

As abordagens quantitativas são altamente estruturadas e exigem programas de observação desenvolvidos antecipadamente, e em geral muito minuciosos. Se tal abordagem for escolhida, o pesquisador precisará decidir se programas observacionais já existentes serão usados ou se um programa de observação será especialmente desenvolvido. Isso é parecido com a decisão no Capítulo 11 sobre usar ou não instrumentos de mensuração já existentes ou desenvolvê-los especificamente para um estudo, e considerações similares àquelas dadas no Capítulo 11 podem nortear a escolha aqui. Exemplos de programas de observação altamente estruturados são mostrados em Foster (1996b: 52-60).

As abordagens qualitativas à observação são muito mais desestruturadas. Nesse caso, o pesquisador não usa classificações e categorias predeterminadas, mas faz observações de modo mais natural e aberto. Seja qual for a técnica de gravação, o comportamento é observado como uma corrente de ações e eventos à medida que se desdobram naturalmente. A lógica aqui é que as categorias e conceitos para descrever e analisar os dados observacionais emergirão posteriormente na pesquisa, durante a análise, em vez de serem levados à pesquisa ou impostos aos dados desde o início.

Quando a estratégia observacional é desestruturada, o processo de observação tipicamente se desenvolve através de uma série de atividades diferentes. Começa com a seleção de um cenário e obtenção de acesso, depois inicia a observação e a gravação. À medida que o estudo progride, a natureza da observação muda, normalmente apurando o foco, levando a perguntas de pesquisa sempre mais claras que exigem mais observações selecionadas. A coleta de dados observacionais continua até que se chegue até a saturação teórica (Adler e Adler, 1994). Silverman (2011) sugere cinco estágios na organização de um estudo observacional inicialmente desestruturado:

- Iniciar a pesquisa (quando um grupo de perguntas muito gerais é proposto);
- Escrever notas de campo (geralmente começando com categorias descritivas amplas, mas depois desenvolvendo categorias e códigos mais focados);
- Ver e ouvir;
- Testar hipóteses; e
- Fazer ligações mais amplas.

Quando foco e estrutura emergem durante o trabalho de campo, a analogia do funil é útil (Spradley, 1980; Silverman, 2011). Como comentam Hammersley e Atkinson (1995: 206):

> A pesquisa etnográfica deve ter uma estrutura em "funil" característica, sendo progressivamente focada ao longo do processo. Com o passar do tempo, o problema de pesquisa precisa ser desenvolvido ou transformado e finalmente o seu escopo é esclarecido e delimitado e sua estrutura interna é explorada. Nesse sentido, frequentemente é bem no processo de investigação que se descobre o que a pesquisa trata, não raro sendo algo bastante diferente dos problemas previstos iniciais.

Esse tema da estrutura que é imposta, ou estrutura que emerge, é familiar. Nesse caso, ilustra o ponto específico do Capítulo 9 sobre abordagens holísticas e reducionistas aos dados. A observação estruturada, baseada em categorias predeterminadas, quebra o comportamento em pequenas partes. A observação desestruturada, por outro lado, pode se concentrar nos padrões mais extensos de comportamento, mais holisticamente e mais macroscopicamente. Há vantagens e desvantagens em ambas as abordagens. Com unidades menores de comportamento, perdemos o quadro maior, mas a gravação e a análise são mais fáceis e padronizadas. A abordagem mais holística mantém o quadro maior visível, mas a logística da gravação e especialmente da análise dos dados será mais exigente. Assim como outras situações, isso não precisa ser uma questão "ou isso/ou aquilo". Combinações das duas abordagens são possíveis, dependendo do contexto e objetivos de pesquisa.

## 8.2.2 Questões práticas na observação

Há dois pontos práticos principais ao se planejar a coleta de dados observacionais – abordagem da observação e gravação.

*Abordagem da observação* (Foster, 1996b) significa estabelecer o foco das observações, selecionar os casos para a observação e, conforme apropriado, selecionar dentro dos casos para a observação. Em outras palavras, o pesquisador precisa decidir o que será observado e por quê. São decisões de amostragem e precisam ser tomadas em referência às perguntas de pesquisa. A questão da estrutura também se aplica aqui. Na extremidade altamente estruturada, a abordagem da observação em termos de foco e casos é organizada antes da coleta de dados. Na observação desestruturada, foco e casos somente poderão se tornar claros à medida que as observações forem feitas. A obtenção de acesso também faz parte da prática da abordagem da observação. Em alguns cenários, isso envolverá negociação com guardiões, e tipos diferentes de pesquisa poderão exigir tipos diferentes de negociação e acesso.

As possibilidades gerais para *gravar dados observacionais* variam desde o uso de equipamentos de vídeo e audiovisuais até o uso de notas de campo[1]. Pode ser vantajoso combinar esses métodos diferentes. A escolha aqui é influenciada pelo grau de estruturação ou desestruturação dos dados – embora hoje cada vez mais haja equipamentos de gravação sofisticados, vale a pena gravar tudo e, ainda que programas de observação estruturados estejam envolvidos, usar no estágio de análise. Esses diferentes métodos de gravação têm seus pontos fortes e limitações (Foster, 1996b). O trabalho do pesquisador observacional é aquele usual de análise em relação aos objetivos e contexto da pesquisa e depois de uma escolha adequada.

Antes de deixar a observação direta e passar para a observação de participantes – método fundamental para a coleta de dados na etnografia –, devemos notar a importância da observação direta na etnografia. "A exigência de observação direta, prolongada e no local não pode ser evitada nem reduzida. São as entranhas da abordagem etnográfica. Isso nem sempre significa observação de participantes" (Spindler e Spindler, 1992: 63). E, mais uma vez: "Sobretudo é necessário que o etnógrafo observe diretamente. Independentemente dos instrumentos, codificadores, gravadores ou técnicas, a principal obrigação é que o etnógrafo esteja presente quando a ação acontecer e sua presença altere tal ação o mínimo possível" (1992: 64). Logo, a observação direta, assim como a observação de participantes, é importante na etnografia. É um lembrete oportuno para equilibrar uma possível ênfase exagerada – especialmente em estudos interacionistas simbólicos – em percepções, perspectivas e significados. Há riscos na substituição de observação direta por dados sobre percepções (Silverman, 2011). Em outras palavras, além de estudarmos as percepções, devemos também estudar o que as pessoas fazem. Assim, uma boa estratégia na pesquisa qualitativa é combinar técnicas de coleta de dados de entrevista e observacionais – por exemplo, gravar o comportamento das pessoas e depois usar os dados observacionais para informar e guiar as entrevistas etnográficas qualitativas com essas pessoas pode gerar dados de alta qualidade muito ricos.

A observação etnográfica tem um sabor especial, o sabor da própria etnografia. Como afirma Wolcott (1988: 193):

> Somos observadores etnográficos quando servimos ao contexto cultural do comportamento em que estamos envolvidos ou observando e quando estamos buscando aqueles grupos mutuamente entendidos de expectativas e explicações que nos possibilitam interpretar o que está ocorrendo e quais significados provavelmente estão sendo atribuídos pelos outros presentes.

As técnicas de coleta de dados na etnografia precisam estar alinhadas a esse ponto de vista. Isso significa que tanto o comportamento (ou situação) quanto o significado desse comportamento ou situação visto(a) pelos envolvidos são de interesse na etnografia.

## 8.3 Observação de participantes

As principais características da etnografia foram descritas no Capítulo 7. A ideia essencial mais uma vez é captada nesta citação de Spradley (1980: 5):

> O núcleo essencial da etnografia é o interesse no significado das ações e eventos para as pessoas que tentamos entender. Alguns desses significados são expressos diretamente na linguagem; muitos são desprezados e comunicados apenas indiretamente por palavras e ações. Mas em qualquer sociedade as pessoas fazem uso constante desses sistemas de significado complexos para organizar seu comportamento, entender a si mesmas e os outros, e entender o mundo onde vivem. Esses sistemas de significado constituem a sua cultura; a etnografia sempre implica uma teoria da cultura.

A observação de participantes é a principal técnica de coleta de dados na etnografia. Difere da observação direta ou sem participantes porque a função do pesquisador muda de observador imparcial da situação para participante e observador da situação. Isso suscita uma pergunta geral sobre a função do pesquisador na pesquisa de observação: até que ponto o pesquisador ficará distante ou removido do comportamento estudado? Ou a que ponto o pesquisador estará envolvido no comportamento? Há um *continuum* de possibilidades aqui, conforme resumido na literatura pelas estruturas de Gold (1958), Adler e Adler (1994) e Wolcott (1988).

A análise de Gold classifica transversalmente participante e observador, conforme mostra a Figura 8.2. Adler e Adler modificam isso e descrevem três funções de associação para o observador-pesquisador: o membro-pesquisador completo, o membro-pesquisador ativo e o membro-pesquisador periférico. Wolcott faz uma distinção entre a oportunidade do pesquisador de ser participante ativo, observador privilegiado e observador limitado. Seja qual for a classificação usada, essas possibilidades para o pesquisador podem ter consequências diferentes para o grau de intrusão ou não intrusão envolvida na coleta de dados etnográficos. Isso se refere ao grau de intrusão do pesquisador na situação durante a coleta de dados, o que, por sua vez, influencia o grau de reatividade na observação ou dados de observação de participantes[2].

Essas estruturas nos ajudam a refletir sobre a função do pesquisador na observação de participantes e possíveis efeitos dessa função sobre os dados. A real função do trabalho de campo na pesquisa pode ser uma mistura dessas possibilidades. Seja qual for a função, a observação de participantes em larga escala – "imersão prolongada na vida de um grupo, comunidade ou organização a fim de discernir hábitos e pensamentos das pessoas, além de decidir a estrutura social que os une" (Punch, 1994: 84) – é uma forma exigente e especializada de coleta de dados. Assumir a função do outro, "virar nativo", obter a perspectiva de quem está do lado de dentro tornando-se parte do cenário natural não é algo objetivo e suscita várias questões. Elas incluem as questões éticas associadas a esse método de coleta de dados, as questões conceituais da importância do retrato prévio do pesquisador e a função de exploração e inspeção na observação de participantes (Blumer, 1969), e questões mais práticas de obtenção de acesso à situação, observação aberta *versus* fechada, "gestão frontal" ou a apresentação de si mesmo feita pelo pesquisador, e como gravar o que está sendo observado (Fielding, 1996a).

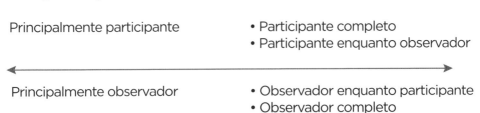

**Figura 8.2 Tipologia das funções da pesquisa naturalista**
Fonte: Gold, 1958.

É difícil codificar os estágios envolvidos na observação de participantes, mas a estrutura de Spradley é útil. Ele analisa a observação de participantes (e a etnografia) numa sequência de 12 trabalhos de desenvolvimento ("Sequência de Pesquisa de Desenvolvimento"), cujo produto final é uma etnografia escrita (Spradley, 1980). Para Spradley, a observação de participantes associada às entrevistas etnográficas produz a descrição etnográfica. As entrevistas etnográficas usam perguntas desenhadas para descobrir os significados culturais que as pessoas aprenderam. Spradley mostra como as perguntas descritivas, perguntas estruturais e perguntas de contraste são usadas assim, como parte do relato passo a passo que ele faz da observação de participantes. Por outro lado, Hammersley e Atkinson (2007) são menos diretivos – os etnógrafos não decidem antes as perguntas que desejam fazer, embora possam entrar na entrevista com uma lista de temas que deverão ser incluídos.

Wolcott (1988) escreve de modo mais genérico sobre sete tipos de entrevistas que os antropólogos podem usar associados à observação de participantes, quais sejam: entrevista de informante fundamental; entrevista de história de vida; entrevista estruturada ou formal; entrevista informal; questionário; técnicas projetivas e testes padronizados; e instrumentos de mensuração relacionados. Boa parte disso foi abordado na Seção 8.1, mas as entrevistas de informantes fundamentais e as entrevistas de histórias de vida exigem um breve comentário. O trabalho empírico em antropologia e sociologia muitas vezes depende do informante fundamental – "indivíduo em quem alguém investe um tempo desproporcional porque tal indivíduo parece ser particularmente bem informado, articulado, acessível ou disponível" (Wolcott, 1988: 195). É uma abordagem que muitas vezes pode ser adaptada à pesquisa em ciências sociais. Na etnografia, a entrevista com informantes fundamentais é apropriada porque as pessoas diferem também em sua sensibilidade cultural; portanto, em sua habilidade de contribuir com dados culturalmente significativos. As entrevistas de histórias de vida, quando possíveis, podem ajudar enormemente a entender como o contexto social é vivido nas vidas individuais. A profundidade dos dados possível nessa entrevista ajuda a obter um entendimento pleno da visão de mundo do participante (Fetterman, 2010).

## 8.4 Dados documentais

Documentos, tanto históricos quanto contemporâneos, são uma fonte rica de dados para a pesquisa em ciências sociais. De fato, uma característica distintiva da nossa sociedade pode ser a vasta gama de "evidência documental" rotineiramente compilada e retida. Porém boa parte dela é negligenciada pelos pesquisadores, talvez porque a coleta de outros tipos de dados de pesquisa (experimentos, levantamentos, entrevistas, observações) tenha entrado mais na moda. Isso é irônico, já que o desenvolvimento das ciências sociais dependia grandemente da pesquisa documental (MacDonald e Tipton, 1996: 187). Por exemplo, na sociologia, Marx, Durkheim e Weber trabalhavam principalmente com documentos; similarmente, a sociologia da Escola de Chicago muitas vezes se baseou em documentos escritos (Hammersley e Atkinson, 2007). Esses pontos têm uma aplicação particular na pesquisa institucional e organizacional. Por exemplo, organizações como escolas, colégios, faculdades, além de empresas e departamentos governamentais, hospitais e muitos outros tipos de organizações, normalmente produzem muitos dados documentais. Infelizmente, boa parte deles é negligenciada pelos pesquisadores.

Fontes de dados documentais podem ser usadas de várias formas na pesquisa em ciências sociais. Alguns estudos podem depender inteiramente de dados documentais, com foco independente. Alguns tipos de análises de políticas são exemplos, assim como o exercício sugerido por MacDonald e Tipton (1996), em que os alunos são solicitados a pesquisar escândalos financeiros usando fontes documentais. Em outra pesquisa, como estudos de caso ou estudos de teoria fundamentada, dados documentais podem ser coletados com entrevistas e observações. Em associação a outros dados, os documentos podem ser importantes na triangulação, quando um conjunto de interseção de métodos diferentes e tipos de dados é usado num único projeto (Denzin, 1989). Finalmente, os produtos documentais são especialmente importantes para o etnógrafo, fornecendo uma "veia rica para análise" (Hammersley e Atkinson, 1995: 173). O etnógrafo usará todas as maneiras de recursos escritos e quaisquer outros materiais que ajudem na documentação do comportamento imediato natural e detalhado dos participantes (Spindler e Spindler, 1992: 74) ou na significância e contexto cultural e simbólico desse comportamento. Os sociólogos apontam que evidências documentais não significam somente palavras – também podem incluir evidências audiovisuais.

O espectro de documentos que podem ser usados pelos pesquisadores inclui diários, cartas, ensaios, anotações pessoais, biografias e autobiografias, relatórios e memorandos institucionais, procedimentos e pronunciamentos governamentais (Jupp, 2006), papéis e documentos com políticas. E essa lista não inclui evidências quantitativas documentais, como arquivos, estatísticas e registros, que também são de interesse. Os autores classificaram essa espantosa variedade (Hammersley e Atkinson, 2007). Por exemplo, MacDonald e Tipton (1996) usam esta classificação ampla dividida em quatro partes: registros públicos, a mídia, papéis particulares e documentos visuais. Outras distinções usadas são fontes primárias-secundárias, usos diretos-indiretos (Finnegan, 2006), classificação de acordo com o referente e se o(s) documento(s) foi(foram) produzido(s) com essa pesquisa em mente – a distinção deliberada-não deliberada. A última é um tipo de medida de não intrusão em que o observador é removido das interações ou eventos estudados (Webb et al., 1966; Jupp, 2006).

A tipologia bipartida de documentos de Scott se baseia em autoria e acesso (Scott, 1990; Jupp, 2006). Autoria se refere à origem do documento (em três categorias – pessoal, oficial-privada, oficial-estatal), enquanto acesso se refere à disponibilidade de documentos às pessoas, não aos autores (em quatro categorias – fechada, restrita, aberta-arquivística e aberta-publicada). Essa tipologia de 12 células sugere quatro questões essenciais na avaliação de dados documentais (Jupp, 2006): sua autenticidade (se são originais e genuínos), sua credibilidade (se são precisos), sua representatividade (se são representativos da totalidade de documentos da sua classe) e seu significado (o que pretendem dizer).

MacDonald e Tipton (1996: 199) enfatizam que, na pesquisa documental, nada pode ser desprezado e recomendam a estrutura de triangulação de Denzin para garantir que tudo seja verificado a partir de mais de um ângulo. Finnegan (2006) aponta que refletir e verificar como os documentos vieram a existir gera outras oito perguntas úteis:

1. O pesquisador usou as fontes existentes relevantes e adequadas ao seu tópico de pesquisa?
2. Até que ponto o pesquisador considerou alguma "distorção" ou seleção dos fatos nas fontes usadas?
3. Que tipo de seleção o pesquisador fez em seu uso das fontes? Guiado por quais princípios?
4. Até que ponto uma fonte que descreve certo incidente ou caso reflete a situação geral?
5. A fonte está voltada a recomendações, ideais ou ao que deve ser feito?
6. Qual é a relevância do contexto da fonte?
7. Com fontes estatísticas: quais eram os pressupostos segundo os quais as estatísticas foram coletadas e apresentadas?

8. E, finalmente, tendo considerado todos os fatores anteriores, você acha que o pesquisador chegou a uma interpretação razoável do significado das fontes?

Para os etnógrafos, produtos documentais proveem uma fonte rica de questões analíticas, que incluem: Como os documentos são escritos? Como são lidos? Quem os escreve? Quem os lê? Para quê? Em quais ocasiões? Com quais resultados? O que é registrado? O que é omitido? O que o autor parece considerar sobre o(s) leitor(es)? O que os leitores precisam saber para entendê-los? (Hammersley e Atkinson, 2007). Essas perguntas transcendem a análise textual, a análise de dados documentais, descrita no Capítulo 9. Como o documento veio a existir – sua produção social – é um dos seus principais temas. Outros são a organização social do documento e a análise do seu significado.

## 8.5 Procedimentos para coleta de dados

Se a coleta de dados qualitativos envolver entrevistas, observação, observação de participantes ou documentos, há quatro coisas do senso comum que podemos fazer para maximizar a qualidade dos dados:

- Avaliar os motivos e a logística da coleta de dados proposta e planejar cuidadosamente a coleta de dados.
- Prever e simular os procedimentos para coleta de dados; isso mostrará o valor de fazer testes-piloto de quaisquer instrumentos (se adequado) e os procedimentos para usá-los.
- Ao abordar as pessoas para a coleta de dados, garantir que a abordagem seja ética e profissional; o modo de negociar o acesso e a cooperação pode surtir um efeito importante na qualidade dos dados.
- Apreciar a função do treinamento na preparação para a coleta de dados, tanto para nós quanto para os outros; por exemplo, se estivermos fazendo entrevistas desestruturadas (ou grupo focal), não devemos simplesmente supor que seremos bons nisso, mas nos preparar, assumindo atividades planejadas para desenvolver as habilidades envolvidas; se outras pessoas estiverem envolvidas na coleta dos dados, precisarão de treinamento; se um equipamento especial estiver envolvido (como de gravação), devemos garantir que as habilidades adequadas para usá-lo tenham sido dominadas.

É frequente que o ponto de um estudo qualitativo seja ver algo holisticamente e de modo abrangente, estudá-lo em sua complexidade e entendê-lo em seu contexto. Esses pontos correspondem a três críticas à pesquisa quantitativa em ciências sociais – que é reducionista demais na sua abordagem ao estudo do comportamento, portanto perdendo o panorama de vista; que simplifica exageradamente a realidade social em sua ênfase na mensuração; e que retira o contexto dos dados. Para o pesquisador qualitativo, a "verdade" sobre o comportamento humano não é independente do contexto; não é livre de contexto. Portanto, é importante que o pesquisador qualitativo saiba transmitir o retrato inteiro. O termo geralmente usado para captar isso é "descrição densa". Há duas partes nessa ideia. Primeiro, a descrição (do grupo, ou do caso, evento ou fenômeno) deve especificar tudo o que o leitor precisa saber para entender as descobertas. Segundo, o relatório de pesquisa precisa fornecer informações suficientes sobre o contexto da pesquisa para que o leitor possa julgar a transferibilidade ou generalizabilidade das suas descobertas (Lincoln e Guba, 1985). A natureza exata da descrição densa varia de projeto para projeto, mas as duas partes da ideia reconhecem e enfatizam o contexto em torno de qualquer projeto e suas descobertas. Mas não podemos *dar* o retrato completo a menos que *tenhamos* o retrato completo. É um aspecto importante da qualidade dos dados na pesquisa qualitativa.

## 8.6 Amostragem na pesquisa qualitativa

A amostragem é tão importante na pesquisa qualitativa quanto na pesquisa quantitativa – como observam Miles e Huberman (1994: 27), "não é possível estudar todos em toda parte fazendo tudo". Decisões sobre amostragem são necessárias não somente a respeito de quem entrevistar ou quais eventos observar, mas também sobre cenários e processos. Até um estudo de caso, quando a seleção de casos puder ser objetiva, exigirá amostragem no caso. Não podemos estudar tudo até mesmo sobre um único caso. Um estudo qualitativo baseado em documentos também enfrentará, na maioria dos casos, questões de amostragem.

Porém, existe uma grande diferença na amostragem nas duas abordagens. Na pesquisa quantitativa, um foco importante tende a estar na amostragem de pessoas. O conceito básico usado muitas vezes é a amostragem de probabilidade direcionada à representatividade – mensurações de variáveis são realizadas a partir de uma amostra, que é escolhida para representar alguma população maior. Devido à representatividade, as descobertas da amostra serão inferidas de volta à população. A pesquisa qualitativa raramente usaria a amostragem de probabilidade, e sim algum tipo de amostragem deliberada – "amostragem proposital" é o termo usado frequentemente. Significa amostragem de modo deliberado, com algum propósito ou foco em mente.

Não há resumos simples de estratégias para a amostragem na pesquisa qualitativa em ciências sociais devido à grande variedade de abordagens, objetivos e cenários de pesquisa. Logo, Miles, Huberman e Saldana (2013) mostram 16 estratégias de amostragem qualitativa numa tipologia e se referem a outras em sua discussão. Tais estratégias são reproduzidas aqui na Tabela 8.1. Patton (2002), Johnson (1990) e Janesick (1994) contribuem com outras ainda. As ideias básicas subjacentes às estratégias de amostragem específicas variam consideravelmente e refletem os objetivos e questões que norteiam o estudo. Por exemplo, um plano de amostragem de variação máxima buscaria deliberadamente o máximo possível de variação, enquanto uma amostragem homogênea buscaria minimizar a variação. Algumas situações de pesquisa em ciências sociais exigiriam a primeira opção, outras exigiriam a segunda. Similarmente, há algumas situações em que a amostragem de conveniência seria apropriada, em que se tira vantagem de casos, eventos, situações ou informantes próximos. Outras exigiriam uma amostragem de caso extremo, por exemplo quando a estratégia é aprender com manifestações inusitadas ou negativas do fenômeno. Na etnografia e pesquisa com observação de participantes especialmente, a amostragem de informantes está envolvida e isso pode ser sequencial, no sentido de que vários passos podem ser necessários para localizar informantes ricos de informações. Na pesquisa com estudo de caso, a amostragem qualitativa envolve a identificação do(s) caso(s) e a delimitação, quando indicamos os aspectos a estudar, e a construção de uma moldura de amostragem, onde focamos ainda mais a seleção. Depois, contudo, descrições gerais de amostragem são difíceis porque há grande variabilidade. Um outro exemplo é a amostragem interna do caso, que envolve a seleção de foco dentro do caso estudado, enquanto a amostragem de múltiplos casos é mais direcionada à replicação em casos similares e contrastantes.

Nas várias estratégias de amostragem qualitativa, há um princípio claro envolvido que se refere à validade geral do desenho de pesquisa e enfatiza que a amostragem deve se adequar aos outros componentes do estudo. Deve haver uma consistência interna e uma lógica coerente em todos os componentes do estudo, inclusive na sua amostragem. O plano de amostragem e os parâmetros de amostragem (cenários, atores, eventos, processos) devem se alinhar aos objetivos e perguntas de pesquisa do estudo. Se não ficar claro quais casos, aspectos ou incidentes devem ser estudados, geralmente vale a pena dedicar mais trabalho ao desenvolvimento das perguntas de pesquisa. Se os objetivos e perguntas de pesquisa não derem um direcionamento sobre a amostragem, provavelmente precisam de mais desenvolvimento.

**Tabela 8.1 Estratégias de amostragem na investigação qualitativa**

| Tipo de Amostragem | Objetivo |
| --- | --- |
| Variação máxima | Documentar diversas variações e identificar padrões comuns importantes. |
| Homogênea | Focar, reduzir, simplificar, facilitar entrevistas em grupo. |
| Caso crítico | Permitir generalização lógica e aplicação máxima de informações a outros casos. |
| Baseada em teoria | Encontrar exemplos de um construto teórico e assim o elaborar e examinar. |
| Que confirma e contesta casos | Elaborar uma análise inicial, buscar exceções, procurar variação. |
| Bola de neve ou em cadeia | Identificar casos de interesse de pessoas que conhecem pessoas que sabem quais casos são ricos de informações. |
| Caso extremo ou desviante | Aprender com manifestações altamente inusitadas do fenômeno de interesse. |
| Caso típico | Salientar o que é normal ou comum. |
| Intensidade | Examinar casos ricos de informações que manifestam o fenômeno de modo intenso, mas não extremo. |
| Politicamente importante | Atrair a atenção desejada ou evitar atrair casos de atenção indesejada. |
| Propositada aleatória | Agregar credibilidade à amostra quando uma potencial amostra propositada for grande demais. |
| Propositada estratificada | Ilustrar subgrupos, facilitar comparações. |
| Critério | Considerar todos os casos que atendam certo critério. É útil para controle de qualidade. |
| Oportunista | Seguir novidades, tirar proveito do inesperado. |

| | |
|---|---|
| Combinada ou mista | Incluir triangulação, flexibilidade, atender múltiplos interesses e necessidades. |
| Conveniência | Poupar tempo, dinheiro e esforço, mas às custas de informações e credibilidade. |

Fonte: Miles e Huberman (1994: 28).

Esse princípio é útil quando estamos pré-especificando o plano de amostragem. Mas e quando o plano de amostragem evolui ao longo do estudo? Aqui mais uma vez é necessário que haja uma base lógica para o modo de evolução, e o mesmo princípio se aplica. As decisões sobre as direções de amostragem devem ser coerentes e consistentes com a lógica do estudo, e não arbitrárias ou *ad hoc*. Um exemplo claro desse princípio em funcionamento à medida que o plano de amostragem de um estudo evolui é a amostragem teórica, conforme discutimos na Seção 7.5.4. Amostragem teórica é:

> o processo de coleta de dados para gerar teoria pelo qual o analista conjuntamente coleta, codifica e analisa seus dados e decide quais dados coletar em seguida e onde encontrá-los para desenvolver a sua teoria à medida que ela emerge. O processo de coleta de dados é controlado pela amostragem teórica de acordo com a teoria emergente (Glaser, 1992: 101).

Tanto a amostragem teórica à medida que um estudo se desenvolve quanto a amostragem guiada pela teoria antes da pesquisa são exemplos do conceito mais geral de amostragem proposital.

Miles, Huberman e Saldana (2013) sugerem seis perguntas gerais para a verificação de um plano de amostragem qualitativa. A primeira é a que acabamos de considerar:

- A amostragem é relevante à sua moldura conceitual e perguntas de pesquisa?
- Os fenômenos do seu interesse aparecerão? Em tese, eles podem aparecer?
- O seu plano acentua a generalizabilidade das suas descobertas através de representatividade ou poder conceitual?
- Explicações e descrições plausíveis e fiéis à vida real podem ser produzidas?
- O plano de amostragem é viável em termos de tempo, dinheiro, acesso às pessoas e ao seu próprio estilo de trabalho?
- O plano de amostragem é ético em termos de questões como consentimento informado, possíveis riscos e benefícios, e relação com os informantes?

Finalmente, como ocorre com a pesquisa quantitativa, devemos observar também a importância crescente da análise secundária com dados qualitativos, já que a pesquisa primária está cada vez mais cara. No Reino Unido, por exemplo, o Serviço de Dados Econômicos e Sociais (ESDS) é um serviço nacional de dados que, entre outras coisas, abriga o Arquivo de Dados do Reino Unido. O arquivo permite acesso contínuo ao maior acervo de dados de pesquisa digital das ciências sociais do Reino Unido e possui milhares de acervos de dados para ensino e pesquisa em ciências sociais (quantitativa e qualitativa). Os dados geralmente são adquiridos através da Política de Conjuntos de Dados do Conselho de Pesquisa Econômica e Social (ESRC) que solicita a todos aqueles que recebam financiamento de pesquisa que ofereçam os dados coletados durante a sua pesquisa para preservação e compartilhamento através do ESDS. O ESDS Qualidata funciona junto aos geradores de dados para garantir que dados qualitativos de qualidade e bem documentados sejam produzidos. O serviço provê orientação geral e um serviço de consultoria dedicado aos depositários e geradores de dados. Para saber mais informações sobre o ESDS, acesse http://www.esds.ac.uk/news/publications/qualleaflet.pdf e, para conhecer mais o arquivo de dados, acesse http://www.data-archive.ac.uk/about/projects. Uma breve discussão de análise secundária, com instruções para leitura complementar, consta na Seção 11.12.

## Resumo do capítulo

- A entrevista é a técnica de coleta de dados mais usada na pesquisa qualitativa; há tipos diferentes de entrevistas, especialmente a respeito do grau da estrutura, e o tipo de entrevista usada deve se alinhar aos objetivos, perguntas e estratégia geral da pesquisa.
- Um planejamento cuidadoso para administrar as várias questões práticas envolvidas na coleta de dados pela entrevista aumentará a qualidade dos dados da entrevista.
- Como as entrevistas, a observação enquanto técnica de coleta de dados pode variar de altamente estruturada até totalmente desestruturada; mais uma vez, o tipo de observação usado deve se adequar aos objetivos, perguntas e estratégia da pesquisa.
- As principais questões práticas na coleta de dados observacionais são a abordagem à observação (incluindo seleção de casos e seleção interna de casos) e a gravação da observação.

- A observação de participantes é a principal técnica de coleta de dados em etnografia; em vez de estar separado da situação, o pesquisador na observação de participantes é um participante e observador da situação.
- As entrevistas etnográficas objetivam descobrir os significados culturais que as pessoas aprenderam e são frequentemente usadas com a observação de participantes.
- Os documentos são uma fonte de dados rica – e muitas vezes negligenciada – para a pesquisa em ciências sociais; muitos projetos são enriquecidos pela inclusão de dados documentais além de dados observacionais e/ou de entrevistas.
- Maximizando a qualidade da entrevista, os dados observacionais e documentais coletados requerem um planejamento atento, previsão de eventuais problemas, acesso profissionalmente negociado à situação de coleta de dados e treinamento.
- A amostragem é importante na pesquisa qualitativa, e a estratégia de amostragem usada deve se adequar aos objetivos, perguntas e estratégia geral da pesquisa; várias estratégias de amostragem são possíveis, mas a amostragem de pesquisa qualitativa seria em sua maior parte deliberada ou "propositada" de certa forma.

## Termos-chave

Amostragem deliberada (ou propositada): a amostragem para obter representatividade não é o critério principal; em vez disso, as amostras são selecionadas deliberadamente, de acordo com alguns critérios extraídos da estratégia e lógica geral do estudo; muitas estratégias de amostragem deliberadas diferentes são possíveis.

Amostragem de probabilidade: bastante usada na pesquisa quantitativa, em que a amostragem é direcionada principalmente à representatividade; às vezes chamada de amostragem aleatória.

Dados documentais: termo geral para qualquer tipo de evidência documental já existente, formal ou informal.

Entrevistas com grupos focais: várias pessoas são entrevistadas como um grupo, não individualmente; o pesquisador funciona mais como moderador e facilitador e menos como entrevistador.

Entrevista desestruturada: método flexível de coleta de dados, às vezes chamado de entrevista aberta ou profunda; quaisquer perguntas predefinidas são muito gerais, nenhuma resposta predefinida é usada, e as perguntas subsequentes dependem das respostas às perguntas anteriores; perguntas de sondagem e complementares são muito importantes.

Entrevista estruturada: perguntas preestabelecidas são usadas com categorias de resposta predefinidas; há pouco espaço para variação nas perguntas.

Observação de participantes: o pesquisador deixa de ser um observador apartado da situação e passa a ser participante e observador da situação; muito usada em etnografia para investigar os significados das ações e eventos para os participantes.

Observação desestruturada: o foco é em padrões mais amplos de comportamento, de modo mais holístico e macroscópico; não usa categorias predeterminadas e capta o comportamento de forma mais natural e aberta.

Observação estruturada: cronogramas de observação desenvolvidos antecipadamente são usados para estudar o comportamento, muitas vezes com categorias muito detalhadas que dividem o comportamento em pequenas partes.

## Exercícios e perguntas para estudo

1. Quais são os pontos fortes e fracos:
   - Das entrevistas estruturadas?
   - Das entrevistas desestruturadas?
   - Da observação estruturada?
   - Da observação desestruturada?
2. Para quais tipos de situações de pesquisa e perguntas de pesquisa as entrevistas de grupos focais seriam um método de coleta de dados útil?
3. Como entrevistas e observação podem ser combinadas na coleta de dados qualitativos?
4. Ao planejar o estudo de caso de uma escola, colégio ou universidade (com perguntas de pesquisa adequadas), quais dados documentais existentes sobre a escola, colégio ou universidade seriam úteis?
5. De que forma(s) a negociação com respondentes em busca de acesso e cooperação pode influenciar a qualidade dos dados? (Considere especialmente entrevistas qualitativas profundas desestruturadas com uma amostra de gerentes de pequenas empresas, p. ex.)
6. Por que a amostragem é importante na pesquisa qualitativa? O que significam estratégia de amostragem e lógica de uma estratégia de amostragem?

## Leitura complementar

Adler, P.A. e Adler, P. (1994) "Observational techniques". In: N.K. Denzin e Y.S. Lincoln (eds.), *Handbook of Qualitative Research*. Thousand Oaks, CA: Sage, p. 377-392.

Atkinson, P. e Hammersley, M. (1994) "Ethnography and participant observation". In: N.K. Denzin e Y.S. Lincoln (2011) (eds.), *Handbook of Qualitative Research*. 4. ed. Thousand Oaks, CA: Sage.

Babbie, E. (2012) *The Practice of Social Research*. 13. ed. Belmont, CA: Wadsworth.

Denzin, N.K. (1989) *The Research Act*. 3. ed. Englewood Cliffs, NJ: Prentice-Hall.

Fielding, N. (2008) "Qualitative interviewing". In: N. Gilbert (ed.), *Researching Social Life*. 3. ed. Londres: Sage, p. 138-152.

Finnegan, R. (1992) *Oral Traditions and the Verbal Arts: A Guide to Research Practices*. Londres: Routledge.

Finnegan, R. (2006) "Using documents". In: R. Sapsford e V. Jupp (eds.), *Data Collection and Analysis*. 2. ed. Londres: Sage, p. 138-152.

Foddy, W. (1993) *Constructing Questions for Interviews and Questionnaires: Theory and Practice in Social Research*. Cambridge: Cambridge University Press.

Fontana, A. e Frey, J.H. (1994) "Interviewing: the art of Science". In: N.K. Denzin e Y.S. Lincoln (eds.), *Handbook of Qualitative Research*. Thousand Oaks, CA: Sage, p. 361-376.

Foster, P. (1996) *Observing Schools: A Methodological Guide*. Londres: Paul Chapman.

Greenbaum, T.L. (1998) *The Handbook for Focus Group Research*. Thousand Oaks, CA: Sage.

Hammersley, M. e Atkinson, P. (2007) *Ethnography: Principles in Practice*. 3. ed. Londres: Routledge.

Krueger, R.A. (2008) *Focus Groups: A Practical Guide for Applied Research*. 4. ed. Thousand Oaks, CA: Sage.

Kvale, S. (1996) *Interviews: An Introduction to Qualitative Research Interviewing*. Newbury Park, CA: Sage.

MacDonald, K. e Tipton, C. (1996) "Using documents". In: N. Gilbert (ed.), *Researching Social Life*. Londres: Sage, p. 187-200.

Minichiello, V., Aroni, R., Timewell, E. e Alexander, L. (1990) *In-depth Interviewing: Researching People*. Melbourne: Longman Cheshire.

Morgan, D.L. (1997) *Focus Groups as Qualitative Research*. 2. ed. Thousand Oaks, CA: Sage.

Plummer, K. (1983) *Documents of Life*. Londres: Allen and Unwin.

Scott, J. (1990) *A Matter of Record: Documentary Sources in Social Research*. Cambridge: Polity Press.

Silverman, D. (1985) *Qualitative Methodology and Sociology*. Farnborough: Gower.

Silverman, D. (2011) *Interpreting Qualitative Data: Methods for Analysing Talk, Text and Interaction*. 4. ed. Londres: Sage.

Spradley, J.P. (1979) *The Ethnographic Interview*. Nova York: Holt, Rinehart and Winston.

Spradley, J.P. (1980) *Participant Observation*. Nova York: Holt, Rinehart and Winston.

Stewart, D., Shamdasami, P. e Rook, D. (2006) *Focus Goups: Theory and Practice*. 2. ed. Thousand Oaks, CA: Sage.

## Notas

1. Fazer e tomar notas de campo suscita questões sobre o que registrar, quando e como. Sobre "o que registrar", Spradley (1980) sugere uma lista básica para guiar as notas de campo, usando nove títulos (espaço, ator, atividade, objeto, ato, evento, tempo, meta e sentimento). "Quando" e "como" fazer notas de campo em pesquisa de observação e observação de participantes são discutidos por Hammersley e Atkinson (1995: 175-886).

2. Essas questões, e especialmente a conexão entre intrusão e reatividade, foram destaques no livro de Webb et al. (1966). São consideradas novamente no Capítulo 11.

# 9
# ANÁLISE DE DADOS QUALITATIVOS

**Sumário**

9.1  Diversidade na análise qualitativa
9.2  Indução analítica
9.3  A estrutura de Miles e Huberman para análise de dados qualitativos
   9.3.1  Codificação
   9.3.2  Anotações
9.4  Abstração e comparação
9.5  Análise com teoria fundamentada
   9.5.1  Panorama
   9.5.2  Codificação aberta
   9.5.3  Codificação axial (ou teórica)
   9.5.4  Codificação seletiva
9.6  Outras abordagens analíticas na análise qualitativa
   9.6.1  Narrativas e significado
   9.6.2  Etnometodologia e análise da conversa
   9.6.3  Análise do discurso
   9.6.4  Semiótica
   9.6.5  Análise documental e textual
9.7  Computadores na análise de dados qualitativos
9.8  A seção de análise de dados numa proposta de pesquisa qualitativa
   Resumo do capítulo
   Termos-chave
   Exercícios e perguntas para estudo
   Leitura complementar
   Notas

**OBJETIVOS DE APRENDIZAGEM**

**Após estudar este capítulo, você saberá:**

- Discutir a diversidade de abordagens na análise de dados qualitativos;
- Explicar o que significam indução e graus de abstração;

- Descrever codificação e anotações em termos gerais;
- Resumir a abordagem de Miles e Huberman à análise de dados qualitativos;
- Resumir a abordagem de teoria fundamentada à análise de dados qualitativos;
- Explicar as principais ideias que subjazem à análise narrativa, análise etnometodológica e da conversa, análise do discurso, análise semiótica e análise documental.

No Capítulo 7, observamos a diversidade da pesquisa qualitativa. Talvez em nenhum outro lugar essa diversidade seja mais aparente do que nas abordagens à análise de dados qualitativos. De fato, o próprio termo "análise de dados" tem significados diferentes entre os pesquisadores qualitativos, e essas interpretações levam a diferentes métodos de análise. Começamos este capítulo observando a diversidade atual na análise qualitativa. Isso é seguido de uma descrição de algumas das principais ideias e abordagens na análise de dados qualitativos. O capítulo termina com alguns conselhos gerais sobre a redação da seção de análise de dados numa proposta de pesquisa qualitativa, em vista dos múltiplos métodos disponíveis.

## 9.1 Diversidade na análise qualitativa

A pesquisa qualitativa em ciências sociais se concentra no estudo do comportamento humano e da vida social em cenários naturais. A sua riqueza e complexidade significam que há modos diferentes de analisar a vida social, e, portanto, múltiplas perspectivas e práticas na análise de dados qualitativos: "Há uma variedade de técnicas porque há perguntas diferentes a abordar e versões diferentes da realidade social que podem ser elaboradas" (Coffey e Atkinson, 1996: 14). As técnicas diferentes muitas vezes estão interconectadas, sobrepostas e são complementares, e às vezes mutuamente exclusivas – "casais irreconciliáveis" (Miles e Huberman, 1994: 9). Mas sejam complementares ou contrastantes, há bons motivos para a existência das várias estratégias analíticas, já que qualquer conjunto de dados qualitativos pode ser visto de perspectivas diferentes. Um repertório de técnicas analíticas, portanto, caracteriza a pesquisa qualitativa atual, e técnicas diferentes podem ser aplicadas ao mesmo corpo de dados qualitativos, iluminando aspectos diferentes dele (Exemplo 9.1).

> **EXEMPLO 9.1**
>
> **Técnicas analíticas diferentes**
>
> Feldman (1995) aplica as quatro técnicas de etnometodologia, semiótica, análise dramatúrgica e desconstrução ao corpo de dados qualitativos, extraído de um único estudo sobre o alojamento de uma universidade. As técnicas diferentes iluminam aspectos distintos dos dados.

Apesar dessa variedade, alguns autores tentam identificar os traços comuns da análise de dados qualitativos. Por exemplo, Miles e Huberman (1994: 9) sugerem um "grupo razoavelmente clássico" de seis movimentos comuns em tipos diferentes de análises, mostrados neste livro no Apêndice 1. Similarmente, Tesch (1990: 95-97), embora concluindo que não existem características comuns a todos os tipos de análises, identifica dez princípios e práticas que se aplicam à maioria dos tipos de análise qualitativa. Mas Tesch também identifica nada menos que 26 abordagens diferentes à análise de dados qualitativos em sua pesquisa de métodos.

Tal variedade de abordagens destaca o ponto de que não existe um único modo certo de fazer análise de dados qualitativos – uma única estrutura metodológica. Muito depende dos objetivos da pesquisa, e é importante que o método proposto de análise seja cuidadosamente considerado no planejamento da pesquisa e integrado desde o início a outras partes da pesquisa, em vez de ser uma reflexão tardia. Na literatura em expansão sobre análise qualitativa, termos como "transformar", "interpretar" e "entender" os dados qualitativos são proeminentes, e são as formas diferentes de fazer essas coisas que conduzem à diversidade de métodos de análise. Tal diversidade é valiosa, mas disciplina e rigor acadêmicos também são importantes. Em seu livro *Making Sense of Qualitative Data*, Coffey e Atkinson (1996: 3) salientam: "O que conecta todas as abordagens é o interesse fundamental em transformar e interpretar os dados qualitativos – de modo rigoroso e acadêmico – a fim de captar as complexidades dos mundos sociais que buscamos explicar". Um ponto similar sobre a necessidade de disciplina é apresentado por Silverman (2011).

Os interesses recentes em métodos disciplinados de análise ecoam esta citação conhecida datada de mais de 40 anos:

> A dificuldade mais séria e crucial no uso de dados qualitativos é que os métodos de análise não são bem formulados. Para os dados quantitativos, há convenções claras que o pesquisador pode usar. Mas o analista que enfrenta um banco de dados qualitativos tem pou-

cas diretrizes de proteção contra o autoengano, ainda mais contra a apresentação de conclusões não confiáveis ou inválidas a públicos científicos ou legisladores. Como podemos ter certeza de que uma descoberta "objetiva", "inegável", "afortunada" na verdade não está errada? (Miles, 1979: 591)

Os métodos para a análise de dados precisam ser sistemáticos, disciplinados e capazes de serem vistos (e serem vistos através da sua "transparência") e descritos. Uma pergunta crucial na avaliação de qualquer pesquisa é: Como o pesquisador chegou a estas conclusões a partir destes dados? Se não houver resposta – se o método de análise não puder ser descrito e escrutinado – é difícil saber como confiar nas descobertas apresentadas.

Toda pesquisa empírica precisa lidar com esse problema. Um ponto forte da pesquisa quantitativa é que os métodos para a análise dos seus dados são conhecidos e transparentes. Isso possibilita que a análise seja reproduzida – um segundo analista, trabalhando com os mesmos dados quantitativos e usando as mesmas operações estatísticas que o primeiro, deve obter os mesmos resultados[1]. Para a pesquisa qualitativa, a relevância do critério de capacidade de reprodução é uma questão de debate na literatura. Mas houve um desenvolvimento significativo na análise de dados qualitativos nos últimos 40 anos, e o conceito de "rastreamento de ações" através da análise de dados agora é realista para boa parte da pesquisa qualitativa[2].

Para o pesquisador individual, esse problema vem à tona no momento em que fica de frente para os dados qualitativos coletados – talvez transcrições de entrevistas e/ou notas de campo de observações e discussões e/ou documentos. Nesse ponto, o que exatamente o pesquisador faz? Decidir o que fazer pode causar espanto, como mostra a vívida descrição de Feldman (1995: 1).

Apesar do progresso no desenvolvimento de métodos analíticos, seria errado supor que todos os desenvolvimentos na análise qualitativa tenham sido direcionados a essa questão. Para começar, há pesquisadores que rejeitariam a visão de conhecimento na qual as ideias de reprodutibilidade e rastreamento de ações se pautam – por exemplo, aquelas dedicadas a uma epistemologia relativista com raízes numa filosofia pós-moderna e construtivista (Kelle, 1995). Além disso, alguns desenvolvimentos mais recentes na análise qualitativa entraram na área em direções bastante novas, onde esse critério pareceu menos fundamental e problemático. Isso será visto nas próximas seções deste capítulo.

Um levantamento dos métodos de análise de dados qualitativos sugere uma divisão de abordagens analíticas em gerais e especializadas. As três seções seguintes (9.2, 9.3, 9.4) descrevem algumas abordagens gerais importantes à análise de dados qualitativos que podem ser aplicadas numa ampla variedade de situações de pesquisa em ciências sociais. A Seção 9.5 trata da abordagem especializada da análise com teoria fundamentada, e a Seção 9.6 oferece um panorama de algumas das outras abordagens mais especializadas.

## 9.2 Indução analítica

Na busca por regularidades no mundo social, a indução é fundamental. Conceitos são desenvolvidos indutivamente a partir dos dados e elevados a um nível mais alto de abstração, e suas inter-relações depois são descritas. Mas embora a indução seja fundamental, a dedução também é necessária, já que, conforme observado no Capítulo 7, geração de teoria envolve verificação de teoria também. Esse tipo de análise de dados qualitativos é uma série de estágios indutivos e dedutivos alternantes pelos quais a geração de hipótese indutiva norteada pelos dados é seguida pelo exame de hipótese dedutiva para fins de verificação (Kelle, 1995).

O fato de que boa parte da análise qualitativa depende de indução sugere "indução analítica" como um termo geral útil. Mas esse termo também tem um significado mais específico. O método de indução analítica foi desenvolvido por Znaniecki (1934) e originalmente identificado com a busca por "fatos universais" na vida social, em que fatos universais são propriedades invariantes (Ragin, 1994: 93). Hoje muitas vezes é usado para se referir ao exame sistemático de similaridades entre casos para desenvolver conceitos ou ideias (Exemplo 9.2). Foi descrito, por exemplo, por Lindesmith (1968), Cressey (1950, 1971) e Hammersley e Atkinson. Esta é a descrição dada por Hammersley e Atkinson (1995: 234-235):

1. Uma definição inicial do fenômeno a ser explicado é formulada.
2. Alguns casos desse fenômeno são investigados, documentando possíveis elementos explicativos.
3. Uma explicação hipotética é estruturada com base na análise dos dados, elaborada para identificar fatores comuns nos casos.
4. Outros casos são investigados para testar a hipótese.

5. Se a hipótese não se adequar aos fatos desses casos novos, ela é reformulada ou o fenômeno a explicar é redefinido (de modo que os casos negativos sejam excluídos).

6. Esse procedimento de exame de casos, reformulando a hipótese e/ou redefinindo o fenômeno, prossegue até que os casos novos confirmem continuamente a validade da hipótese, em cujo ponto pode-se concluir que a hipótese está correta (embora nunca seja possível saber com certeza absoluta).

---

**EXEMPLO 9.2**

**Indução Analítica**

Bloor (1978) usou a indução analítica em seu estudo de cirurgiões; o estudo é resumido em Silverman (1993).

Cressey (1950) usou a indução analítica para estudar "violação de confiança".

Lindesmith (1947) usou a indução analítica para estudar o vício em drogas.

---

## 9.3 A estrutura de Miles e Huberman para análise de dados qualitativos

*Qualitative Data Analysis* (2013), de Miles, Huberman e Saldana, é um livro de referência completo que descreve a análise direcionada à descrição de relações legais e estáveis entre os fenômenos sociais, com base nas regularidades e sequências que conectam tais fenômenos. Eles rotulam a sua abordagem de "realismo transcendental", e a sua análise tem três componentes principais:

- Redução de dados;
- Demonstração de dados;
- Formação e verificação de conclusões.

Eles os veem como três ramos ou atividades concorrentes, interagindo em toda a análise, como mostra a Figura 9.1.

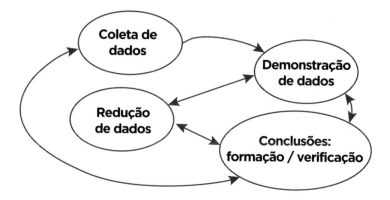

**Figura 9.1 Componentes da análise de dados: modelo interativo**
Fonte: Miles e Huberman, 1994: 12.

1. *Redução de dados:* a redução de dados ocorre continuamente em toda a análise. Não é algo separado da análise, é parte dela. Nos estágios iniciais, acontece através de edição, segmentação e resumo dos dados. Nos estágios intermediários, acontece através de codificação e anotações, e atividades associadas como descobrir temas, grupos e padrões. Nos estágios finais, acontece por conceituação e explicação, pois desenvolver conceitos abstratos também é um modo de reduzir os dados. Quando há necessidade de reduzir os dados, a análise qualitativa não difere da quantitativa, e os paralelos na estrutura conceitual são mostrados no diagrama de graus de abstração da Seção 9.4 deste capítulo. Tanto na análise quantitativa e qualitativa, o objetivo da redução de dados é reduzir os dados sem perda significativa de informações. Na análise qualitativa, um componente adicional importante para não perdermos informações é não remover os dados do seu contexto.
2. *Demonstração de dados:* as demonstrações de dados organizam, comprimem e reúnem informações. Como os dados qualitativos normalmente são volumosos, extensos e dispersos, as demonstrações ajudam em todos os estágios da análise. Miles e Huberman consideram as demonstrações essenciais, muitas vezes usando a frase "Você conhece aquilo que demonstra". Eles consideram as demonstrações melhores como um caminho importante para a análise qualitativa válida (1994). Há muitas formas diferentes de demonstrar dados – gráficos, quadros, redes, diagramas de tipos diferentes (diagramas de Venn, modelos causais etc.) – e qualquer modo de prosseguir com a análise é apropriado. As demonstrações são usadas em todos os es-

tágios, pois permitem que os dados sejam organizados e resumidos, mostram qual estágio a análise alcançou e são a base para mais análises. A mensagem é clara: a boa análise qualitativa envolve demonstrações repetidas e iterativas dos dados. A mesma ideia é defendida na literatura sobre teoria fundamentada.

3. *Formação e verificação de conclusões:* os motivos para reduzir e demonstrar dados são o auxílio na formação de conclusões. Embora formar conclusões logicamente venha depois de reduzir e demonstrar dados, na verdade acontece mais ou menos concomitantemente a isso. As conclusões possíveis podem ser observadas no início da análise, mas podem ser vagas e malformadas nesse estágio. São consideradas provisórias até que mais trabalho seja realizado, e aperfeiçoadas durante o processo. Não são finalizadas até que todos os dados sejam e tenham sido analisados. As conclusões terão a forma de proposições e, depois de formadas, precisam ser verificadas.

A formação e a verificação de conclusão são a terceira parte dessa análise. Envolvem o desenvolvimento de proposições e são conceitualmente distintas dos outros estágios, porém novamente é provável que isso aconteça de modo concomitante. Miles e Huberman dão uma lista de 13 táticas para formar significado e conclusões a partir dos dados demonstrados. Como as conclusões também precisam ser verificadas, eles dão uma segunda lista de 13 táticas para testar e confirmar as descobertas. As duas listas são mostradas aqui no Apêndice 1.

Esse estágio na análise é o mais difícil de descrever porque normalmente envolve vários processos analíticos diferentes que podem ser usados simultaneamente, não sequencialmente, e que se atravessam e combinam. Em outras palavras, várias coisas estão acontecendo ao mesmo tempo. Esse trabalho começa a partir do ponto em que o ordenamento e a integração da análise prévia são exigidos. Após codificar e anotar (cf. seções 9.3.1 e 9.3.2), há vários rótulos e graus diferentes de abstração e pilhas de anotações de vários tipos. A meta desse estágio é integrar o que foi feito a um retrato significativo e coerente dos dados. As duas listas de táticas dão um panorama das atividades envolvidas e, conforme observamos, são mostradas no Apêndice 1.

Esses três componentes gerais são entrelaçados e concorrentes em toda a análise de dados. Os dois primeiros, redução e demonstração de dados, situam-se principalmente nas operações de codificação e anotação. Em praticamente todos os métodos para a análise de dados qualitativos, codificação e anotação são as duas operações básicas que dão prosseguimento à análise. Eu as discuto aqui em termos gerais e as trato separadamente. Na prática, elas acontecem juntas e estão estreitamente relacionadas.

## 9.3.1 Codificação

Codificação é a atividade inicial na análise qualitativa e o alicerce para o que vem a seguir. Para a análise direcionada à descoberta de regularidades nos dados, a codificação é crucial.

O que é codificação e o que são códigos? Códigos são etiquetas, nomes ou rótulos, e a codificação, portanto, é o processo de atribuição de etiquetas, nomes ou rótulos aos dados. Os dados podem ser palavras individuais ou pedaços pequenos ou grandes de dados. O objetivo da atribuição de rótulos é dar significado aos dados, e esses rótulos desempenham várias funções. Eles indexam os dados, provendo uma base para armazenamento e recuperação. Os primeiros rótulos também possibilitam mais codificação avançada, o que permite o resumo dos dados reunindo-se temas e identificando padrões. Em vista do volume e complexidade de muitos dados qualitativos, esses rótulos iniciais se tornam uma parte essencial da análise subsequente. Logo, a codificação básica é a primeira parte da análise e parte da preparação dos dados para análise subsequente. A codificação avançada é a mesma atividade – rotulação e categorização – aplicada em graus mais altos de abstração com os dados. O tipo de codificação realizada – ou seja, quais tipos de rótulos são anexados aos dados – depende do método de análise usado.

Na abordagem de Miles e Huberman, há dois tipos principais de códigos – códigos descritivos e códigos inferenciais (ou padrão). Os rótulos iniciais podem ser códigos *descritivos*, exigindo pouca ou nenhuma inferência além dos dados propriamente ditos. Eles são especialmente valiosos para iniciar a análise e permitir que o pesquisador tenha uma "ideia" dos dados. Glaser e Strauss usam o termo "códigos *in vivo*" do mesmo modo na codificação com teoria fundamentada. No Exemplo 9.3, Richards usa o termo "codificação tópica" da mesma forma. A codificação em primeiro grau usa principalmente esses códigos descritivos e de baixa inferência, que são muito úteis para resumir segmentos de dados e proveem a base para uma codificação posterior de ordem mais alta. Os códigos posteriores podem ser mais interpretativos, exigindo certo grau de inferência além dos dados. Assim, a codificação em segundo grau tende a focar em códigos-padrão. Um código-padrão é mais inferencial, um tipo de "metacódigo". Os códigos-*padrão* reúnem materiais num número menor de unidades mais significativas. Uma boa forma de entender os códigos-padrão é por analogia com a análise fatorial na pesquisa quantitativa (Seção 12.6). Fator é um conceito em grau mais alto de abstração que reúne variáveis menos abstratas. Similarmente, um código-padrão é um conceito mais abstrato que reúne códigos menos abstratos e mais descritivos.

Este é o espectro de possibilidades usual no que se refere a levar os códigos aos dados ou encontrá-los nos dados. Numa extremidade do *continuum* podemos ter códigos pré-especificados ou estruturas de codificação mais gerais. Na outra extremidade, podemos começar a codificar sem códigos pré-especificados e deixar os dados sugerirem os códigos iniciais. Essa decisão não é independente de outras decisões concernentes a perguntas de pesquisa, estrutura conceitual e estruturação de dados em geral. Tampouco, como antes, precisa ser uma decisão "ou isto, ou aquilo". Portanto, mesmo quando guiados por um esquema de codificação inicial, podemos ficar atentos a outros rótulos e categorias sugeridos pelos dados. Similarmente, podemos começar com uma "tábula rasa", derivar um primeiro grupo de códigos dos dados e depois nos pautar num esquema de codificação após a análise inicial.

Existe outra semelhança, nesse tipo de codificação de dados, com a pesquisa quantitativa. Ela concerne às definições operacionais:

> Sejam os códigos pré-especificados ou desenvolvidos no processo, definições operacionais claras são indispensáveis para que possam ser aplicadas por um único pesquisador no decorrer do tempo, e múltiplos pesquisadores pensarão sobre os mesmos fenômenos à medida que codificarem (Miles e Huberman, 1994: 63).

Definições operacionais em contexto quantitativo significam a definição de uma variável em termos das operações necessárias para mensurá-la. Essa citação esclarece a aplicabilidade do mesmo conceito nesse estilo de análise qualitativa. Devem existir ligações claras entre indicadores de dados e os rótulos (ou códigos) conceituais atribuídos aos dados. Essas ligações permitem a verificação da codificação e testes de confiabilidade entre codificadores na análise qualitativa. São importantes para estabelecer o rastreamento de ações em toda a análise.

No Exemplo 9.3, Coffey e Atkinson (1996: 33-44) ilustram a codificação usando uma entrevista com um antropólogo acadêmico. Miles, Huberman e Saldana (2013) citam exemplos de codificação de vários estudos e cenários e mostram algumas listas e estruturas de codificação. No terceiro item do Exemplo 9.3, Richards (2005: 87-88) ilustra outra abordagem geral útil à codificação, usando os termos "codificação descritiva", "codificação de tópico" e "codificação analítica".

**EXEMPLO 9.3**

**Codificação**

- Coffey e Atkinson (1996: 33-44) ilustram a codificação, usando uma entrevista com um antropólogo acadêmico.
- Miles e Huberman (1994: 55-72) dão exemplos de codificação de vários cenários e estudos, mostrando algumas listas e estruturas de codificação.
- Richards (2005: 87-88) cita o seguinte exemplo, usando os termos *codificação "descritiva", "tópica" e "analítica".*

   *Codificação descritiva* envolve codificar e armazenar informações sobre os casos estudados.

   *Codificação tópica*, o "trabalho banal" da pesquisa qualitativa, rotula os textos de acordo com o seu assunto.

   *Codificação analítica* vai além e é fundamental para a investigação qualitativa. Envolve interpretação de dados, conceituação e teorização de dados.

**Uma passagem de texto normalmente exige os três tipos de codificação. Considere os seguintes dados:**

   *"Um entrevistado está discutindo a necessidade de ações comunitárias nas eleições do conselho local, em que uma professora é candidata. Esse homem diz nunca ouvir fofocas sobre a professora, isso é coisa de mulher. Mas ele se preocupa por ela ser candidata ao conselho local, já que obviamente não é uma pessoa responsável."*

- Codificação descritiva: Primeiro, guarde as informações sobre o falante, talvez sobre três atributos: gênero, idade e profissão – masculino, 45 anos, comerciante.
- Codificação tópica: Agora, quais tópicos estão sendo discutidos nessa passagem? *A necessidade de ações comunitárias e a professora; talvez a necessidade de codificar as múltiplas funções da professora.*

**De duas formas a codificação descreveu a passagem: que tipo de pessoa ofereceu essas ideias e sobre o que eram.**

   - Codificação analítica: Agora, o que está acontecendo na afirmativa sobre a professora? *Há vários temas que precisam ser observados sobre pressupostos patriarcais, a credibilidade da "fofoca", as redes informais das mulheres, a autoridade dos professores e a interação entre relações interpessoais e políticas.*

> **Richards observa que tal codificação leva o pesquisador a fazer ou-
> tras perguntas úteis:** *Os homens sempre negam que fazem fofoca?
> As atitudes negativas em relação à professora vêm principalmente de
> pessoas com mais de quarenta anos? E como se relacionam a atitudes
> referentes às ações comunitárias?*

Autores diferentes usam terminologias distintas para descrever os graus e tipos de codificação e isso pode gerar confusão ao ler a literatura. Mesmo assim,
as principais ideias envolvidas na codificação e os principais tipos de codificação
envolvem similaridades, apesar dos termos diferentes usados. O Quadro 9.1 ilustra
isso, usando as abordagens à codificação de Miles e Huberman, de Richards e da
teoria fundamentada (Seção 9.5).

---

**QUADRO 9.1**

**Terminologia na codificação**

Há muitas descrições de codificação na literatura, e uma variação considerável na terminologia. Até mesmo os três tipos de codificação descritos nas seções 8.3-8.5 deste capítulo usam termos diferentes, mas as
semelhanças entre eles são importantes. Comparando Miles e Huberman
(Seção 8.3.1) e Richards (Exemplo 8.3):

| *Miles e Huberman* | *Richards* |
| --- | --- |
| Códigos descritivos | Códigos tópicos |
| Códigos-padrão | Códigos analíticos |

*Códigos descritivos e tópicos* se concentram na identificação e rotulação
do que está nos dados. Os *códigos-padrão e analíticos* vão além, interpretando e/ou interconectando e/ou conceituando os dados.

A codificação na teoria fundamentada (Seção 9.5) é similar, porém mais
detalhada. Logo:

- Códigos *in vivo* se concentram no que está nos dados;
- Códigos abertos elevam o grau conceitual dos dados;
- Códigos axiais se concentram nas interconexões entre os códigos
  abertos;
- Códigos seletivos elevam o grau conceitual dos dados novamente.

> O ponto importante em tudo isso é que um primeiro grau de codificação
> é descritivo, enquanto o segundo grau e graus mais altos são analíticos.
> Esses graus mais elevados levam a análise dos dados de um grau descri-
> tivo para um grau conceitual ou teórico, e há várias formas de fazer isso
> (encontrar padrões, abstrair-conceituar, interpretar etc.).

Em resumo, codificação é a atividade concreta de rotulagem de dados, que permite o processo de análise de dados e continua durante a análise. A codificação inicial normalmente será descritiva e de inferência baixa, enquanto a codificação final integrará os dados usando conceitos de ordem superior. Portanto, há dois tipos principais de códigos – códigos descritivos de inferência baixa e códigos-padrão ou conceituais de inferência mais alta. Embora a codificação seja crucial, básica a todas as análises, e continue durante a análise, análise não é somente codificação. Ela também envolve anotações.

## 9.3.2 Anotações

As anotações são a segunda operação básica da análise de dados qualitativos, mas isso não significa necessariamente que é o segundo estágio. As operações não são sequenciais – as anotações começam no início da análise com a codificação.

Enquanto o pesquisador está codificando, em qualquer nível, todos os tipos de ideias ocorrem. Elas se tornam a matéria-prima das anotações, que registram as ideias. A definição de anotação dada por Glaser é amplamente usada:

> Uma anotação é a escrita que teoriza ideias sobre os códigos e suas
> relações à medida que ocorrem ao analista durante a codificação...
> Pode ser uma frase, um parágrafo ou algumas páginas... Ela esgota
> a ideação momentânea do analista baseada em dados talvez com um
> pouco de elaboração conceitual (Miles e Huberman, 1994: 72; Gla-
> ser, 1978: 83-84).

Essas anotações podem abranger muitas coisas. Podem ser substantivas, teóricas, metodológicas ou até mesmo pessoais. Quando substantivas e teóricas, podem sugerir conceitos em grau ainda mais profundo do que a codificação tenha produzido até o momento. Portanto, podem apontar para novos padrões e um alto grau de codificação-padrão. Também podem elaborar um conceito ou sugerir modos de fazê-lo ou podem relacionar conceitos diferentes entre si. Esse último tipo de anotação produz proposições.

No que tange aos graus mais altos de codificação, o importante sobre anotações substantivas e teóricas é que *elas têm conteúdo conceitual e não estão simplesmente descrevendo os dados*. Ajudam o analista a passar do grau descritivo e empírico para o conceitual. São, portanto, especialmente importantes na indução, já que movimentam a análise em direção a proposições de conceituação e desenvolvimento. As anotações conectam a codificação ao desenvolvimento de proposições. É importante na análise qualitativa equilibrar disciplina e criatividade, e é nas anotações que a criatividade entra. Podemos pensar na codificação como a parte sistemática e disciplinada da análise (embora criatividade e ideias também sejam necessárias para ver padrões e conexões), enquanto as anotações são a parte mais criativa-especulativa da análise em desenvolvimento. Obviamente essa parte especulativa precisa de verificação.

Juntas, codificação e anotações representam os alicerces desse estilo de análise qualitativa. Embora a análise inicial possa estar principalmente voltada à codificação, as anotações logo entrarão no processo. Falamos antes que a análise de dados qualitativos não pode ser reduzida a regras. Mas há uma exceção a esta regra (Glaser, 1978: 83): *Registre todas as ideias, à medida que acontecerem, como anotações. Quando uma ideia ocorrer durante a codificação, interrompa a codificação e registre a ideia.* Depois, as anotações poderão ser indexadas para armazenagem e uso subsequente. Miles e Huberman (1994: 72-75) mostram várias anotações extraídas de projetos diferentes, e Charmaz (2006: 72-95) descreve e discute as anotações, dando vários exemplos de redação de anotações.

## 9.4 Abstração e comparação

O tipo de análise qualitativa descrita até agora requer muitas atividades e ferramentas intelectuais diferentes, mas duas atividades se destacam, por serem fundamentais: abstração e comparação.

**Abstração**

O ponto essencial aqui é que alguns conceitos estão num grau mais alto de abstração do que outros. Os termos "concreta até abstrata" descrevem esse *continuum* de abstração, assim como "específica até geral". O diagrama na Figura 9.2 mostra tal ideia, assim como o diagrama original no Capítulo 2.

Esse diagrama mostra os graus de abstração em contextos qualitativos e quantitativos, e as semelhanças estreitas entre os dois. No menor grau de abstração, o grau mais concreto, específico ou descritivo, temos indicadores (qualitativos) e

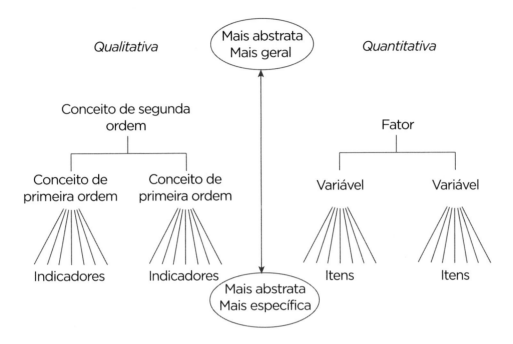

**Figura 9.2 Níveis de abstração na análise de dados**

itens (quantitativos). No grau seguinte, o primeiro grau de abstração, temos conceitos de primeira ordem (qualitativos) e variáveis (quantitativas). Conforme mostra o Capítulo 11, a teoria de traços latentes na mensuração formaliza essa ideia. No grau seguinte, a segunda ordem de abstração, temos conceitos de segunda ordem (qualitativos) e fatores (quantitativos). Mais uma vez, a análise fatorial (e análise de grupos) no trabalho quantitativo formalizam essa ideia. O processo de abstração não precisa parar aí. Conceitos ainda mais abstratos e gerais são possíveis em ambas as abordagens, mas dois graus de abstração mostram a ideia e abrangem boa parte do que fazemos.

Dois pontos se destacam nesse diagrama. Primeiro, a estrutura conceitual, em termos do *continuum* de concreto a abstrato e específico a geral, é notadamente similar nas abordagens qualitativas e quantitativas à análise de dados. Assim, a natureza geral desse tipo de análise, desenvolvendo conceitos de ordem mais alta para resumir e integrar graus mais concretos de dados, também é similar nas duas abordagens. Segundo, a análise quantitativa formalizou muito mais o modo pelo qual passa de um grau ao próximo do que a análise qualitativa. Portanto, a análise quantitativa agrega itens em variáveis, para se mover ao primeiro grau de abstração, e deriva fatores de variáveis, para se mover ao segundo grau de abstração.

Pela natureza dos seus dados, a análise qualitativa não pode ser formalizada na mesma proporção, mas a função da abstração explica a importância fundamental dos diagramas em árvore na análise de dados qualitativos (O'Leary, 2004: 258; Richards, 2005: 104-121).

### Comparação

A comparação é fundamental a todas as investigações sistemáticas, sejam os dados qualitativos ou quantitativos. Na pesquisa quantitativa, nem sempre pensamos explicitamente sobre a comparação, já que ela está embutida em todos os estágios da investigação quantitativa. Logo, a mensuração encapsula o conceito de comparação, o desenho quantitativo é desenvolvido para permitir a comparação, e as várias técnicas de análise de dados se baseiam em comparação. Então estamos comparando automaticamente quando usamos as técnicas de pesquisa quantitativa.

A comparação não é tão automaticamente integrada à análise qualitativa, por isso precisa de ênfase. A comparação é essencial para a identificação de conceitos abstratos e para a codificação. No primeiro grau de codificação, é comparando indicadores diferentes nos dados que chegamos aos conceitos mais abstratos que subjazem aos dados empíricos. Portanto, é a comparação que conduz à elevação do grau de abstração, à "vantagem" (Glaser, 1978) tão essencial ao desenvolvimento conceitual. O mesmo se aplica à codificação em grau mais alto. Comparar os conceitos e suas propriedades no primeiro grau de abstração nos permite identificar conceitos mais abstratos. A realização sistemática e constante de comparações, portanto, é essencial ao desenvolvimento conceitual em todos os graus na análise de dados qualitativos.

Tesch (1990), em seu levantamento abrangente sobre métodos usados na análise de dados qualitativos, considera a comparação a atividade intelectual crucial à análise. Glaser e Strauss (1967), cofundadores da teoria fundamentada, consideravam a comparação tão importante que descreviam a análise com teoria fundamentada como o "método comparativo constante". Logo, a comparação está no coração da análise com teoria fundamentada.

## 9.5 Análise com teoria fundamentada

A teoria fundamentada é definida por uma abordagem geral à pesquisa e uma série de procedimentos para desenvolver a teoria através da análise de dados. A abordagem geral foi descrita no Capítulo 7. Esta seção trata das ideias básicas da análise com teoria fundamentada. Essa análise objetiva diretamente gerar uma teoria abstrata para explicar o que é fundamental nos dados. Todos os seus procedimentos são orientados a esse objetivo e, desde o início da sua codificação, reconhece a função essencial da abstração conceitual e a estrutura hierárquica do conhecimento teórico.

Como o analista gera teoria a partir de dados? A seguir apresento um panorama da análise com teoria fundamentada, depois uma descrição da codificação aberta, axial e seletiva.

## 9.5.1 Panorama

A ideia principal de descobrir uma teoria fundamentada é encontrar uma categoria nuclear, em grau alto de abstração mas fundamentada nos dados, que explique e considere o que é central nos dados. A análise com teoria fundamentada faz isso em três passos, que são conceitualmente distintos, mas não necessariamente sequenciais. O primeiro é encontrar categorias conceituais nos dados num primeiro grau de abstração. O segundo é encontrar relações entre essas categorias. O terceiro é conceituar e considerar essas relações em grau mais alto de abstração. Isso significa que há três tipos gerais de códigos – códigos substantivos (produzidos pela codificação aberta), que são as categorias conceituais iniciais; códigos teóricos (produzidos pela codificação axial), que conectam essas categorias; e o código nuclear (produzido pela codificação seletiva), que é a conceituação de ordem mais alta da codificação teórica, em torno do qual a teoria é construída.

Portanto, o primeiro objetivo é encontrar os códigos substantivos nos dados. São categorias geradas a partir dos dados empíricos, mas em grau mais abstrato do que os próprios dados. Nesse primeiro nível de análise, alguns desses códigos substantivos aparecerão de modo mais central nos dados do que outros. O segundo objetivo é reunir os principais códigos substantivos, interconectá-los usando códigos teóricos. Essas afirmativas de interconexão são proposições ou hipóteses sobre os dados a serem integradas à teoria fundamentada. O terceiro objetivo, portanto, é encontrar um construto de ordem mais alta e mais abstrato – a categoria nuclear – que integre essas hipóteses numa teoria e que as descreva e explique.

No âmago da análise com teoria fundamentada fica a codificação – codificação aberta, codificação axial e codificação seletiva. A ordem não é necessariamente sequencial – ao contrário, é provável que haja sobreposição e simultaneidade. Mas são operações conceitualmente distintas. A codificação aberta encontra os códigos substantivos. A codificação axial usa códigos teóricos para interconectar os principais códigos substantivos. A codificação seletiva isola e elabora a categoria nuclear de ordem mais alta.

### 9.5.2 Codificação aberta

A codificação aberta constitui um primeiro grau de análise conceitual com os dados. A análise começa "fraturando" ou "quebrando" os dados. É por isso que o termo "aberta" é usado na codificação aberta. A ideia é abrir as possibilidades teóricas nos dados. O objetivo é usar os dados para gerar categorias conceituais abstratas – mais abstratas do que os dados que descrevem – para possível uso posterior na construção de teoria. São os códigos substantivos. A codificação aberta envolve necessariamente um exame atento dos dados (ou parte deles), identificando categorias conceituais implícitas ou explícitas nos dados, e as possibilidades teóricas que os dados portam. O que diferencia a análise com teoria fundamentada de outras formas de análise qualitativa é a sua insistência, desde o início, de gerar categorias conceituais abstratas para considerar os dados estudados. Portanto, a codificação de teoria fundamentada *não* está centralmente interessada na simples descrição ou na análise temática ou interpretação dos dados, embora elas possam auxiliar o analista na codificação aberta. Ela *está* centralmente interessada em "considerar os dados teoricamente" (Glaser) ou "converter os dados analiticamente" (Strauss). Essas frases significam usar os dados para gerar categorias mais abstratas. O foco está na geração de conceitos abstratos fundamentados, o que pode se tornar o alicerce da teoria.

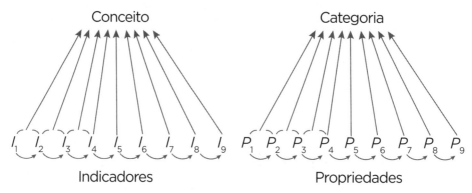

**Figura 9.3 Diagrama conceito-indicador**
Fonte: Glaser, 1978: 62.

A chave para entender a análise com teoria fundamentada e a codificação aberta em geral é o modelo conceito-indicador. Ele é mostrado mais uma vez na Figura 9.3. É o mesmo modelo que vimos antes na discussão de graus de abstração na Seção 9.4, e que veremos depois, na teoria de traços latentes na mensuração (Seção 11.3). Como aponta Glaser (1978: 62), esse modelo direciona a codificação de indicadores empíricos nos dados.

Um conceito pode ter muitos indicadores empíricos possíveis diferentes. Quando inferimos um conceito de um indicador nos dados, estamos abstraindo – indo para cima, partindo de dados empíricos para um conceito mais abstrato. Como um conceito tem muitos indicadores, os indicadores são intercambiáveis entre si para fins de inferir o conceito. Isso significa que $I_1$ (indicador 1) é um indicador do conceito, assim como $I_2$ (e $I_3$, $I_4$ etc.). Comparamos indicador e indicador, avaliando as suas semelhanças e diferenças, a fim de inferir o conceito mais abstrato. Também perguntamos constantemente qual conceito mais abstrato é indicado por esses dados empíricos.

Logo, o processo de rotulagem na codificação aberta é norteado por duas atividades principais – fazer comparações e perguntas. A primeira significa que diferentes dados, como indicadores, são constantemente comparados entre si para ajudar a gerar categorias abstratas. Para a segunda, um tipo de pergunta é feito constantemente e é distintivo da análise com teoria fundamentada. Ela tem três formas:

• Esses dados são exemplos de quê?
• O que significam ou representam esses dados?
• Qual categoria ou propriedade de categoria esses dados indicam?

Codificação aberta, como toda codificação, é rotular, colocar rótulos em dados. Às vezes esses rótulos serão descritivos e de inferência baixa, e às vezes serão rótulos "*in vivo*", mas na maior parte das vezes serão rótulos que envolvem um primeiro grau de inferência. Na codificação aberta da teoria fundamentada, a rotulação é guiada pelo modelo e perguntas mostradas anteriormente. Os códigos (rótulos) nesse primeiro estágio da análise são provisórios, e alguns dados podem ter vários rótulos. O encerramento nos códigos finais é retardado até que uma codificação substancial tenha sido efetuada e até que o analista tenha uma visão estável do que é importante nos dados. Categorias potencialmente importantes também estão sendo observadas à medida que a codificação aberta acontece, mas o encerramento também é retardado aqui.

A codificação aberta trata do uso dos dados para gerar categorias e rótulos conceituais para uso na construção da teoria. A sua função é expor possibilidades teóricas nos dados. Não se trata de levar conceitos aos dados e nenhum esquema de codificação *a priori* é usado. Usar somente conceitos e categorias gerados pelos dados garante que eles sejam fundamentados nos dados, e que quaisquer conceitos a usar na teoria obtiveram sua condição conceitual. Assim, o analista começa sem categorias conceituais preconcebidas, mas usa aquelas geradas pelos dados. A codificação aberta não está primordialmente interessada em resumir dados ou descrever dados ou encontrar sinônimos para palavras nos dados ou interpretar os dados. Ela pode fazer tudo isso indiretamente ou como parte da geração de categorias abstratas, mas essas coisas não são o objetivo – o objetivo é conceituar os dados.

A codificação aberta bem-sucedida gera muitos rótulos provisórios rapidamente a partir até mesmo de poucos dados, mas esse tipo de codificação não continua indefinidamente. O objetivo da codificação aberta não é a geração infinita de rótulos conceituais em todos os dados. Esse processo de rotulação, portanto, precisa ser equilibrado por outros dois processos. Um é ter em mente um panorama dos dados e continuar considerando os dados de modo amplo, em vez de fazer somente a codificação intensiva. É o que Glaser (1992) chama de "mergulhar e pular", em que você codifica intensivamente algumas partes (mergulhar), enquanto ao mesmo tempo dá uma lida nos dados usando comparações para procurar possíveis padrões conceituais e conceitos que unem diferentes dados e diferentes incidentes nos dados (pular). O outro é recuar deliberadamente dos dados e julgar o que parece ser importante e básico nos dados, sobretudo os rótulos de codificação gerados. Esse julgamento é feito a partir do foco em perguntas como:

- O que essencialmente parece estar acontecendo aqui?
- Estes dados são principalmente sobre o quê?
- Qual é o problema social básico que as pessoas daqui estão enfrentando e qual é o processo social básico que usam para lidar com ele?

Na análise com teoria fundamentada, é importante encontrar e concentrar-se no que é fundamental nos dados. Todo o processo trata de integrar sucessivamente os dados num grupo menor de categorias e conceitos mais abstratos. Logo, o foco está em possíveis conceitos de integração desde o início. Essencialmente, uma teoria fundamentada será construída em torno de uma categoria nuclear que considere a maioria da variação nos dados e integre outras partes dos dados ao redor. Portanto, os procedimentos de codificação em todos os estágios estão alinhados a esse objetivo de reduzir os dados através da abstração, de tentar descobrir os aspectos conceitualmente importantes dos dados. O resultado da codificação aberta é um grupo de categorias conceituais geradas a partir dos dados. Também haverá alguma organização e classificação dessas categorias, e algum senso do que é importante nos dados. Algumas visões iniciais de possíveis categorias nucleares podem existir, mas, tenha isso acontecido ou não nesse estágio, um número pequeno de categorias importantes terá emergido.

---

**EXEMPLO 9.4**

**Codificação aberta**

Strauss e Corbin (2008) ilustram a codificação aberta usando dados observacionais de um cenário de restaurante.

Strauss (1987: 40-64 e 82-108) demonstra a codificação aberta num seminário com alunos, sendo o próprio Strauss o líder, usando dados observacionais de um estudo sobre gestão da dor numa unidade de recuperação cardíaca.

Corbin (1986: 102-120) descreve a codificação aberta em dados observacionais. Parte de uma enfermeira numa unidade pediátrica estudando as reações das crianças à hospitalização.

Alder (2002) usa a codificação aberta num estudo examinando como as relações de cuidado se desenvolvem entre alunos do segundo ciclo do ensino fundamental e seus professores.

---

### 9.5.3 Codificação axial (ou teórica)

Codificação axial é o nome dado à segunda operação na análise com teoria fundamentada em que as principais categorias que emergiram da codificação aberta dos dados estão interconectadas. A palavra "axial" é usada por Strauss e Corbin e seu objetivo é denotar a ideia de colocar um eixo nos dados que conecte as categorias identificadas na codificação aberta. Glaser (1978) usa o termo mais geral "codificação teórica" para descrever esse estágio. O seu significado é esclarecido a seguir.

Se a codificação aberta separa os dados ou "abre os dados" (Glaser, 1978) a fim de expor as suas categorias e possibilidades teóricas, a codificação axial volta a unir as categorias, mas de formas conceitualmente diferentes. Logo, a codificação axial trata de inter-relacionar as categorias substantivas que a codificação aberta tenha desenvolvido.

Como isso é feito? Para fazer a inter-relação, precisaremos de alguns conceitos que conectem as coisas. Esses conceitos conectores são chamados de códigos teóricos, por isso Glaser usa o termo "codificação teórica" em vez de "codificação axial". Strauss e Corbin também usam o termo "paradigma de codificação" a fim de descrever uma série de conceitos usados para fazer as conexões entre as coisas. Todos esses termos têm o mesmo significado.

Sabemos pela análise quantitativa que há muitas formas diferentes pelas quais as conexões podem ocorrer. Por exemplo, causas e consequências são uma forma; ver as coisas como aspectos (ou dimensões ou propriedades) diferentes de uma categoria comum é outra; ver as coisas como partes ou estágios de um processo é uma terceira; uma associação estímulo-resposta é uma quarta etc. Algumas das formas pelas quais as coisas podem ser conectadas são abrangidas por Miles e Huberman em sua lista de táticas observadas antes, e dois tratamentos abrangentes desse tópico são de Glaser e Rosenberg. Glaser (1978: 72-82) discute 18 formas pelas quais essas conexões podem ocorrer. Ele as chama de "famílias de codificação". Rosenberg (1968: 1-21), escrevendo mais da perspectiva quantitativa, classifica as relações entre variáveis (o equivalente quantitativo das conexões entre as coisas) em três tipos principais (simétricas, recíprocas e assimétricas) e então dá vários subtipos dentro de cada uma dessas classificações.

Strauss e Corbin (2008) escrevem exclusivamente sobre o paradigma de codificação interacionista. Isso identifica condições causais, fenômeno, contexto, condições intervenientes, estratégias de ação/interação e consequências como forma de inter-relacionar as categorias nos dados – são conceitos teóricos usados para interconectar os dados. Portanto, se o paradigma interacionista for usado, o resultado da codificação axial é um entendimento do fenômeno central nos dados em termos das condições que os suscitam, o contexto em que estão incorporados, as estratégias de ação/interação pelas quais são tratados, gerenciados ou executados, e as consequências dessas estratégias.

Essa ideia de códigos teóricos é importante, mas não esotérica – é sobre as formas em que as coisas estão interconectadas. Veremos na análise quantitativa (Capítulo 12) que há dois estágios conceitualmente distintos no estudo das relações entre as variáveis. Um deles é descobrir e descrever a relação. O outro é interpretar a relação ou dizer como a relação surgiu ou dar sentido à relação. O mesmo ocorre aqui na análise qualitativa. As três fontes indicadas anteriormente – Glaser (1978), Rosenberg (1968) e Miles, Huberman e Saldana (2013) – proveem uma descrição abrangente de formas possíveis em que as coisas podem se relacionar. Essas descrições se sobrepõem e todas se baseiam em ideias sobre esse tópico a partir da pesquisa quantitativa.

---

**EXEMPLO 9.5**

**Codificação axial**

Strauss e Corbin (2008) ilustram a codificação axial usando dados de gestão da dor.

Strauss (1987: 64-68) demonstra a codificação axial em torno da categoria "monitoração", num estudo de tecnologia médica numa unidade de tratamento cardíaco.

Swanson (1986: 121-132) dá vários exemplos de desenvolvimento de categorias na codificação axial, usando como dados os relatos de enfermeiros sobre suas experiências de aprendizagem.

Alder (2002) usa a codificação axial num estudo examinando como as relações de cuidado se desenvolvem entre alunos do segundo ciclo do ensino fundamental e seus professores.

---

### 9.5.4 Codificação seletiva

A codificação seletiva é a terceira operação na análise com teoria fundamentada. O termo "seletiva" é usado porque, para esse estágio, o analista deliberadamente seleciona um aspecto central dos dados como categoria nuclear e se concentra nele. Quando essa seleção é feita, ela delimita a análise teórica e o desenvolvimento àquelas partes dos dados que se relacionam a essa categoria nuclear, e a codificação aberta cessa. A análise agora ocorre em torno da categoria nuclear, e a categoria nuclear se torna o ponto central da teoria fundamentada.

Na codificação seletiva, portanto, o objetivo é integrar e unir a análise em desenvolvimento. A teoria a ser desenvolvida deve ter um foco central em torno do qual é integrada. Essa será a categoria nuclear da teoria. Isso deve ser um tema central nos dados e, a fim de integrar as outras categorias nos dados, a categoria nuclear precisará estar num grau mais alto de abstração. Potenciais categorias nucleares são observadas desde o início da análise, embora decisões finais sobre a categoria nuclear não devam ser tomadas cedo demais na análise.

Portanto, a codificação seletiva usa as mesmas técnicas da codificação axial e aberta anterior, mas em grau mais alto de abstração. O foco agora é descobrir um conceito de ordem mais alta, uma categoria conceitual central num segundo grau de abstração. A codificação seletiva trata do que é central nos dados em termos analíticos, não simplesmente de forma descritiva. Todos os aspectos da análise com teoria fundamentada se concentram na conceituação e explicação dos dados, não na descrição dos dados. Para Glaser (1992), na verdadeira análise com teoria fundamentada, a categoria nuclear emergirá das comparações constantes que tenham norteado a codificação anterior. Quando a categoria nuclear é clara, ela é elaborada em termos das suas propriedades e relaciona-se sistematicamente a outras categorias nos dados. As relações então são validadas diante dos dados. Esse estágio também mostra as categorias em que outros dados são necessários e assim direciona outras amostragens teóricas. Na linguagem da teoria fundamentada, esse estágio é chamado de saturação e densificação sistemática da teoria.

---

**EXEMPLO 9.6**

**Codificação seletiva**

Strauss e Corbin (2008) ilustram os estágios envolvidos na codificação seletiva, usando dados sobre como mulheres com doenças crônicas administram a gestação.

Strauss (1987: 69-75) ilustra a codificação seletiva usando o trabalho de enfermagem numa unidade de recuperação cardíaca.

Corbin (1986: 102-120) ilustra a codificação seletiva usando anotações relativas à gestação em situações de doença crônica.

---

O objetivo em todo o processo é construir uma teoria abstrata sobre os dados que esteja fundamentada nos dados. Os conceitos que a teoria usará não são levados *para* os dados e não são óbvios *nos* dados. Eles precisam ser inferidos *dos* dados por indução. Essa inferência indutiva é o processo de abstração. Ao mostrar alguns dados como exemplos de um conceito mais abstrato (de primeira ordem), o analista eleva o grau conceitual dos dados. Ao mostrar o conceito de primeira ordem como instância particular, ou propriedade, de um conceito de segunda ordem mais geral, o grau conceitual dos dados é elevado novamente. Logo, essa abstração é feita duas vezes, seguindo a estrutura conceitual mostrada no diagrama de graus de abstração (Figura 9.2). A título de resumo, uma representação diagramática da análise com teoria fundamentada é mostrada na Figura 9.4.

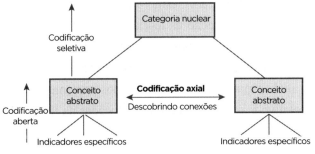

Codificação aberta: descobrir conceitos abstratos nos dados; elevar o grau conceitual dos dados.
Codificação axial: descobrir nos dados conexões entre conceitos abstratos.
Codificação seletiva: selecionar a categoria nuclear concentrando-se no processo social básico evidente nos dados; elevar o grau de abstração novamente à categoria nuclear; elaborar a categoria nuclear.

**Figura 9.4 Representação diagramática da análise com teoria fundamentada**

Essa descrição não incluiu todos os aspectos da análise com teoria fundamentada. Entre os tópicos não tratados aqui, mas abrangidos pela literatura sobre teoria fundamentada, estão a sensibilidade teórica, amostragem e saturação, a diferença entre teorias substantivas e formais, elaboração e densificação de uma teoria fundamentada, processos e problemas sociais básicos, e as implicações da abordagem com teoria fundamentada para o estudo dos processos sociais. Como observado no Capítulo 7, também há uma considerável diversificação recente dos métodos de teoria fundamentada. Uma leitura complementar sobre todos esses tópicos pode ser encontrada em *Handbook of Grounded Theory* (Bryant e Charmaz, 2007b) e Charmaz (2006).

---

**EXEMPLO 9.7**

**Teoria fundamentada**

*Grounded Theory in Practice* (Strauss e Corbin, 1997) é uma coletânea editada de leituras sobre estudos com teoria fundamentada de ex-alunos de Strauss. Os editores fazem comentários em cada artigo.

*Examples of Grounded Theory: A Reader* (Glaser, 1993) é uma coletânea editada de 25 artigos sobre teoria fundamentada de projetos quantitativos e qualitativos.

# 9.6 Outras abordagens analíticas na análise qualitativa

Um dilema para a teoria fundamentada, de acordo com Denzin, é como ser subjetiva, interpretativa e científica ao mesmo tempo (Lonkila, 1995: 46). Esse é o motivo para a recente diversificação na teoria fundamentada e especialmente para o desenvolvimento da teoria fundamentada construtivista (Charmaz, 2006). A dificuldade em fazer isso também pode ser um motivo para o desenvolvimento de outras abordagens na análise qualitativa. Agora veremos brevemente cinco delas, a primeira mais interpretativa e as outras quatro mais focadas na linguagem.

## 9.6.1 Narrativas e significado

Abordagens em análises de dados baseadas em segmentação, codificação e categorização são valiosas para descobrir e conceituar regularidades nos dados, mas não esgotam os dados ou possibilidades para a exploração dos dados. Além disso, essas abordagens fragmentam os dados em pequenos pedaços, estimulando uma "cultura da fragmentação" (Atkinson, 1992). Ao fazer isso, elas também podem descontextualizar os dados. Coffey e Atkinson (1996: 52) escrevem:

> Os informantes das nossas entrevistas podem nos dar reminiscências e relatos longos e complicados. Quando nós os partimos em segmentos codificados separados, corremos o risco de perder o sentido de que são relatos. Perdemos de vista, se não tivermos cuidado, o fato de que muitas vezes eles são expressos em termos de estórias – como narrativas – ou que eles têm outras propriedades formais em termos da sua estrutura discursiva. A segmentação e a codificação podem ser uma parte importante, até indispensável, do processo de pesquisa, mas não são a estória completa.

Miles e Huberman e os autores da teoria fundamentada estão cientes do problema da fragmentação e descontextualização e sugerem formas de recombinar e recontextualizar os dados. Mas outras abordagens (como a análise de narrativas e estórias) lidam mais holisticamente com os dados qualitativos desde o início. Boa parte dos dados de pesquisas em ciências sociais ocorre "naturalmente" em forma de estória (p. ex., na pesquisa com observação de participantes), e os dados qualitativos também podem ser solicitados e coletados em forma de estória, como em histórias orais e de vida, e entrevistas biográficas. Mesmo quando os dados não são solicitados explicitamente em forma de estória, muitas vezes virão com características em forma de estória, como em entrevistas desestruturadas, em que as pessoas podem dar respostas narrativas às perguntas do entrevistador. Portanto, existe um caráter de estória em boa parte dos dados qualitativos, e pensar sobre as estórias nos dados pode permitir que pensemos criativamente sobre coletar e interpretar os dados (Coffey e Atkinson, 1996).

Narrativas e estórias também são valiosas para estudar vidas e experiências vividas, como muitas vezes é demonstrado em estudos concernentes a aquisição de poder. O feminismo e a antropologia contemporânea costumam enfatizar o estudo de vidas do ponto de vista do narrador, com os dados considerados uma produção compartilhada com o pesquisador (Manning e Cullum-Swan, 1994). O uso de estórias como forma de captar a experiência vivida ocorre em vários cenários de pesquisa – em estudos médicos e sobre enfermidades (Brody, 2002; Coles, 1989), em estudos sobre importantes eventos e traumas da vida (Riessman, 1993), em estudos sobre educação do ponto de vista dos alunos (Measor e Woods, 1984; Delamont, 1990, 2012) e dos professores (Goodson, 1992) e em estudos da vida em organizações (Martin, 1990). Narrativas desse tipo podem prover um entendimento singularmente rico e sutil das situações da vida, e a estória costuma ser um modo viável de coletar dados simplesmente por ser um recurso comum na interação cotidiana.

Como os dados qualitativos em forma de narrativa e estória podem ser analisados? Elliott (2005) aponta que não existe uma única abordagem e que os pesquisadores tomam ideias emprestadas de estudos literários e da sociolinguística para auxiliar a sua análise. Ela observa a estrutura analítica tripartida usada por Mishler (1986) – significado, estrutura e contexto interacional, e a estrutura bipartida usada por Lieblich et al. (1998) – conteúdo e forma. A própria estrutura costuma ser analisada usando o modelo de Labov e Waletzky (1997), usando os conceitos de abstração, orientação, ação complicadora, avaliação, resolução e coda.

A seguinte descrição breve se baseia principalmente nos textos de Coffey e Atkinson (1996), que usam a estrutura de Denzin a partir da biografia interpretativa para pensar sobre as narrativas. Descrevem abordagens formais à análise narrativa, em que o foco é na identificação dos elementos estruturais das narrativas e sua disposição – aqui, a análise narrativa tende à semiótica (Manning e Cullum-Swan, 1994)[3]. Também mostram como as narrativas podem ser estudadas do ponto de vista da sua função, usando a função como a unidade da análise. Para ilustrar as propriedades funcionais das narrativas, eles citam os exemplos de estórias de sucesso e contos morais e de narrativas como crônicas. As últimas levam naturalmente a histórias de vida e histórias orais e a biografias, autobiografias e métodos de experiência pessoal em geral (Clandinin e Connelly, 1994). Outros caminhos para a análise de narrativas são abertos refletindo sobre quais vozes estão contando as estórias – em qualquer contexto em que estórias são contadas, as vozes são diferenciadas e estratificadas – e através do contexto social e cultural em que as estórias são contadas. Num sentido geral, as estórias são parte da representação da realidade social enquanto texto, e as narrativas são, portanto, construções sociais localizadas dentro de estruturas de poder e meios sociais. A esse respeito, a análise narrativa se sobrepõe à análise do discurso.

Na análise narrativa, forma e conteúdo podem ser estudados juntos, e o interesse na narrativa pode iluminar como os informantes usam a linguagem para transmitir determinados significados e experiências. O modo pelo qual as pessoas transmitem seus significados através da linguagem pode ser considerado de várias perspectivas complementares. Podemos examinar, por exemplo, como a linguagem é usada figurativamente. Coffey e Atkinson mostram como a análise pode explorar o uso de imagens pelos participantes e como certos recursos, tais como a metáfora, revelam entendimentos e significados compartilhados. A exploração mais geral do uso de símbolos linguísticos para transmitir significados culturais compartilhados é denominada "análise de domínio" (Spradley, 1980; Coffey e Atkinson, 1996).

As pessoas usam metáforas constantemente como forma de entender as experiências, expressar e transmitir seu significado. Os analistas qualitativos muitas vezes farão o mesmo para entender os dados. Miles, Huberman e Saldana (2013) indicam algumas das propriedades úteis das metáforas na análise qualitativa – por exemplo, são recursos redutores de dados, recursos geradores de padrões, recursos decentralizadores e formas de conectar as descobertas à teoria. As metáforas são uma forma importante em que as pessoas usam a linguagem figurativamente. São um tipo importante de tropo (ou recurso literário), comparando duas coisas, usando as suas semelhanças, mas ignorando as suas diferenças. Outros tropos comumente usados são a ironia (a visão a partir do lado oposto, às vezes incongruente ou paradoxal), a sinédoque (relacionar instâncias a um conceito mais amplo) e a metonímia (representar um todo em termos de uma das suas partes – Miles, Huberman e Saldana, 2013). Focar nesses conceitos na análise de dados em busca de significado liga esse tipo de análise qualitativa à semiótica, como apontam Coffey e Atkinson, e conforme mostrado na Seção 9.6.4. O Exemplo 9.8 mostra dois livros que usam as narrativas na pesquisa em educação.

---

**EXEMPLO 9.8**

**Análise narrativa**

Connelly e Clandinin (1999) apresentam estórias de professores e administradores. Os autores analisam e refletem sobre essas estórias para relacionarem conhecimento, contexto e identidade tanto para professores quanto administradores.

O livro de Cortazzi (1991) examina aspectos importantes da experiência de professores primários, pautando-se na análise que o autor faz de aproximadamente mil relatos de eventos em sala de aula contados por 123 professores. Pelas suas estórias, um retrato claro é construído sobre a visão que os professores têm do ensino.

Gerstl-Pepin (2006) usou a análise narrativa política para examinar narrativas de justiça social enraizadas em "Nenhuma Criança Abandonada" a respeito de desigualdades econômicas.

Bohanek (2008) examinou as formas pelas quais mães e pais sustentam conversas sobre eventos emocionais antigos com seus filhos pré-adolescentes, usando narrativas de eventos familiares compartilhados positivos e negativos.

---

O Capítulo 8 discutiu a condição analítica dos dados de entrevistas e a função central da linguagem na pesquisa qualitativa. Esse foco, associado à visão de linguagem enquanto forma de ação social, não um meio neutro para "retratar o mundo externo", propicia uma forma conveniente de abordar os tipos seguintes de análise qualitativa.

## 9.6.2 Etnometodologia e análise da conversa

O interesse sociológico no estudo da linguagem foi estimulado pela etnometodologia, tendo como pioneiro Garfinkel (1967). A etnometodologia se propõe a entender métodos (metodologia) do povo (etno) para organizar o mundo (Silverman, 2011). O pressuposto fundamental da etnometodologia é que as pessoas numa cultura têm procedimentos para entender o seu cotidiano. Para os etnometodologistas, a cultura não consiste numa série estável de coisas que os membros devem saber, mas em processos para entender ou atribuir significado às ações dos membros. O foco principal é em como características importantes de uma cultura, seus significados e normas sociais compartilhados são preservados e modificados, e não no conteúdo desses significados e normas (Feldman, 1995: 8).

Esse foco no modo em que o mundo comum compartilhado é criado leva o etnometodologista a estudar atividades das quais pessoas comuns participam, em geral sem pensar. Na maioria do tempo, especialmente quando ação e interação conjuntas estão envolvidas, a linguagem é crucial a tais atividades cotidianas. Com boa parte da vida social mediada através da comunicação escrita e especialmente oral, o estudo da linguagem ocupa o coração da etnometodologia. Assim, a análise da conversa se torna um interesse central, já que os etnometodologistas tentam entender os métodos das pessoas para produzir uma interação social organizada.

Como uma indicação inicial da sua importância, Heath e Luff (1996) se referem a uma bibliografia de 1990 dos estudos analíticos etnometodológicos-da conversa que contém mais de 1400 citações a artigos em cinco idiomas. O objetivo geral desses estudos é entender a organização social da conduta humana comum e de ocorrência natural em que a conversa é o veículo principal para a produção e inteligibilidade das ações humanas. Quando somente a conversa é analisada, transcrições literais de conversas reais são usadas. Se os dados incluírem todas as interações, até as conversas, é mais provável que uma gravação em vídeo seja usada, como na análise da interação (Heath e Luff, 1996).

Silverman (2011) resume o relato de Heritage sobre três pressupostos fundamentais da análise da conversa. Eles se referem à organização estrutural da conversa, à organização sequencial da conversa e à necessidade de fundamentação empírica da análise. Seguindo esses pressupostos e usando as convenções de transcrição especializadas, a análise da conversa estuda a produção situada e a organização da conversa (ou ação), desenvolvendo um entendimento "ascendente" de como o contexto influencia a produção da realidade social pelos participantes. Por exemplo, a respeito da organização sequencial, uma parte desse contexto é a enunciação (ou ação) imediatamente anterior. A próxima enunciação é produzida a respeito da enunciação imediatamente anterior e forma parte do contexto para a(s) enunciação(enunciações) subsequente(s). Nessa virada de turno, a conduta dos participantes na interação é duplamente contextual, formatada pelo contexto e renovadora do contexto (Heritage, 1984). Algumas das ferramentas e técnicas usadas na análise da conversa são descritas por Coulthard (1985) e McCarthy (1991).

Assim, a análise da conversa, como a etnometodologia em geral, objetiva sistematicamente revelar e analisar os alicerces da vida social. Silverman (1993:

127-133) lista algumas das características descobertas até agora nessa análise microscópica da conversa comum. Ele conclui que a análise da conversa enquanto atividade empiricamente pautada numa teoria básica de ação social gera implicações significativas a partir da análise de formas interacionais não observadas previamente e ainda mostra como a análise da conversa pode ajudar a analisar e entender a conversa que ocorre em organizações e instituições. Similarmente, Heath e Luff (1996: 324) concluem que a análise naturalista da conversa e da interação desenvolveu um corpo substancial de descobertas que delineiam a organização social de entrelaçamento de uma ampla gama de atividades e ações sociais comuns.

---

**EXEMPLO 9.9**

**Etnometodologia e análise da conversa**

Silverman (2011: 286-299) discute aberturas de conversa, obrigações de responder, estrutura da tomada de turno e conversa institucional.

Wooffitt (1996: 287-305) se refere a dados de várias fontes ao discutir repertórios linguísticos, a organização de sequências descritivas e a reunião das descrições.

Lynch (2006) argumenta que a etnometodologia e a análise da conversa oferecem um caminho não percorrido na ciência cognitiva – um programa de pesquisa viável para investigar temas nominalmente "cognitivos" (memória, aprendizagem, percepção etc.) sem negociar noções mentalistas de cognição.

Burns e Radford (2008) usam a análise da conversa para explorar a interação entre pais e filhos em famílias nigerianas.

---

### 9.6.3 Análise do discurso

Uma outra visão da linguagem considera suas palavras, frases e recursos linguísticos e se concentra no modo pelo qual a linguagem é usada, para que é usada e o contexto social em que é usada. O termo "discurso" capta esse foco mais amplo e se refere à estrutura ou perspectiva geral na qual as ideias são formuladas (Abbott e Sapsford, 2006). O discurso permeia inextricavelmente a vida social, já que tudo o que as pessoas fazem está estruturado em algum tipo de discurso – logo uma ideologia é estruturada dentro de um discurso, assim como os relatos e as descrições (Wooffitt, 1996) e a própria ciência (Gilbert e Mulkay, 1984).

Jupp (2006) cita o uso que Worrall faz do termo:

> O discurso abrange todos os aspectos de uma comunicação, não somente o seu conteúdo, mas o seu autor (quem diz isso?), sua autoridade (fundamentado em quê?), seu público (para quem?), seu objetivo (para quê?) (Worrall, 1990: 8).

> O discurso abarca ideias, afirmações ou conhecimentos que são dominantes em determinada época entre certos grupos de pessoas... e que são mantidos em relação a outros grupos de indivíduos... Implícita no uso de tal conhecimento está a aplicação de poder... o discurso envolve todas as formas de comunicação, inclusive fala e conversa... No caso da conversa, porém, não está restrita exclusivamente a proposições verbalizadas, mas pode incluir formas de ver, categorizar e reagir ao mundo social em práticas cotidianas (Jupp, 1996: 300).

A análise do discurso não é um corpo unificado de teoria, método e prática. Em vez disso, é conduzida em várias disciplinas, com diferentes tradições de pesquisa e sem teoria unificadora abrangente comum a todos os tipos – por ser heterogênea, é difícil de defini-la (Gee et al., 1992). Edley (2001: 189) observa que a análise do discurso se tornou um termo geral para uma variedade extensa de práticas e princípios analíticos diferentes. Segundo Taylor (2001: 5), é entendida melhor como uma área de pesquisa e não uma única prática.

Coulthard (1985) oferece um panorama do seu desenvolvimento histórico e mostra as várias disciplinas que contribuíram para isso, enquanto Potter e Wetherell (1994: 47) listam no mínimo quatro tipos de trabalhos que usam o rótulo "análise do discurso". O primeiro é influenciado pela teoria do ato do discurso e é direcionado a relatos da organização de trocas conversacionais. Esse tipo é parecido com a análise da conversa. O segundo tipo, mais psicológico, concentra-se em processos de discurso, como o efeito da estrutura discursiva na memória e compreensão. O terceiro foi desenvolvido a partir de uma perspectiva de sociologia do conhecimento, estudando especificamente como os cientistas constroem sua fala e textos para apresentar e validar seu trabalho e suas ações. O quarto tipo deriva da análise cultural e filosofia social europeia e tenta mostrar como instituições, práticas e até indivíduos podem ser entendidos como produtos do funcionamento de uma série de discursos. Uma classificação parecida é dada por Gee et al. (1992)[4], e McCarthy (1991) identifica algumas diferenças entre a análise do discurso britânica e americana. O nosso interesse aqui é no terceiro e quarto tipo descritos por Potter e Wetherell (1994) – na análise do discurso para a pesquisa social qualitativa.

Apesar da diversidade e das muitas perspectivas disciplinares, os autores apontam alguns princípios fundamentais e características comuns da análise do discurso. Em nível mais geral, três princípios informam todos os estudos do discurso (Gee et al., 1992: 228): (a) o discurso humano é internamente estruturado e governado por regras; (b) é produzido por falantes que estão inevitavelmente situados numa matriz social e histórica cujas realidades culturais, políticas, econômicas, sociais e pessoais formatam o discurso; e (c) o próprio discurso constitui ou incorpora aspectos importantes dessa matriz social e histórica. Em outras palavras, o discurso reflete a experiência humana e, ao mesmo tempo, constitui partes importantes dessa experiência. Assim, a análise do discurso pode estar interessada em qualquer parte da experiência humana tocada pelo discurso ou constituída por ele.

Num nível geral similar, Jupp (1996: 305) identifica três características da análise do discurso usadas por Foucault: (a) o discurso é social, o que indica que as palavras e seus significados dependem do lugar onde são usados, por quem e para quem, consequentemente o seu significado pode variar de acordo com os cenários sociais e institucionais e, portanto, não existe um discurso universal; (b) discursos diferentes podem existir e podem entrar em conflito; (c) assim como podem entrar em conflito, os discursos podem ser considerados como dispostos numa hierarquia – as noções de conflito e hierarquia estão relacionadas ao exercício de poder. O conceito de poder é vital à análise do discurso através da conexão teórica entre a produção dos discursos e o exercício de poder. Os dois estão entrelaçados e, em algumas formulações teóricas, são vistos como a mesma coisa.

Mais especificamente, Potter e Wetherell (1994: 48) apontam três características que tornam o tipo de análise do discurso que descrevem especialmente pertinente para a pesquisa qualitativa em ciências sociais.

- Primeiro, ela considera fala e textos como práticas sociais. Assim, sua atenção está voltada a características que tradicionalmente seriam classificadas como *conteúdo* linguístico – significados e tópicos – além de se concentrar em características de *forma* linguística, como gramática e coesão. De fato, quando adotamos uma abordagem analítica ao discurso, a distinção entre conteúdo e forma se torna problemática – considera-se que o conteúdo é desenvolvido a partir de elementos formais do discurso e vice-versa. De modo mais geral, o analista do discurso busca respostas para questões sociais ou sociológicas, não linguísticas.
- Segundo, a análise do discurso tem um triplo interesse na ação, construção e variabilidade (Potter e Wetherell, 1987). As pessoas agem de modos diferentes através da sua fala e escrita, e alcançam a natureza dessas ações

parcialmente através da construção do próprio discurso a partir de uma série de estilos, recursos linguísticos e elementos retóricos.

- Um terceiro tema da análise do discurso é seu interesse na organização retórica ou argumentativa da fala e dos textos. A análise retórica tem sido particularmente útil ao destacar o modo pelo qual as versões discursivas são planejadas para reagir a alternativas reais ou potenciais (Billig, 1991). Em outras palavras, ela desvia o foco da análise de questões sobre como uma versão se relaciona a alguma realidade putativa e questiona como essa versão é desenhada de forma bem-sucedida para competir com uma alternativa.

Gee et al. (1992) discutem duas instâncias principais na pesquisa com análise do discurso em educação – uma enfatiza o estudo da estrutura do discurso individualmente, usando ferramentas analíticas da linguística (discurso enquanto estrutura); a outra estuda o discurso relacionado a outros processos e resultados sociais, cognitivos, políticos ou culturais (discurso enquanto evidência). Potter e Wetherell (1994) distinguem duas ênfases complementares diferentes em seu estilo de análise do discurso. Uma estuda os recursos usados para construir o discurso e permitir a execução de certas ações, e mapeia os sistemas amplos ou "repertórios interpretativos" que sustentam práticas sociais diferentes. A outra estuda os procedimentos detalhados através dos quais versões são construídas e feitas para parecerem factuais. Essas diferentes instâncias relativas à análise do discurso costumam ser combinadas na pesquisa, mas produzem tipos diferentes de perguntas de pesquisa, conforme mostra o Exemplo 9.10.

---

**EXEMPLO 9.10**

**Perguntas de pesquisa na análise do discurso**

Discurso como estrutura: Gee et al. (1992: 229a) listam oito tipos de perguntas que envolvem o estudo da estrutura do discurso individualmente.

Discurso enquanto evidência: os mesmos autores listam sete tipos de perguntas que os pesquisadores usaram no estudo do discurso em relação aos processos sociais e cognitivos (1992: 230).

Agenda de pesquisa discursiva-analítica de uma perspectiva crítica: Jupp (1996: 306) lista 12 perguntas que podem nortear uma análise crítica de documentos usando a análise do discurso.

Silverman (2011: 300-313) mostra como uma perspectiva discursiva-analítica pode mudar drasticamente as perguntas de pesquisa.

Potter e Wetherell (1994: 55-63) apontam que é difícil descrever e codificar os procedimentos explícitos que são usados na análise do discurso, mas listam cinco considerações recorrentes e ilustram como cada uma pode funcionar na análise, quais sejam: usar a variação como alavanca, ler os detalhes, buscar organização retórica, buscar responsabilidades e fazer referência entre os estudos do discurso. Gee et al. (1992) indicam algumas das formas pelas quais a análise pode proceder nas instâncias de discurso enquanto estrutura e discurso enquanto evidência observadas anteriormente, listando algumas das ferramentas que os linguistas usam ao analisar a estrutura do discurso e mostrando as categorias que consideram úteis ao estudar a localização social dos textos[5]. Tonkiss (1998: 250-260) discute "Fazer Análise do Discurso" sob três enunciados amplos: selecionar e abordar os dados; separar, codificar e analisar os dados; e apresentar a análise. Sob o segundo enunciado – separar, codificar e analisar os dados –, ela acrescenta duas considerações à lista das cinco dadas por Potter e Wetherell: usar palavras-chave e temas, e ficar atento aos silêncios.

A análise do discurso é um desenvolvimento importante na pesquisa qualitativa, partindo do pressuposto de que o discurso em todos os níveis, inclusive os relatos das pessoas, é um recurso importante:

> Consideramos que os textos das pessoas não são resultados triviais de necessidades comunicativas. Em vez disso, eles funcionam em muitos níveis e são o produto de toda a gama de condições e entidades políticas e psicológicas de uma pessoa. Os seres humanos são criadores constantes de significados complexos e multifacetados (Gee et al., 1992: 233).

A análise do discurso é sensível ao modo de uso da linguagem oral e escrita, ao modo de construção de relatos e descrições, e aos processos complexos para a produção de significados sociais (Tonkiss, 1998). Em âmbito microscópico, ela tem muito em comum com a análise da conversa, e alguns autores (Coulthard, 1985; McCarthy, 1991) consideram a análise da conversa um tipo particular de análise do discurso. Numa perspectiva mais macroscópica, a análise do discurso enfatiza as inter-relações entre relatos e hierarquias, poder e ideologia. Duas direções importantes para esse último tipo de análise do discurso são a análise do discurso crítica (Blommaert e Bulcaen, 2000) e a análise do discurso Foucaultiana (Gubrium e Holstein, 2000). A análise do discurso crítica pretende mostrar "formas não óbvias em que a linguagem está envolvida nas relações sociais de poder e dominação, e na ideologia" (Fairclough, 2001: 229). Foucault (1980) examina como sistemas de poder/conhecimento histórica e culturalmente situados constroem sujeitos e seu mundo. Para Foucault, o poder funciona no discurso e através do discurso como a outra face do conhecimento – por isso o termo poder/conhecimento. O discurso não somente coloca as palavras em ação, mas lhes dá significados, construtos e percepções e formula o entendimento e cursos constantes de interação (Gubrium e Holstein, 2000: 493-495). Nesse nível, a análise do discurso é parecida com a desconstrução porque desmantela relatos construídos para mostrar conexões com poder e ideologia. Ela se transformou numa disciplina de longo alcance e heterogênea que encontra a sua unidade na descrição da linguagem acima do nível da frase, e um interesse em sistemas de significado e no contexto e influências culturais que afetam a linguagem em uso.

---

**EXEMPLO 9.11**

**Análise do discurso**

Gee et al. (1992: 253-281) descrevem três exemplos de análise do discurso: compartilhamento de tempo numa sala de aula do primeiro ano, leitura de livros de estórias em casa e itens de analogia verbal na realização de provas padronizadas.

Potter e Wetherell (1994) usam cinco excertos do seu estudo de caso da construção de um programa de TV de atualidades sobre instituições filantrópicas de câncer para ilustrar a análise do discurso.

Jupp (2006) cita quatro estudos de caso da análise do discurso, usando tipos diferentes de documentos.

Coulthard (1985) tem muitos exemplos de análise do discurso em nível micro no contexto de ensino de idiomas.

---

### 9.6.4 Semiótica

A linguagem pode ser vista como um sistema simbólico de signos, em que signo é algo que significa outra coisa. Na linguagem, obviamente, os signos são palavras. Semiose é o processo pelo qual algo vem a significar outra coisa, assim adquirindo a condição de signo (Anward, 1997). A semiótica, ou ciência dos signos, descreve pressupostos, conceitos e métodos para a análise dos sistemas de signos. Há muitos sistemas de signos (p. ex., matemática, música, etiqueta, ritos simbólicos, placas de rua) aos quais a semiótica pode ser aplicada, e Eco (1976) aponta que a semiótica está voltada a tudo o que pode ser considerado signo. Ao mesmo tempo, a semiótica se baseia diretamente na linguagem, alinhada com a visão de que a comunicação linguística humana pode ser vista como uma demonstração de signos ou um "texto a ser lido" (Manning e Cullum-Swan, 1994).

O linguista suíço Saussure e o filósofo americano Peirce foram os fundadores da semiótica. O ponto básico de Peirce é que qualquer coisa pode ser um signo. Para Saussure, ser um signo implica ser parte de um código, e ele gerou um método mostrando que estruturas e palavras são inseparáveis (Silverman, 2011). A semiótica, portanto, foi associada à tradição estrutural da crítica literária, mas o aparato da semiótica também permite uma forma de pensar sobre qualquer atividade social mediada por signos.

Uma ideia essencial na semiótica é que manifestações superficiais derivam seus significados de estruturas subjacentes (Feldman, 1995). Isso torna a semiótica especialmente útil na análise da linguagem e de textos. Os estudiosos da semiótica identificam mecanismos pelos quais o significado é produzido (os mais comuns são metáfora, metonímia e oposição) e criaram técnicas usando esses mecanismos para interpretar dados qualitativos. Feldman (1995: 22-39) ilustra três dessas técnicas (agrupamento semiótico, cadeias semióticas e quadrados semióticos) na sua análise de dados do seu estudo no alojamento de uma universidade. Ela exemplifica como o uso dessas técnicas a ajudou a ver os relacionamentos nos dados que não conhecia, assim iluminando seus dados enfaticamente. Num exemplo diferente, Manning e Cullum-Swan (1994) apresentam uma leitura semiótica dos cardápios do McDonald's.

A semiótica também pode ser usada para a análise de textos e já observamos o uso que Silverman (2011) faz dela para analisar as estruturas narrativas. Com o seu foco nas estruturas e categorias linguísticas, ela pode ser usada para desenvolver uma teoria de textos e seus elementos constitutivos. Isso aproxima a análise de texto da análise de conteúdo quantitativa inicial (Berelson, 1952) no esforço de chegar ao significado mais profundo. Tal significado deve ser encontrado não somente em palavras e frases, mas no sistema de regras que estrutura o texto como um todo. Portanto, são essa estrutura subjacente e as regras que incorpora que podem dizer ao pesquisador qual é a sua mensagem cultural e social. Embora essa ênfase semiótica seja valiosa, MacDonald e Tipton (1996) lembram que há limites ao entendimento que podemos desenvolver usando apenas os textos. Um texto também precisa ser estudado em seu contexto social.

> ### EXEMPLO 9.12
>
> **Análise semiótica**
>
> McRobbie (2000) demonstra a análise semiótica usando uma revista voltada a meninas adolescentes.
>
> Feldman (1995: 21-41) discute a análise de grupos semióticos usando o exemplo de "construções".
>
> Manning e Cullum-Swan (1994) apresentam uma análise semiótica de um cardápio do McDonald's.
>
> Mavers (2007) conceitua a escrita como um processo de desenho para estudar como o significado é construído por uma criança de 6 anos que usa desenvoltura semiótica em conversas via e-mail com o seu tio.

## 9.6.5 Análise documental e textual

Observamos no Capítulo 8 a disponibilidade e riqueza de dados documentais para a pesquisa em ciências sociais. A análise desses dados compartilha características com as abordagens descritas, mas também tem alguns temas distintivos.

Um tema se concentra na produção social do documento, começando com o modo pelo qual o documento veio a existir. Todas as fontes documentais são resultado da atividade humana, produzida com base em certas ideias, teorias ou princípios comumente aceitos e tidos como certos, e eles estão sempre localizados dentro das restrições de certas condições e estruturas sociais, históricas ou administrativas (MacDonald e Tipton, 1996; Finnegan, 2006). Palavras e seus significados dependem do lugar onde são usados, por quem e para quem. Logo, como apontam os analistas do discurso (p. ex., Jupp, 1996: 305), o significado varia de acordo com o cenário social e institucional. Portanto, documentos e textos estudados isoladamente em relação ao seu contexto social são destituídos do seu real significado. Assim, o entendimento da produção e contexto social do documento afeta a sua interpretação. Considerações similares também se aplicam à produção social de um arquivo – o que é guardado, onde e por quanto tempo e o que é descartado (MacDonald e Tipton, 1996: 189).

Um segundo tema relacionado é a organização social do documento. Vimos essas questões de Hammersley e Atkinson (2007) no Capítulo 7: Como os documentos são escritos? Como são lidos? Quem os escreve? Quem os lê? Com que objetivos? Em que ocasiões? Com quais resultados? O que está registrado? O que está omitido? O que o autor parece desconsiderar sobre o(s) leitor(es)? O que os leitores precisam saber para entendê-los? Silverman (2011) usa essas perguntas para estudar a organização social dos documentos, independentemente da sua verdade ou erro. Portanto, ele mostra como até documentos aparentemente "objetivos" ou arquivos organizacionais são "construídos engenhosamente visando ao modo pelo qual podem ser lidos". Ele cita o trabalho de Cicourel e Kitsuse em educação, Garfinkel com médicos legistas e Sudnow sobre mortes em hospitais e estatísticas criminais para mostrar como a análise sociológica de estatística e arquivos suscita questões fundamentais sobre os processos que os produzem, bem distante de questões sobre verdade ou erro das estatísticas propriamente ditas. Ele também considera registros públicos e imagens visuais sob essa mesma luz.

---

**EXEMPLO 9.13**

**Análise da organização social de documentos**

Silverman (2011) aplica a análise textual a arquivos, registros estatísticos, registros de imagens e procedimentos oficiais, e inclui ilustrações retiradas de trabalhos de outras pessoas.

Woods (1979) analisa boletins escolares e mostra os conceitos e categorias que os professores usam para fazer julgamentos normativos sobre os alunos.

---

Um terceiro tema se refere à análise mais "direta" do texto em busca de significado, agora incluindo questões de verdade e erro. Essa análise pode se concentrar na superfície ou no significado literal ou no significado mais profundo, e a natureza de superfícies múltiplas do significado agora é muito mais amplamente entendida e aceita (Finnegan, 2006). O significado superficial muitas vezes interessa os historiadores, enquanto os sociólogos se interessam mais em modos de revelar o significado mais profundo. Os métodos usados variam de entendimento interpretativo, seguindo as ideias de Dilthey (MacDonald e Tipton, 1996: 197) a abordagens mais estruturais, especialmente a semiótica, como já descrevemos.

Um quarto tema é a aplicação de diferentes perspectivas teóricas à análise de textos e documentos. Como exemplo, Jupp (2006) descreve a análise crítica de documentos, considerando-os meios para discursos, assim pautando-se na análise do discurso. A desconstrução é uma abordagem que também tem aplicabilidade em tal contexto. Portanto, como aponta Silverman, há várias formas de reflexão sobre a análise textual e muitas perspectivas teóricas que podem ser aplicadas. Silverman (2011) também está convencido de que os sociólogos usam muito pouco o grande potencial dos textos como dados ricos, especialmente à luz da sua acessibilidade relativamente (muitas vezes) fácil. A relevância desse ponto para a pesquisa em ciências sociais foi levantada nos capítulos anteriores.

## 9.7 Computadores na análise de dados qualitativos

Embora o uso do computador não seja apropriado a todas as abordagens à análise descrita, há vários programas para auxiliar o pesquisador qualitativo hoje. O software de Análise de Dados Qualitativos Assistida por Computador agora é conhecido entre os pesquisadores como CAQDAS.

Ao escolhermos entre vários pacotes disponíveis, diversos websites fornecem informações úteis. O website *Text Analysis Info Page* (www.textanalysis.info) tem uma lista abrangente de tipos diferentes de pacotes disponíveis. O CAQDAS tem um site bastante útil (www.caqdas.soc.surrey.ac.uk).

Há vários fatores a considerar e perguntas a fazer quando o pesquisador está escolhendo um pacote. Por exemplo:

- *Compatibilidade com a minha abordagem analítica.* Este pacote permite que eu faça o tipo de análise que desejo?
- *Facilidade de uso.* Percebo que consigo aprender a usar este software e trabalhar com ele de modo a promover a minha criatividade?
- *Suporte ao produto e escala de atualização.* Este produto tem um bom suporte por uma empresa forte e provavelmente será ainda mais desenvolvido e aprimorado? Isso significa que o produto continuará a crescer à medida que o meu entendimento e prática de pesquisa qualitativa se desenvolverem e à medida que eu crescer como pesquisador.
- *Este produto tem versões anteriores?*
- *Posso fazer download e experimentar uma cópia de teste?* Como esse teste interage com alguns dos meus dados?
- *A empresa é ativa no seu envolvimento com a pesquisa e os pesquisadores?*
- *Existe uma comunidade de aprendizagem que preste suporte?*
- *O produto tem tutoriais de qualidade?*
- *Há oportunidades de treinamento e oficinas?*
- *O produto tem suporte de um website e há um fórum de discussão disponível?*

- *As pessoas próximas usam este produto ativamente no meu contexto?*
- *A comunidade de pesquisa da minha área usa este produto? Há menções frequentes ao produto na literatura recente?*
- *Custos do software* – nem todos os custos estão no preço de compra:
- *Ele precisa de hardware especializado ou sofisticado?*
- *A licença contínua representa outros custos?*
- *O treinamento e o suporte são caros?*
- *Quem compra este software?* ou *Minha instituição fornece uma cópia?*

### Pacotes de software qualitativo

Assim como o SPSS e o R, que ajudam a analisar dados quantitativos, há vários pacotes de software que podem auxiliar na análise de dados qualitativos. O CAQDAS não pode interpretar os seus dados por você, mas pode ser extremamente útil para ajudar a gerenciar e codificar os seus dados e guardá-los para uma fácil recuperação.

De modo similar aos pacotes quantitativos, há uma série de opções disponíveis ao pesquisador qualitativo. Cada pacote tem pontos fortes e fracos, embora muitos tenham uma funcionalidade compartilhada ou similar. A sua escolha de qual software usar pode estar restrita a qual pacote a sua universidade assina. Se você puder escolher, um bom guia para as vantagens e desvantagens e diferentes funcionalidades de cada pacote pode ser encontrado em *Using Software in Qualitative Data Analysis*, de Ann Lewins e Christina Silver. Existe um link para esse livro no website bônus (www.sagepub.co.uk/punch3e).

O NVivo é o software mais usado na maioria das disciplinas em ciências sociais. No website bônus você encontra o texto integral dos dois primeiros capítulos do livro de Pat Bazeley e Kristi Jackson, *Qualitative Data Analysis with NVivo*. Esses capítulos ajudam a entender como o NVivo ajuda na análise de dados qualitativos e auxiliam você a iniciar o uso do software. Links para recursos adicionais também são fornecidos.

O ATLAS.ti também é uma escolha popular. Um guia para usar o ATLAS.ti é o livro de Susanne Friese, *Qualitative Data Analysis with ATLAS.ti* (link no website bônus).

### Softwares alternativos:

- MAXQDA – http://www.maxqda.com/
- Transana – http://transana.org/
- Hyper Research – http://www.researchware.com/products/hyperresearch.html

• Dedoose – http://www.dedoose.com/

Os links para todos esses softwares e recursos adicionais estão no website bônus (www.sagepub.co.uk/punch3e).

## 9.8 A seção de análise de dados numa proposta de pesquisa qualitativa

Os alunos que escrevem propostas de dissertação qualitativa costumam ter dificuldade na seção sobre análise de dados qualitativos. Diante dos muitos métodos disponíveis, um modo eficaz de proceder é:

1. Decida se o seu projeto precisa de uma abordagem especializada à análise de dados. Ela deve resultar da forma pela qual a sua pesquisa e perguntas de pesquisa tenham sido estruturadas e desenvolvidas. Por exemplo, um estudo com teoria fundamentada exigirá uma análise com teoria fundamentada, uma análise do discurso exigirá algum tipo de análise do discurso etc. Se for especializada, a proposta poderá descrever o tipo de análise especializada a usar com embasamento adequado da literatura.

2. Se uma abordagem especializada não estiver envolvida, uma das abordagens mais gerais será útil (a abordagem de Miles e Huberman é boa nessa situação). Ao identificar e descrever a abordagem geral escolhida, os pontos a serem incluídos são as operações básicas de codificação e anotações, e a ênfase de que os dados serão analisados, não simplesmente resumidos e descritos. Há direções diferentes que a própria análise pode tomar – por exemplo, pode ser indutiva, voltada à conceituação dos dados, ou interpretativa, voltada à análise do significado, ou temática e voltada à identificação de padrões nos dados. Em todos os casos, verifique se há embasamento na literatura de referência.

3. Se fizer (1) ou (2), mostre como a análise proposta se enquadra na lógica geral da pesquisa. Isso ajuda a deixar a sua proposta convincente, fortalecendo sua validade e consistência interna. (Um problema comum é a falta de adequação entre a seção de análise de dados e outras seções da proposta.)

4. Mostre também como a análise será sistemática, bem organizada e abrangente. Isso confere disciplina à proposta, sugerindo um rastreamento de ações em toda a análise. Assim, você torna a sua proposta mais acadêmica.

# Resumo do capítulo

- Contrastando com a situação há 40 anos, agora existem múltiplos métodos para análise de dados qualitativos. Isso significa que não existe um único modo "certo" de fazer análise de dados qualitativos. Também significa que o método de análise selecionado precisa se adequar ao objetivo e à estratégia da pesquisa.
- Indução como termo geral é crucial à busca de regularidades no mundo social; a indução analítica é um método específico para auxiliar a busca dessas regularidades.
- A abordagem de Miles e Huberman à análise de dados qualitativos é uma estrutura geral muito útil que funciona em várias situações; ela tem três componentes principais – redução de dados, demonstração de dados, formação e verificação de conclusões.
- Codificação e anotações são operações concretas fundamentais em todas as abordagens à análise de dados qualitativos; tipos diferentes de codificação estão associados a diferentes abordagens à análise; em termos mais gerais, abstração e comparação são atividades intelectuais essenciais na análise de dados qualitativos.
- A análise com teoria fundamentada é um método indutivo para a análise de dados desenvolvida com a finalidade de adequação à estratégia de pesquisa com teoria fundamentada geral; pode ser descrita em termos de codificação aberta, codificação axial e codificação seletiva.
- Outras abordagens à análise de dados qualitativos vistas neste capítulo são análise narrativa, etnometodologia e análise da conversa, análise do discurso, análise semiótica e análise documental e textual.

## Termos-chave

Abstração: conceituação de dados em graus mais elevados e gerais usando indução; elevação do grau de mais específico para mais geral ou de mais concreto para mais abstrato.

Análise com teoria fundamentada: usa codificação aberta, axial e seletiva para descobrir ou gerar teoria fundamentada em dados.

Análise documental: análise de documentos como dados qualitativos; inclui sua organização e produção social, assim como seu conteúdo e significado.

Análise do discurso: estuda o modo pelo qual a linguagem é usada, para que é usada e o contexto social em que é usada; isso inclui a estrutura do discurso e sua relação com hierarquias, poder e ideologia.

Análise narrativa: análise dos dados coletados em forma de estória ou narrativa.

Anotações: registro de todas as ideias (substantivas, teóricas, metodológicas etc.) que ocorrem durante a codificação.

Codificação: atribuição de rótulos a dados; abordagens diferentes na análise qualitativa usam tipos diferentes de codificação.

Codificação aberta: descoberta de conceitos abstratos nos dados.

Codificação axial: descoberta de conexões entre conceitos abstratos.

Codificação seletiva: elevação do grau de abstração novamente à categoria nuclear, que é o elemento central da teoria fundamentada.

Comparação: observação sistemática de semelhanças e diferenças entre dados ou conceitos.

Etnometodologia: estuda os procedimentos que as pessoas seguem para entender o cotidiano e como os significados e normas sociais compartilhados são desenvolvidos e mantidos.

Indução analítica: método específico para identificar regularidades no mundo social; concentra-se em indução para elevar o grau de abstração e descrever relações entre conceitos.

Rastreamento de ações: mostra como o pesquisador analisou os dados para chegar às conclusões; descreve os métodos usados na análise para permitir a reprodutibilidade.

Semiótica: a ciência dos signos; a linguagem enquanto um sistema de signos; como a linguagem produz significado.

## Exercícios e perguntas para estudo

1. Qual foi o desenvolvimento mais fundamental na análise de dados qualitativos nos últimos 40 anos?
2. O que é "rastreamento de ações" durante a análise?
3. O que é indução e por que é tão importante na análise de dados qualitativos? (cf. pergunta 8)
4. Descreva e discuta os três componentes gerais do modelo de Miles e Huberman para analisar dados qualitativos.
5. Estude as três partes diferentes do Apêndice 1. Depois escreva um parágrafo, usando as suas próprias palavras, para descrever a alguém não envolvido em pesquisa como os dados qualitativos podem ser analisados.
6. O que é codificação? Como podemos descrever brevemente os dois graus principais de codificação e qual é a diferença fundamental entre eles?
7. Por que as anotações são importantes para analisar dados qualitativos?

8. O que significam graus diferentes de abstração? (cf. pergunta 3) Ilustre analisando o exemplo de hipótese de Charters citado na Seção 5.2 (Capítulo 5).

9. Qual é o objetivo da codificação aberta? Quais são as três perguntas que podem nortear a codificação aberta?

10. Qual é o objetivo da (a) codificação axial e (b) codificação seletiva?

11. O que significa afirmar que a teoria fundamentada é essencialmente um método indutivo?

12. Escreva um parágrafo breve para mostrar que você entendeu os seguintes itens:

- Análise narrativa;
- Etnometodologia;
- Análise do discurso;
- Semiótica.

## Leitura complementar

### Narrativas e significado

Cortazzi, M. (1991) *Primary Teaching: How It is – A Narrative Account*. Londres: David Fulton.

Elliott, J. (2005) *Using Narrative in Social Research: Quantitative and Qualitative Approaches*. Londres: Sage.

Fernandez, J.W. (1991) *Beyond Metaphor: The Theory of Tropes in Anthropology*. Stanford, CA: Stanford University Press.

Lakoff, G. e Johnson, M. (1990) *Metaphors We Live By*. Chicago: University of Chicago Press.

Plummer, K. (1995) *Telling Sexual Stories: Power, Change and Social Worlds*. Londres: Routledge e Kegan Paul.

Polkinghorne, D.E. (1988) *Narrative Knowing and Human Sciences*. Albânia, NY: State University of Nova York Press.

Riessman, C.K. (1993) *Narrative Analysis*. Newbury Park, CA: Sage.

### Etnometodologia e análise da conversa

Atkinson, J.M. e Heritage, J. (eds.) (1984) *Structures of Social Action: Studies in Conversation Analysis*. Cambridge: Cambridge University Press.

Button, G. (ed.) (1991) *Ethnomethodology and the Human Sciences*. Cambridge: Cambridge University Press.

Garfinkel, H. (1967) *Studies in Ethnomethodology*. Englewood Cliffs, NJ: Prentice-Hall.

Gilbert, G.N. e Mulkay, M.J. (1984) *Opening Pandora's Box: A Sociological Analysis of Scientists' Discourse*. Cambridge: Cambridge University Press.

Heritage, J. (1984) *Garfinkel and Ethnomethodology*. Cambridge: Polity Press.

Psathas, G. (1994) *Conversation Analysis*. Thousand Oaks, CA: Sage.

Wooffitt, R. (2008) "Conversation analysis and discourse analysis". In: N. Gilbert (ed.), *Researching Social Life*. Londres: Sage, p. 440-461.


**Análise do discurso**

Boden, D. e Simmerman, D.H. (1991) *Talk and Social Structure*. Cambridge: Polity Press.

Coulthard, M. (1985) *An Introduction to Discourse Analysis*. 2. ed. Londres: Longman.

Fairclough, N. (1992) *Discourse and Social Change*. Cambridge: Polity Press.

Gee, J.P., Michaels, S. e O'Connor, M.C. (1992) "Discourse analysis". In: M.D. LeCompte, W.L. Millroy e J. Preissle (eds.), *The Handbook of Qualitative Research in Education*. São Diego, CA: Academic Press, p. 227-291.

Jupp, V. (1996) "Documents and critical research". In: R. Sapsford e V. Jupp (eds.), *Data Collection and Analysis*. Londres: Sage, p. 298-316.

Potter, J. e Wetherell, M. (1987) *Discourse and Social Psychology: Beyond Attitudes and Behaviour*. Londres: Sage.

Potter, J. e Wetherell, M. (1994) "Analysing discourse". In: A. Bryman e R.G. Burgess (eds.), *Analysing Qualitative Data*. Londres: Routledge, p. 47-66.

Tonkiss, F. (1998) "Analysing discourse". In: C. Seale (ed.), *Researching Society and Culture*. Londres: Sage, p. 245-260.

van Dijk, T. (ed.) (1985) *Handbook of Discourse Analysis*. Orlando, FL: Academic Press.

Wetherell, M., Taylor, S. e Yates, S.J. (eds.) (2001) *Discourse as Data: A Guide for Analysis*: Londres: Sage.


**Semiótica**

Barley, S.R. (1983) "Semiotics and the study of occupational and organizational culture". *Administrative Science Quarterly*, 28: 393-413.

Eco, U. (1976) *A Theory of Semiotics*. Bloomington, IN: Indiana University Press.

Feldman, M.S. (1995) *Strategies for Interpreting Qualitative Data*. Thousand Oaks, CA: Sage.

Fiol, C.M. (1989) "A semiotic analysis of corporate language: organizational boundaries and joint venturing". *Administrative Science Quarterly*, 34: 277-303.

Manning, P.K. (1987) *Semiotics and Fieldwork*. Newbury Park, CA: Sage.

### Análise textual e documental

Hodder, I. (1994) "The interpretation of documents and material culture". In: N.K. Denzin e Y.S. Lincoln (eds.), *Handbook of Qualitative Research*. Thousand Oaks, CA: Sage, p. 393-402.

Jupp, V. (1996) "Documents and critical research". In: R. Sapsford e V. Jupp (eds.), *Data Collection and Analysis*. Londres: Sage, p. 283-316.

Jupp, V. e Norris, C. (1993) "Traditions in documentary analysis". In: M. Hammersley (ed.), *Social Research: Philosophy, Politics and Practice*. Londres: Sage, p. 37-51.

MacDonald, K.M. (1989) "Building respectability". *Sociology*, 2(3): 55-80.

Silverman, D. (2011) *Interpreting Qualitative Data: Methods for Analyzing Talk, Text and Interaction*. 3. ed. Londres: Sage.

# Notas

1. Ainda há, porém, a questão da interpretação dos resultados: esse comentário se aplica somente às operações estatísticas executadas com os dados.
2. Os procedimentos para a realização de um rastreamento de ações são descritos por Schwandt e Halpern (1988); cf. tb. Lincoln e Guba (1985).
3. Similarmente, Silverman (2011) mostra o valor da semiótica e abordagem estruturalista na análise de "estórias", desde contos de fadas russos até documentos políticos contemporâneos.
4. Eles identificam quatro tipos de análise do discurso: ênfase em linguística, análise da fala de uma perspectiva sociológica, abordagens antropológicas e sociolinguísticas e análise do discurso na explicação de instituições e relações sociais, culturais e políticas.
5. Outras descrições de algumas ferramentas linguísticas podem ser encontradas em Coulthard (1985), Brown e Yule (1984) e McCarthy (1991).

# 10

# DESENHO DE PESQUISA QUANTITATIVA

**Sumário**

10.1 Desenho de pesquisa
10.2 Um pouco de história
10.3 Variáveis independentes, dependentes e de controle
10.4 O experimento
10.5 Desenho semiexperimental e não experimental
10.6 Relações entre variáveis: levantamento correlativo
10.7 Relações entre variáveis: causação e consideração de variância
10.8 Regressão linear múltipla (RLM) como desenho e estratégia geral
10.9 Controlando as variáveis
   Resumo do capítulo
   Termos-chave
   Exercícios e perguntas para estudo
   Leitura complementar
   Notas

---

**OBJETIVOS DE APRENDIZAGEM**

**Após estudar este capítulo, você saberá:**

- Descrever semelhanças e diferenças entre comparar grupos e relacionar variáveis como estratégias na pesquisa quantitativa;
- Definir variáveis independentes, dependentes e de controle;
- Descrever as características básicas de um experimento;
- Mostrar como a lógica do desenho experimental se estende a desenhos de levantamentos semiexperimentais e correlativos;
- Explicar o conceito fundamental de consideração de variância;
- Explicar como a regressão linear múltipla se adapta à consideração de variância.

Em termos mais gerais, a pesquisa quantitativa faz três coisas principais:
- Conceitua a realidade em termos de variáveis;
- Mensura essas variáveis; e
- Estuda as relações entre essas variáveis.

Portanto, variáveis (e variância) são os conceitos principais da pesquisa quantitativa.

O Capítulo 11 trata de variáveis e sua mensuração. Este capítulo se concentra nas relações entre variáveis. De um ponto de vista de desenho quantitativo, podemos estudar as relações entre variáveis comparando grupos ou relacionando as variáveis diretamente. Um tema deste capítulo, então, é a divisão ampla na lógica do desenho quantitativo entre comparação de grupos, por um lado, e relação entre variáveis, por outro lado. Podemos ver isso analisando brevemente alguma história metodológica na Seção 10.2. Três tipos principais de desenho resultam dessa divisão ampla – experimentos, semiexperimentos e levantamentos correlativos. Um segundo tema deste capítulo é a mudança de comparação entre grupos para relações entre variáveis como forma de pensar, e para análise de regressão como estratégia e desenho para implementar essa mudança. Passar pelos dois temas é a ideia de variáveis independentes, de controle e dependentes. Começamos o capítulo revendo o conceito de desenho de pesquisa descrito no Capítulo 7.

## 10.1 Desenho de pesquisa

No Capítulo 7, o desenho de pesquisa foi descrito como o plano geral para uma pesquisa, incluindo quatro ideias principais – a estratégia, a estrutura conceitual, a questão de quem ou o que será estudado e as ferramentas que devem ser usadas para coletar e analisar os dados. Juntos, esses quatro componentes do desenho de pesquisa situam o pesquisador no mundo empírico. O desenho está entre as perguntas de pesquisa e os dados, mostrando como as perguntas de pesquisa serão conectadas aos dados e quais ferramentas e procedimentos devem ser usados para respondê-las. Portanto, ele precisa resultar da pergunta e se adequar aos dados.

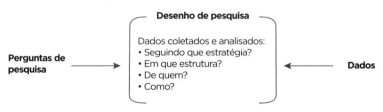

Figura 10.1 O desenho de pesquisa conecta as perguntas de pesquisa aos dados

Assim como no Capítulo 7 e conforme mostrado mais uma vez na Figura 10.1, ao considerarmos o desenho, estamos partindo de quais dados serão necessários para responder as perguntas de pesquisa (critério empírico, cf. Seção 5.1) em direção a como e de quem os dados serão coletados. As mesmas quatro perguntas são usadas: os dados serão coletados:

1. Seguindo que estratégia?
2. Em que estrutura?
3. De quem?
4. Como?

Nos estudos quantitativos, em que as variáveis são centrais, o desenho e a estrutura conceitual tendem a vir juntos. O desenho mostra como as variáveis estão mutuamente dispostas em termos conceituais. Em outras palavras, mostra em forma de diagrama a estratégia que subjaz à pesquisa. Conforme enfatizamos no Capítulo 7, todo desenho de pesquisa é guiado pela estratégia. A estrutura conceitual também mostra a estrutura do estudo proposto em termos de suas variáveis. Embora o desenho da pesquisa quantitativa tenda ao extremo rigorosamente estruturado do *continuum* de estruturação, ele varia no grau de planejamento da situação para fins de pesquisa, como este capítulo mostra.

## 10.2 Um pouco de história

Um esboço breve de parte da história metodológica da pesquisa quantitativa nos dá uma base para este capítulo e para o Capítulo 12, sobre análise de dados quantitativos.

A pesquisa empírica em ciências sociais como conhecemos hoje começou há 150 anos (exceto pela economia, que tem uma história muito mais longa). Os primeiros cientistas sociais, especialmente de psicologia e sociologia, estavam impressionados com o progresso das ciências naturais, especialmente a física e a química, e decidiram imitar o uso que faziam do método científico na construção do conhecimento. Eles consideravam o núcleo do método científico como duas coisas – experimento e mensuração. Descrevemos o experimento mais tarde, mas a sua ideia principal envolve a manipulação artificial de alguma(s) variável (variáveis) de tratamento para fins de pesquisa, definindo grupos de comparação controlados. No caso mais simples, os grupos de comparação são iguais em todos os aspectos – i. e., iguais em todas as outras variáveis –, exceto pela sua exposição diferencial à variável de tratamento. As outras variáveis são controladas pelo desenho.

O objetivo é relacionar a(s) variável (variáveis) de tratamento à(s) variável (variáveis) de resultados, tendo controlado os efeitos das outras variáveis. O experimento foi considerado a base para estabelecer relações causa-efeito entre as variáveis, e suas variáveis de resultados (e controle) tinham de ser mensuradas. A pesquisa em ciências sociais mais antiga, portanto, era caracterizada por desenho experimental e mensuração.

Nas décadas de 1950 e 1960, os pesquisadores quantitativos em ciências sociais começaram a ampliar o escopo do experimento em parte devido às suas limitações. Não havia questionamento à lógica do experimento, mas as limitações à sua aplicabilidade, tanto prática quanto ética, forçaram esse desenvolvimento. A lógica do experimento foi estendida primeiro a situações semiexperimentais e não experimentais. Esses termos são explicados na Seção 10.5. Isso aconteceu porque muitas das questões mais importantes na pesquisa em ciências sociais não podiam ser estudadas pelo desenho experimental. Porém, havia muitos exemplos de grupos de tratamento de ocorrência natural (cf. Seção 10.5) em que as comparações de interesses eram possíveis, mas ali eles não haviam sido definidos especificamente para fins de pesquisa. O desenvolvimento, portanto, era aplicar os princípios do desenho experimental a essas situações semiexperimentais, estudando esses grupos de tratamento de ocorrência natural. Como esses grupos de comparação não haviam sido definidos para a pesquisa, outras variáveis (extrínsecas) não foram controladas no desenho. Logo, foi necessário desenvolver técnicas para controlar as variáveis extrínsecas na análise de dados, já que, diante da impossibilidade de uma real experimentação, elas não podiam ser controladas no desenho. Em termos simples, desenvolveu-se uma aproximação estatística à situação experimental desejada, em que grupos de comparação eram iguais em todos os aspectos, nessas outras variáveis. Isso foi feito através do controle estatístico de variáveis extrínsecas na análise de dados, não através do controle físico dessas variáveis no desenho. Essas ideias são descritas mais detalhadamente da Seção 10.4 até a Seção 10.9. Nesses desenvolvimentos, a mensuração continuou a ser fundamental – a introdução de mais variáveis somente acentuou a necessidade de mensuração.

Esses desenvolvimentos conduziram a duas correntes principais nas áreas de desenho quantitativo e análise de dados:

- *Primeiro*, a corrente da comparação entre grupos, baseada no experimento, tendo o teste t e a análise de variância como suas características estatísticas principais.

- *Segundo*, a corrente das relações entre variáveis, baseada em raciocínio não experimental, tendo a correlação e a regressão como características principais. Chamarei essa segunda corrente de corrente de levantamento correlativo.

É interessante comparar a direção do pensamento que subjaz a essas duas correntes. O verdadeiro experimento olha "para baixo" ou "para a frente", por assim dizer, partindo da variável independente para a variável dependente, ou das causas para os efeitos. A questão central aqui é: Qual é o efeito desta causa? Por outro lado, o levantamento correlativo olha "para cima" ou "para trás", da variável dependente para a variável independente, dos efeitos para as causas. A questão central aqui é: Quais são as causas deste efeito? Como essa última abordagem considera o mundo determinado, estudando-o depois que as coisas acontecem, às vezes é chamada de pesquisa *ex post facto* – a pesquisa que ocorre após o fato. Mapear a variância na variável dependente e *considerar a variância na variável dependente* tornam-se duas noções cruciais nesse modo de pensar, e são temas importantes neste capítulo e nos próximos dois.

A descrição anterior é mais típica nas áreas das ciências sociais aplicadas, especialmente aquelas com tendência sociológica, inclusive a educação. As duas correntes se desenvolveram de modo diferente na psicologia e na psicologia educacional, como aponta Cronbach (1957). Entretanto, o resultado é o mesmo. Cronbach chamou as duas correntes de "experimentalistas" e "correlativistas". Os experimentalistas geram variação na variável de tratamento para estudar as consequências de fazê-lo. Estudam como a natureza é construída, não considerando a natureza tal como ela é, mas modificando-a e entendendo as consequências dessas modificações. Os correlativistas, por outro lado, estudam as correlações naturais que ocorrem na natureza. Não existe manipulação para a introdução de modificações, e sim o estudo da natureza tal como ela é (Shulman, 1988).

As duas correntes (a corrente da comparação entre grupos e a corrente da relação entre variáveis) estão relacionadas, particularmente no que se refere à análise dos dados. Mas também são ênfases distintas importantes, e uma forma conveniente de apresentar o material deste capítulo. Trataremos do experimento primeiro e depois passaremos aos semiexperimentos e ao levantamento correlativo devido à importância de entender a lógica do desenho experimental e os desenvolvimentos que fluíram dele. Antes, porém, precisamos abordar algumas terminologias.

## 10.3 Variáveis independentes, dependentes e de controle

Ao discutir causação no Capítulo 5, falei que a linguagem da pesquisa técnica evita o uso dos termos "causa" e "efeito". Os termos mais comuns substituídos e aqueles que em sua maioria serão usados aqui são variável *independente* (para causa) e variável *dependente* (para efeito). Contudo, não são os únicos termos usados, conforme mostrado na Tabela 5.1. No desenho experimental, os termos comuns também são variável de "tratamento" e de "resultado", e a variável de tratamento muitas vezes também é chamada de variável experimental. Mas variável "independente" e "dependente" são os termos mais difundidos e se aplicam às situações experimentais e não experimentais (de levantamento). Além das variáveis independentes e dependentes, agora precisamos apresentar a ideia de variáveis de controle.

*Variável de controle* é uma variável cujos efeitos desejamos remover ou controlar. Desejamos controlar essa variável porque suspeitamos que ela pode confundir de alguma forma as comparações que desejamos fazer ou as relações que desejamos estudar. É extrínseca às variáveis que realmente desejamos estudar, mas ao mesmo tempo pode influenciar essas variáveis e a relação entre elas (Rosenberg, 1968). Portanto, desejamos remover seus efeitos. "Saída parcial" ou "controle" são sinônimos técnicos para "remoção de efeitos". Ademais, o termo "covariável" muitas vezes é usado como sinônimo de variável de controle, e análise de covariância é a mais geral das técnicas para controlar variáveis. Uma descrição das formas de controlar essas variáveis extrínsecas é apresentada adiante neste capítulo (Seção 10.9) e no Capítulo 12. Por enquanto, estamos pensando somente na função conceitual das variáveis de controle num desenho de pesquisa.

Agora temos três categorias ou tipos gerais de variáveis:

Variável (variáveis) independentes(s) $\longrightarrow$ Variável (variáveis) de controle (covariáveis) $\longrightarrow$ Variável (variáveis) dependentes(s)

Isso mostra a condição conceitual das diferentes variáveis em nosso pensamento sobre o desenho de pesquisa. É uma estrutura conceitual geral, mostrando a estrutura de um estudo em termos dessas variáveis. A condição conceitual para qualquer variável pode mudar de estudo para estudo ou de parte para parte de um estudo. Assim, qualquer variável em particular pode ser uma variável independente num estudo, uma variável dependente em outro e uma variável de controle num terceiro. O pesquisador obviamente deve esclarecer a condição conceitual de cada variável em cada estágio do estudo.

## 10.4 O experimento

Conforme observamos na Seção 10.2, uma corrente importante no desenho de pesquisa quantitativa é a corrente de comparação entre grupos. O caso mais claro disso é o experimento. No desenho de pesquisa, "experimento" é o termo técnico com um significado preciso, o que é esclarecido brevemente. Ao discutir a lógica do experimento, usaremos o caso mais simples possível de apenas dois grupos de comparação.

A ideia básica de um experimento na pesquisa em ciências sociais é que dois grupos de comparação sejam formados. Então, nós, enquanto pesquisadores, faremos algo (administraremos um tratamento ou manipularemos uma variável independente) com um dos grupos. Chamamos esse grupo de grupo experimental ou grupo de tratamento. Fazemos algo diferente ou nada com o outro grupo (chamamos esse grupo de grupo de controle). Depois comparamos os grupos em alguma variável de resultado ou dependente. A nossa intenção é dizer que quaisquer diferenças encontradas na variável de resultado entre os grupos se devem à variável de tratamento ou independente (ou são causadas por ela). Em termos técnicos, pretendemos atribuir diferenças de variáveis dependentes (ou de resultado) entre os grupos a diferenças de variáveis independentes (ou de tratamento) entre os grupos. Essa atribuição se baseia no importante pressuposto de que os grupos são iguais em todos os outros aspectos. Discutiremos brevemente esse pressuposto.

O experimento se baseia em comparações entre os grupos. No caso mais simples descrito anteriormente, o objetivo é ter os dois grupos iguais em todos os aspectos, exceto na recepção de tratamentos diferentes – eles têm uma exposição diferencial à variável independente. Então testamos as diferenças entre eles na variável de resultado (dependente). Se a única diferença entre os grupos estiver no tratamento recebido (ou seja, na sua exposição à variável independente), como a variável independente ocorre antes da variável dependente, temos a base mais forte possível para inferir que as diferenças na variável dependente são causadas pela variável independente. É por isso que o experimento tradicionalmente tem sido o desenho preferido entre tantos pesquisadores quantitativos, especialmente na psicologia educacional. O Quadro 10.1 mostra a equivalência conceitual dos termos usados nesta descrição do experimento.

**QUADRO 10.1**

**Termos que são conceitualmente equivalentes**

Estes termos são conceitualmente equivalentes:

Administrar um tratamento ao grupo experimental;

Manipular a variável independente (ou de tratamento);

Exposição diferencial à variável independente.

Logo, manipulamos uma variável independente administrando tratamento a um grupo experimental, o que provê exposição diferencial à variável independente.

O critério da igualdade em todos os aspectos é o pressuposto importante mencionado antes. Como isso pode ser alcançado? Como os grupos de comparação podem ser formados de modo idêntico, exceto pela exposição diferencial à variável independente? Não é fácil, e métodos historicamente diferentes foram tentados para tanto. Durante um tempo, foi favorecida a correspondência, pela qual houve um esforço deliberado em corresponder os membros do grupo, um por um, em termos de características relevantes. Porém, não são necessárias muitas características antes de isso se tornar impraticável. O desenho experimental moderno favorece a atribuição aleatória de participantes a grupos de comparação como forma de atender o critério de igualdade em todos os aspectos.

Essa solução demonstra um princípio fundamental do raciocínio quantitativo. Uma atribuição aleatória de participantes aos grupos de tratamento (ou comparação) não garante igualdade ou semelhança entre os grupos de comparação. Em vez disso, maximiza a probabilidade de que eles não diferirão de algum modo sistemático. É uma forma engenhosa de controlar as muitas variáveis extrínsecas que poderiam diferir entre os grupos e, portanto, poderiam invalidar as conclusões sobre as relações entre as variáveis independentes e dependentes com base em comparações entre os grupos. A atribuição aleatória de participantes a grupos de tratamento é uma forma de controle físico das variáveis extrínsecas. Quando o controle físico dessas variáveis por atribuição aleatória de participantes a grupos de tratamento não é possível, os pesquisadores recorrem ao controle estatístico das variáveis. É aí que o verdadeiro desenho experimental se modifica em vários desenhos semiexperimentais. Isso é descrito na Seção 10.5.

Em resumo, então, temos um verdadeiro experimento se houver:

• Manipulação de uma ou mais variáveis independentes para os fins da pesquisa; e

• Atribuição aleatória de participantes aos grupos de comparação.

Essa descrição provê a lógica essencial do experimento, mas é somente uma introdução ao tópico do desenho experimental. Como as situações no mundo real são tão variáveis e como as variáveis extrínsecas podem influenciar os resultados experimentais de tantas formas diferentes, foi necessário modificar e adornar bastante esse desenho experimental básico (cf., p. ex., Kirk, 1995). Logo, uma ampla variedade de desenhos experimentais foi desenvolvida para garantir maior validade interna em tipos diferentes de situações de pesquisa em ciências sociais. "Garantir validade interna" aqui significa garantir um controle melhor das variáveis extrínsecas ou eliminar hipóteses rivais àquela causal proposta ligando as variáveis independentes e dependentes. Como resultado desses desenvolvimentos, o desenho experimental é um tópico individualmente especializado. Uma referência importante ao tópico é o trabalho clássico de Campbell e Stanley (1963), que listam os desenhos mais comuns e as ameaças à validade interna desses desenhos. O Exemplo 10.1 mostra vários experimentos de pesquisa:

---

**EXEMPLO 10.1**

**Exemplos de experimentos**

Em "Opinions and social pressure", experimento clássico de Asch (1955) sobre conformidade, alunos do sexo masculino da graduação foram recrutados para um estudo sobre percepção visual. Um grande cartão com uma linha vertical foi mostrado a sete sujeitos, que depois deveriam indicar qual das três linhas num segundo cartão correspondia à original. Seis do grupo eram cúmplices do pesquisador e deram respostas falsas. O sujeito "real" foi exposto à pressão sutil dos outros participantes, que apresentaram um veredito unânime.

Sherif et al. (1961) conduziram um experimento de campo clássico, *Intergroup Conflict and Cooperation: The Robber's Cave Experiment*, em que meninos pré-adolescentes americanos foram levados a um acampamento de verão com o objetivo de controlar e estudar as relações que se desenvolveram entre eles.

No Projeto STAR (experimento *Student Teacher Achievement Ration*, de Tennessee), Finn e Achilles (1990) estudaram o efeito das reduções no

> tamanho das turmas no êxito acadêmico dos alunos. Os alunos foram atribuídos aleatoriamente a turmas de tamanhos diferentes em 80 escolas de ensino fundamental.
>
> Williams (1986) usou a introdução da televisão numa remota comunidade canadense na década de 1970 para estudar o efeito da TV nas habilidades cognitivas das crianças.

Quando é possível experimentar, esse desenho claramente propicia a base mais forte para inferir relações causais entre as variáveis. Porém, há dois problemas que limitam drasticamente a aplicabilidade do experimento na pesquisa em ciências sociais. O primeiro é a praticidade. Simplesmente não é possível investigar experimentalmente muitas das questões de importância e interesse real. Mesmo com um financiamento substancial, essas questões permanecem fora do alcance em termos práticos. O segundo é a ética. É muito comum que questões de interesse da pesquisa estejam além do alcance do experimento devido a vários motivos éticos.

Porém, apesar dessas limitações, muitas vezes ainda é possível fazer várias das comparações que desejamos fazer, ainda que não estejam definidas num desenho experimental rigoroso. Há situações em que as comparações que desejamos fazer (e que teríamos estruturado num experimento, se fosse possível) ocorrem "naturalmente", no sentido de não terem sido definidas artificialmente para fins de pesquisa. Elas são chamadas de "grupos de tratamento de ocorrência natural". Como podemos explorar ao máximo essas situações para fins de pesquisa? Essa pergunta nos leva a considerar primeiro os desenhos semiexperimentais e não experimentais. Os dois envolvem a extensão do raciocínio experimental para a situação não experimental.

## 10.5 Desenho semiexperimental e não experimental

Podemos resumir as ideias essenciais assim:

- No semiexperimento, as comparações são possíveis devido aos grupos de tratamento de ocorrência natural. Tais grupos de tratamento de ocorrência natural são razoavelmente claros, embora não sejam definidos para fins de pesquisa. Portanto, o tratamento experimental não é controlado pelo pesquisador, mas o pesquisador tem algum controle sobre quando mensurar as variáveis de resultados em relação à exposição à variável independente. Alguns semiexperimentos são mostrados no Exemplo 10.2.

• No não experimento, como os grupos de comparação não são claros ou não existem, o conceito de grupos de tratamento de ocorrência natural é ampliado para uma variação de ocorrência natural na variável independente. O pesquisador tem pouco controle sobre quando mensurar as variáveis de resultados em relação à exposição à variável independente. O não experimento agora realmente equivale ao levantamento correlativo.

---

**EXEMPLO 10.2**

**Exemplos de semiexperimentos**

Em "Comparison of feminist and non-feminist women's reactions to variants of non-sexist and feminist counselling", Enns e Hackett (1990) tratam da questão de corresponder interesses de clientes e consultores ao longo da dimensão de atitudes diante do feminismo. A hipótese testada foi que os sujeitos feministas seriam mais receptivos a um consultor feminista radical, enquanto os sujeitos não feministas avaliariam o consultor feminista não sexista e liberal mais positivamente.

"Quasi-experiments: the case of interrupted time series", de Glass (1988), descreve vários semiexperimentos utilizando desenhos em séries de tempo em várias áreas de pesquisa: psicoterapia, vítimas e acidentes de tráfego rodoviário, bolsa de valores, autoestima, ansiedade, estatísticas criminais e matrículas em escolas públicas.

Em *Experimental and Quase-Experimental Designs for Research*, Campbell e Stanley (1963) descrevem as características formais, pontos fortes e fracos de dez tipos diferentes de desenhos semiexperimentais.

Em *Big School, Small School*, Barker e Gump (1964) estudam os efeitos do tamanho da escola na vida de alunos do ensino médio e seu comportamento, usando amostras de escolas norte-americanas de tamanhos diferentes.

Shadish e Luellen (2006) relatam vários exemplos de pesquisa em educação usando semiexperimentos com desenhos levemente diferentes.

---

Portanto, existe um *continuum* de desenhos de pesquisa quantitativa aqui onde o real experimento está na extremidade esquerda, o não experimento está na extremidade direita e o semiexperimento no meio. Esse *continuum*, mostrado na Figura 10.2, trata de duas coisas:

- A habilidade do pesquisador de controlar a exposição à variável independente, logo o grau de clareza dos grupos de comparação. No experimento, o pesquisador manipula a variável independente e tem controle sobre a exposição dos grupos a ela. No semiexperimento e não experimento, o pesquisador não tem controle.
- A habilidade do pesquisador de controlar quando deve fazer mensurações na(s) variável(variáveis) dependente(s) em relação à exposição à variável independente. Mais uma vez, no experimento o pesquisador pode controlar isso, fazendo as mensurações de variáveis dependentes no momento mais apropriado. No não experimento, há pouca oportunidade de controle.

Assim, nos dois casos, o controle do pesquisador é alto na extremidade esquerda do *continuum* e baixo na extremidade direita.

Devemos tirar proveito dos grupos de tratamento de ocorrência natural numa situação de pesquisa. Eles fornecem as comparações que desejamos. Mas existe uma dificuldade lógica de fazer isso, uma nítida ameaça à validade interna. Ela está relacionada ao critério da igualdade em todos os aspectos do experimento. Podemos encontrar exatamente as comparações que desejamos em grupos de tratamento de ocorrência natural e certamente podemos fazer as comparações entre esses grupos a respeito de uma ou mais variáveis dependentes (de resultados). Mas como podemos ter certeza de que não existem outras diferenças entre esses grupos de comparação de ocorrência natural acima da sua exposição diferencial à variável independente – diferenças que por si mesmas podem ser responsáveis por quaisquer diferenças entre os grupos em variáveis dependentes (de resultados)? Não conseguimos atribuir pessoas aleatoriamente a esses grupos, controlar variáveis fisicamente, através do desenho. Portanto, existe a real possibilidade de influências de variáveis extrínsecas – i. e., de diferenças sistemáticas entre os grupos, em fatores relevantes para a variável dependente (de resultados).

| Experimento | Semiexperimento | Não experimento (levantamento correlativo) |
|---|---|---|
| • Manipulação de variável (variáveis) independente(s); | • Grupos de tratamento de ocorrência natural; | • Variação de ocorrência natural em variável (variáveis) independente(s); |
| • Atribuição aleatória a grupos de tratamento. | • Controle estatístico de covariável (covariáveis). | • Controle estatístico de covariável (covariáveis). |

**Figura 10.2** *Continuum* de desenhos de pesquisa quantitativa

A estratégia para lidar com esse problema é remover a influência de tais possíveis variáveis extrínsecas, identificando-as, mensurando-as e extraindo seus efeitos estatisticamente. Nós as controlamos estatisticamente, na análise, usando o raciocínio mostrado no Capítulo 12 (seções 12.3.3 e 12.4.7). Logicamente, ao controlarmos as variáveis assim, chegamos a uma aproximação estatística à situação física desejada do experimento, em que os grupos de comparação são iguais em todos os aspectos, exceto pela sua exposição diferencial à variável independente. Esses fatores extrínsecos se tornam as variáveis de controle ou as covariáveis já mencionadas. Uma covariável, portanto, é uma variável extrínseca que provavelmente se relaciona com a variável de resultados e difere entre os grupos de comparação. A análise de covariância (ANCOVA) é o nome técnico dado à técnica estatística de controle de covariáveis. Análise de variável de controle é o termo mais geral para o controle estatístico de variáveis extrínsecas.

A análise de variável de controle, e a análise de covariância em particular, são um importante desenho e estratégia de pesquisa quantitativa amplamente usados. Elas se aplicam quando há uma ou mais variáveis extrínsecas cujos efeitos desejamos remover a fim de obter um retrato mais claro das relações entre variáveis independentes e dependentes. Todas as variáveis de controle precisam ser identificadas e mensuradas antes da implementação do(s) tratamento(s). Não podemos controlar uma variável ou covariar seus efeitos durante a análise de dados a menos que tenhamos mensurações nessa variável. E não teremos mensurações nela a menos que tenhamos previsto seus possíveis efeitos e desenhado sua mensuração no estudo. É um outro exemplo dos benefícios do cuidadoso trabalho de desenvolvimento de perguntas recomendado nos capítulos 4 e 5.

A atribuição aleatória de participantes a grupos de tratamento, como no experimento real, é o desenho mais forte para demonstrar causalidade. Mas dada a grande dificuldade de fazer isso na pesquisa no mundo real, a análise de variável de controle em geral e a análise de covariância em particular são valiosas em muitas situações de pesquisa. É, portanto, um conceito importante na análise e desenho quantitativos. Retomaremos o assunto no Capítulo 12, mas a sua lógica essencial pode ser expressa em algumas frases:

> Covariar uma ou mais variáveis numa comparação entre grupos é chegar a uma aproximação estatística à situação física (desejada) em que os grupos são os mesmos na(s) covariável (covariáveis). Se forem os mesmos nas covariáveis, as covariáveis não podem ser responsáveis por diferenças nas variáveis de resultados. Assim, as diferenças

de variáveis de resultados provavelmente se devem a diferenças de variáveis independentes.

Apresentei isso em termos de comparação entre grupos para ter uma visão clara. Isso se aplica também ao estudo de relações entre variáveis. Retomamos o assunto na Seção 10.9, em controle físico e estatístico de variáveis.

Quais tipos de variáveis devem ser vistos como covariáveis? Como sempre, as considerações lógicas prevalecem. Seguindo a descrição anterior, uma variável deve ser controlada ou covariada se:

- Soubermos ou suspeitarmos que ela difere entre os grupos de comparação; e
- Estiver relacionada à variável independente ou sobretudo à variável dependente.

Como veremos no Capítulo 12, a lógica da técnica estatística de análise de covariância é extrair da variável dependente a variância que ela tem em comum com a(s) covariável (covariáveis) e depois ver se a variância remanescente na variável dependente se relaciona à variável independente. Logo, a análise de covariância, como todo o resto da análise e do desenho quantitativos, trabalha em relações entre variáveis. Agora chegou o momento de tratar diretamente desse tema. Isso significa que passamos da primeira principal corrente no desenho quantitativo (a corrente da comparação entre grupos) para a segunda principal corrente (a corrente das relações entre variáveis).

## 10.6 Relações entre variáveis: levantamento correlativo

No semiexperimento, os grupos de tratamento são razoavelmente claros. No não experimento – i. e., no levantamento correlativo –, passamos de grupos de comparação discretos para variação de ocorrência natural na variável independente. Em vez de falar sobre grupos de comparação separados que diferem em alguma variável de interesse, agora estamos falando sobre todo um espectro de diferenças de ocorrência natural nessa mesma variável. Grupos de comparação discretos, sejam dois ou mais, são simplesmente um caso especial dessa situação mais geral[1]. A partir de agora usarei o termo "levantamento correlativo" em vez de "não experimento" para esse desenho de pesquisa.

A palavra "levantamento" tem significados diferentes. Às vezes é usada para descrever qualquer pesquisa que colete dados (quantitativos ou qualitativos) numa amostra de pessoas. Outro significado, comum na linguagem cotidiana, é um estudo descritivo simples, geralmente interessado em informações individuais, cada uma estudada por vez. Variáveis assim podem não estar envolvidas, e variáveis contínuas, que serão descritas no Capítulo 11, são improváveis. Isso às vezes é chamado de "levantamento de condição", "levantamento normativo" ou "levantamento descritivo", e o seu objetivo é principalmente descrever alguma amostra em termos de simples proporções e porcentagens de pessoas que respondem de um modo ou de outro a perguntas diferentes. Tais levantamentos são comuns hoje, especialmente na pesquisa comercial e política.

O termo "levantamento correlativo" é usado aqui para enfatizar o estudo de relações entre variáveis, e alguns levantamentos desse tipo são mostrados no Exemplo 10.3. Essas relações muitas vezes são estudadas usando estruturas conceituais parecidas com aquelas usadas no desenho experimental. Logo, nesse tipo de levantamento, conceituamos variáveis diferentes como independentes, de controle (ou covariáveis) e dependentes, como já mostramos. Isso ilustra o ponto já explicado: a lógica que subjaz aos levantamentos correlativos se baseia na lógica que subjaz ao desenho experimental. Como apenas raramente podemos experimentar, os metodologistas de pesquisa aplicaram os princípios do raciocínio experimental à situação de pesquisa não experimental, desenvolvendo desenhos não experimentais logicamente equivalentes para as situações em que a variação ocorre nas variáveis independentes de interesse, mas em que não é possível manipular nem controlar tal variação para fins de pesquisa[2]. Por esse motivo, é importante que os pesquisadores entendam os princípios básicos do desenho experimental, ainda que seja improvável desenhar e usar experimentos.

---

### EXEMPLO 10.3

#### Levantamentos correlativos

O estudo de Bean e Creswell (1980), "Student attrition among women at a liberal arts college" investigou fatores que afetavam os índices de abandono numa pequena faculdade religiosa de artes liberais coeducativa de uma cidade do centro-oeste americano.

O influente livro *The American Occupational Structure*, de Blau e Duncan (1967), aborda o movimento partindo de "particularismo" e "concessão" até "universalismo" e "conquista", investigando a mobilidade ocupacional na sociedade americana. O livro inclui um material considerável sobre a função da educação na transmissão intergeracional da desigualdade. Foi um dos primeiros estudos a usar a análise de trilha.

*Equality of Educational Opportunity* (Coleman et al., 1966) realizou o levantamento mais abrangente do sistema escolar norte-americano, concentrando-se principalmente na relação entre características da escola e sucesso dos alunos. Usando uma série de análises de regressão, descobriu que as características da escola surtiam pouco efeito no sucesso dos alunos. Isso levou à conclusão controversa de que a formação familiar era mais importante do que as características da escola para explicar o sucesso diferencial.

Peaker (1971), em seu relatório *The Plowden Children Four Years Later*, descreveu um levantamento nacional complementar de 3000 crianças em idade escolar no Reino Unido. Evidências combinadas da casa e da escola de 1964 a 1968 são analisadas e demonstradas.

*Fifteen Thousand Hours: Secondary Schools and their Effects on Children* (Rutter et al., 1979) é um estudo em larga escala de 12 escolas secundárias de Londres realizado num período de mais de três anos. O estudo investigou se as escolas e os professores influenciam o desenvolvimento das crianças sob seus cuidados.

Agora veremos a corrente das relações entre variáveis do desenho quantitativo e como ela pode ser desenvolvida numa estratégia de desenho de pesquisa com consideração de variância.

## 10.7 Relações entre variáveis: causação e consideração de variância

Afirmar que duas variáveis se relacionam é afirmar que elas variam juntas, covariam ou compartilham uma variância comum. O que significa variância e os modos diferentes pelos quais as variáveis podem variar juntas serão explorados nos capítulos 11 e 12, mas a ideia essencial de covariância é que as variáveis têm parte da sua variância em comum. Quando duas variáveis têm parte da sua variância em comum, podemos usar o conceito de consideração de variância e afirmar que uma variável considera (parte da) variância na outra. Também podemos afirmar que uma variável explica parte da variância na outra, mas consideração de variância é a descrição mais comum.

No Capítulo 5, fizemos uma breve abordagem filosófica ao conceito de causação, única e múltipla. Vimos o quão importante esse conceito é na ciência, posto que desejamos descobrir a(s) causa(s) de eventos ou efeitos. Mas vimos que não podemos fazer isso diretamente devido ao elemento metafísico no conceito de causação. Portanto, podemos começar com ideias de causação em mente, mas precisamos "traduzir" essas ideias para adequá-las à pesquisa empírica, reformulando as nossas perguntas de pesquisa para substituir a linguagem causal.

Uma forma de fazer isso é mudar perguntas no formato "O que causa Y?" para "O que causa a variação de Y?" e depois para "Como podemos considerar a variância em Y?" A primeira reformulação introduz o termo "variar". Variar significa mostrar diferenças de modo a procurar e focar nas diferenças em Y, na variância em Y. Importante: a nossa estratégia de investigação para saber sobre Y é procurar a variância em Y, procurar diferenças em Y. Esse simples passo conceitual é fundamental a boa parte da investigação empírica e sublinha a importância fundamental do conceito de variância na pesquisa. Esse mesmo ponto ressurge de formas diferentes na mensuração, no Capítulo 11 (cf. especialmente a Seção 11.8) e na análise de dados, no Capítulo 12 (Seção 12.4). Agora quase temos uma forma da pergunta que podemos operacionalizar, mas ainda precisamos eliminar a palavra problemática "causa". Então reformulamos uma segunda vez e agora a pergunta fica em termos de consideração de variância.

A consideração de variância, portanto, torna-se um passo crucial na forma pela qual procedemos na pesquisa empírica, especialmente na pesquisa *ex post facto*. Variância significa diferenças – por isso fala-se com frequência que o método científico trabalha com o estudo das diferenças. Uma estratégia principal de ciência empírica é descobrir como alguma variável dependente de interesse varia e depois considera essa variância. A ideia de aprender sobre um fenômeno estudando a sua variação e considerando essa variação também se aplica à pesquisa qualitativa, como pode ser visto em algumas abordagens à análise de dados qualitativos, e especialmente na teoria fundamentada (cf. Capítulo 9).

Voltando à pesquisa quantitativa, agora temos uma estratégia de pesquisa que podemos operacionalizar porque, se duas variáveis se relacionam, pode-se dizer que uma considera (parte da) variância na outra. Esse é o ponto crucial da questão. A forma de considerar a variância numa variável dependente é descobrir as variáveis independentes às quais ela se relaciona.

Como indicamos no Capítulo 5, passamos longe da causação simples de uma variável, aceitando a ideia de causação múltipla para qualquer variável dependente em especial. Esse é o desenho que ocorre normalmente na célula na extremidade superior direita da Figura 5.1, no Capítulo 5. Aceitamos que vários (talvez muitos) fatores sejam necessários para nos dar um retrato causal completo para essa variável dependente. Na linguagem deste capítulo, temos muitas variáveis independentes e uma variável dependente. Se pudermos considerar a maioria da variância em nossa variável dependente com um conjunto particular de variáveis independentes, e se soubermos a importância de cada variável independente ao considerar essa variância de variável dependente, entenderemos muito bem a variável dependente – como ela varia e como considerar a sua variância. Também é importante lembrar que teríamos indicações claras de quais variáveis independentes deveriam ser alvo da nossa concentração a fim de provocar mudanças na variável dependente.

A regressão linear múltipla (RLM) é um desenho de pesquisa que aborda essas questões diretamente – o que nos diz o quanto da variância numa variável dependente é considerado por qualquer grupo de variáveis independentes, e que também nos diz o quão importante cada variável independente é ao considerar essa variância. Neste capítulo, vemos a RLM como desenho e estratégia geral. No Capítulo 12, veremos a RLM como estratégia de análise de dados geral.

## 10.8 Regressão linear múltipla (RLM) como desenho e estratégia geral

A regressão linear múltipla – abreviada como RLM ou simplesmente análise de regressão – basicamente é uma técnica estatística para análise de dados, mas aqui desejo considerá-la uma estratégia e um desenho, como uma forma de conceituar e organizar a pesquisa quantitativa. Ela se adapta a situações em que desejamos focar numa variável dependente e estudar a sua relação com diversas variáveis independentes. A RLM é importante porque desejamos fazer esse tipo de investigação com muita frequência. A estrutura conceitual é mostrada na Figura 10.3, e covariáveis podem ou não ser incluídas. É claro que a estrutura conceitual não se limita a quatro variáveis independentes. O objetivo geral na pesquisa é considerar a variância na variável dependente e ver como as diferentes variáveis independentes, separadamente ou combinadas, contribuem para considerar essa variância.

Com a RLM, podemos:

- Estimar o quanto da variância numa variável dependente podemos considerar usando determinado conjunto de variáveis independentes. Quando a maior parte da variância é considerada, estamos no caminho certo para entender a variável dependente. Por outro lado, se apenas uma pequena proporção da variância for considerada, ainda teremos um longo caminho a percorrer para entendê-la.

• Determinar os efeitos das diferentes variáveis independentes sobre a variável dependente, estimando a variância única que cada variável independente considera[3]. Podemos dizer quais variáveis independentes têm mais e menos importância ao considerar a variância na variável dependente, e logo em provocar mudança na variável dependente. Trata-se de um conhecimento importante no que se refere à recomendação de estratégias para mudar a variável dependente.

Muitos problemas de pesquisa quantitativa se encaixam nesse desenho, e muitos outros estudos podem ser desenhados assim. A Figura 10.4 mostra um exemplo bem usado disso na pesquisa em educação (com quatro variáveis independentes e nenhuma covariável), e a Figura 10.5 mostra vários desenhos de variável múltipla independente e uma variável dependente de áreas diferentes das ciências sociais. Sempre que um pesquisador se interessa nas relações entre variáveis, um desenho de análise de regressão pode ser usado. Também há benefícios em se pensar assim sobre uma área de pesquisa geral. Quando (frequentemente) o foco está em alguma variável dependente importante, a RLM propicia uma abordagem geral coordenada ao tópico, assim como uma estrutura conceitual, estratégia e desenho prontos para uso. É necessário que o pesquisador seja capaz de especificar, definir e mensurar as variáveis independentes, além da variável dependente, obviamente.

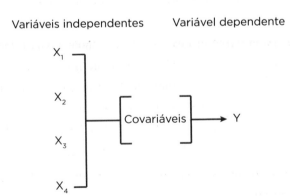

**Figura 10.3 Estrutura conceitual para a regressão linear múltipla**

Às vezes o foco na pesquisa pode estar mais num estudo detalhado da relação entre variáveis do que na consideração de variância. É uma decisão estratégica a ser tomada no planejamento da pesquisa, mas também é uma questão de ênfase em nosso modo de pensar sobre a questão, já que são duas faces da mesma moeda. Nós consideramos a variância estudando as relações com outras variáveis. Portanto, mesmo quando o foco é nas relações, fazemos bem em usar um desenho de análise de regressão por dois motivos – todos os aspectos da relação podem ser estudados dentro desse desenho, como observamos no Capítulo 12; e saber o quanto da variância podemos considerar nos dá uma forte indicação da importância da relação.

Em resumo, a estrutura conceitual que acompanha a RLM é útil porque aborda diretamente questões de fundamental importância substantiva. Ela trata de questões centrais de interesse da pesquisa em ciências sociais, aquelas que derivam diretamente da causação. Também tem duas outras vantagens. Primeiro, é flexível por ser capaz de acomodar diferentes organizações conceituais entre as variáveis independentes, inclusive seus efeitos conjuntos sobre uma variável dependente. Isso se aplica particularmente à análise de covariância, efeitos de interação e não linearidade. Como mostra o Capítulo 12, elas são três áreas importantes de interesse da pesquisa. Segundo, não é uma abordagem difícil de entender em termos conceituais ou operacionais. Neste capítulo enfatizamos a sua relevância ao desenho de pesquisa e observamos que ela acompanha um conjunto pronto para uso de perguntas de pesquisa e estrutura conceitual, por isso é descrita aqui como desenho e estratégia geral. No Capítulo 12, analisamos a RLM como estratégia de análise de dados geral.

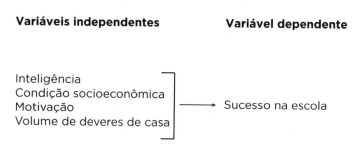

**Figura 10.4 Uma estrutura conceitual de análise de regressão na pesquisa em educação**

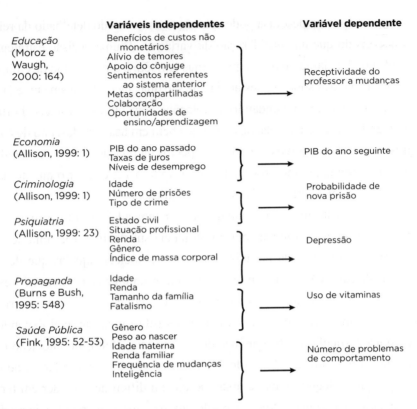

**Figura 10.5 Exemplos de desenhos de múltiplas variáveis independentes e uma variável dependente**

## 10.9 Controlando as variáveis

O termo "controle" já surgiu inúmeras vezes e é outro conceito importante no desenho de pesquisa quantitativa. São as variáveis extrínsecas que desejamos controlar – variáveis que podem confundir a relação que desejamos estudar ou causar interpretações espúrias dessa relação. Controlar tal variável significa remover seus efeitos ou não a deixar ter qualquer influência. Há duas formas gerais pelas quais as variáveis são controladas na pesquisa – formas físicas e estatísticas. No controle físico, as variáveis são controladas no desenho. No controle estatístico, as variáveis são controladas na análise de dados. Discutiremos uma de cada vez e elas estão resumidas na Tabela 10.1. O controle físico é característico de desenhos experimentais, enquanto o controle estatístico é mais característico de desenhos de levantamentos correlativos.

**Tabela 10.1 Estratégias para controlar variáveis**

| No desenho | Na análise |
|---|---|
| Randomização | Estratificação |
| Restrição | Correlação parcial |
| Correspondência | Análise de covariância |

*Controle físico* significa que a variável na verdade é controlada fisicamente no desenho do estudo. Há três tipos de controle físico:

- *Randomização*, em que uma variável pode ser controlada pela variação aleatória ou não sistematicamente. A lógica aqui é que a variável pode não ter efeito sistemático se não variar de forma sistemática. Os seus efeitos serão mutuamente cancelados porque a sua variação é aleatória. Essa ideia é usada quando as pessoas são aleatoriamente atribuídas a grupos de tratamento num experimento real. Como indicado, isso não garante que os grupos de tratamento não difiram entre si. Em vez disso, é maximizada a probabilidade de que não difiram de alguma forma sistemática.

- *Restrição*, em que uma variável é controlada restringindo-se fisicamente a sua variância e mantendo-a constante num estudo. Mantê-la constante significa que ela não tem variância na pesquisa. Se não tiver variância, não poderá ter nenhuma covariância com outras variáveis. É o mesmo que afirmar que não pode mostrar nenhuma relação com outras variáveis no estudo e, portanto, não pode surtir efeito nelas. Essa segunda forma de controle físico é feita na seleção e desenho da amostra. Por exemplo, se for considerado que gênero é um possível fator extrínseco ou gerador de confusão num estudo, uma estratégia seria incluir no estudo somente homens ou mulheres. Como não há variância em gênero, ele é controlado. O ganho é claro: se apenas um grupo de sexos for incluído, então gênero não pode ser um fator nas relações entre outras variáveis. Mas a perda é clara também: se apenas homens forem incluídos, o estudo poderá não ter nada a dizer sobre mulheres (ou vice--versa). Esse tipo de troca ocorre frequentemente na pesquisa. Nesse caso, uma resposta mais completa poderia ser possível. Os dois sexos poderiam ser incluídos, e então a amostra poderia ser dividida em grupos de sexos durante a análise dos dados. Isso conquistaria tanto controle de gênero quanto generalizabilidade aos dois grupos de sexos e também muda o controle da variável de física para estatística.

- *Correspondência*, em que os membros do grupo são correspondidos, um por um, no que se refere a características relevantes. O problema, conforme observado, é que isso logo se torna impraticável à medida que o número de características aumenta.
- *Controle estatístico* significa que a variável não é controlada no desenho, e sim na análise dos dados. O controle estatístico precisa ser desenhado para o estudo, no sentido de que a variável a ser controlada precisa ser mensurada. A lógica do controle estatístico é que a análise alcança uma aproximação estatística à situação física desejada (mas inatingível) em que os grupos de comparação são os mesmos na variável de controle. Há três tipos de controle estatístico:
- Estratificação ou elaboração de fator de teste (Rosenberg, 1968), em que a variável de controle – o fator de teste – é dividida(o) e a análise da relação entre as variáveis é conduzida dentro de cada nível da variável de controle, conforme a descrição anterior no caso de gênero.
- Correlação parcial, em que a variável a controlar é retirada da relação entre as duas outras variáveis; é uma técnica adequada quando todas as variáveis são contínuas, e é discutida no Capítulo 11.
- A análise de covariância, em que a variável de controle (a covariável) é extraída ou covariada em primeiro lugar, antes que a análise principal seja realizada.

O terceiro tipo, análise de covariância, já foi descrito e é tratado mais detalhadamente no Capítulo 12, onde é incorporado à abordagem RLM à análise de dados. Enfatizamos o terceiro tipo aqui porque reflete a situação descrita nas seções 7 e 8 deste capítulo – situação muito comum na pesquisa, em que há diversas variáveis independentes, uma ou mais variáveis de controle e uma variável dependente. Embora a análise de covariância seja enfatizada, esses três métodos são logicamente equivalentes entre si no sentido de que todos são destinados a alcançar a mesma coisa: controlar os efeitos de variáveis indesejadas ou extrínsecas.

## Resumo do capítulo

- O desenho de pesquisa fica entre os dados e as perguntas de pesquisa, mostrando como as perguntas de pesquisa serão conectadas aos dados e quais ferramentas e procedimentos devemos usar para respondê-las; o desenho se baseia na estratégia.

- A pesquisa quantitativa é fundamentalmente interessada na relação entre variáveis; isso é feito comparando-se grupos, usando desenhos experimentais e semiexperimentais ou usando raciocínio não experimental em desenhos de pesquisa correlativos.

- As variáveis independentes (variáveis de tratamento ou "causas") são manipuladas nos experimentos para estudar seus efeitos sobre as variáveis dependentes (variáveis de resultados ou "efeitos"); de modo mais geral, uma variável independente é vista como a causa, e a variável dependente é vista como o efeito em qualquer relação causa-efeito.

- Variáveis de controle ou covariáveis são variáveis extrínsecas cujos efeitos desejamos remover ou controlar a fim de ver as relações de variáveis independentes-dependentes com mais clareza.

- Um experimento real envolve a manipulação de uma ou mais variáveis independentes e a atribuição aleatória de participantes a grupos de comparação.

- Os semiexperimentos tiram proveito de grupos de tratamento de ocorrência natural para estudar relações entre variáveis independentes-dependentes, usando a lógica do desenho experimental.

- Desenhos não experimentais – levantamentos correlativos – tiram proveito da variação de ocorrência natural em variáveis independentes para estudar sua relação com variáveis dependentes.

- Variância é um conceito central na pesquisa quantitativa, e considerar a variância numa variável dependente é uma estratégia importante para investigar a causação.

- Regressão linear múltipla aborda diretamente a questão da quantidade de variância de variáveis dependentes consideradas por um conjunto de variáveis independentes.

- O controle de variáveis é feito fisicamente, através do desenho de pesquisa, ou estatisticamente, através de alguma forma de análise de covariância.

## Termos-chave

Consideração de variância: estratégia central para a pesquisa quantitativa que pretende considerar a variação numa variável dependente através das suas relações com variáveis independentes.

Experimento: termo técnico de desenho de pesquisa em que uma ou mais variáveis independentes são manipuladas para estudar seu efeito numa variável dependente e em que os participantes são atribuídos aleatoriamente a grupos de tratamento ou comparação.

Levantamento correlativo: desenho que usa variação de ocorrência natural em variáveis independentes para estudar relações com variáveis dependentes.

Regressão linear múltipla: desenho quantitativo com diversas variáveis independentes e uma variável dependente; estima quanta variância na variável dependente é considerada por essas variáveis independentes.

Semiexperimento: desenho que usa grupos de tratamento de ocorrência natural para estudar relações entre variáveis independentes-dependentes; usa a lógica do desenho experimental.

Variável de controle: variável extrínseca cujos efeitos desejamos remover ou controlar; também denominada covariável.

Variável dependente: variável considerada o efeito numa relação causa-efeito.

Variável independente: variável considerada a causa numa relação causa-efeito.

## Exercícios e perguntas para estudo

1. Defina variável independente, variável dependente, variável de controle e dê exemplos de cada uma.
2. Esboce o desenho de um experimento em educação para comparar a aprendizagem dos alunos sob um método novo de ensino (usado com um grupo experimental) com a aprendizagem dos alunos sob um método antigo de ensino (usado com um grupo de controle). Quais questões de desenho surgem? Quais variáveis podem precisar ser controladas?
3. O que é semiexperimento e o que significam grupos de tratamento de ocorrência natural? Ilustre comparando (a) o sucesso educacional em turmas grandes *vs.* turmas pequenas, e (b) o autoconceito em crianças de famílias intactas *vs.* famílias separadas.
4. O que significa consideração de variância numa variável dependente? Qual é a sua relação com a causação e por que é uma estratégia central na pesquisa quantitativa? Em termos conceituais, como é feita?
5. Desenhe um diagrama para mostrar a estrutura conceitual de um estudo com seis variáveis independentes e uma variável dependente. Qual técnica é apropriada para analisar os dados de tal desenho?
6. Quais são as vantagens da regressão linear múltipla como estratégia de desenho de pesquisa geral?
7. O que significa controlar uma variável? Por que é importante na pesquisa quantitativa?
8. Explique a lógica de cada tipo de controle mostrado na Tabela 10.1.

# Leitura complementar

Babbie, E. (2012) *The Practice of Social Research*. 13. ed. Belmont, CA: Wadsworth.

Blalock, H.M. (1969) *Theory Construction: From Verbal to Mathematical Formulations*. Englewood Cliffs, NJ: Prentice-Hall.

Brown, S.R. e Melamed, L. (1990) *Experimental Design and Analysis*. Newbury Park, CA: Sage.

Campbell, D.T. e Stanley, J.C. (1963) *Experimental and Quasi-Experimental Designs for Research*. Chicago, IL: Rand McNally.

Cook, T.D. e Campbell, D.T. (1979) *Quasi-experimentation: Design and Analysis Issues for Field Settings*. Chicago, IL: Rand McNally.

Creswell, J.W. (2013) *Research Design: Qualitative and Quantitative Approaches*. 4. ed. Thousand Oaks, CA: Sage.

de Vaus, D.A. (2013) *Surveys in Social Research*. 5. ed. Londres: Routledge.

Fowler, F.J. (1988) *Survey Research Methods*. Newbury Park, CA: Sage.

Green, J.L., Camilli, G. e Elmore, P.B. (eds.) (2006) *Handbook of Complementary Methods in Education Research*. Mahwah, NJ: Lawrence Erlbaum.

Keppel, G. (1991) *Design and Analysis: A Researcher's Handbook*. 3. ed. Englewood Cliffs, NJ: Prentice-Hall.

Kerlinger, F.N. (1973) *Foundations of Behavioral Research*. Nova York: Holt, Rinehart and Winston.

Marsh, C. (1982) *The Survey Method: The Contribution of Surveys to Sociological Explanation*. Londres: George Allen and Unwin.

Sapsford, R. e Jupp, V. (1996) "Validating evidence". In: R. Sapsford e V. Jupp (eds.), *Data Collection and Analysis*. Londres: Sage, p. 1-24.

# Notas

1. Este movimento conceitual de grupos de comparação discretos para um *continuum* de variação na verdade é um tema importante e recorrente na pesquisa quantitativa. Ele ressurge na discussão sobre mensuração no Capítulo 11.

2. Tanto os levantamentos descritivos simples quanto os levantamentos correlativos são transversais, com dados coletados de pessoas em determinado momento. Os levantamentos transversais precisam ser distinguidos dos le-

vantamentos longitudinais, em que dados são coletados de pessoas em momentos diferentes num período. A pesquisa longitudinal é uma área especializada importante – cf. Menard (1991).

3. Além de estimar a contribuição única de variáveis, também podemos estimar a sua contribuição conjunta e quaisquer efeitos de interação.

# 11

# COLETA DE DADOS QUANTITATIVOS

## Sumário

11.1 Tipos de variáveis

11.2 O processo de mensuração

11.3 Traços latentes

11.4 Técnicas de mensuração

11.5 Etapas na construção de um instrumento de mensuração

11.6 Construir um instrumento ou usar um instrumento existente?

11.7 Localizando instrumentos de mensuração existentes

11.8 Confiabilidade e validade

    11.8.1 Confiabilidade

    11.8.2 Validade

11.9 Desenvolvendo o questionário de um levantamento

    11.9.1 Subescalas com itens múltiplos

    11.10 Coletando os dados: administrando o instrumento de mensuração

    11.11 Amostragem

    11.12 Análise secundária

    Resumo do capítulo

    Termos-chave

    Exercícios e perguntas para estudo

    Leitura complementar

    Notas

---

**OBJETIVOS DE APRENDIZAGEM**

### Após estudar este capítulo, você saberá:

- Definir variáveis categóricas e contínuas;
- Descrever o processo de mensuração e discutir quando o seu uso é apropriado à pesquisa;
- Explicar a teoria de mensuração de traços latentes;
- Analisar vantagens e desvantagens de construir seu próprio instrumento de mensuração *vs.* usar um instrumento que já exista na pesquisa;

> - Descrever como localizar instrumentos de mensuração existentes;
> - Definir e explicar confiabilidade e validade;
> - Descrever a diferença entre amostragem (de probabilidade) representativa e amostragem (propositiva) deliberada.

Dados quantitativos são números, e a mensuração de variáveis é o processo pelo qual dados são transformados em números. Este capítulo descreve as principais ideias na mensuração de variáveis e a aplicação dessas ideias a situações de pesquisa. No Capítulo 5, mencionamos que dados sobre o mundo não ocorrem naturalmente na forma de números, que mensurar algo envolve a imposição de uma estrutura e que muitas vezes existe uma escolha na pesquisa quanto a estruturar os dados quantitativamente ou não. Este capítulo, portanto, inclui alguns comentários sobre a questão geral de quando a mensuração é apropriada à pesquisa em ciências sociais. Para simplificar, a discussão neste capítulo pressupõe que estamos mensurando os traços (ou características) de pessoas. As características de objetos ou eventos, e de pessoas também, são generalizadas.

## 11.1 Tipos de variáveis

As variáveis podem ser classificadas de várias formas. Uma forma fundamental é distinguir entre variáveis categóricas e contínuas.

*Variáveis categóricas* (também chamadas de variáveis discretas e variáveis descontínuas) variam em tipo, não em grau ou volume ou quantidade. Exemplos incluem cor dos olhos, gênero, filiação religiosa, profissão e a maioria dos tipos de tratamentos ou métodos. Logo, se um pesquisador de educação desejar comparar salas de aula computadorizadas e não computadorizadas, a variável categórica (ou discreta) envolvida é a presença ou ausência de computadores (Wallen e Fraenkel, 1991). Para uma variável categórica, a variância é entre categorias diferentes e não existe ideia de um *continuum* ou escala envolvida. Pessoas (ou grupos ou objetos) são classificadas(os) em categorias mutuamente exclusivas em referência às quais pode existir qualquer número. Uma variável dicotômica tem duas categorias, uma variável tricotômica tem três etc.

*Variáveis contínuas* (também denominadas *variáveis mensuradas*) variam em grau, nível ou quantidade, não em categorias. Com diferenças em grau, temos primeiro um ordenamento de posição e depois a colocação num *continuum* ou escalonamento. Ordenar pessoas em posições significa identificar a primeira, segunda, terceira etc. entre elas de acordo com algum critério, mas isso não informa a distância das posições. A introdução de um intervalo de mensuração nos informa isso e eleva o grau de mensuração de ordinal para intervalo. Quando isso é feito, a variável é contínua – temos um *continuum* com intervalos mostrando menos e mais da característica. Exemplos dessas diferenças em grau são altura, peso e idade. Como outro exemplo, podemos atribuir números a alunos para indicar o seu grau de interesse numa disciplina, com 5 indicando muito, 4 indicando bastante etc. Nesse caso, construímos uma variável contínua chamada de "grau de interesse" (Wallen e Fraenkel, 1991).

Essa distinção entre variáveis categóricas e contínuas é importante, sendo discutida em muitos lugares na literatura, geralmente no contexto de graus de mensuração – nominal, ordinal, intervalo e razão (cf., p. ex., Kerlinger, 1973). A distinção tem significância histórica e também prática, especialmente ao influenciar como os dados quantitativos são analisados. Por isso, precisamos sempre saber que tipo de variável estamos tratando.

Os dois tipos de variáveis são comuns na pesquisa. Às vezes não há dificuldade (ou escolha) sobre qual tipo está envolvido, quando, por exemplo, uma variável tem apenas categorias e não um *continuum*. Às vezes, entretanto, o pesquisador tem uma escolha relativa ao modo de usar certa variável. Aqui a questão é se devemos usar categorias discretas ou um *continuum* mensurado para efetuar as comparações desejadas. O desenvolvimento histórico, que teve consequências importantes, foi preferir sempre que possível o *continuum* mensurado, não as categorias discretas. Expressamos a mesma preferência na linguagem cotidiana quando usamos "tons variados de cinza" para descrever as coisas, e não simplesmente "preto *vs.* branco".

Ver algo em categorias discretas é apurar as comparações, sendo isso o que desejamos às vezes. Por outro lado, ver tal coisa como um *continuum* mensurado é mais flexível, sendo isso também o que desejamos às vezes. Vimos um exemplo dessa mesma mudança no caso do desenho de pesquisa quando passamos dos desenhos com comparação entre grupos para desenhos com relações entre variáveis. Veremos a mesma mudança novamente na análise de dados quantitativos. Uma implicação agora é que, embora diferenças de grau sempre possam ser transformadas em diferenças de tipo (quando, p. ex., convertemos um grupo de pontuações de sucesso educacional contínuo em grupos de comparação dicotômica, como "aprovado" ou "reprovado"), muitas vezes é melhor na pesquisa retê-las como diferenças de grau. Preservamos as informações assim, o que é valioso se as informações forem confiáveis. Embora cada situação de pesquisa deva ser avaliada em seu mérito, um ponto útil a lembrar é que *continua* ou escalas, em vez de simples dicotomias ou tricotomias, proveem mais informações[1].

## 11.2 O processo de mensuração

A mensuração pode ser considerada o processo de usar números para ligar conceitos a indicadores quando um *continuum* está envolvido[2]. Podemos ilustrar esse processo usando a mensuração de autoestima descrita por Rosenberg (1979) e resumida por Zeller (1996: 823-824) em três tarefas:

1. *Definir autoestima:* Rosenberg (1979: 54) define autoestima como uma orientação positiva ou negativa em relação a si mesmo. Um indivíduo com baixa autoestima "desrespeita-se, considera-se indigno, inadequado ou de algum modo seriamente deficiente como pessoa". Por outro lado, pessoas com autoestima alta consideram-se pessoas de valor. Uma autoestima alta não tem conotações de "sentimentos de superioridade, arrogância, soberba, desprezo pelos outros, orgulho".

2. *Selecionar medidas de autoestima:* Selecionar indicadores que forneçam representações empíricas do conceito. Tendo definido a autoestima teoricamente, Rosenberg (1979: 291) constrói indicadores que considera mensuradores do conceito. Os indicadores são afirmativas sobre si mesmo, e os sujeitos respondem a esses indicadores expressando forte acordo, acordo, desacordo ou forte desacordo. Alguns indicadores são escritos com uma descrição positiva de si mesmo – "Em geral estou satisfeito comigo mesmo" e "Sinto que sou uma pessoa de valor, ao menos me equiparo aos outros". Outros indicadores são escritos com uma descrição negativa de si mesmo – "Acho que não tenho muito do que me orgulhar" e "Gostaria de ter mais respeito por mim". Rosenberg construiu cinco indicadores positivos e cinco indicadores negativos de autoestima.

3. *Obter informações empíricas* para esses indicadores: Rosenberg obtém dados para esses indicadores pedindo que os adolescentes respondam a cada indicador em termos das categorias de resposta.

Uma quarta tarefa envolve avaliar a validade dos indicadores, estimando até que ponto os indicadores representam o conceito de autoestima empiricamente. Discutimos validade na Seção 11.8.

Essa visão do processo mostra que de fato construímos uma variável ao mensurá-la e antecipa a questão da validade, que envolve a inferência de indicadores para conceitos. Essa descrição de mensuração também ajuda a esclarecer a questão de quando a mensuração é apropriada à pesquisa em ciências sociais. Essa questão é importante porque a mensuração tem estado no centro dos debates entre os pesquisadores quantitativos e qualitativos e porque os pesquisadores iniciantes às vezes ficam em dúvida se um estudo deve ser feito de forma quantitativa ou qualitativa. Tendo em mente essa visão de mensuração, sugiro as seguintes ideias como um guia para refletir sobre quando a mensuração pode ser apropriada:

- Temos em mente uma característica, ou construto ou traço de algum tipo, que podemos definir unidimensionalmente (ou em termos dos seus componentes unidimensionais – pode haver mais de um traço, mas cada um precisa ser definido unidimensionalmente).
- Imaginamos um *continuum* com quantidades maiores e menores desse traço, atribuindo localizações diferentes ao longo do *continuum* unidimensional, com base em quantidades diferentes do traço.
- Podemos descobrir formas confiáveis de identificar as localizações diferentes ao longo do *continuum* – ou seja, podemos identificar os indicadores que fornecerão uma representação empírica dessas localizações; depois podemos atribuir números a essas localizações para calibrar o *continuum*.
- Acreditamos que o traço mostra regularidades observáveis e que é razoavelmente estável com o passar do tempo – ou, se variar, varia de forma sistemática, não aleatória. Em outras palavras, não pensamos no traço que desejamos medir como em estado constante e imprevisível de mudança.

Se essas ideias se aplicarem, temos uma situação em que podemos construir uma medida do traço. Dadas as situações que *podemos* mensurar, quando *devemos* mensurar na pesquisa e quando não devemos? A abordagem adotada neste livro é que precisamos avaliar cada situação da pesquisa e tomar uma decisão ponderada, caso a caso. Quatro pontos gerais podem ajudar.

*Primeiro*, é fundamental fazer comparações na pesquisa, e a mensuração é uma forma muito eficaz de fazer comparações sistematicamente, formalizando e padronizando tais comparações. Logo, podemos considerar a mensuração sempre que desejarmos fazer comparações sistemáticas e sempre que as condições descritas se aplicarem. Reconhecer que isso pode ocorrer com muita frequência na pesquisa, inclusive na pesquisa qualitativa, permite que instrumentos de mensuração sejam empregados em associação aos dados qualitativos nas situações apropriadas. Por outro lado, as vantagens que podemos obter através da mensuração precisam ser ponderadas em relação a possíveis desvantagens. Por exemplo, objeções paradigmáticas à mensuração podem existir em determinada pesquisa em que o pesquisador pode rejeitar os pressupostos nos quais a mensuração se pauta – e especialmente o pressuposto de que a realidade a ser estudada pode ser conceituada como variáveis e mensurada. É um assunto complicado, e uma discussão completa a respeito está além do escopo deste livro.

*Segundo*, mensuração envolve o desembaraço e alguma simplificação de conceitos. Considerar fenômenos complexos como variáveis unidimensionais é desembaraçar e simplificar. Há algumas situações de pesquisa em que não desejamos fazer isso – em que, ao contrário, desejamos uma abordagem mais holística ao fenômeno. A implicação disso é que muitas vezes não conseguimos ter uma visão ampla de algo simplesmente mensurando-o. Porém, podemos ter uma visão parcial, e muitas vezes muito valiosa, mensurando aspectos dele. Nessas situações, a mensuração não deve ser a única forma de coletar dados. O que é sugerido novamente é a complementaridade de dados quantitativos e qualitativos, combinando os dados de mensuração com dados qualitativos mais holísticos.

*Terceiro*, a natureza da realidade estudada, e a abordagem adotada, podem significar que não é apropriado mensurar. Isso pode acontecer com alguns aspectos da realidade social e psicológica que muitas vezes estudamos na pesquisa em ciências sociais. Mencionamos que a realidade sendo mensurada precisa ser considerada estável, e não em constante estado de "vir a ser". Contudo, considerar a realidade social em estado constante de vir a ser (e nunca de "ser") é exatamente a visão que é crucial a algumas perspectivas qualitativas. Essas perspectivas enfatizam a construção social da realidade e seus significados constantemente negociados e renegociados (p. ex., Berger e Luckman, 1967). Se o pesquisador desejar focar nesses aspectos, a mensuração não é uma boa forma. A mensuração constitui um instantâneo geralmente feito em um ponto no tempo. Isso não é adequado se o processo e a mudança constante forem o foco na pesquisa. Porém, mais uma vez as abordagens complementares podem ser valiosas. O instantâneo em um ponto no tempo pode prover um bom pano de fundo a partir do qual podemos analisar os aspectos mais dinâmicos e processuais da situação. E, em algumas situações, mensurações repetidas podem ser possíveis para estudar a mudança com o passar do tempo.

*Quarto*, a mensuração envolve necessariamente impor uma estrutura numérica aos dados. Mensurar é usar os construtos impostos pelo pesquisador, e não construtos que possam emergir das pessoas estudadas. Até que ponto isso é um problema depende dos objetivos da pesquisa, mas, novamente, combinar as abordagens pode fazer sentido. Como um primeiro passo, os construtos das pessoas podem ser extraídos. Depois, mensurações para eles podem ser construídas para se obter vantagem das comparações que a mensuração permita.

São esses alguns dos pontos que emergem quando consideramos o uso da mensuração na pesquisa. Também devemos notar a distinção entre instrumentos de mensuração estabelecidos, por um lado, e medidas mais curtas, *ad hoc* e construídas pelo pesquisador (escalas de classificação – Andrich, 1997), por outro lado. Há uma função para os dois. Os primeiros normalmente seriam usados apenas num contexto altamente quantitativo e mais provavelmente quando variáveis relativamente complexas são consideradas o foco principal da pesquisa. Esses instrumentos estabelecidos são discutidos nas seções 11.5 e 11.7. As últimas (escalas de classificação) podem ter uma função em qualquer situação de pesquisa, inclusive qualitativa. São discutidas na seção sobre construção de questionário de levantamento, ainda neste capítulo. Em alguns projetos, a mensuração em escala total pode não ser apropriada, mas o uso de escalas de classificação pode.

## 11.3 Traços latentes

Na mensuração social, psicológica e educacional, a característica ou traço que desejamos mensurar em geral não é diretamente observável. É oculta(o) ou latente. Somente podemos mensurar algo que não pode ser observado por inferência a partir do que pode ser observado.

A ideia básica de teoria de traço latente é que, embora o traço não seja diretamente observável, a sua interação com o ambiente produz indicadores observáveis em nível superficial (o que pode ser formatado em "itens") que podem ser usados para inferir a presença ou ausência do traço – ou, mais precisamente, inferir o nível ou grau do traço presente. Um instrumento de mensuração pode, portanto, ser construído usando esses itens como a base para fazer uma inferência sobre o traço inobservável. Teoricamente, existe um conjunto infinito desses indicadores observáveis. A fim de prover uma inferência estável, o instrumento de mensuração precisa ter uma amostra razoável deles. De modo mais formal, o instrumento de mensuração obtém uma amostra a partir desse conjunto teoricamente infinito de indicadores observáveis para produzir um conjunto de itens a partir do qual uma inferência confiável possa ser feita para o traço inobservável subjacente. Essa é a ideia essencial de mensuração de traço latente, mostrada na Figura 11.1. Ela explica por que há muitos itens, em vez de apenas um, num instrumento de mensuração típico de ciências sociais. Claramente um item não é suficiente para prover uma inferência estável. De fato, quanto mais itens, melhor, dentro da razão. A teoria dos traços latentes é crucial para a teoria da resposta a itens, que se tornou a nova base teórica para testes e mensurações (Embretson e Yang, 2006).

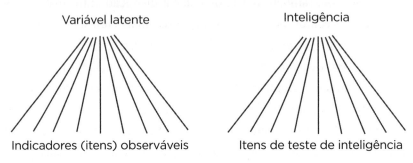

**Figura 11.1 Mensuração de traços latentes**

Devemos observar três coisas sobre a mensuração de traços latentes. Primeiro, ela exige que definamos o traço e especifiquemos os indicadores a partir dos quais faremos a inferência, mostrando a relação desses indicadores com o traço. Isso mais uma vez aponta para a questão da validade da mensuração a ser discutida na Seção 11.8. Segundo, usaremos múltiplos indicadores ou itens, já que quanto mais indicadores temos, melhor a inferência que podemos fazer. Depois precisaremos agregar de algum modo as respostas a esses itens múltiplos. Em termos práticos, precisaremos adicionar as respostas. Isso suscita a questão de adicionar igual a igual, assegurando-nos de que os itens cujas respostas adicionarmos serão aspectos de mensuração da mesma coisa. Essa questão é revisitada na Seção 11.9.1. Terceiro, os itens diferentes são intercambiáveis, no sentido de serem indicadores igualmente bons do traço. No Capítulo 9 vimos a semelhança entre essas ideias e a análise com teoria fundamentada na pesquisa qualitativa.

## 11.4 Técnicas de mensuração

Podemos analisar algumas ideias básicas envolvidas nas técnicas de mensuração usando a mensuração de atitudes como exemplo. A mensuração de atitudes emergiu como uma área de pesquisa importante nas décadas de 1920 e 1930 e continuou a atrair atenção na pesquisa em ciências sociais. O simples volume desse esforço de pesquisa significa que houve tentativas para se mensurar quase qualquer variável imaginável. Isso não significa que todas as tentativas tenham sido igualmente bem-sucedidas e cada uma precisa ser estudada criticamente antes de ser adotada na pesquisa, mas significa que devemos ter esse ponto em mente ao planejar a pesquisa. Retomaremos esse ponto na Seção 11.7.

Três dos principais nomes na história das escalas de atitudes são Thurstone, Guttman e Likert. Eles partiram de abordagens diferentes ao escalonamento de atitudes, mas as suas ideias centrais podem ser brevemente resumidas (uma descrição minuciosa do trabalho deles é dada em Edwards, 1957).

A técnica de *Thurstone* foi denominada "escala de intervalos de aparência igual". Reconhecendo que itens de atitudes diferentes caem em pontos diferentes ao longo de um *continuum* de atitude unidimensional, ele criou um método para calcular o valor da escala de cada item de atitude e depois usou esses valores da escala para mensurar pessoas a respeito da atitude. *Guttman* também via o conteúdo de atitudes diferentes de itens diferentes, mas usou essa informação de outro modo. Ele propôs uma forma de escala em que o ordenamento de itens de acordo com o seu conteúdo de atitude pudesse ser usado em conjunto com um formato de resposta dicotômico para determinar a localização de pessoas ao longo do *continuum* de atitude. Esse método veio a ser chamado de "escalas cumulativas". Alguns anos depois, *Likert* propôs um formato mais simples em que um respondente responderia a cada item de acordo com uma simples escala de respostas, e não uma dicotomia, e as respostas aos itens poderiam ser somadas. Esse método é chamado de "método de avaliações somadas" ou, mais comumente, "método Likert".

Estudos comparando esses três métodos pareceram indicar que eles produziam resultados similares (Edwards, 1957). Assim sendo, os procedimentos mais simples de Likert vieram a ser os preferidos com o passar do tempo. Como resultado, o procedimento de avaliações somadas de Likert é amplamente usado na pesquisa em ciências sociais atual, e é a forma de escala mais vista em questionários e instrumentos usados em pesquisa. Porém, os ganhos da facilidade de construção e administração ao deixar Thurstone e Guttman e adotar Likert tiveram seu preço. Thurstone e Guttman reconheceram que afirmativas ou itens diferentes portam quantidades diferentes da atitude sendo mensurada. Essa é a ideia do valor de escala do item. Eles desenvolveram meios de formalizar e usar essa propriedade nos seus procedimentos de mensuração. Com Likert, o valor de escala do item desaparece. Importantes trabalhos recentes foram executados sobre esse ponto, reunindo os métodos de escalas de atitudes e calibrando pessoas e itens na mesma escala de interesse. Trata-se da mensuração de Rasch, um desenvolvimento especializado além do escopo deste livro (Andrich, 1988).

Essas ideias básicas envolvidas em mensuração agora podem ser mais concretizadas considerando-se as etapas a usar na construção de um instrumento de mensuração para uso em pesquisa.

## 11.5 Etapas na construção de um instrumento de mensuração

Esta seção descreve uma série geral de etapas pelas quais um instrumento de mensuração pode ser construído com base na descrição de mensuração anterior. A questão de usar um instrumento de mensuração existente ou construir um especificamente para um projeto é discutida na Seção 11.6.

Para fins de simplicidade, vamos pressupor que estamos mensurando alguma variável do tipo atitude, como costuma acontecer na pesquisa em ciências sociais. Se estivermos construindo um questionário descritivo e que reúne fatos, temos uma tarefa mais simples, embora afinada a essas mesmas linhas gerais – a Seção 11.9 trata disso. É claro que podemos combinar as duas coisas (alguma reunião de fatos e algumas escalas do tipo atitude). Podemos descrever a construção de um instrumento de mensuração sob seis etapas principais:

1. A primeira etapa é de definição. Devemos definir claramente o que estamos nos propondo a medir. Em termos técnicos, precisamos produzir uma definição conceitual da variável. O instrumento de mensuração passará a ser a sua definição operacional.

2. Depois selecionamos uma técnica de mensuração. Há várias possibilidades aqui, porém é mais provável que algum tipo de formato de resposta de Likert seja usado. As palavras reais a serem usadas nas respostas do item em escala dependerão do assunto que estivermos tratando e poderão exigir algum teste-piloto[3].

3. Agora os itens precisam ser gerados – quantos são e de onde vêm? Como traços latentes estão envolvidos, a minuta da escala precisará de muitos itens – tantos quantos possam ser administrados praticamente num teste-piloto. No que se refere ao tamanho final da escala, considerações práticas serão importantes, especialmente a questão de quantos itens podem ser administrados pelos

respondentes. Sendo razoável, deve existir uma quantidade de itens para cada dimensão que os respondentes consigam responder validamente. Os itens propriamente ditos podem vir de qualquer lugar – da análise da definição, de discussões e leituras, da literatura ou de ideias originárias de outras mensurações.

4. Agora temos um rascunho da medida. É uma boa ideia levar isso adiante com um grupo pequeno de pessoas que sejam representações típicas daqueles que desejamos mensurar. Seguimos com os itens e procedimentos para responder o questionário e solicitamos que discutam cada item. Isso nos permite ver qual significado elas dão a cada item e compará-lo ao significado que tínhamos em mente quando geramos o item. Também devemos ver até que ponto é fácil para elas responderem cada item. Durante esse estágio, não estamos tão interessados nas suas respostas reais e suas interpretações e se elas conseguem responder cada item facilmente. Um bom item é (entre outras coisas) aquele que as pessoas possam responder com rapidez e facilidade, com convicção. Uma característica de um item ruim é que as pessoas têm dificuldade de situar a própria resposta na escala. Essa etapa geralmente produz inúmeras modificações e provavelmente mostrará coisas sobre as quais não havíamos pensado.

5. Agora pré-testamos esse segundo rascunho da escala modificado mais formalmente, com um grupo de aproximadamente 25 respondentes típicos, e analisamos as suas respostas à luz dos critérios da Seção 11.8.

6. Depois modificamos e reduzimos a escala à luz dos resultados dessa análise, selecionando os melhores itens para cada dimensão. A análise de itens possibilita critérios para selecionar os melhores itens para uma escala (cf. Oppenheim, 1992; Friedenberg, 1995).

Essa sexta etapa pode ou não finalizar a escala. Se necessário, portanto, repetimos a 5ª e a 6ª etapa até que uma versão final satisfatória esteja disponível. Essa descrição mostra que um trabalho detalhado considerável está envolvido na obtenção de uma boa mensuração. Por esse motivo, a decisão de construir um instrumento de mensuração ou usar um instrumento existente é importante.

## 11.6 Construir um instrumento ou usar um instrumento existente?

Uma dúvida comum em pesquisa é: devemos usar um instrumento de pesquisa existente ou construir o nosso? Não há uma regra geral e precisamos avaliar cada caso, mas podemos fazer alguns comentários gerais. Obviamente pressuporemos que a medida que localizamos é boa em termos dos critérios discutidos na Seção 11.8.

Primeiro, como observamos, uma boa mensuração é possível, mas um considerável trabalho de desenvolvimento está envolvido. Se a variável for complexa e multidimensional, o trabalho será maior. Quanto mais complexa for a variável, mais trabalho, tempo e recursos serão necessários para obtermos uma boa mensuração. Esse é um argumento para usarmos o que já existe. Um segundo argumento para usarmos o que já existe é que, quanto mais um instrumento é usado em pesquisa, mais aprendemos sobre as suas propriedades. Se a variável envolvida for uma variável central numa área, é uma consideração importante. Um terceiro argumento é que os resultados da pesquisa vindos de estudos diferentes são comparados, integrados e sintetizados mais facilmente se o mesmo instrumento de mensuração para uma variável central tiver sido usado.

Entretanto, como um quarto ponto, precisamos pensar sobre a validade do construto (cf. Seção 11.8.2) do instrumento em relação ao estudo que estamos propondo. Qualquer instrumento de mensuração representa uma definição operacional de uma variável, e as definições operacionais diferem assim como os instrumentos de mensuração. Em qualquer estudo, pode ser que a versão operacional no instrumento existente não se encaixe o bastante na definição conceitual preferida. Nesse caso, pode ser preferível desenvolver uma nova medida. É claro que isso deve levar em conta o esforço e os recursos envolvidos no desenvolvimento de uma nova medida.

Na dúvida, portanto, precisaríamos de um bom motivo para desprezar um instrumento existente, principalmente se a variável for uma variável central numa área de pesquisa. Para esse tipo de variável, eu não recomendaria o desenvolvimento de uma nova medida, especialmente se um instrumento razoável já estiver disponível. Eu modificaria essa conclusão, porém, para a situação de pesquisa comum em que dados quantitativos *ad hoc* podem ser obtidos com as escalas de classificação – atitudes relativas a questões específicas são um bom exemplo. Se os procedimentos descritos na Seção 11.5 forem seguidos, talvez de forma truncada, dados efetivos poderão ser produzidos de modo a agregar à precisão e valor da pesquisa. Ou seja, existe uma função importante para escalas de classificação curtas, feitas sob medida para os fins e contexto de certo projeto. Elas podem ser usadas numa variedade de situações de pesquisa, inclusive qualitativas, e para vários objetivos de pesquisa. Elas têm grande flexibilidade e podem auxiliar a fazer as comparações que desejamos.

## 11.7 Localizando instrumentos de mensuração existentes

Como mencionamos, literalmente centenas de instrumentos de mensuração têm sido desenvolvidos pelos pesquisadores das ciências sociais há muitos anos. O primeiro problema é localizá-los e o segundo é avaliar a sua qualidade e valor em determinada situação de pesquisa. A ajuda para localizá-los vem de compilações de instrumentos de pesquisa, sendo inúmeros exemplos delas mostrados nas sugestões de leitura complementar no fim deste capítulo.

A série *The Mental Measurements Yearbook* é produzida pelo Buros Institute of Mental Measurements da Universidade de Nebraska. É uma série renomada que inclui não somente coletâneas de instrumentos de pesquisa, mas críticas de especialistas sobre eles e suas características psicométricas. Ela é, portanto, útil tanto para localizar quanto avaliar os instrumentos. O volume *The Test in Print* inclui um índice abrangente do *Mental Measurements Yearbooks*. A publicação, publicada por Goldman e Mitchell (1996), concentra-se em testes que não estão disponíveis comercialmente.

Coletâneas mais antigas de instrumentos também existem (ex.: Shaw e Wright, 1967). Algumas delas abrangem atitudes em geral e outras, como aquelas do Institute of Social Research, da Universidade de Michigan, concentram-se em certas atitudes, como atitudes políticas ou ocupacionais (Robinson et al., 1969; Robinson e Shaver, 1973). Embora mais antigas, elas ainda podem ser úteis ao pesquisador que analise tentativas de mensuração na área ou busque ideias para itens ao construir um instrumento (cf. p. 334-336; cf. tb. coletâneas de instrumentos de mensuração).

Vale a pena empregar algum tempo dando uma olhada nessas coletâneas, especialmente *The Mental Measurements Yearbook*. Elas dão uma ideia do volume vasto de trabalho executado para desenvolver instrumentos de mensuração, além de serem um bom ponto de partida na busca por instrumentos. Mesmo com essas coletâneas, porém, talvez a busca precise ir além porque a pesquisa atual pode usar e relatar novas escalas antes que elas apareçam nessas coletâneas. "Ir além" significa ler dissertações e periódicos de pesquisa. É incomum que um periódico publique uma escala nova devido a limitações de espaço, ainda que possa relatar a pesquisa usando a escala. Nesse caso, o(s) autor(es) pode(m) ser contatado(s) diretamente, usando as informações fornecidas pelo periódico. É mais difícil acompanhar as dissertações porque elas não são publicadas. A leitura regular de *Dissertation Abstracts International* e catálogos de dissertações nacionais pode ajudar. Mais uma vez, embora uma escala não seja publicada num resumo, as informações de contato do autor normalmente são fornecidas.

## 11.8 Confiabilidade e validade

Se encontrarmos um instrumento de mensuração na literatura, como avaliaremos a sua qualidade para uso na pesquisa? Similarmente, se estivermos desenvolvendo o nosso próprio instrumento de mensuração, quais qualidades devemos tentar incorporar nele? Para as duas perguntas, os dois principais critérios técnicos são confiabilidade e validade. Às vezes eles são chamados de características psicométricas de um instrumento.

### 11.8.1 Confiabilidade

A confiabilidade é um conceito central na mensuração. Basicamente ela significa consistência. Há dois aspectos principais nessa consistência – consistência ao longo do tempo (ou estabilidade) e consistência interna. Trataremos cada uma brevemente.

Primeiro, *consistência ao longo do tempo ou estabilidade*. Isso significa a estabilidade da mensuração com o passar do tempo e geralmente é expressa na pergunta: se o mesmo instrumento fosse dado às mesmas pessoas, sob as mesmas circunstâncias, mas num momento diferente, até que ponto ele obteria a mesma pontuação? Se chegar ao ponto de obter, o instrumento de mensuração é confiável. Se chegar ao ponto de não obter, não é confiável. A estabilidade ao longo do tempo pode ser avaliada diretamente sob certas circunstâncias por administrações do mesmo instrumento (ou por formas paralelas do instrumento)[4] em dois momentos. Isso se chama confiabilidade de teste-reteste e exige duas administrações do instrumento de mensuração (e o pressuposto de que o traço sob mensuração não teria mudado substancialmente entre as duas administrações).

Segundo, *consistência interna*. A confiabilidade de consistência interna se relaciona à ideia indicadora de conceito de mensuração descrita antes. Como múltiplos itens são usados para nos ajudar a inferir o nível do traço latente, a questão agora diz respeito ao ponto até o qual os itens são consistentes entre si ou se todos trabalham na mesma direção. Essa é a consistência interna de um instrumento de mensuração. Várias formas foram imaginadas para avaliar até que ponto todos os itens estão trabalhando na mesma direção. As mais conhecidas são as técnicas de divisão ao meio, as fórmulas de Kuder-Richardson e o coeficiente alfa (Cronbach, 1951; Anastasi, 1988). A estimativa de confiabilidade de consistência interna exige somente uma administração do instrumento.

Esses dois métodos diferentes (confiabilidade teste-reteste e coeficiente alfa) se referem aos dois significados diferentes de consistência. Um ou os dois pode(m) ser usado(s) para estimar a confiabilidade de um instrumento de mensuração. Por que a confiabilidade é importante? Intuitivamente, gostaríamos de ter consistência na mensuração, mas há motivos técnicos importantes também que envolvem uma teoria de mensuração um pouco mais clássica.

Nessa teoria, qualquer pontuação real (ou observada) pode ser considerada como tendo duas partes: a parte real da pontuação e a parte do erro. Por exemplo, consideremos a mensuração de peso. Quando subimos na balança, obtemos uma mensuração real (ou observada). Sabemos que qualquer mensuração observada não é perfeitamente precisa. Sabemos que contém algum erro. Também sabemos que, quanto menor o erro, mais precisa é a mensuração, e quanto maior o erro, menos precisa é a mensuração. Intuitivamente, controlamos o erro e estimamos a pontuação real fazendo várias leituras e obtendo a média delas. Consideramos essa média de várias leituras uma estimativa melhor da pontuação real, a medida que realmente desejamos.

Essas ideias são formalizadas no conceito de confiabilidade. Pontuações observadas são compostas pelas pontuações reais, que desejamos estimar, e erros. Quanto menor o erro, mais a pontuação observada estará próxima à pontuação real. A confiabilidade nos permite estimar o erro, e confiabilidade e erro estão reciprocamente relacionados – quanto maior for a confiabilidade, menor será o erro e, ao contrário, quanto menor for a confiabilidade, maior será o erro. Mensurações com confiabilidade alta produzem pontuações observadas próximas à pontuação real.

Agora podemos relacionar confiabilidade a variância, distinguindo entre variância confiável e variância de erro. Um bom instrumento de mensuração para fins de pesquisa capta as diferenças entre as pessoas, produzindo variância nas pontuações. Podemos dividir a variância total num conjunto de pontuações em variância confiável e variância de erro. Essa é a relação recíproca entre as duas – quando a confiabilidade é alta, a variância de erro é baixa; quando a confiabilidade é baixa, a variância de erro é alta. A confiabilidade de uma medida nos diz o quanto existe de variância de erro nas pontuações. A variância confiável produzida por um instrumento de mensuração é a variância real. Ou seja, as diferenças nas pontuações entre pessoas produzidas por uma medida com alta confiabilidade são diferenças reais. Isso é importante porque aquilo que não é variância real é variância de erro. A variância de erro é a variância espúria, ou variância aleatória, ou "ruído"; é a variância que procede puramente do fato de que a medida em si não é 100% confiável; não é variância real. Quando uma medida tem confiabilidade baixa, algumas das diferenças produzidas nas pontuações entre as pessoas são diferenças espúrias, não diferenças reais. Variância de erro, por definição, não pode ser considerada por relações com outras variáveis. Isso é importante porque, como já discutimos, uma estratégia central em pesquisa é a estratégia de consideração de variância através da relação com outras variáveis.

Devemos notar que todas as medidas têm certa inconfiabilidade. Até a mensuração física não produz exatamente as mesmas medidas do mesmo objeto em dois momentos diferentes. Logo, a mensuração em ciências sociais não é a única que pode ter alguma inconfiabilidade ou variância de erro. É mais difícil reduzir a variância de erro na mensuração educacional, social e psicológica do que (p. ex.) na mensuração física, mas a variância de erro está presente sempre que uma mensuração é usada. Como uma das nossas estratégias centrais em pesquisa é a consideração de variância numa variável dependente, é necessário que tenhamos estimativas da confiabilidade de todas as medidas, especialmente da variável dependente. Desejamos saber quanto da variância será capaz de ser considerado depois que o erro na mensuração for estimado.

## 11.8.2 Validade

Um segundo conceito central na qualidade da mensuração é a validade. Validade é um termo técnico com significados específicos – aqui o nosso foco é a validade da mensuração. O seu significado é mostrado nesta pergunta: como sabemos se este instrumento de mensuração mede o que achamos que ele mede? A validade da mensuração, portanto, significa até que ponto o instrumento mede o que deveria medir – um indicador é válido se representar empiricamente o conceito que supostamente mede.

Devido à natureza latente das variáveis que desejamos estudar, há uma inferência envolvida entre os indicadores que podemos observar (ou seja, os itens aos quais as pessoas respondem) e o construto que pretendemos mensurar. A validade se relaciona a essa inferência. Então a questão da validade é: a inferência que fazemos a partir dos indicadores (itens) para o conceito é razoável? O instrumento de mensuração ou o próprio procedimento não é válido nem inválido. A questão da validade somente se aplica à inferência que fazemos do que observamos. Entre as várias abordagens à validação dos instrumentos, as três principais são a validade do conteúdo, a validade relacionada ao critério (o que inclui a validade concorrente e a validade preditiva) e a validade do construto.

A *validade do conteúdo* se concentra no fato de um conteúdo total de uma definição conceitual ser ou não representado na medida. Uma definição conceitual é um espaço que contém ideias e conceitos, e os indicadores numa medida devem gerar amostras de todas as ideias na definição (Neuman, 1994). Portanto, as duas etapas envolvidas na validação de conteúdo são especificar o conteúdo de uma definição e desenvolver indicadores que gerem amostras de todas as áreas do conteúdo na definição.

Na *validade relacionada ao critério*, um indicador é comparado a outra medida do mesmo construto no qual o pesquisador confia. Há dois tipos de validade de critério. A *validade concorrente* ocorre quando a variável de critério existe no presente – por exemplo, um pesquisador pode desejar estudar a consciência dos alunos sobre o próprio desempenho na escola durante o último ano. Nessa situação, poderíamos perguntar a cada aluno: "Qual foi a sua média no último ano?" Essa resposta poderia ser validada pelo critério concorrente correlacionando-a à média obtida na secretaria da escola. *Validade preditiva* se refere ao fato de que a variável de critério não existe por enquanto – o pesquisador pode desejar que os alunos prevejam o próprio desempenho na escola durante o ano seguinte, perguntando a cada um: "Quanto você acha que será a sua média no ano que vem?" Essa resposta poderia ser validada com o critério preditivo, correlacionando-a à média obtida na secretaria da escola após um ano (Zeller, 1996).

*Validade do construto* se concentra na adequação de uma medida às expectativas teóricas. Qualquer medida existe em algum contexto teórico e deve, portanto, mostrar as relações com outros construtos que possam ser previstas e interpretadas nesse contexto. Um exemplo seria validar uma medida de alienação mostrando as suas relações com a classe social (de Vaus, 2013). Zeller (1996) dá uma descrição detalhada das seis etapas envolvidas no estabelecimento da validade do construto.

Não existe um procedimento infalível para estabelecer a validade, e os métodos de validação usados devem depender da situação. Como todos os métodos têm limitações, Zeller acredita que inferências sobre a validade não possam ser feitas unicamente com base em procedimentos quantitativos ou estatísticos. Ele defende uma estratégia de validação que combine métodos quantitativos e qualitativos. "Uma inferência válida ocorre quando não há conflito entre as mensagens recebidas como resultado do uso de uma variedade de procedimentos metodológicos diferentes" (Zeller, 1996: 829). Vimos no Capítulo 9 que essa mesma questão da validação perpassa as abordagens ao modo pelo qual os dados qualitativos são analisados.

Confiabilidade e validade são duas características psicométricas importantes dos instrumentos de mensuração. Uma outra característica psicométrica é mencionada aqui – sensibilidade – porque se adapta à estratégia de pesquisa descrita no Capítulo 10. *Sensibilidade* aqui significa a habilidade de um instrumento de mensuração de captar diferenças entre as pessoas – discriminar entre elas e produzir variância. Em condições normais, os melhores instrumentos de mensuração para fins de pesquisa (e os melhores itens) são aqueles que dispersam as pessoas e produzem a maior variância. Mas deve ser variância real ou confiável no sentido discutido anteriormente[5].

Esse critério pode ser usado para avaliar e selecionar itens individuais e subescalas no desenvolvimento de um instrumento de mensuração. Também está em consonância com a estratégia de pesquisa geral baseada em variância e consideração de variância. Essa estratégia não funcionará se não houver variância (ou pouca variância). Um instrumento de mensuração que não diferencia pessoas produz pouca ou nenhuma variância[6]. Podemos usar essa ideia para desenvolver uma estratégia de pesquisa tripartida, baseada em torno de uma variável central numa área. A primeira parte exige o desenvolvimento de uma medida da variável que produza variância confiável substancial. A segunda parte envolve considerar essa variância, investigando os fatores que produzem ou influenciam essa variância, usando a pergunta: O que considera essas diferenças? Isso diz respeito a identificar variáveis independentes que se relacionam à variável dependente. A terceira parte questiona os efeitos dessa variância ou os resultados dela, usando as perguntas: Que diferença faz se as pessoas diferirem nessa variável? Quais são os resultados ou consequências dessa variância? Na segunda parte, a variável que estamos considerando é a variável dependente, e variáveis independentes se relacionam a ela. Na terceira parte, é a variável independente e se relaciona a variáveis dependentes. Essa estratégia geral é útil quando estamos organizando a pesquisa numa área nova. Entendemos uma variável quando entendemos como ela varia e os antecedentes e consequências dessa variância, e essa estratégia formaliza isso.

## 11.9 Desenvolvendo o questionário de um levantamento

No Capítulo 10, o nosso foco foi no levantamento correlativo como importante desenho quantitativo. O seu ponto central é o questionário de levantamento. O levantamento correlativo não é um simples levantamento descritivo, e sim um levantamento multivariável, buscando uma ampla gama de informações e com certa estrutura conceitual de variáveis independentes, de controle e dependentes. Portanto, é provável que o questionário busque informações factuais (informações sobre origem e biografia, informações sobre conhecimento e comportamento) e também inclua medidas de tais variáveis, como atitudes, valores, opiniões ou crenças. Uma estrutura útil para desenvolver tais questionários distingue informações cognitivas, afetivas e comportamentais; outra os dividem em conhecimentos, atitudes e comportamentos (Punch, 2003: 53). Qualquer uma dessas áreas pode usar total ou parcialmente medidas existentes ou pode desenvolvê-las especificamente para a pesquisa em questão.

O desenvolvimento do questionário do levantamento pode proceder seguindo os parâmetros sugeridos na Seção 11.5. Nesse caso, perguntas de definição talvez sejam ainda mais importantes. Como uma ampla gama de informações geralmente é buscada num questionário de levantamento correlativo, um mapa conceitual claro do questionário é o primeiro estágio no seu desenvolvimento, e a melhor maneira de fazê-lo é sob a forma de diagrama. O mapa deve partir do geral para o específico, primeiro mostrando o tipo geral de variável e depois traduzindo-a em variáveis específicas, com as dimensões e subescalas adequadas. Depois questões e itens específicos podem ser desenvolvidos.

O desenvolvimento das suas partes específicas depende dos tipos de mensurações envolvidas. Em alguns aspectos, o desenvolvimento de perguntas factuais será mais fácil, porém aqui novamente o nosso objetivo deve ser pautar-nos em trabalhos anteriores de duas formas. Primeiro, considerou-se muito todo o tópico de fazer perguntas factuais para fins de pesquisa. É claro que há várias formas de se fazer até uma pergunta factual simples, e algumas formas são melhores do que outras. Não temos espaço para ingressar nesse tópico aqui, mas vários livros tratam do assunto (p. ex., Moser e Kalton, 1979; Sudman e Bradburn, 1982; Lewins, 1992; Oppenheim, 1992). Segundo, muitos questionários de levantamentos excelentes têm sido desenvolvidos e podem ser úteis de várias maneiras. A ajuda para localizá-los pode ser encontrada em Converse e Presser (1986), que listam nove fontes de perguntas de levantamentos que consideram úteis. Ademais, os questionários dos levantamentos muitas vezes são incluídos nos relatórios publicados de levantamentos extensos; Jaeger (1988) analisa inúmeros levantamentos sociais e educacionais importantes nos Estados Unidos, e Thomas (1996) indica dez grandes levantamentos realizados regularmente no Reino Unido.

### 11.9.1 Subescalas com itens múltiplos

Como já indicamos, quando a teoria de traços latentes é usada para criar uma variável usando múltiplos itens, considerações especiais estão envolvidas. Isso ocorre porque uma pontuação geral ou agregada para a variável deve ser obtida adicionando respostas aos itens individuais. Isso significa que precisamos ter certeza de que estamos adicionando "igual com igual". Precisamos ter certeza de que cada item realmente é um indicador da variável que desejamos mensurar. Em outras palavras, precisamos ter certeza de que a escala é internamente consistente. Tentamos garantir isso na construção da escala, usando a validade do conteúdo (Black, 1999: 231-232) para verificar se cada item é um indicador da variável. Na análise das respostas, precisamos demonstrar empiricamente a consistência interna de uma escala de itens múltiplos. Uma técnica útil para fazer isso se baseia nas correlações dos itens da escala entre si e na correlação entre cada item e a pontuação total. De fato, o grau de correlação entre itens é resumido pelo coeficiente alfa, já mencionado. Esse é um motivo para que o coeficiente alfa seja provavelmente a medida mais usada da consistência interna de uma escala com múltiplos itens (Black, 1999: 279).

## 11.10 Coletando os dados: administrando o instrumento de mensuração

Esta seção trata dos procedimentos para coleta de dados, já que também afetam a qualidade dos dados. A pesquisa empírica é tão boa quanto os dados em que se baseia, então as respostas assinaladas aos itens do questionário (que se tornam os dados quantitativos do pesquisador), a atitude mental e a consciência do respondente quando elas são dadas são todas importantes. Vale a pena tomar todas as precauções possíveis para garantir que os dados sejam os melhores possíveis, seja qual for o modo de administração dos instrumentos. Os principais modos de administração são a administração individual ou em grupo face a face, por telefone, pelo correio (Jaeger, 1988) ou pela internet (Dillman, 2006). Os dois pontos gerais a lembrar são:

1. Assegure-se de que a abordagem aos respondentes tenha sido profissional e que, respeitando os limites, eles tenham sido plenamente informados sobre o objetivo e o contexto da pesquisa, sobre confidencialidade e anonimato e sobre qual será o uso e quem usará as informações fornecidas. Isso também ajuda a indicar que esse tipo de pesquisa não é possível sem a cooperação deles, e eles devem saber claramente o que está sendo solicitado. A experiência mostra que, quando isso é feito de modo adequado e profissional, as pessoas normalmente cooperam e a qualidade dos dados melhora.

2. Na medida do possível, o pesquisador deve permanecer no controle do procedimento de coleta dos dados, e não o deixar a cargo de outras pessoas ou do acaso. Assim, se a administração face a face (individual ou em grupo) for possível em vez de um questionário postal, ela deve ser preferida, apesar do trabalho adicional. Mais uma vez, se houver a escolha entre o pesquisador administrar o questionário e outra pessoa administrá-lo no lugar do pesquisador, a primeira opção é melhor. Se outras pessoas precisarem fazê-lo, elas necessitam de treinamento nos procedimentos a seguir.

Essas coisas podem envolver renúncias, especialmente relativas ao tamanho da amostra, mas é melhor ter um conjunto de dados menor de boa qualidade do que um maior de qualidade inferior. É ruim para a pesquisa quando um trabalho excelente é executado no desenvolvimento de um instrumento de coleta de dados, mas o mesmo pensamento e esforço não são empregados nos procedimentos de coleta de dados. Os dois são importantes para determinar a qualidade dos dados. Um aspecto particular disso, e um obstáculo para toda pesquisa com levantamento, é a questão dos índices de respostas. Índices muito baixos de respostas são decepcionantes e problemáticos porque denotam a possibilidade de resultados tendenciosos. Se os índices de respostas receberem a devida atenção no estágio de planejamento de coleta de dados, muitas vezes há procedimentos que podem ser usados para maximizá-los. É importante, portanto, incluir a questão dos índices de respostas no planejamento da pesquisa, antes da coleta de dados, em vez de tê-la como reflexão tardia após a administração do questionário.

## 11.11 Amostragem

A amostragem foi um tópico importante na metodologia da pesquisa quantitativa, com planos de amostragem bem desenvolvidos e matematicamente sofisticados (cf., p. ex., Cochran, 1977; Jaeger, 1984). Isso parece não se aplicar tanto hoje provavelmente devido a três tendências: o crescimento do interesse em métodos qualitativos, um afastamento de amostras extensas em estudos quantitativos e, à medida que a pesquisa em ciências sociais proliferou, o problema prático crescente de obter acesso às amostras amplas e claramente configuradas exigidas por planos de amostragem sofisticados. É muito frequente que o pesquisador tenha de adotar qualquer amostra disponível, e é cada vez maior a incidência de amostras de conveniência (em que o pesquisador tira proveito de uma situação acessível para se adequar ao contexto e aos objetivos da pesquisa).

Apesar disso, as ideias básicas envolvidas na amostragem ainda são importantes. Em algumas situações de pesquisa quantitativa, ainda pode ser necessário usar planos de amostragem sofisticados. Além disso, os modelos de amostragem são a base da inferência estatística, e a inferência estatística permanece uma ferramenta fundamental na tomada de decisões na pesquisa quantitativa. Finalmente, essas ideias nos dão um modelo útil que devemos ter em mente ao planejar a seleção de amostras real num estudo. Logo, precisamos analisar as ideias básicas envolvidas na amostragem. Esta seção deve ser lida conjuntamente com a Seção 12.7, sobre a lógica da inferência estatística.

Toda pesquisa (inclusive qualitativa) envolve amostragem, porque nenhum estudo, seja quantitativo, qualitativo ou ambos, consegue incluir tudo. Como já observamos, "não é possível estudar todos em toda parte fazendo tudo" (Miles e Huberman (1994: 27). A amostragem na pesquisa quantitativa geralmente significa "amostragem de pessoas". Os conceitos fundamentais, portanto, são a população (o grupo-alvo total que, no mundo ideal, seria o sujeito da pesquisa e sobre quem o pesquisador está tentando dizer algo) e a amostra (o grupo real que está incluído no estudo e de quem os dados são coletados)[7].

**Figura 11.2 Populações e amostras**

A lógica da amostragem de pessoas é que o pesquisador analisa dados coletados da amostra, mas no fim deseja fazer afirmativas sobre toda a população-alvo da qual a amostra é extraída. Essa lógica é mostrada na Figura 11.2. Os dados são coletados da amostra e analisados para produzir as descobertas do estudo. Mas essas descobertas ainda são apenas sobre a amostra, então o próximo passo se refere à generalização das descobertas, partindo da amostra para a população. Isso envolve uma inferência amostra-para-população cuja questão central é: até que ponto esta amostra representa a população? Representatividade é um conceito-chave, embora, como observaremos a seguir, seja mais aplicável a alguns estudos do que outros. A amostragem que visa obter representatividade geralmente é chamada de amostragem de probabilidade e, apesar de diferentes estratégias terem sido planejadas para obtê-la, a principal é alguma forma de seleção aleatória. Trata-se de um significado de "aleatória" bem diferente daquele usado no desenho experimental do Capítulo 10. Ali a ideia era a alocação aleatória a grupos de tratamento e isso era feito para garantir o controle de variáveis extrínsecas. Aqui a ideia é a seleção aleatória de uma amostra, que é feita para garantir representatividade. Na seleção aleatória, cada elemento numa população tem uma chance igual ou uma probabilidade igual de ser escolhido. Estratificar a população ao longo de dimensões diferentes antes da seleção aleatória produz amostras aleatórias estratificadas.

Um plano de amostragem não é independente dos outros elementos num projeto de pesquisa, especialmente seus objetivos e perguntas de pesquisa. É uma outra instância da adequação entre as partes de um projeto, como discutimos no Capítulo 2. O plano de amostragem deve ter uma lógica que se adapte à lógica das perguntas de pesquisa. Assim, se as perguntas de pesquisa exigirem representatividade, alguma forma de amostragem representativa deve ser usada. Por outro lado, se as perguntas de pesquisa destacarem relações entre as variáveis ou comparações entre grupos, algum tipo de amostragem deliberada ou propositiva pode ser mais apropriada, já que faz sentido selecionar a amostra de modo que haja uma chance máxima de qualquer relação ser observada. Similarmente, se o desenho for experimental ou semiexperimental, a amostra deverá ser selecionada para fazer comparações do modo mais claro possível. A amostragem deliberada ou propositiva se assemelha à amostragem teórica usada na pesquisa qualitativa e discutida no Capítulo 8. Ali vimos que as estratégias de amostragem são igualmente importantes na pesquisa qualitativa.

Seja qual for a estratégia de amostragem usada, o propósito (e o relatório) de pesquisa precisa considerar três perguntas:

- Qual será o tamanho da amostra e por quê?
- Como ela será escolhida e por quê?
- Quais alegações serão feitas para a sua representatividade?

As duas primeiras perguntas unem a estratégia e o plano de amostragem à lógica geral do estudo. A terceira pergunta se torna especialmente importante nos casos em que as amostras de conveniência são usadas na pesquisa. Não há nada errado nisso, e conhecimentos valiosos podem ser adquiridos estudando tais amostras, mas o pesquisador precisa avaliar até que ponto a amostra é típica de uma população maior.

## 11.12 Análise secundária

Análise secundária é o termo usado para uma segunda análise dos dados previamente coletados e analisados. É importante no trabalho quantitativo (especialmente em levantamentos) e sua importância vem crescendo também na pesquisa qualitativa. Há algumas vantagens claras em trabalhar com um corpo de dados existente, inclusive custo (para muitos pesquisadores de levantamentos, há poucas chances de se obter financiamento para a realização de uma coleta de dados em grande escala), tempo (o pesquisador pode começar a análise em breve em vez de investir muito tempo na coleta de dados), qualidade (um banco de dados existente provavelmente terá dados com mais qualidade do que o pesquisador solitário e inexperiente pode esperar obter), acessibilidade a populações difíceis (Procter, 1996). É cada vez mais importante também que os alunos conheçam as possibilidades da análise secundária e os bancos de dados que a embasam (cf. Capítulo 8, Seção 8.6), e ela tem atrações especiais, tendo em vista os limites de custos e tempo envolvidos nos trabalhos de projetos dos alunos (inclusive dissertações).

Porém, essas atrações não significam que a análise secundária seja sempre objetiva. Dificuldades metodológicas e de interpretação dos dados brutos podem existir (Reeve e Walberg, 1997), e sempre existe a possibilidade de que as perguntas e os dados originais não sejam relevantes ao problema em questão: "O verdadeiro desafio na análise secundária está em descobrir formas de forçar os dados coletados por outra pessoa (com frequência alguém com orientações teóricas e analíticas inteiramente diferentes) a responder as suas perguntas" (Procter, 1996: 262). Embora importante e atraente, é necessário, portanto, que uma análise secundária proposta seja acompanhada de planejamento e consideração cuidadosos dos dados à luz da pesquisa proposta. O conselho de Procter (1996: 257) é valioso – explorar de todas as formas a possibilidade de análise secundária, mas não se comprometer com ela sem discutir as suas armadilhas com um orientador experiente. Referências úteis sobre análise secundária são Hakim (1982), Stewart (1984), Kiecolt e Nathan (1985), Dale et al. (1988) e Procter (1996).

## Resumo do capítulo

- A distinção entre variáveis categóricas e contínuas é importante e tem significância para as técnicas de mensuração e para a análise dos dados.
- O processo de mensuração usa números para unir conceitos aos seus indicadores empíricos quando o traço de interesse é considerado um *continuum*.
- Um entendimento do processo de mensuração e a análise das situações e objetivos de pesquisa podem ajudar a decidir quando a mensuração é apropriada num projeto de pesquisa.
- Boa parte da mensuração social usa a teoria de traços latentes porque os traços a mensurar geralmente estão ocultos (ou latentes).
- Diferentes técnicas de mensuração foram desenvolvidas pelos pesquisadores; a mais usada hoje é a técnica de avaliações somadas de Likert.
- Um conjunto de estágios objetivos pode ser usado para desenvolver um instrumento de mensuração, mas muitas vezes trabalhos anteriores terão desenvolvido instrumentos relevantes.
- Várias coletâneas de instrumentos de mensuração existem, sendo a mais importante a série *Mental Measurements Yearbook*.
- Confiabilidade e validade são duas das mais importantes características psicométricas para avaliar a qualidade de um instrumento de mensuração; confiabilidade diz respeito a estabilidade e nos possibilita estimar a variância de erro; validade diz respeito ao fato de um instrumento realmente mensurar o que supostamente mensura; há vários tipos diferentes de validade e validação.

- Os questionários de levantamentos podem ser desenvolvidos por um trabalho conceitual/de definição, abalizado por um atento desenvolvimento de itens e pré-testes: escalas de múltiplos itens exigem uma consideração especial.

- Os procedimentos usados na administração de instrumentos de mensuração podem afetar enfaticamente a qualidade dos dados, inclusive índices de respostas em levantamentos.

- A amostragem na pesquisa quantitativa muitas vezes é probabilística (direcionada à representatividade), mas também pode ser deliberada (propositiva); a estratégia de amostragem usada deve se adequar à estratégia de pesquisa geral.

- A análise secundária é cada vez mais importante, já que um número crescente de dados de pesquisa em ciências sociais é coletado e arquivado.

## Termos-chave

Amostra: grupo menor estudado de fato, extraído de alguma população maior; os dados são coletados e analisados a partir da amostra, e depois as inferências são retornadas à população.

Amostragem de probabilidade: estratégia de amostragem em que cada unidade da população tem uma chance igual de ser selecionada na amostra; direcionada a representatividade e generalização, às vezes é denominada amostragem representativa.

Amostragem propositiva: estratégia de amostragem em que a amostra é extraída da população de forma deliberada ou proposital, de acordo com a lógica da pesquisa; também chamada de amostragem deliberada.

Análise secundária: a segunda análise dos dados previamente coletados e analisados.

Confiabilidade: característica psicométrica fundamental voltada à consistência ou estabilidade de um instrumento de mensuração em dois sentidos – consistência ao longo do tempo e consistência interna quando há múltiplos itens.

Mensuração: processo que usa números para relacionar conceitos a indicadores quando um *continuum* está envolvido.

População: grupo-alvo, geralmente grande, sobre o qual desejamos desenvolver conhecimentos, mas que não podemos estudar diretamente; assim obtemos a amostra da população.

Técnica de avaliações somadas de Likert: técnica de mensuração mais comum usada na pesquisa em ciências sociais atuais.

Traço latente: o traço que desejamos mensurar, mas está oculto; nós o mensuramos por inferência a partir dos seus indicadores observáveis.

Validade: outra característica psicométrica fundamental que diz respeito ao fato de um instrumento de mensuração realmente mensurar o que supostamente mensura; aspectos diferentes são validade de conteúdo, validade relativa ao critério e validade do construto.

Variável categórica: variável que varia em tipo, não em grau.

Variável contínua: variável que varia em grau, não em tipo.

## Exercícios e perguntas para estudo

1. Defina e exemplifique (a) variáveis categóricas; (b) variáveis contínuas.
2. Considerando estas duas perguntas de um levantamento, qual forma de pergunta geralmente é melhor na pesquisa? Por quê?
   - Você gosta de fazer pesquisas? (Responda sim ou não.)
   - Qual é o seu grau de satisfação ao fazer pesquisas? (Responda: grande, razoável, pouco, não gosto.)
3. A mensuração foi um assunto polêmico durante os debates das guerras paradigmáticas sobre pesquisa. Na sua opinião, qual é a função da mensuração na pesquisa? A quais tópicos e questões a mensuração é (a) adequada; (b) inadequada?
4. Descreva com as suas próprias palavras a teoria de mensuração de traços latentes.
5. Quais são as vantagens e desvantagens de (a) usar um instrumento existente; (b) desenvolver o seu próprio instrumento?
6. Se você optar por escolher um instrumento de mensuração, quais estágios pode percorrer?
7. Vá à biblioteca e dê uma olhada no *Mental Measurements Yearbook* mais recente. Selecione uma variável importante de interesse (p. ex., autoestima, ansiedade, atitudes diante de autoridades ou personalidades) e familiarize-se com alguns dos instrumentos disponíveis para mensurá-la.
8. Defina (a) confiabilidade; (b) validade. Que tipos de confiabilidade e validade existem? Como podem ser avaliados?
9. Até que ponto as ideias de confiabilidade e validade podem ser aplicadas aos dados qualitativos?
10. Ao administrar o questionário de um levantamento, o que você pode fazer para maximizar a qualidade dos dados?
11. Quais são os principais métodos da administração de questionários e quais são as vantagens e desvantagens de cada um?

**12.** O que significam os termos *amostra* e *população* e qual é a relação entre eles? O que é amostragem de probabilidade e o que é amostragem deliberada? Quando cada uma é apropriada?

## Leitura complementar

Allen, M.J. e Yen, W.M. (1979) *Introduction to Measurement Theory*. Monterey, CA: Brooks/Cole.

Carley, M. (1981) *Social Measurement and Social Indicators*. Londres: Allen and Unwin.

Converse, J.M. e Presser, S. (1986) *Survey Questions: Handcrafting the Standardized Questionnaire*. Beverly Hills, CA: Sage.

Cronbach, L.J. (1990) *Essentials of Psychological Testing*. 5. ed. Nova York: Harper and Row.

de Vaus, D.A. (2013) *Surveys in Social Research*. 5. ed. Londres: Routledge.

Edwards, A.L. (1957) *Techniques of Attitude Scale Construction*. Nova York: Appleton-Century-Crofts.

Fink, A. e Kosecoff, J. (1985) *How to Conduct Surveys: A Step-by-Step Guide*. Beverly Hills, CA: Sage.

Henry, G.T. (1990) *Practical Sampling*. Newbury Park, CA: Sage.

Jaeger, R.M. (1988) "Survey methods in educational research". In: R.M. Jaeger (ed.), *Complementary Methods for Research in Education*. Washington, DC: American Educational Research Association, p. 301-387.

Kalton, G. (1983) *Introduction to Survey Sampling*. Beverly Hills, CA: Sage.

Moser, CA. e Kalton, G. (1979) *Survey Methods in Social Investigation*. 2. ed. Aldershot: Gower.

Oppenheim, A.N. (2000) *Questionnaire Design, Interviewing and Attitude Measurement*. 2. ed. Londres: Continuum.

Punch, K.F. (2003) *Survey Research: The Basics*. Londres: Sage.

Rossi, P.H., Wright, J.D. e Anderson, A.B. (1983) *The Handbook of Survey Research*. Nova York: Academic Press.

### Coletâneas de instrumentos de mensuração

Bearden, W.O. (1999) *Handbook of Marketing Scales*. Chicago IL: American Marketing Association.

Bonjean, C.M., Hill, R.J. e McLemore, S.D. (1967) *Sociological Measurement*. São Francisco, CA: Chandler.

Bowling, A. (1991) *Measuring Health: A Review of Quality of Life Measurement Scales*. Filadélfia, PA: Open University Press.

Bruner, G.C. e Hansel, P.J. (1992) *Marketing Scales Handbook: A Compilation of Multi-Item Measures*. Chicago, IL: American Marketing Association.

Frank-Stromborg, M. (ed.) (1988) *Instruments for Clinical Nursing Research*. Norwalk, CT: Appleton & Lange.

Geisinger, K.F., Spies, R.A., Carlson, J.F. e Plake, B.S. (2007) *The Seventeenth Mental Measurements Yearbook. Buros Institute of Mental Measurements*, Lincoln, NB: University of Nebraska Press.

Hersen, M. e Bellack, A.S. (eds.) (1988) *Measures for Clinical Practice*. Nova York: The Free Press.

Maddox, T. (ed.) (1997) *Tests: A Comprehensive Reference for Assessments in Psychology, Education and Business*. 4. ed. Austin, TX: Pro Ed.

McDowell, I. e Newell, C. (1987) *Measuring Health: A Guide to Rating Scales and Questionnaires*. Oxford: Oxford University Press.

Miller, D.C. (1991) *Handbook of Research Design and Social Measurement*. 5. ed. Newbury Park, CA: Sage.

Murphy, L.E., Close, C.J. e Impara, J.C. (1994) *Tests in Print IV: An Index to Tests, Test Reviews, and the Literature on Specific Tests*, Vol. 1. Buros Institute of Mental Measurements, Lincoln, NB: University of Nebraska Press.

Price, J.M. e Mueller, C.W. (1986) *Handbook of Organizational Measures*. Marshfield, MA: Pitman.

Shaw, M.E. e Wright, J.W. (1967) *Scales for the Measurement of Attitudes*. Nova York: McGraw-Hill.

Stewart, A.L. e Ware, J.E. (eds.) (1992) *Measuring Functioning and Well-Being*. Durham, NC: Duke University Press.

Straus, M.A. e Brown, B.W. (1978) *Family Measurement Techniques: Abstracts of Published Instruments, 1935-1974* (ed. revista). Mineápolis, MN: University of Minnesota Press.

Streiner, D.R. e Norman, G. (1995) *Health Measurement Scales: A Practical Guide to Their Development and Use*. Oxford: Oxford University Press.

Sweetland, R.C. e Keyser, D.J. (1986) *Tests: A Comprehensive Reference for Assessments in Psychology, Education, and Business*. 2. ed. Kansas City, MO: Test Corporation of America.

# Notas

1. Este ponto tem implicações para a construção de perguntas para coleta de dados num levantamento. Por exemplo, muitas perguntas são feitas com resposta dicotômica sim/não ou verdadeiro/falso, quando uma resposta em escala para a mesma pergunta seria melhor e produziria mais informações.

2. Esta é uma modificação sutil da definição de Zeller (1996). Ele usa, como definição "adequada", o processo de relacionar conceitos a indicadores. Descreve a definição antiga e conhecida de Stevens (1951) – "a atribuição de números a objetos ou eventos de acordo com regras" – como "inadequada" e explica os motivos.

3. Provavelmente a forma mais comum de palavras é "concordo totalmente, concordo, discordo, discordo totalmente", mas outras formas são possíveis (cf. Punch, 2003: 59).

4. Formas paralelas são formas diferentes do instrumento construído para ser equivalente. Isso indica uma terceira forma (mais técnica) de consistência – consistência do instrumento sobre a amostragem de conteúdo do item.

5. Em outros contextos além da pesquisa, pode não ser importante que um instrumento de mensuração disperse as pessoas e produza variância. Um exemplo seriam testes de aprendizagem em educação.

6. Em outras palavras: estamos estudando as relações entre as variáveis. Relações significam correlação. Conceitualmente, correlação é o mesmo que covariação. Se não houver variação, não pode haver covariação. Um dos fatores que influenciam o tamanho da correlação é a quantidade de variância na pontuação de cada variável. A relação entre variáveis pode ser subestimada se as medidas produzirem pouca variância.

7. Os termos "amostra" e "população", portanto, são termos técnicos que devem ser usados com precisão. Em especial, o termo confuso "população da amostra" deve ser evitado.

# 12
# ANÁLISE DE DADOS QUANTITATIVOS

## Sumário

12.1 Resumindo dados quantitativos
   12.1.1 Tendência central: a média
   12.1.2 Variação: desvio-padrão e variância
   12.1.3 Distribuições de frequência
12.2 Relações entre variáveis: tabulações cruzadas e tabelas de contingência
12.3 Comparações entre grupos: análise de variância
   12.3.1 Análise de variância
   12.3.2 Interação
   12.3.3 Análise de covariância
   12.3.4 De univariado a multivariado
12.4 Relações entre variáveis: correlação e regressão
   12.4.1 Correlação simples
   12.4.2 Regressão e correlação múltipla
   12.4.3 Coeficiente de correlação múltipla ao quadrado ($R^2$)
   12.4.4 Pesos de regressão
   12.4.5 Regressão gradual
   12.4.6 Revisão – RLM como sistema de análise de dados geral
   12.4.7 Análise de covariância usando RLM
12.5 Análise de dados de levantamentos
12.6 Redução de dados: análise fatorial
12.7 Inferência estatística
12.8 Software para análise de dados quantitativos
   Resumo do capítulo
   Termos-chave
   Exercícios e perguntas para estudo
   Leitura complementar
   Notas

**OBJETIVOS DE APRENDIZAGEM**

## Após estudar este capítulo, você saberá:

- Nomear e descrever três das principais ferramentas usadas para resumir dados quantitativos;
- Explicar como a tabulação cruzada pode ser usada para estudar a relação entre duas variáveis;
- Descrever a lógica básica da análise de variância (ANOVA) e covariância (ANCOVA);
- Explicar o que significa interação;
- Explicar a lógica básica da correlação simples;
- Mostrar como a correlação simples se estende a regressão e correlação múltipla;
- Mostrar como a regressão linear múltipla (RLM) é adequada a uma estratégia de pesquisa com consideração de variância;
- Explicar a lógica básica da análise fatorial;
- Explicar a lógica básica da inferência estatística.

Dados quantitativos são analisados usando estatística. Há diversos livros escritos para a área de estatística e não faz sentido produzir mais um. Este capítulo, portanto, tem uma abordagem diferente. Não se trata de um livro sobre estatística, mas sobre fazer pesquisa, e a sua intenção é mostrar a lógica subjacente a cada estágio da pesquisa empírica. Esse ponto se aplica particularmente à estatística. A estatística é uma das muitas ferramentas necessárias ao pesquisador. Como outras ferramentas, pode ser usada com muita eficiência sem que o usuário necessariamente tenha total conhecimento técnico do seu funcionamento. O que é necessário, porém, é entender a lógica que subjaz às ferramentas estatísticas e apreciar como e quando usá-las em situações de pesquisa reais. Assim, enfatizo aqui a lógica da análise de dados quantitativos, mas há poucas equações ou fórmulas, as quais são tratadas na literatura estatística, cujas referências indicamos adiante.

No Capítulo 10, as duas principais correntes de desenho de pesquisa quantitativa foram identificadas. Essas correntes continuam neste capítulo. Uma corrente se situa na tradição do experimento e baseia-se na ideia de grupos de comparação. A sua principal expressão estatística é a análise de variância (o que inclui o teste t) univariável e multivariável. Como vimos no Capítulo 10, essa corrente tem um sentido descendente, de variáveis independentes para variável dependente, norteada pela pergunta: Quais são os efeitos dessa causa? A outra é a corrente de levantamento correlativo e baseia-se mais na ideia de relações entre variáveis no cenário não experimental. A sua principal expressão estatística são correlação e regressão. Essa corrente tem um sentido ascendente, partindo da variável dependente de volta para a variável independente, norteada pela pergunta: Quais são as causas desses efeitos?

Essas duas correntes se relacionam, mas também representam formas diferentes de pensamento e ênfases diferentes. A lógica da análise de dados estatística nas duas correntes é descrita neste capítulo, mas a corrente mais enfatizada é a da correlação-regressão, por ser fácil de interpretar, ser amplamente aplicável em muitas áreas de pesquisa e conectar-se diretamente com a estratégia de pesquisa com consideração de variância do Capítulo 10. Naquele capítulo, a regressão linear múltipla (RLM) foi proposta como estratégia de desenho de pesquisa geral. Neste capítulo, a RLM é proposta como estratégia de análise de dados geral.

Dois outros pontos devem ser salientados. Primeiro, em qualquer projeto, o modo pelo qual os dados são analisados é regido pelas perguntas de pesquisa. Assim, embora este capítulo descreva a lógica da análise de dados quantitativos, as técnicas reais e a forma em que são usadas num projeto resultam das perguntas de pesquisa. Segundo, o grau de mensuração das variáveis influencia a forma pela qual fazemos algumas análises quantitativas. A distinção mais importante é entre a mensuração nominal e em grau de intervalo ou entre variáveis discretas e contínuas. O pesquisador quantitativo precisa lembrar-se dessa distinção constantemente. Quando uma variável é contínua, podemos adicionar e fazer a média de pontuações. Quando é categórica, não podemos. De maneira mais geral, estatísticas paramétricas são adequadas a dados em grau de intervalo, e estatísticas não paramétricas são adequadas a dados nominais e em grau ordinal (Kerlinger, 1973; Siegel, 1988).

## 12.1 Resumindo dados quantitativos

A pesquisa quantitativa envolve mensurações, geralmente de diversas variáveis, numa amostra. Portanto, para cada variável, temos mensurações (ou pontuações) para cada membro da amostra. Denominamos isso de distribuição e precisamos de formas de resumi-lo. Os dois principais conceitos que usamos para tanto são variação e tendência central. Isso é moldado no que fazemos diariamente. Se você perguntar a alguém como é o clima em Londres no verão, poderá ouvir "a média da temperatura é de aproximadamente 25º [tendência central], mas muda muito [variação]".

## 12.1.1 Tendência central: a média

Existem três medidas comuns de tendência central – média, moda e mediana. Embora existam questões técnicas para se decidir qual é a mais apropriada, moda e mediana são muito menos usadas na pesquisa do que a média. Por isso aqui tratamos da média. Ela é conhecida por todos e, para obtê-la, simplesmente adicionamos as pontuações e dividimos pelo número de pontuações, fazendo a sua média.

Duas características da média devem ser mencionadas. A primeira é técnica – é o ponto numa distribuição sobre o qual a soma dos desvios ao quadrado é o mínimo. Isso é importante para estimar a variância e para a análise dos mínimos quadrados, um dos pilares da estatística. A segunda característica é que a média é uma estatística efetiva em que as pontuações numa distribuição não variam muito, mas não tão efetiva quando há grande variância (quando a variância é grande, a mediana é uma medida melhor de tendência central). Portanto, é importante saber a quantidade de dispersão ou variabilidade num conjunto de pontuações para que a média seja interpretada corretamente.

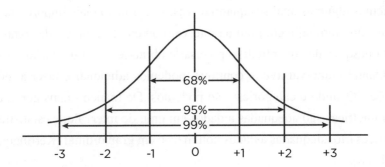

**Figura 12.1 Curva de distribuição normal**
Fonte: Jaeger, 1990: 55.

## 12.1.2 Variação: desvio-padrão e variância

Como a tendência central, os estatísticos desenvolveram várias formas de mensurar a variância num conjunto de mensurações. Por exemplo, um conceito simples, mas útil, é a amplitude – a pontuação mais alta da amostra menos a mais baixa. Mas a medida mais comum de variabilidade é o desvio-padrão. Ela acompanha a média porque os desvios envolvidos são desvios de mensurações individuais da média da distribuição. Esses desvios são calculados e padronizados para nos dar o desvio-padrão. Em um número, resume a variabilidade num conjunto de dados. Quanto mais dispersas as pontuações, maior o desvio-padrão.

A partir do desvio-padrão podemos obter facilmente a variância. A variância é o quadrado do desvio-padrão – ou o desvio-padrão é a raiz quadrada da variância. Como o desvio-padrão, a variância nos dá uma estimativa numérica da quantidade de dispersão nos dados. Embora o desvio-padrão seja usado normalmente na estatística descritiva, a variância é mais comumente usada na inferência estatística (cf. Seção 12.7). Mas sempre podemos obter um(a) a partir do(a) outro(a).

Interpretar o desvio-padrão em conjunto com a média nos diz algo sobre a quantidade de dispersão que existe nas pontuações numa distribuição, e propriedades importantes da distribuição se relacionam à extensão da distância que tomamos da média em termos de desvio-padrão. Em especial, se a distribuição for normal ou tiver o formato de sino, sabemos que, como mostra a Figura 12.1, aproximadamente:

- 68% de todos os casos se enquadram num desvio-padrão em um dos lados da média;
- 95% de todos os casos se enquadram em dois desvios-padrão em um dos lados da média;
- 99% de todos os casos se enquadram em três desvios-padrão em um dos lados da média.

As figuras não variam muito dessa figura mesmo quando a distribuição não tem a forma de sino.

Logo, conhecer a média e o desvio-padrão nos fala muito sobre a distribuição de um conjunto de pontuações. Tanto o desvio-padrão quanto a variância nos dão estimativas numéricas da variabilidade na distribuição. Embora o desvio-padrão seja útil para interpretar essa variabilidade, a variância é o conceito mais geral, sendo crucial tanto para a análise de dados quantitativos quanto para a estratégia de pesquisa quantitativa geral. Conforme mostramos no Capítulo 10, boa parte do nosso pensamento se baseia em consideração de variância – descobrir quantas pessoas (ou objetos) diferem e depois considerar essas diferenças usando relações com outras variáveis. Retornaremos a esse tema na Seção 12.4.

## 12.1.3 Distribuições de frequência

Além da média, desvio-padrão e variância, as distribuições de frequência simples são uma forma útil de resumir e entender os dados. O seu cálculo é objetivo.

As pontuações individuais na distribuição são tabuladas de acordo com o número de respondentes que atingiu cada pontuação, deu cada resposta ou se enquadrou em cada categoria. Porcentagens e/ou números absolutos podem ser usados. Dependendo da amplitude da pontuação geral, às vezes vale a pena agrupar as pontuações em amplitudes de modo que possamos ver mais facilmente a distribuição das frequências. Podemos mostrar os resultados como tabelas de distribuição de frequência ou gráficos. Histogramas e polígonos de frequência são os mais comuns, mas outras formas gráficas, como gráficos circulares ou gráficos com barras horizontais, são possíveis.

As distribuições de frequência de respostas podem nos dizer, num relance, algo sobre a forma da distribuição e isso pode ser importante para determinar os estágios subsequentes na análise. Elas também ajudam o pesquisador a permanecer próximo aos dados, especialmente nos estágios iniciais da análise. Há um grande benefício em ter uma sensação de "mão na massa" dos dados, especialmente quando a disponibilidade dos programas computadorizados facilita que o pesquisador seja removido dos dados.

## 12.2 Relações entre variáveis: tabulações cruzadas e tabelas de contingência

A pesquisa quantitativa é baseada em relações entre variáveis, e muitas formas diferentes foram desenvolvidas para estudar essas relações. Formas diferentes são necessárias devido a variáveis em graus diferentes de mensuração, e a distinção entre variáveis discretas e contínuas é especialmente importante. Nesta seção, trataremos de tabulações cruzadas básicas e mostraremos como a lógica do qui-quadrado pode ser combinada com elas. Por serem tão flexíveis, esses métodos abrangem muitas das situações encontradas na pesquisa quantitativa. Também podem ser usados para variáveis em qualquer grau de mensuração. O caso importante das relações entre duas variáveis contínuas não é considerado nesta seção, mas é descrito na Seção 12.4.

A tabulação cruzada básica ou a tabela de contingência[1] é fácil de construir e ler, aplicável a uma ampla gama de situações, sendo o alicerce para análises mais avançadas. Um tratamento excelente do tópico é dado por Rosenberg (1968) em *The Logic of Survey Analysis*. Ele mostra como a análise sofisticada de dados de levantamentos quantitativos é possível sem nada além do que tabelas de contingência simples. O exemplo sociológico dado na Tabela 12.1 vem desse livro. A tabela contém dados sobre duas variáveis. Na sua forma mais simples, cada variável tem duas categorias, e a tabela 2x2 tem quatro células. Mas outras formas são possíveis, e cada variável pode ter qualquer número de categorias. Como o exemplo de Rosenberg mostra, percentuais são uma forma conveniente de exibir os dados, mas números reais também podem ser usados.

**Tabela 12.1 Idade e audiência de programas religiosos**

| Ouvem programas religiosos | Ouvintes jovens | Ouvintes idosos |
|---|---|---|
| Sim | 17% | 26% |
| Não | 83% | 74% |
| Total | 100% | 100% |

**Fonte: Rosenberg, 1968: 25.**

A tabela de contingência é usada no trabalho de Rosenberg basicamente como uma ferramenta descritiva. Ela pode ser facilmente estendida ao teste de hipóteses e inferência com qui-quadrado. Geralmente conseguimos saber muito sobre a relação entre as variáveis de tabulação cruzada simplesmente pela inspeção da tabela de contingência. Se houver um padrão na tabela (ou seja, se as duas variáveis forem relacionadas), isso ficará visível nas distribuições mostradas na tabulação cruzada. Mas muitas vezes também desejamos um teste mais formal dessa relação. Podemos usar o qui-quadrado e agora analisaremos a sua lógica rapidamente.

Para usar o qui-quadrado a fim de ver se as duas variáveis estão relacionadas, começamos com as tabulações cruzadas reais. Elas são chamadas de frequências observadas em cada célula. Depois calculamos como seriam as tabulações cruzadas se não existisse relação entre as variáveis. Isso dá um segundo conjunto de entradas em cada célula, chamado de frequências esperadas. Agora comparamos as frequências observadas e esperadas em cada célula da tabulação cruzada. Alguns cálculos simples nos permitem resumir essa comparação na estatística chamada de qui-quadrado. Então podemos usar a tabela de inferência estatística qui-quadrado para decidir sobre a importância da diferença entre as distribuições observadas e esperadas, e decidir se as variáveis são relacionadas. É claro que a distribuição observada sempre diferirá em certo grau da esperada; é muito improvável que sejam idênticas. A pergunta aqui e em qualquer análise estatística é: qual é a quantidade de diferença que faz a diferença? Ou, em termos estatísticos: a diferença é significativa? Essa é uma questão para inferência estatística que trataremos na Seção 12.7.

## 12.3 Comparações entre grupos: análise de variância

### 12.3.1 Análise de variância

A ideia básica aqui é que desejamos comparar grupos em alguma variável dependente de interesse que tenha sido mensurada para cada pessoa em cada grupo. Os grupos podem ser formados no desenho do estudo, como num experimento, ou podem ser de ocorrência natural e formados pela divisão da amostra em análise de dados (p. ex., homens *vs.* mulheres, idosos *vs.* jovens, cidadãos do Reino Unido *vs.* não cidadãos do Reino Unido etc.). A forma mais simples de comparação entre grupos é quando há apenas um modo de classificar as pessoas, um único modo de formar os grupos. É a análise simples de variância, ou ANOVA com um fator. Embora possa haver qualquer número de grupos, a forma mais simples de ANOVA é quando há somente dois grupos. Nesse caso, a ANOVA se torna equivalente ao teste t. Como o teste t é um caso especial de análise simples de variância, trataremos do caso mais geral. A lógica é a mesma.

**ANOVA com um fator**

Na ANOVA com um fator, estamos comparando grupos em alguma variável dependente. Imagine três grupos de comparação com todas as pessoas mensuradas em alguma variável dependente de interesse. A pergunta é: os grupos diferem em suas pontuações? Precisamos estar atentos a essa pergunta. É claro que nem todas as pessoas terão exatamente a mesma pontuação na variável – nem mesmo todas as pessoas de um grupo terão a mesma pontuação. Então a pergunta de fato é: em média, de forma geral, os três grupos têm pontuações diferentes? Há duas fontes possíveis de variância em nossas pontuações. Há variância de pontuações dentro dos grupos e variância de pontuações entre os grupos. O nosso problema é decidir se a variância entre os grupos é maior do que a variância dentro dos grupos. Se for, podemos concluir que os grupos diferem; se não for, podemos concluir que os grupos não diferem.

Essa é a lógica básica da análise de variância. Dividimos a variância total num conjunto de pontuações naquela parte devido à associação dos indivíduos nos grupos diferentes (denominada variância de tratamento, variância sistemática ou variância entre grupos) e aquela parte devido à variação dentro dos grupos (denominada variância de erro[2] ou variância dentro dos grupos). Faz-se isso primeiramente descobrindo a pontuação média para cada grupo, depois descobrindo quantas pontuações individuais dentro dos grupos variam em torno das médias dos grupos, depois descobrindo a média geral para a amostra inteira, independentemente dos grupos (a média global), depois descobrindo quantas médias do grupo variam em torno da média geral. Isso nos permite calcular duas quantidades – a variância entre grupos e a variância dentro dos grupos. Então formamos um índice, chamado F, para comparar as duas. Logo:

F = variância entre grupos/variância dentro dos grupos

Quando F é grande, a variância entre grupos é muito maior do que a variância dentro dos grupos, e há diferenças "significativas" entre os grupos. Quando F é pequena, a variância entre grupos não é muito maior do que a variância dentro dos grupos, e as diferenças dos grupos "não são significativas".

O que queremos dizer com F grande ou pequena? Trata-se de uma pergunta recorrente na análise de dados quantitativos. Assim como o qui-quadrado, a inferência estatística é útil aqui ao prover uma regra para a tomada de decisão. O índice F resume as informações sobre os dois tipos de variâncias, a variância entre grupos e a variância dentro dos grupos, num único valor. Esse valor calculado pode ser consultado numa tabela estatística para decidir se é grande ou pequeno. Tecnicamente, o índice F calculado é comparado a um valor crítico, guardado numa tabela estatística, para determinar a probabilidade de haver surgido por acaso. A lógica da inferência estatística, para esse e outros casos, também é explicada na Seção 12.7.

**Tabela 12.2 ANOVA com dois fatores: gênero x condição socioeconômica com sucesso educacional como variável dependente**

|  | Meninos | Meninas |
|---|---|---|
| Condição socioeconômica alta. | Pontuação média para meninos, condição socioeconômica alta. | Pontuação média para meninas, condição socioeconômica alta. |
| Condição socioeconômica média. | Pontuação média para meninos, condição socioeconômica média. | Pontuação média para meninas, condição socioeconômica média. |
| Condição socioeconômica baixa. | Pontuação média para meninos, condição socioeconômica baixa. | Pontuação média para meninas, condição socioeconômica baixa. |

### ANOVA com dois fatores

Quando as pessoas podem ser simultaneamente classificadas em dois fatores para formar grupos de comparação, passamos da ANOVA com um fator para a ANOVA com dois fatores. A lógica básica é a mesma, já que comparamos a variância entre grupos com a variância dentro dos grupos, mas agora temos uma situação mais complicada. No exemplo da Tabela 12.2, a variável dependente é o sucesso educacional, e os alunos são classificados conjuntamente por gênero e condição socioeconômica. Não podemos simplesmente perguntar sobre diferenças entre os grupos a menos que especifiquemos a quais grupos nos referimos. Há diferenças possíveis entre grupos de gênero (o "efeito principal" devido ao gênero) e diferenças possíveis entre os grupos de condição socioeconômica (o "efeito principal" devido à condição socioeconômica). Mas também há outra possibilidade, denominada interação entre as duas classificações. Embora interação seja um termo de uso muito comum (e muitas vezes banalizado), o seu sentido neste contexto é preciso, técnico e importante.

## 12.3.2 Interação

Aparentemente, a interação é ubíqua em nosso mundo, inclusive no mundo que pesquisamos, o que é um dos motivos para algumas complicações no desenho de pesquisa quantitativa. A ideia essencial é que o efeito de uma variável independente sobre a variável dependente interage com (ou é influenciado por ou depende de) outra variável independente. Isso é ilustrado pela Figura 12.2, que representa as pontuações de sucesso de meninos e meninas de origens socioeconômicas diferentes.

A pontuação dos meninos é maior do que a das meninas nos resultados mostrados neste diagrama? A resposta é que depende de qual nível de condição socioeconômica estamos falando – sim para condição socioeconômica alta, não para condição socioeconômica baixa. Similarmente, os alunos com condição socioeconômica alta têm melhor desempenho do que aqueles de condição socioeconômica da classe média? Mais uma vez, depende se estamos falando sobre meninos ou meninas – sim para meninos, não para meninas. A palavra-chave aqui é "depende..." Sempre que usamos essa palavra, temos interação. Considerando a frequência em que precisamos usar essa palavra, não surpreende que a interação seja descrita como "ubíqua".

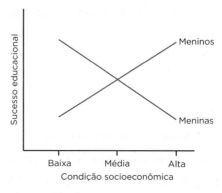

**Figura 12.2 Interação entre variáveis**

Uma consequência importante da interação é que a sua presença invalida as nossas tentativas de fazer generalizações simples e indiscriminadas. Com resultados como o anterior, não podemos generalizar sobre diferenças de gênero no sucesso escolar, i. e., não podemos afirmar que os meninos têm mais sucesso do que as meninas ou vice-versa. Tampouco podemos generalizar sobre diferenças de classe social.

Portanto, na ANOVA com dois fatores, temos três perguntas diferentes que precisamos fazer. Usando o exemplo anterior, as três perguntas são:
- Há interação entre gênero e condição socioeconômica a respeito do sucesso escolar? Se não houver,
- Meninos e meninas têm pontuações diferentes? (ou seja, existe um efeito principal devido ao gênero?) e
- Alunos com condições socioeconômicas diferentes têm pontuações diferentes? (ou seja, existe um efeito principal devido à condição socioeconômica?)

Normalmente não investigaríamos os efeitos principais de gênero e classe social até investigarmos os efeitos da interação. É lógico descobrir primeiro se há interação entre as variáveis independentes. Somente se não houver interação é que começamos a falar sobre efeitos principais. A situação de não interação é ilustrada pela Figura 12.3.

A pesquisa em educação tem um exemplo muito conhecido de interação. É a interação de tratamento por aptidão, em que a eficácia de um método de instrução (o tratamento) interage com e depende do grau de habilidade do aluno (a aptidão). Podemos imaginar facilmente que um método de ensino que funcione muito bem com alunos altamente aptos pode não funcionar tão bem com alunos menos aptos. Saber qual método de ensino funciona melhor depende do grau de aptidão do aluno. Há interação entre os dois.

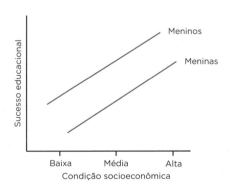

**Figura 12.3 Ausência de interação entre variáveis**

## 12.3.3 Análise de covariância

A análise de variância (ANOVA) e a análise de covariância (ANCOVA) são próximas e usam o mesmo conjunto de ideias. No Capítulo 10, a ANCOVA foi descrita como a mais geral das três formas de controlar uma variável na análise. Controlar nesse sentido significa "remover a influência de". Agora podemos descrever brevemente a lógica da análise de covariância para ver como ela é realizada. Para fins de simplicidade, pressupomos que há apenas uma covariável. Como desejamos remover os efeitos da covariável antes de fazermos a comparação entre os grupos, primeiro mensuramos a covariável, depois usamos a relação entre a covariável e a variável dependente para ajustar as pontuações das variáveis dependentes. Isso equivale a remover os seus efeitos da variável dependente. Depois executamos a análise-padrão de variância, já descrita, nas pontuações da variável dependente ajustadas. Se as diferenças entre grupos nas pontuações ajustadas forem significativamente maiores do que as diferenças dentro dos grupos, sabemos que a variável independente se relaciona com a variável dependente após controlar os efeitos da covariável. Portanto, análise de covariância na verdade é a análise de variância realizada nas pontuações da variável dependente ajustadas. O ajuste foi para remover os efeitos da covariável, e podemos covariar mais do que uma variável ao mesmo tempo. Veremos na Seção 12.4.7 que também podemos fazer ANCOVA usando a estrutura de análise de regressão.

## 12.3.4 De univariado a multivariado

Um importante desenvolvimento nos métodos de pesquisa quantitativa nos últimos 40 anos foi a tendência à transição de estudos univariados para estudos multivariados. Novamente, esses termos têm significados técnicos:
• Univariado significa somente uma variável dependente;
• Multivariado significa mais de uma variável dependente.

Essa tendência se desenvolveu porque desejamos saber sobre várias diferenças possíveis entre os nossos grupos de comparação, não apenas uma diferença. Ou, em situações experimentais, desejamos saber sobre vários efeitos de alguma variável de tratamento, não apenas um efeito. Quando há mais do que uma variável dependente, a análise univariada de variância (ANOVA) se torna análise multivariada de variância (MANOVA). Se estivermos usando covariáveis também, a análise univariada de covariância (ANCOVA) se torna análise multivariada de covariância (MANCOVA). Essas análises exigiram o desenvolvimento de técnicas estatísticas multivariadas.

Por que há um problema que exigiu técnicas novas? Por que as diversas variáveis dependentes não poderiam ser simplesmente tratadas sequencialmente, uma de cada vez, meramente exigindo várias ANOVAs? A resposta é que as variáveis dependentes têm a probabilidade de estar relacionadas entre si. O problema, em outras palavras, são as variáveis dependentes correlacionadas. Isso significa que erros de inferência nos testes estatísticos provavelmente serão compostos se as correlações entre as variáveis dependentes não forem consideradas. Portanto, se estivermos planejando comparações entre grupos em mais de uma variável, dentro ou fora de uma estrutura de desenho experimental, e se essas variáveis estiverem relacionadas entre si, precisaremos de técnicas multivariadas para a análise dos dados. A ANOVA precisará se transformar em MANOVA, e a ANCOVA precisará se transformar em MANCOVA.

## 12.4 Relações entre variáveis: correlação e regressão

Agora passamos para a corrente de análise de dados que considera as relações entre as variáveis e começamos com o caso da correlação simples entre duas variáveis contínuas mensuradas. É a correlação produto-momento de Pearson, o tipo mais importante (mas não o único) de análise de correlação. Ela nos informa a direção e a força das relações entre variáveis – como as variáveis se relacionam e o quanto se relacionam.

### 12.4.1 Correlação simples

Nesta situação, o nosso interesse é a relação entre duas variáveis contínuas. A ideia básica pode ser ilustrada com um exemplo simples. Se uma amostra de alunos (100, p. ex.) tiver sido mensurada em duas variáveis contínuas, podemos representar suas pontuações num gráfico bidimensional. Cada um dos 100 pontos é representado no espaço bidimensional formado pelos eixos X e Y, e juntos esses pontos formam um diagrama de dispersão. Muito pode ser percebido sobre a relação entre essas duas variáveis pelo formato desse diagrama de dispersão. A Figura 12.4 mostra as três principais possibilidades.

No diagrama à esquerda (a), o formato da dispersão é oval ou elíptico, apontando para cima e para a direita. Podemos ver que pontuações mais altas em X tendem a acompanhar pontuações mais altas em Y, e pontuações mais baixas em X tendem a acompanhar pontuações mais baixas em Y. Dizemos que essas variáveis estão *correlacionadas positivamente* (ou correlacionadas diretamente). As duas variáveis vão para cima ou para baixo juntas. Também podemos ver que uma previsão razoavelmente boa é possível de X para Y ou vice-versa. Se soubermos a pontuação de um aluno em X, poderemos estimar com precisão razoável (i. e., sem muita dispersão) a pontuação desse aluno em Y.

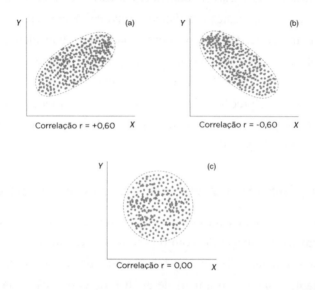

**Figura 12.4 Diagramas de dispersão associados aos coeficientes de correlação produto-momento de Pearson de várias magnitudes**
Fonte: Jaeger, 1990: 65.

No diagrama à direita (b), ocorre exatamente o contrário. A dispersão ainda tem formato oval ou elíptico, mas agora aponta para baixo e para a direita. Pontuações mais altas em X tendem a acompanhar pontuações mais baixas em Y, e pontuações mais baixas em X tendem a acompanhar pontuações mais altas em Y. Dizemos que essas variáveis estão *correlacionadas negativamente* (ou correlacionadas inversamente ou indiretamente). As duas variáveis vão para cima e para baixo, opondo-se entre si. Uma previsão razoavelmente boa ainda é possível, de X para Y e vice-versa. Como antes, se soubermos a pontuação de um aluno em X, poderemos estimar com precisão razoável a pontuação desse aluno em Y.

No diagrama do meio (c), a dispersão tem um formato bem circular. Uma pontuação alta em X pode estar associada a qualquer grau da pontuação em Y e vice-versa. Nesse caso, as variáveis são *não correlacionadas* – não há relação entre elas. Claramente, a previsão aqui não é possível.

Nos casos à esquerda e à direita, podemos resumir e simplificar as coisas traçando uma "linha de correspondência" através dos pontos, inclinando à medida que o diagrama de dispersão inclina. Isso é feito descobrindo-se a média de cada intervalo e conectando a média pelos intervalos diferentes. Essa linha de correspondência, então, pode ser suavizada numa linha de previsão entre as duas variáveis. Quanto mais os pontos no diagrama de dispersão se agruparem ao redor dessa linha, mais forte será a relação e melhor será a previsão. Essa linha de correspondência também é chamada de linha de regressão de Y em X[3].

Acabamos de descrever regressão e correlação simples geometricamente. Isso também pode ser feito algebricamente. A formalização algébrica dessas ideias é conhecida como coeficiente de correlação produto-momento de Pearson, simbolizada por r, a medida de correlação mais usada. A fórmula de computação assegura que r varie entre 0 e 1, positivo ou negativo, conforme o caso. Ou seja, pode variar de -1,00 até +1,00. Quanto mais numericamente próximo o coeficiente estiver de 1,00 (positivo ou negativo), mais forte será a relação. Isso é muito conveniente, pois significa que o coeficiente de correlação pode nos dizer num relance tanto a direção quanto a força da relação. Um número próximo a zero nos informa que as variáveis não estão relacionadas substancialmente – ele descreve o diagrama do meio na Figura 12.4.

Conceitualmente, correlação é o mesmo que covariação – de fato, correlação pode ser definida como covariação padronizada. Quando duas variáveis estão relacionadas de modo positivo ou negativo, elas variam juntas. Isso significa que elas compartilham uma variância comum ou covariam. Isso aponta para uma propriedade importante do coeficiente de correlação. Se o elevarmos ao quadrado, obteremos uma estimativa numérica da proporção da variância numa variável que é mantida em comum com a outra (ou considerada pela outra). Assim, uma correlação de +0,50 entre duas variáveis nos informa que aproximadamente 25% da variância é mantida em comum entre elas. Similarmente, se r = -0,70, $r^2 = 0,5$ (aproximadamente), e isso nos informa que 50% (0,49%) da variância numa variável pode ser considerada pela outra. O conceito é importante à medida que passamos da correlação simples para múltipla e se adapta muito bem à nossa estratégia de consideração de variância.

## 12.4.2 Regressão e correlação múltipla

A regressão e correlação simples têm uma variável independente e uma dependente. A regressão e correlação múltipla têm mais de uma variável independente e uma variável dependente. Refletindo o conceito de causação múltipla discutido no Capítulo 5, uma situação comum na pesquisa é termos diversas variáveis independentes e uma variável dependente. Desejamos estudar os fatores que afetam a variável dependente; e desejamos considerar a variância dela, estudando a sua relação com as variáveis independentes.

A lógica e a álgebra da correlação simples se generalizam na correlação múltipla, mas a correlação múltipla envolve a resolução de equações simultâneas. Suponha que tenhamos quatro variáveis independentes e uma variável dependente mensurada numa amostra de pessoas. (Um exemplo dessa estrutura conceitual foi ilustrado na Figura 10.4, p. 293). O nosso estímulo agora são cinco conjuntos de pontuações reais, uma para cada variável independente e uma para a variável dependente, para cada pessoa. Usamos essas pontuações reais para ver o grau de relação entre as variáveis. Especificamente, nós as usamos para ver até que ponto as variáveis independentes são capazes de prever a variável dependente. Primeiro estimamos a relação entre as variáveis independentes e a variável dependente, usando a lógica descrita na correlação simples anterior. Depois usamos esse conhecimento para prever as pontuações das pessoas na variável dependente, e comparamos as pontuações das variáveis dependentes previstas com as pontuações das variáveis dependentes reais. Resumimos essa comparação com o coeficiente de correlação já descrito, ou seja, o coeficiente de correlação simples entre as pontuações das variáveis dependentes previstas e as pontuações das variáveis dependentes reais é de fato a correlação múltipla entre as quatro variáveis independentes e a variável dependente. O coeficiente de correlação múltipla é representado por R. Quando o elevamos ao quadrado, $R^2$ nos informa quanto da variância na variável dependente é considerado.

Essa é a lógica da análise de correlação múltipla, e o estímulo da análise é de dois tipos:

*Primeiro*, o coeficiente de correlação múltipla ao quadrado, $R^2$, é estimado. Isso dá uma estimativa direta da quantidade de variação na variável dependente que é explicada ou considerada pelas variáveis independentes.

*Segundo*, os pesos (chamados de pesos de regressão) anexos a cada variável independente são estimados, informando-nos a importância de cada variável independente na previsão da variável dependente.

## 12.4.3 Coeficiente de correlação múltipla ao quadrado ($R^2$)

O coeficiente de correlação múltipla ao quadrado é uma estatística particularmente importante, em especial na estratégia de consideração de variância descrita no Capítulo 10. Ele nos informa quanto da variância na variável dependente é considerado por esse grupo de variáveis independentes. Logo, proporciona uma resposta direta à pergunta central na estratégia de pesquisa com consideração de variância. Como o coeficiente de correlação simples (r), R é normalizado para variar entre 0 e 1, de modo que $R^2$ também varie entre 0 e 1. Quanto mais próximo a 1,00 (ou 100%), mais da variância na variável dependente poderá ser considerada. O coeficiente de correlação múltipla ao quadrado $R^2$ também nos informa a qualidade da nossa previsão da variável dependente, com esse conjunto de variáveis independentes. Essas duas ideias estão ligadas. Quanto maior a variância que possamos considerar, mais acurada a previsão que poderemos fazer. Por outro lado, quanto menor a variância que possamos considerar, menos acurada será a nossa previsão. Isso significa que o coeficiente de correlação múltipla ao quadrado mensura para nós a acurácia ou eficiência preditiva de qualquer modelo de regressão.

## 12.4.4 Pesos de regressão

É importante conhecer a qualidade da nossa previsão sabendo a quantidade de variância que podemos considerar. Mas também desejamos saber o grau de importância de cada variável independente ao considerar essa variância. Esse é o conceito da importância relativa das variáveis de previsão. Os pesos de regressão em nossas equações de regressão dão uma estimativa direta disso. Os cômputos produzem dois tipos de pesos – pesos brutos, adequados para uso com as pontuações brutas como estímulo para a análise, e pesos padronizados, para uso com pontuações padronizadas. Usamos principalmente os últimos, já que, ao contrário dos primeiros, eles podem ser comparados diretamente entre si. O seu nome completo é "coeficientes de regressão parcial padronizados", geralmente abreviado na literatura como "pesos beta (β)". A sua interpretação técnica é importante. O peso β para a variável independente $X_1$, por exemplo, nos informa o grau de mudança que faríamos na variável dependente, efetuando uma mudança de uma unidade na variável $X_1$, ao mesmo tempo mantendo todas as outras variáveis constantes.

## 12.4.5 Regressão gradual

Regressão gradual significa retirar variáveis da equação de regressão, geralmente uma de cada vez, ou gradualmente, para ver que diferença faz para a quantidade de variância que podemos considerar na variável dependente[4]. É uma outra forma pela qual podemos avaliar o grau de importância de uma variável independente. A ideia básica é essa. Primeiro, usamos todas as variáveis independentes em nossa equação de regressão para ver quanto da variância com a variável dependente podemos considerar. Isso é medido por $R^2$, que nos informa a eficiência preditiva dessa equação de regressão em particular. Depois retiramos uma variável independente, recomputamos a equação de regressão e vemos que mudança ocorreu na quantidade de variância que podemos considerar. Isso nos dá um segundo $R^2$. Comparar os dois $R^2$ nos diz o grau de importância da variável que retiramos ao considerar a variância na variável dependente.

A regressão gradual é uma técnica muito útil e amplamente usada. De fato, é um caso especial de um procedimento mais geral que podemos usar para testar a eficiência preditiva dos modelos de regressão. Podemos pensar em cada equação de regressão como um modelo de regressão (ou predição). Cada modelo produz um coeficiente de correlação múltipla ao quadrado que nos informa o grau em que tal modelo prevê a variável dependente (ou quanto da variância na variável dependente podemos considerar). Assim, podemos comparar a eficiência preditiva de modelos diferentes comparando os seus coeficientes de correlação múltipla ao quadrado. Dessa forma, a RLM pode ser usada para investigar muitas questões distintos sobre os efeitos de diferentes variáveis independentes na variável dependente e como esses efeitos surgem. O foco da análise com regressão gradual está em uma pergunta em especial: retirar esta variável independente reduz a eficiência preditiva do nosso modelo ou não? Mas há muitos outros tipos de perguntas que podemos investigar usando a estrutura lógica da RLM e comparando os coeficientes de correlação múltipla ao quadrado (cf. Punch, 2003: 100-110).

### 12.4.6 Revisão - RLM como sistema de análise de dados geral

Abrangemos vários materiais de forma lógica nesta seção, então devemos parar e fazer uma revisão. Primeiro falamos sobre a correlação simples e a estendemos à correlação múltipla. Relacionamos isso à estratégia de consideração de variância diretamente através do coeficiente de correlação múltipla ao quadrado. Depois relacionamos correlação a regressão através da predição. Isso nos dá equações de predição ou modelos de regressão. Depois consideramos os pesos de regressão nessas equações e a lógica da regressão gradual. Finalmente, generalizamos isso na comparação de modelos de regressão diferentes através da sua eficiência preditiva.

Apresentamos a RLM como inclusa na corrente da relação entre variáveis da análise de dados e desenho quantitativo, sendo o seu foco principal as variáveis contínuas. Ela nos provê uma forma de lidar com todos os tipos de tais relações de variáveis contínuas, de simples a complexas. A investigação de todas elas pode ser realizada dentro da estrutura de análise de regressão.

Porém, a técnica da RLM também tem a flexibilidade de tratar da corrente da comparação entre grupos da análise de dados e desenho. Ou seja, a mesma estrutura lógica da RLM pode ser usada com testes t, análise de variância (inclusive interação) e análise de covariância. Isso ocorre porque essas análises dependem da associação do grupo, e variáveis para expressar a associação do grupo podem ser formuladas e usadas em equações de regressão. Em outras palavras, a RLM pode tratar de variáveis categóricas e variáveis contínuas. Variáveis categóricas para expressar a associação do grupo são chamadas de variáveis "binárias" ou "fictícias" na análise de regressão (Hardy, 1993).

Com variáveis fictícias objetivas, podemos fazer testes t, além de análise de variância com um fator e dois fatores usando essas técnicas de regressão. Isso também inclui questões de interação na ANOVA com dois fatores. E como as variáveis categóricas e contínuas podem ser incluídas nos mesmos modelos de regressão, podemos fazer análise de covariância assim também, como mostramos a seguir. Em suma, essa abordagem pode incluir todas as ideias de análise de dados principais que tratamos neste capítulo. A Tabela 12.3 resume as duas principais correntes, ilustrando como elas se unem usando o modelo linear geral.

Logo, a RLM fornece uma estrutura analítica e um conjunto de etapas que podem ser usados para investigar uma ampla gama de questões de análise de dados das duas correntes principais identificadas neste capítulo. Como a estrutura analítica pode tratar de variáveis categóricas e contínuas, a RLM é uma ferramenta de grande poder e flexibilidade, com aplicação a uma vasta gama de situações. Na minha experiência, os alunos também a consideram suficientemente fácil de entender e aplicar. Como as mesmas etapas podem ser usadas para investigar tal vastidão de questões, isso significa que os pesquisadores podem construir seus próprios modelos estatísticos para a análise dos dados, norteados pelas questões específicas que desejam investigar em vez de se limitarem somente aos modelos convencionais descritos rotineiramente em livros de estatística. A construção desses modelos exige que o pesquisador faça uma afirmativa exata das perguntas de pesquisa.

## 12.4.7 Análise de covariância usando RLM

Na Seção 12.3.3, vimos a lógica da ANCOVA na análise da estrutura de variância. Agora podemos usar a mesma lógica aqui. No exemplo usado antes, desejamos saber se a variável independente afeta a variável dependente após remover os efeitos da covariável. Se isso for feito através da RLM, será necessária a comparação dos dois modelos de regressão. O primeiro usa a covariável somente para prever a variável dependente e produz o seu $R^2$. O segundo usa a variável independente (na comparação entre grupos adotada aqui, a variável independente é um conjunto de vetores binários representando a associação do grupo) conjuntamente com a covariável para prever a variável dependente. O seu $R^2$ é comparado ao $R^2$ do primeiro modelo para ver se a sua eficiência preditiva é melhor. Se for, a associação do grupo é somada ao conhecimento da variável dependente acima da covariável. Isso significa que há diferenças entre os grupos após controlar a covariável. Se não for, a associação do grupo não soma nada à previsão da variável dependente acima da covariável. Isso significa que diferenças entre os grupos não são significativas acima dos efeitos da covariável.

**Tabela 12.3 Estatística e desenho da pesquisa quantitativa**

| Comparando grupos | Relacionando variáveis |
|---|---|
| ***Desenhos*** | |
| Desenhos experimentais e semiexperimentais | Levantamentos correlativos (não experimentos) |
| ***Lógica*** | |
| Quais são os "efeitos" desta "causa"? | Quais são as "causas" deste "efeito"? |
| ***Estruturas conceituais*** | |
| Variável independente | Variáveis independentes |
| | Variável dependente |
| Grupos de comparação | $X_1$ |
| ↓ | $X_2$ $\Big\}$ ⟶ y |
| Variável dependente | $X_3$ |
| | $X_4$ |
| ***Estatística*** | |
| Teste t (dois grupos) | Regressão e correlação simples |
| ANOVA (mais de dois grupos) | Correlação múltipla |
| ANCOVA | Regressão múltipla (RLM) |
| MANOVA | |
| MANCOVA | |

As duas correntes diferentes de estatística podem ser unidas usando o modelo linear geral

## 12.5 Análise de dados de levantamentos

O levantamento correlativo é a estratégia central na corrente de relações entre variáveis da pesquisa quantitativa; portanto, provavelmente haverá muitas variáveis envolvidas, algumas categóricas e algumas contínuas, e muitas questões de interesse diferentes. Para simplificar o que pode vir a ser uma análise complicada, podemos considerá-la em três estágios principais (análise descritiva simples, relações de duas variáveis, relações conjuntas e de multivariáveis) que juntos proporcionam uma estrutura analítica útil. É claro que esses estágios precisam ser usados conjuntamente com as perguntas de pesquisa que orientam o estudo.

1. *Análise descritiva:* Com conjuntos de dados de levantamentos complexos, uma análise descritiva inicial dos dados é útil. Isso seria feito de variável a variável e usaria as técnicas descritas na Seção 12.1 deste capítulo – médias, desvios-padrão (ou variâncias) e distribuições de frequência. Se houver escalas, também pode haver alguma análise de itens e, havendo ou não escalas, também pode haver alguma redução de dados (cf. Seção 12.6). Um benefício de uma análise descritiva inicial é manter o pesquisador próximo aos dados; outro é entender a distribuição de cada variável em todos os respondentes do levantamento.

2. *Relações de duas variáveis:* Como uma segunda etapa, algumas relações de duas variáveis no levantamento podem ser separadas para análise especial, mais uma vez norteada pelas perguntas de pesquisa. Qualquer uma das técnicas de associação pode ser usada, mas duas abordagens são enfaticamente recomendadas. Primeiro, como já observamos, a abordagem detalhada por Rosenberg (1968) fornece uma estrutura útil de trabalho nesse estágio, salientando a lógica da análise. Um elemento dessa abordagem é o esclarecimento do autor sobre o significado das relações entre variáveis (1968: 3-22) e depois sobre a condição conceitual das variáveis numa relação, estendendo sistematicamente relações de duas variáveis para relações de três e quatro variáveis (1968: 22-158)[5]. Segundo, a análise de regressão linear múltipla pode ser usada para investigar todas as questões sobre relações de duas variáveis e comparações entre grupos, como acabamos de ver. A mesma lógica subjaz a essas duas abordagens.

3. *Relações conjuntas e de multivariáveis*[6]. Aqui o valor da abordagem RLM se torna aparente, já que pode ser facilmente estendido a relações além de duas variáveis. É difícil estender a abordagem da tabulação cruzada de Rosenberg

a uma análise que envolva simultaneamente muitas variáveis, mas a RLM, por outro lado, estende-se facilmente a situações envolvendo muitas variáveis. A maioria das questões de interesse conjuntas e de multivariáveis pode ser respondida usando essa abordagem, incluindo questões detalhadas sobre as relações entre variáveis, e questões envolvendo comparações entre grupos. Isso requer especificação da condição conceitual das variáveis no levantamento (algumas independentes, algumas covariáveis ou variáveis de controle e algumas dependentes), de acordo com as perguntas de pesquisa. Muitas outras questões, inclusive a interação, e relações não lineares e polinomiais, também podem ser investigadas usando a abordagem RLM. Como observamos, um benefício dessa abordagem é que ela obriga o pesquisador a ser específico ao formular as perguntas de pesquisa e traduzi-las em operações de análise de dados.

## 12.6 Redução de dados: análise fatorial

A pesquisa quantitativa em ciências sociais, especialmente a pesquisa não experimental, é caracterizada por estudos multivariáveis. Ter muitas variáveis pode dificultar o total entendimento dos dados. Essa dificuldade levou ao desenvolvimento de técnicas para reduzir o número de variáveis, mas sem perder as informações que as variáveis originais propiciam. Análise fatorial é o nome atribuído a um grupo de técnicas relacionadas desenvolvidas para esse fim. A ideia que subjaz à análise fatorial se baseia na correlação entre variáveis, como ilustra a Figura 12.5. Quando duas variáveis estão correlacionadas, podemos propor a existência de um fator comum compartilhado pelas duas variáveis até certo ponto e que explica, portanto, a correlação entre elas. Essa ideia pode ser generalizada a qualquer número de variáveis.

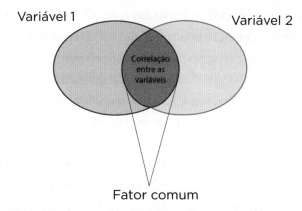

**Figura 12.5 Diagrama de análise fatorial**

Na análise fatorial, então, objetivamos reduzir o número de variáveis, descobrindo os fatores comuns entre elas. Iniciamos a análise com as variáveis originais observadas que mensuramos. Depois descobrimos as correlações entre elas e executamos a análise fatorial dessas correlações. Desejamos finalizar a análise com um número menor de variáveis derivadas ou não observadas denominadas fatores.

Considere o exemplo de seis provas educacionais – uma em aritmética, outra em álgebra e ainda outra em geometria; e uma em inglês, outra em francês e ainda outra em história. Podemos imaginar facilmente que, se mensurássemos uma amostra de alunos com essas seis provas, descobriríamos dois grupos de correlações entre as provas. O primeiro grupo mostraria a sobreposição entre aritmética, álgebra e geometria, enquanto o segundo mostraria a sobreposição entre inglês, francês e história. Se esse fosse o caso, a análise fatorial das correlações entre as seis provas produziria dois fatores principais, um correspondendo às variáveis matemáticas ("habilidade matemática") e um às variáveis linguísticas ("habilidade linguística"). Com base na análise fatorial, podemos, então, reduzir o número de variáveis que precisamos tratar de seis para duas. As seis foram as variáveis mensuradas originais; as duas são os fatores extraídos ou derivados. Esses dois fatores resumem efetivamente as informações contidas nas seis provas originais de modo que reduzimos o número de variáveis sem grande perda de informações. Como resultado, agora é mais fácil para nós falar sobre apenas dois fatores em vez de seis variáveis. Depois podemos calcular pontuações nos dois fatores derivados para cada aluno para uso em análise subsequente. Elas são chamadas de pontuações fatoriais e podemos usá-las para simplificar a análise subsequente.

Logo, o estímulo a uma análise fatorial é o conjunto de correlações entre as variáveis originais. Depois que o computador tiver efetuado os cálculos matemáticos, a solução mostrará os fatores derivados e a relação de cada fator com as variáveis originais. Ela mostra isso através de cargas fatoriais – a carga de cada variável original em cada fator derivado. O pesquisador interpreta o significado de cada fator extraído através dessas cargas, geralmente após a *rotação*.

Em termos geométricos, a análise fatorial pode ser considerada como algo que coloca eixos no espaço descrito pelas variáveis originais. O objetivo da *rotação* é colocar tais eixos no melhor lugar possível para a interpretação dos fatores. O "melhor lugar possível" pode ser definido matematicamente e estabelecido como critério para orientar a análise. A primeira solução da análise fatorial do computador é arbitrária no que se refere à colocação dos eixos. Logo, os eixos podem ser girados até que esse critério seja realizado. Os eixos originais formam ângulos retos entre si nesse espaço. Isso se chama análise fatorial ortogonal. Se essa propriedade for preservada, as pontuações fatoriais que são calculadas não serão correlacionadas. Contudo, essa propriedade também pode ser atenuada na rotação se uma solução não ortogonal ou oblíqua parecer preferível. Pontuações fatoriais correlacionadas seriam o resultado.

Devemos notar outro aspecto da análise fatorial que surgiu na análise de dados qualitativos (cf. Seção 9.4). Ele se refere a graus de abstração. Na análise fatorial, iniciamos com variáveis observadas e finalizamos com fatores não observados ou extraídos. As variáveis ocupam um grau inferior de abstração ou generalidade em relação aos fatores. Portanto, a habilidade algébrica, por exemplo, é mais específica do que a habilidade matemática. Habilidade matemática é um conceito mais geral num grau superior de abstração.

De fato, essa é a segunda vez que elevamos o grau de abstração na análise de dados quantitativos. A primeira vez foi de itens para variáveis. Essa segunda vez é de variáveis para fatores. Isso é ilustrado no diagrama de graus de abstração. É útil ver claramente esses graus de abstração e especialmente ver a análise fatorial assim. Quando discutimos a análise de dados qualitativos no Capítulo 9, vimos que um processo bem similar de elevação do grau de abstração está envolvido, como indicado na Figura 12.6.

## 12.7 Inferência estatística

Até agora neste capítulo falamos sobre a lógica que subjaz a diferentes técnicas na análise de dados quantitativos. Na verdade, o que temos feito é *estatística descritiva*[7], que se relaciona ao resumo e descrição de dados. O tópico sobre inferência estatística, ou *estatística inferencial*, é diferente. Não se trata de resumir e descrever dados. É uma ferramenta que nos auxilia a tomarmos decisões com base na análise de dados, usando as técnicas estatísticas descritivas já discutidas. A inferência estatística é uma das muitas ferramentas necessárias à pesquisa. Esta seção considera a lógica que subjaz à inferência estatística e como ela é aplicada, devendo ser lida conjuntamente com a Seção 11.11 sobre amostragem.

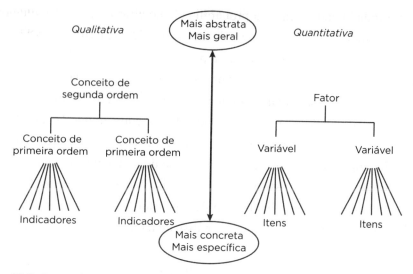

**Figura 12.6 Graus de abstração na análise de dados**

Primeiro, qual é o problema que suscita a inferência estatística? Em nossa pesquisa, normalmente selecionamos uma amostra de uma população e coletamos dados somente dessa amostra. Fazemos isso porque geralmente não conseguimos estudar populações inteiras. Mas, depois que a pesquisa é realizada na amostra, desejamos fazer afirmativas sobre a população maior da qual a amostra foi extraída. Em outras palavras, estamos diante de uma inferência, partindo da amostra de volta à população. Há uma simetria aqui, como vimos na Figura 11.2 (Seção 11.11). Extraímos uma amostra da população e a estudamos. Mas após estudarmos a amostra, desejamos inferir de volta à população. A pergunta de inferência é, portanto: Qual é a probabilidade de aquilo que descobri que é verdadeiro na minha amostra também ser verdadeiro na minha população?

Para responder essa pergunta, nós a reformulamos em termos probabilísticos: Qual é a probabilidade de eu estar errado se inferir que aquilo que descobri que é verdadeiro na minha amostra também é verdadeiro na minha população? Como a pergunta é formulada em termos da probabilidade de eu estar errado, a resposta também será em termos da probabilidade de eu estar errado, expressa em "vezes por cento" ou "vezes por mil". Isso leva a afirmativas do tipo: "Estarei errado menos de 5 vezes em 100 se eu fizer esta inferência" (ou menos de 5 vezes em 1000). Esses são os graus de confiança conhecidos, ou graus de significância estatística ou graus de probabilidade. Costumam aparecer nos relatórios de pesquisa como $p < 0,05$, $p < 0,001$ etc.[8] p é usado para indicar a probabilidade de estar errado.

Como trabalhamos com essa probabilidade de estar errado? Calculamos algumas estatísticas dos nossos dados da amostra e depois usamos tabelas de inferência estatística para determinar essa probabilidade. Essas tabelas existem na maioria dos livros de estatística e agora nos computadores. Na análise dos dados da nossa amostra, calculamos uma estatística que resuma algum aspecto dos dados do nosso interesse – pode ser qui-quadrado, comparando as distribuições observadas e esperadas, ou r mostrando o grau de associação entre duas variáveis, ou F comparando a eficiência preditiva de dois modelos de regressão. Depois consultamos essa estatística quanto à sua distribuição em tabelas de inferência estatística para ver a probabilidade de um valor desse porte ser obtido para essa estatística, por acaso. Portanto, a análise de dados quantitativos usa estatística descritiva e inferencial.

Isso apresenta uma outra perspectiva sobre o funcionamento da inferência estatística. O que realmente perguntamos é: qual é a probabilidade de que a minha estatística calculada (que obviamente baseia-se nos dados obtidos da amostra) tenha sido fruto do acaso, como um "acidente" da amostra específica que estudei? Como antes, a resposta é em termos de grau de probabilidade. Ela assume a forma: "Um valor deste porte, para esta estatística, surgiria por acaso 5 vezes em 100 (p = 0,05) com uma amostra do porte usado nesta pesquisa". Se esse valor surgiria por acaso apenas 5 vezes em 100, seria uma ocorrência não fortuita 95 vezes em 100. Em outras palavras, se for provável que eu esteja errado menos de 5 vezes em 100 ao fazer a inferência de que aquilo que descobri como verdadeiro na minha amostra também é verdadeiro na minha população, então é provável que eu esteja certo mais do que 95 vezes em 100. Parece uma boa probabilidade. Não parece ser resultado do acaso nem um acidente dessa amostra específica. Parece real e o chamamos de *estatisticamente significante*. O termo "significância", portanto, tem um significado especial na análise quantitativa.

O exemplo anterior usou 5 vezes em 100 como ponto de corte. É o chamado grau de confiança de 5% ou grau de significância de 5%. Convencionalmente, é um grau de corte amplamente aceito na pesquisa em ciências sociais. Mas, se determinado resultado da pesquisa tinha a probabilidade de 7% de ocorrência ao acaso (p = 0,07), não devemos desprezá-lo simplesmente porque não alcança de fato a significância estatística (p = 0,05). Os graus de significância estatística são úteis para orientar as nossas decisões sobre resultados serem "reais" ou não. Mas devemos usá-los com inteligência, baseados no entendimento do que significam.

Essa questão da inferência surge sempre que desejamos generalizar de uma amostra para alguma população maior, seja qual for a estatística descritiva que estejamos usando. A questão não surge se não desejarmos generalizar ou se de algum modo houvermos estudado toda a população do nosso interesse. O tamanho da amostra é importante para determinar o resultado de um teste de significância estatística. Quanto maior for o tamanho da amostra, menor será o valor numérico da estatística necessária para atingir significância. Por outro lado, quanto menor for o tamanho da amostra, maior será o valor numérico da estatística necessária para atingir significância.

## 12.8 Software para análise de dados quantitativos

Entre os vários pacotes de informática desenvolvidos para a análise de dados quantitativos, o mais usado na pesquisa em ciências sociais é o IBM SPSS Statistics (SPSS). Agora na sua 21ª versão, o SPSS é um pacote extremamente abrangente que pode realizar manipulações e análises de dados altamente complexas com instruções simples. O SPSS tem um número vasto de funções estatísticas e matemáticas, pontuações de procedimentos estatísticos e uma capacidade de manuseio de dados muito flexível.

O SPSS consegue ler dados em quase qualquer formato (numérico, alfanumérico, binário, formatos em dólar, data, hora) e consegue ler os arquivos criados usando um software de planilhas ou banco de dados. Portanto, o poder de análise estatística do SPSS pode ser combinado com a flexibilidade, e outras vantagens, das planilhas (como Excel).

No website bônus deste livro (www.sagepub.co.uk/punch3e), você encontra o texto completo dos capítulos 1 e 2 do livro de George Argyrous, *Statistics for Research with a Guide to SPSS*. Esses dois capítulos apresentam o ambiente SPSS, ensinam como criar um arquivo de dados SPSS e ajudam nos primeiros passos da sua análise de dados. Conheça outra cobertura minuciosa do uso do SPSS no livro campeão de vendas sobre SPSS, *Discovering Statistics with SPSS*, de Andy Field (o link está no website bônus). Além desses dois títulos, uma série de outros livros também está disponível e links de outras opções estão no website bônus.

Além de livros sobre o uso do SPSS, também há inúmeros tutoriais em vídeos e textos disponíveis on-line que podem ajudar nos primeiros passos. No website bônus, há links para esses vídeos, de acesso gratuito em sua maioria.

**Alternativas ao SPSS**

Cada vez mais popular entre os pesquisadores é o ambiente estatístico gratuito R (http://www.r-project.org/). Os benefícios do R em comparação ao SPSS são a possibilidade de download gratuito, uma série mais ampla de pacotes com mais funcionalidade do que o SPSS e o seu ponto forte, que são as técnicas gráficas. Porém, é necessário aprender a sintaxe R e ter noção de programação básica, o que não acontece no SPSS. O novo livro de Andy Field, *Discovering Statistics with R*, é um guia acessível para usar o R na análise de dados em ciências sociais para quem procura fazer a troca. Os links do livro e do seu website bônus estão no website bônus deste livro (www.sagepub.co.uk/punch3e).

Outros pacotes de software para análise quantitativa que você pode encontrar incluem:

- SAS – http://www.sas.com
- STATA – http://www.stata.com/
- Minitab – http://www.minitab.com/

## Resumo do capítulo

- Dois conceitos importantes para resumir dados quantitativos são tendência central (na maioria das vezes mensurada pela média, mas às vezes também pela moda ou mediana) e variação (na maioria das vezes mensurada pelo desvio-padrão ou variância); distribuições de frequência também são úteis para resumir os dados.

- Tabulação cruzada – ou análise da tabela de contingência – é uma forma muito útil e amplamente aplicável de estudar a relação entre variáveis, seja qual for o grau de mensuração envolvido; o qui-quadrado pode ser usado como um teste formal de relações de tabulação cruzada.

- A análise de variância (ANOVA) nos permite comparar grupos em alguma variável dependente de interesse; o teste t é um caso especial de ANOVA, quando há somente dois grupos. Na ANOVA com um fator, as pessoas são classificadas somente em uma dimensão; na ANOVA com dois fatores, as pessoas são classificadas simultaneamente em duas dimensões, e o conceito importante de interação agora está envolvido.

- A análise de covariância (ANCOVA) permite que uma covariável seja controlada; pontuações de variáveis dependentes são ajustadas para a relação com a covariável (ou variável de controle) e a análise de variância é realizada nas pontuações ajustadas.

- A análise univariada envolve uma variável dependente; se houver diversas variáveis dependentes que sejam correlacionadas, a análise multivariada é necessária.
- A correlação produto-momento de Pearson (r) é uma estatística amplamente usada para resumir a relação entre duas variáveis contínuas; ela mostra a direção e a força da relação; elevar r ao quadrado estima quanto da variância na variável dependente é considerado pela variável independente.
- A correlação e a regressão múltipla (RLM) aplicam a mesma lógica à situação de pesquisa muito comum de diversas variáveis independentes e uma variável dependente; o coeficiente de correlação múltipla ao quadrado ($R^2$) estima quanto da variância da variável dependente é considerado por essas variáveis independentes.
- A RLM pode ser considerada um sistema de análise de dados geral, usando variáveis binárias para permitir a realização de testes t, análise de variância e análise de covariância.
- A análise de dados de levantamentos correlativos complexos pode ser dividida em três estágios gerais: análise descritiva, relações de duas variáveis e relações conjuntas e de multivariáveis.
- Análise fatorial é o nome dado a um grupo de técnicas relacionadas cujo objetivo é reduzir o número de variáveis sem perda significativa de informações, trabalhando a partir da correlação entre as variáveis.
- Inferência estatística é uma ferramenta para avaliar a inferência que parte da amostra para a população; estima a probabilidade de erro ao atribuirmos a uma população o que é considerado verdadeiro numa amostra.

## Termos-chave

Análise de covariância (ANCOVA): técnica estatística para investigar a diferença entre grupos numa variável dependente após controlar uma ou mais covariáveis.

Análise de variância (ANOVA): técnica estatística para investigar diferenças entre grupos em alguma variável dependente.

Análise fatorial: família de técnicas estatísticas para reduzir o número de variáveis sem perda significativa de informações.

Correlação: técnica estatística para mostrar a força e a direção da relação entre as variáveis; com duas variáveis contínuas (correlação simples), a correlação produto-momento de Pearson r normalmente é usada; isso se generaliza para a correlação múltipla com mais de duas variáveis.

Desvio-padrão: a forma mais comum de mensurar a variabilidade numa distribuição; elevar o desvio-padrão ao quadrado dá a variância.

Distribuição de frequência: as pontuações numa distribuição são tabuladas de acordo com a quantidade de pessoas que chegou a cada pontuação ou deu cada resposta ou se enquadrou em cada categoria.

Inferência estatística: conjunto de regras voltadas à tomada de decisões para avaliar a acurácia de uma inferência feita a partir da amostra para a população.

Interação: duas (ou mais) variáveis independentes podem afetar conjuntamente uma variável independente; elas interagem entre si no seu efeito sobre a variável dependente.

Média: a medida mais comum da tendência central.

Qui-quadrado: técnica estatística com muitos usos; comumente usada para avaliar as relações em dados submetidos a tabulação cruzada.

Regressão linear múltipla (RLM): estratégia de análise de dados quantitativos com diversas variáveis independentes e uma variável dependente; o seu objetivo é considerar a variância na variável dependente.

Tabela de contingência: usa a tabulação cruzada para ver se a distribuição de uma variável está relacionada (ou é contingente) à outra.

Tabulação cruzada: duas variáveis são tabuladas de forma cruzada entre si.

## Exercícios e perguntas para estudo

1. O que significam tendência central e variação no resumo de distribuição de um conjunto de pontuações? Qual é a medida mais comum de cada uma?

2. Estude estas três tabulações cruzadas de resultados de provas com aprovação-reprovação para uma amostra de 200 alunos (100 meninos, 100 meninas):

(a)

|  | Meninos | Meninas |
|---|---|---|
| Aprovação | 25 | 70 |
| Reprovação | 75 | 30 |
|  | 100 | 100 |

(b)

|  | Meninos | Meninas |
|---|---|---|
| Aprovação | 53 | 48 |
| Reprovação | 47 | 52 |
|  | 100 | 100 |

(c)

|  | Meninos | Meninas |
|---|---|---|
| Aprovação | 80 | 30 |
| Reprovação | 20 | 70 |
|  | 100 | 100 |

Qual relação é indicada por (a), (b) e (c)? Logicamente, como podemos decidir se (b) mostra uma relação "real"? (Sugestão: quanto de uma diferença faz a diferença? Releia a Seção 12.2.)

3. O que é ANOVA com um fator? Explique a sua lógica comparando pontuações de provas entre três turmas.

**4.** O que é ANOVA com dois fatores? O que é interação e por que é importante?

**5.** O que é ANCOVA e quando nós desejaríamos usá-la?

**6.** Redesenhe o diagrama de dispersão na Figura 12.4(a) mostrando uma relação positiva mais forte; redesenhe o diagrama na Figura 12.4(c) mostrando uma relação negativa mais fraca.

**7.** Qual é a relação entre r de Pearson e consideração de variância?

**8.** Como a correlação simples se torna correlação múltipla? Quando a RLM é usada para estudar a relação conjunta entre cinco variáveis independentes e uma variável dependente, o que $R^2$ nos informa? O que $\beta$ para cada variável nos informa?

**9.** Qual é o objetivo da análise fatorial e que lógica subjaz à técnica?

**10.** O que é inferência em "inferência estatística"?

**11.** Com as suas próprias palavras, explique a lógica básica da inferência estatística e relacione-a à "probabilidade de estar errado".

**12.** O que significa significância estatística? Ilustre com $p < 0,05$.

## Leitura complementar

Comfrey, A.L. e Lee, H.B. (1992) *A First Course in Factor Analysis*. 2. ed. Hillsdale, NJ: Lawrence Erlbaum.

Glass, G.V. e Stanley, J.C. (1970) *Statistical Methods in Education and Psychology*. Englewood Cliffs, NJ: Prentice-Hall.

Jaeger, R.M. (1990) *Statistics as a Spectator Sport*. 2. ed. Beverly Hills, CA: Sage.

Kerlinger, F.N. e Pedhazur, E.J. (1973) *Multiple Regression in Behavioral Research*. Nova York: Holt, Rinehart and Winston.

Kish, L.D. (1987) *Statistical Design for Research*. Nova York: John Wiley.

Lipsey, M. (1990) *Design Sensitivity: Statistical Power for Experimental Research*. Newbury Park, CA: Sage.

Rosenberg, M. (1968) *The Logic of Survey Analysis*. Nova York: Basic Books.

Sirkin, R.M. (2005) *Statistics for the Social Sciences*. 3. ed. Londres: Sage.

Tatsuoka, M.M. (1988) *Multivariate Analysis: Techniques for Educational and Psychological Research*. 2. ed. Nova York: Macmillan.

Vogt, W.P. (2005) *Dictionary of Statistics and Methodology*. 3. ed. Londres: Sage.

# Notas

1. Tabulação cruzada significa que duas variáveis são tabuladas de forma cruzada entre si. Tabela de contingência significa que o objetivo da tabulação cruzada é ver se a distribuição em uma das variáveis se relaciona (ou é contingente) à outra.

2. Este uso do termo "variância de erro" é diferente do seu uso relacionado à confiabilidade das mensurações no Capítulo 11.

3. Também há a linha de regressão de X em Y.

4. Gradual também pode significar a adição de variáveis, e não a sua remoção. Os "passos" podem ser dados para a frente ou para trás. Aqui falaremos sobre remoção de variáveis, às vezes chamada de "análise de regressão para trás". Mas a ideia geral também funciona ao contrário.

5. O livro de Rosenberg *The Logic of Survey Analysis* (1968) é enfaticamente recomendado para a construção de um alicerce na análise de dados quantitativos – é escrito com clareza e enfatiza a lógica da análise.

6. Como observamos, o termo "multivariado" é um termo técnico que significa mais de uma variável dependente. "Multivariável" é um termo mais geral, simplesmente significando muitas variáveis.

7. Exceto pelo qui-quadrado, e comparando a eficiência preditiva dos modelos de regressão.

8. $p < 0,05$ na verdade significa que eu estarei errado em menos de 5 vezes em 100, se eu concluir que aquilo que era verdade na minha amostra também é verdade na minha população. Similarmente, $p < 0,001$ significaria estar errado em menos de uma vez em 1000 etc.

# 13

# A INTERNET E A PESQUISA

*Wayne Mcgowan*

## Sumário

13.1 Introdução
13.2 A literatura
13.3 Coleta de dados quantitativos
13.4 Coleta de dados qualitativos
13.5 Questões éticas
    Resumo do capítulo
    Termos-chave
    Exercícios e perguntas para estudo
    Leitura complementar

---

**OBJETIVOS DE APRENDIZAGEM**

**Após estudar este capítulo, você saberá:**

- Que a internet pode ser considerada um local para a pesquisa social e uma ferramenta para conduzir a pesquisa social;
- Descrever formas pelas quais a internet pode ajudar a descobrir e acessar informações e literatura relevantes;
- Explicar como a internet pode ser usada para localizar e obter amostras e populações, e identificar as questões que surjam;
- Descrever como a internet pode ser usada para entrevistas, observações e dados documentais, e identificar as questões que surjam.

---

## 13.1 Introdução

O uso da tecnologia na pesquisa em ciências sociais não é novo. Por exemplo, desde a década de 1930, os avanços nas gravações sonoras provocaram uma mudança nos dados de entrevistas, que deixaram de ser relatos anedóticos baseados em memórias e notas de campo, transformando-se em transcrições literais de conversas de ocorrência natural que podem ser ouvidas várias vezes. Similarmente, os desenvolvimentos nas tecnologias de comunicação e gravação facilitaram o trabalho de captar e preservar dados de entrevistas (Murthy, 2008). O telefone permitiu um acesso rápido e conveniente aos participantes das pesquisas. Hoje, avanços tecnológicos como formas móveis confiáveis de dispositivos eletrônicos de som, imagem e vídeo continuam a atrair o cientista social. Em especial, a internet vem atraindo muito interesse.

A internet é um sistema de informação e comunicação global que usa computadores e conecta-se de forma padronizada para permitir a conectividade entre os usuários (DiMaggio, Hargittai, Neuman e Robinson, 2001). É entendida como uma "rede de redes" que conecta websites de computadores, formando a World Wide Web (Gaiser e Schreiner, 2009). A internet pode ser considerada um local e uma ferramenta para a pesquisa (Buchanan e Zimmer, 2012). Como local, a internet oferece um espaço novo para a investigação social. A internet como meio social pode ser estudada como qualquer outro local onde as pessoas se reúnem e interagem. Por exemplo, Gaiser e Schreiner (2009) ressaltam como ambientes de comunicação on-line, como listas de discussão, salas de chat, salas de jogos e o *Second Life*, oferecem oportunidades de pesquisa para observar a interação social na internet. Mas a internet também é uma ferramenta de pesquisa. Por exemplo, ela facilita a coleta de dados, tornando o contato e a interação com os informantes mais velozes, mais baratos e mais fáceis. Nesta seção, nós nos concentramos na internet como ferramenta de pesquisa ou o que Hewson e Laurent (2008) descrevem como *pesquisa mediada pela internet* para pesquisas em locais virtuais ou reais.

Como ferramenta de pesquisa, a internet oferece muitas formas de interação, comunicação e compartilhamento de informações. Em 30 de junho de 2012, o número de usuários da internet no mundo todo foi estimado em mais de sete bilhões (Internet World Stats, n.d.). O que essas pessoas estão fazendo e como estão fazendo na internet não pode ser descrito como consistente, homogêneo ou uniforme, e o número de pessoas que se comunicam ao mesmo tempo pode variar significativamente. A comunicação de informações na internet via e-mail, por exemplo, costuma acontecer de um indivíduo para outro, enquanto as informações comunicadas através de fóruns de discussão e blogues podem envolver não apenas relações entre muitas pessoas ou entre uma e muitas pessoas, mas também interação unilateral ou bilateral. O tempo das comunicações e interações entre as pessoas também varia. Salas de chat, por exemplo, propiciam comunicação síncrona, enquanto o e-mail é assíncrono, ao passo que mundos virtuais on-line como o *Second Life* e os jogos ocorrem em tempo real. O modo de acesso à internet também varia. As páginas podem ser vistas por qualquer interessado a qualquer momento ou estar restritas por um *login* que exige um nome de usuário e senha válidos. A capacidade de observar tantas coisas, fazer tanto e de formas tão diferentes torna a internet uma ferramenta de pesquisa extremamente atraente, porém desafiadora, para os pesquisadores sociais.

Os cientistas sociais são atraídos pela riqueza de interações na internet. Além disso, também são atraídos pela promessa de tornar a pesquisa mais rápida, mais barata e mais fácil (Lee, Fielding e Blank, 2008). Madge e O'Connor (2002: 100), porém, advertem: "...o potencial da pesquisa on-line não deve ser exagerado: muitas das questões e problemas dos métodos de pesquisa convencionais ainda se aplicam no cenário virtual". A pesquisa na internet precisa se deparar com questões enfrentadas pelo desenho de pesquisa social convencional (Wakeford, Orton-Johnson e Jungnickel, 2006). Ainda precisa estar localizada dentro de um corpo relevante de literatura, focada em perguntas de pesquisa claras e baseada em métodos apropriados. Como qualquer projeto de pesquisa, um bom desenho é essencial. Como Hewson e Laurent (2008: 59) comentam:

> ...dada a percepção conhecida de procedimentos na internet serem capazes de gerar de modo rápido e econômico grandes grupos de dados e seu apelo especial quando as limitações de tempo e custo são grandes, há o risco de que os pesquisadores venham a ser tentados a implementar estudos mal desenhados.

Nesse cenário, esta seção examina quatro áreas amplas a respeito da internet enquanto ferramenta de pesquisa. A primeira área – a literatura – explora como a internet ajuda a descobrir e acessar informações relevantes a um projeto de pesquisa. A segunda área – coleta de dados quantitativos – discute a internet como ferramenta para localizar e obter um levantamento de uma população-alvo. A terceira área – coleta de dados qualitativos – considera a internet uma ferramenta de entrevista e observação, além de uma fonte de dados documentais. A quarta área conclui a seção com uma discussão sobre algumas questões éticas emergentes quando usamos a internet como ferramenta de pesquisa.

## 13.2 A literatura

A pesquisa em ciências sociais não ocorre num vácuo, já que está relacionada ao conhecimento, que usa como base. O pesquisador em ciências sociais precisa localizar uma investigação num corpo de conhecimento associado. Isso envolve a busca e o acesso a materiais publicados relevantes ao tópico investigado (Ridley, 2008). O volume da literatura, porém, torna extremamente demorado o trabalho de localizar e acessar manualmente os materiais. Embora a internet enquanto ferramenta eletrônica ofereça uma abordagem mais rápida às demandas desse trabalho, ela também o complica de outras maneiras. A quantidade de informações e o número de formas pelas quais elas podem ser obtidas na internet representam um novo desafio à localização da literatura de pesquisa.

As ferramentas de busca para descobrir e acessar a literatura de pesquisa na internet podem ser divididas em cinco categorias (Ridley, 2008):

- Catálogos de bibliotecas tradicionais disponíveis como bancos de dados eletrônicos, onde recursos catalogados são mantidos num único local ou por uma única organização. Oferecem uma breve descrição dos materiais do banco de dados, usando palavras-chave, títulos de assuntos, autor e título.
- Bancos de dados bibliográficos, que são bancos de dados eletrônicos da literatura publicada, incluindo periódicos, eventos de conferências, publicações governamentais e jurídicas, livros etc. De modo diferente do catálogo tradicional on-line de bibliotecas, o seu foco principal é em artigos de periódicos e de conferências, não livros e monografias, e oferecem uma descrição mais rica de materiais como resumos e arquivos em pdf de artigos completos. Exemplos desse tipo de banco de dados: British Humanities Index (BHI), Social Sciences Citation Index, usando WoK (Web of Knowledge), MED--LINE para a literatura biomédica, ProQuest para a literatura sobre Educação, Index to Theses (para teses do Reino Unido) e Dissertation Abstracts (para dissertações e teses dos Estados Unidos e Europa).
- Bancos de dados de acesso aberto, que são bancos de dados eletrônicos disponíveis a qualquer pessoa com acesso à internet. Ao contrário dos bancos de dados anteriores, não é necessária permissão na forma de associação ou subscrição para se obter acesso total aos materiais.
- Portais de assuntos da internet, que são bancos de dados criados manualmente por especialistas que selecionam e organizam websites de assuntos

específicos existentes em diretórios, de acordo com uma hierarquia de categorias de assuntos.

• Mecanismos de busca da internet, programas mecânicos que geram bancos de dados, ligando palavras-chave ao conteúdo guardado na internet, e depois organizam e exibem os resultados de forma prontamente acessível.

O mecanismo de busca da internet, como o portal de assuntos da internet, é um banco de dados. A diferença fundamental que distingue portais de assuntos da internet de mecanismos de busca da internet é o meio pelo qual os bancos de dados são criados. Enquanto os especialistas dos assuntos criam manualmente os portais de assuntos da internet, os mecanismos de busca são bancos de dados gerados por máquinas. Nesse sentido, o computador vasculha eletronicamente inúmeros websites e compila um banco de dados de informações relevantes, fazendo a correspondência entre palavras-chave inseridas pelo usuário e palavras encontradas na documentação da web. Os pesquisadores devem tratar com cautela os recursos compilados por esse processo automático (Ridley, 2008). Mecanismos de busca diferentes buscam e coletam informações de formas diferentes. "Os mecanismos de busca não catalogam toda a internet, e seu ordenamento de resultados depende de algoritmos particulares. Usar ferramentas acessíveis como os mecanismos de busca pode, portanto, levar a um retrato tendencioso de qualquer coisa que esteja na internet" (Hine, 2011: 3). Logo, as mesmas palavras-chave inseridas em diferentes mecanismos de busca renderão resultados diferentes.

Em resposta, Ridley recomenda que uma abordagem proativa seja adotada para a administração do resultado de uma busca. Isso exige que os pesquisadores exerçam maior controle sobre o processo de busca, familiarizando-se com o modo pelo qual o mecanismo de busca compila a documentação da web e o modo de usar opções de busca avançadas. Entretanto, um banco de dados compilado assim não garante a busca em fontes acadêmicas confiáveis. Antes de usar recursos reunidos assim, Ridley (2008) enfatiza a necessidade de os pesquisadores rastrearem quem produziu o material e por quê.

A internet oferece novas abordagens e desafios à prática de pesquisa convencional de localizar conhecimentos existentes. As novas abordagens tornam a prática convencional de localizar literatura relevante mais rápida e mais conveniente. Porém, elas também tornam esse processo mais complexo. Cada vez mais os pesquisadores precisam conhecer a capacidade e as funções de um espectro em constante expansão de serviços on-line dedicados a encontrar e guardar informações. A complexidade da relação entre a literatura e a internet é sublinhada pela necessidade de aprender como usar ferramentas novas para descobrir e acessar dados na forma de material e documentação publicados on-line.

## 13.3 Coleta de dados quantitativos

O levantamento enquanto meio de coleta de dados quantitativos usando um questionário padronizado é um método muito proeminente para a pesquisa empírica nas ciências sociais (Vehovar e Manfreda, 2008). Durante o século XX, o levantamento se mostrou adaptável ao tirar vantagem de avanços tecnológicos como o telefone. Os avanços na informática ao longo da última década significam que o levantamento não depende mais da administração do entrevistador ou do envio de um questionário em papel. Atualmente qualquer pessoa pode montar um levantamento autoadministrado, disponibilizando um questionário eletronicamente na internet.

Em termos gerais, há dois tipos de levantamentos na internet: aqueles que coletam dados usando "...levantamentos executados na máquina do respondente (pelo lado do cliente)..." ou aqueles que "...são executados no servidor da web da organização responsável pelo levantamento (pelo lado do servidor)..." (Couper, 2008: 2). O uso do e-mail para enviar um questionário de levantamento à máquina de possíveis respondentes pela internet é um exemplo claro da *abordagem pelo lado do cliente*. Isso inclui introduzir o propósito do estudo e convidar ao preenchimento de um questionário incorporado no corpo de uma mensagem por e-mail ou anexo ao e-mail como documento que pode ser baixado (Couper, 2008; Gaiser e Schreiner, 2009). É mais provável que os pesquisadores que usam e-mail anexem o questionário como documento para download na tentativa de evitar os problemas que surgem quando o texto da mensagem de e-mail não preserva nem reproduz acuradamente a formatação necessária para garantir que as perguntas do levantamento correspondam às escolhas certas para todos os respondentes. O uso do e-mail permite entrega e resposta mais baratas e rápidas do questionário autoadministrado do que o serviço postal convencional. Contudo, o preenchimento e a transmissão do levantamento feito assim não são completamente ininterruptos.

Os destinatários de um questionário por e-mail precisam fazer mais do que simplesmente responder uma série de perguntas. Também há a expectativa de que terão as habilidades e o software necessários no computador para fazer o download do questionário, inserir suas respostas, salvá-las e devolvê-las como resposta ao e-mail

(Gaiser e Schreiner, 2009). Além da velocidade e economia associadas à entrega e resposta, as vantagens de usar a internet para enviar um questionário autoadministrado a possíveis respondentes em comparação a uma abordagem em papel que usa o serviço postal são insignificantes. A abordagem pelo lado do cliente faz pouco para reduzir as demandas para que os pesquisadores leiam respostas e transcrevam dados. Embora quem tenha conhecimento técnico possa escrever *scripts* de programação para automatizar esse processo, a maioria dos pesquisadores que recebe respostas por e-mail, como aqueles que recebem questionários pelo correio, precisará inserir os dados manualmente.

Uma forma de automatizar esse processo é tornar o levantamento na internet executável num servidor da web, e não nas máquinas dos respondentes. O levantamento na web é um exemplo importante da *abordagem pelo lado do servidor* (Couper, 2008). Como explicam Gaiser e Schreiner (2009: 47): "A alternativa ao envio por e-mail do levantamento e à leitura da resposta é colocar o levantamento num website e usar o e-mail para enviar um link URL do website e pedir que o destinatário visite o website". De modo diferente do levantamento via e-mail, o levantamento na web tira proveito do software no servidor da web para gerenciar a entrada de dados automaticamente.

Andrews, Nonneck e Preece (2003) distinguem uma abordagem pelo lado do cliente e do servidor em termos de uma estratégia de "empurrão" e "puxão". Enquanto o levantamento via e-mail (cliente) empurra ao instar possíveis respondentes a participar através de uma comunicação direta, o levantamento na web (servidor) puxa ao ser elaborado para atrair os respondentes. A facilidade e o apelo de uma interface simples de usar do levantamento na web que verifique e armazene automaticamente as respostas oferecem um fator de estímulo que objetiva atrair um índice de resposta alto. O uso de um levantamento na web como estratégia de estímulo é evidente no estudo de Madge e O'Connor (2002), *Babyworld*. Eles realizaram um levantamento na web em vez de uma abordagem por e-mail porque isso alcançaria um público maior de forma rápida e barata, receberia respostas o tempo todo e armazenaria automaticamente as respostas num pacote analítico. Ademais, os levantamentos na web propiciam uma interface de questionário muito melhor, tornando-os mais fáceis de usar e mais atraentes do que levantamentos via e-mail. O levantamento na web também pode ser hospedado num website específico, que pode ser usado como plataforma para fornecer mais informações sobre o projeto, os pesquisadores e a instituição filiada. Como escrevem Vehovar e Manfreda (2008: 178-179):

...questionários computadorizados usando a interface gráfica da World Wide Web (WWW) oferecem elementos de desenho avançados, como filtros e saltos de perguntas, randomização de respostas, controle da validade das respostas, inclusão de elementos multimídia e muitos outros.

Apesar dessas vantagens em desenho e distribuição, há várias questões relativas a amostragem enfrentadas pelo levantamento na internet (Couper, 2008; Tourangeau, 2004).

O objetivo em boa parte da amostragem em levantamentos é descobrir informações e chegar a conclusões que representem uma população maior. Embora alguns argumentem que o censo é o único modo realmente confiável de chegar a esse resultado, fazer o levantamento de toda uma população é um exercício extremamente intensivo em termos de recursos (Andrews, Nonneck e Preece, 2003) e geralmente além da capacidade do pesquisador médio. Para evitar a coleta de dados lenta e os altos custos associados à condução de um censo, os levantamentos podem estimar aspectos de uma população inteira de forma veloz e barata, coletando dados de uma amostra representativa extraída da população. Os métodos de amostragem com probabilidade, geralmente baseados na ideia de que cada indivíduo numa população tem uma chance igual de ser selecionado na amostra, oferecem uma forma de gerar descrições imparciais sobre toda uma população. Como ideal, porém, os métodos de amostragem com probabilidade enfrentam a parcialidade inerente às populações de usuários da internet.

A parcialidade de acesso e de autosseleção torna a internet problemática como meio de gerar uma amostra representativa. Embora estudos recentes apontem o encolhimento da "divisão digital", o acesso à internet permanece estratificado por classe, raça e gênero (Murthy, 2008). Num estudo sobre estratificação social e divisão digital nos Estados Unidos, por exemplo, Wilson, Wallin e Reiser (2003) relatam que era menos provável que respondentes afro-americanos tivessem computador e estivessem conectados à internet do que respondentes brancos. No Brasil, Soong (2004) relata o nível socioeconômico como um fator que influencia fortemente o acesso à internet. Ele argumenta que, embora a divisão digital possa estar diminuindo em países com internet avançada, como os Estados Unidos, devido a custos mais baixos e maiores oportunidades de educação, o grau de igualdade da penetração da internet em toda a população brasileira é muito mais problemático. Num estudo sobre diferenças de gênero e cultura na internet, Li e Kirkup (2007) descobriram que gênero na China e no Reino Unido é um fator significativo no uso do computador. Relataram que a probabilidade de alunos do sexo masculino em ambos os países era maior no que tange a ter atitudes positivas diante da internet, ficar mais tempo na internet e usar a internet mais extensamente (Li e Kirkup, 2007: 313). Atualmente, diz Couper (2001: 467), "...o erro de cobertura representa a maior ameaça à representatividade de levantamentos de amostras conduzidos via internet".

De certa forma, a parcialidade na amostra pode ser superada pela identificação clara da população da internet estudada. Por exemplo, Hewson e Laurent (2008) estabelecem uma estrutura de amostragem identificando e listando todos os endereços de e-mail de uma população da qual uma amostra aleatória ou de grupo poderia ser extraída. Porém, eles observam como problemas de representação ainda podem surgir quando a população-alvo é definida operacionalmente assim. Por exemplo, a natureza transiente da internet pode incluir um usuário da internet com múltiplas contas de e-mail. Ademais, softwares – instalados em alguns computadores e em outros, não – que filtram automaticamente e-mails com o objetivo de desviar mensagens não solicitadas da caixa de entrada do usuário criam um sistema de entrega inconsistente. Tais condições impossibilitam saber se a amostra que emerge da estrutura de endereços de e-mail listados é abrangente ou acurada. "Atualmente", afirmam Hewson e Laurent (2008: 66), "a amostra com probabilidade na internet não é muito viável". Até que o ambiente virtual possa ser gerenciado para garantir que todos os convites de e-mails sejam recebidos e verificados, dando a cada membro de uma estrutura de amostra uma chance igual de participação, a verdadeira amostragem com probabilidade na internet permanece difícil de alcançar.

A técnica de amostragem mais comum para os levantamentos quantitativos na internet não é representativa. Amostras não probabilísticas, como a "amostra voluntária", podem ser criadas quando um convite para participar é postado "...para grupos de notícias, listas de e-mail ou em webpages" (Hewson e Laurent, 2008: 66). Nessa situação, a amostra selecionada pode ou não ser representativa da população-alvo, dificultando qualquer tentativa de generalização e necessitando de qualificação. Couper (2001) identifica levantamentos de entretenimento, autosseleção e voluntários como três tipos de levantamentos comumente usados na internet que usam a amostragem não probabilística – ou voluntária.

Levantamentos de entretenimento não são pesquisas verdadeiras em ciências sociais, sendo na maioria dos casos simples pesquisas de opinião conduzidas por canais da mídia. Felizmente, eles afirmam revelar nada mais do que as visões dos participantes. Ao contrário do levantamento de entretenimento, porém, alguns criadores de levantamentos na web autosselecionados afirmam que as descobertas são representativas de uma população-alvo. Couper (2001: 482) argumenta que é difícil apoiar tais afirmativas diante da ausência de restrições ao acesso a levantamentos e da possibilidade de preenchimentos múltiplos. Contrastando com os levantamentos de entretenimento e autosselecionados, painéis de voluntários restringem o acesso aos levantamentos. A chamada de voluntários postada em potenciais websites cria, em primeira instância, uma amostra autosselecionada como um grupo de potenciais respondentes. As informações demográficas fornecidas pelos voluntários, então, podem ser combinadas levando-se em conta critérios predeterminados de seleção de um painel de levantamentos on-line. Apesar do maior controle de acesso e seleção, porém, os membros de um painel voluntário, como respondentes do levantamento de entretenimento e autosselecionado, vêm de uma fonte desconhecida. Isso significa que vasculhar participantes de pesquisas, postando convites a grupos de notícias, listas de e-mails ou anúncios em páginas da web, produz uma amostra cuja relação com alguma população mais ampla é desconhecida, tornando a generalização problemática. Ademais, os índices de respostas e a parcialidade das respostas não podem ser mensurados.

A amostragem off-line pode resolver esse problema. Ao fazê-la, entretanto, Hewson e Laurent (2008) notam que muitos dos benefícios da pesquisa na internet, como velocidade e acesso a populações geograficamente diversas, podem se perder. Portanto, a decisão de usar ou não a internet como ferramenta para a coleta de dados quantitativos precisa ser tomada após ponderarmos as vantagens (p. ex., economia de tempo e dinheiro e potencial de acessar diversos grupos geograficamente e socialmente) em comparação às desvantagens (p. ex., os reveses associados à amostragem e a necessidade de mais habilidades em informática e mais equipamentos) à luz dos objetivos do estudo.

## 13.4 Coleta de dados qualitativos

A internet pode ser usada para coletar dados qualitativos. Por exemplo, entrevistas individuais e em grupos focais são métodos importantes de coleta de dados qualitativos que podem ser realizadas de modo síncrono ou assíncrono, usando as capacidades comunicativas da internet, como salas de chat, e-mail (e serviços de e-mail como grupos de e-mails e listas de discussão), MOOs (domínios de multiusuários orientados) ou MUDs (domínios de multiusuários). O e-mail, por exemplo, possibilita uma forma barata, rápida e moderna de comunicação assíncrona (Gaiser e Schreiner, 2009). É "uma das metodologias mediadas pela internet mais usadas hoje" (O'Connor, Madge, Shaw e Wellens, 2008).

A natureza assíncrona do e-mail abre espaço para reflexão. Antes de realizar uma postagem, um participante tem muito tempo para refletir e, se necessário, reconsiderar ou consultar. Esse prazo extenso pode resultar em respostas mais ponderadas e detalhadas. Os respondentes que morem em locais com fusos horários diferentes podem ler e responder as perguntas nos horários convenientes. Aqueles com menos habilidades de digitação e aqueles com deficiências físicas ou psicológicas podem ter mais tempo para pensar e digitar sem a pressão e a tensão da interação em tempo real. Uma abordagem assíncrona, porém, corre o risco de perder dados quando tempo demais restringe o fluxo e a espontaneidade da troca. Podemos perder "respostas impulsivas" ou "atos falhos" capazes de gerar ideias úteis (Gaiser e Schreiner, 2009: 51). Embora a natureza profunda de uma postagem detalhada e ponderada possa compensar essa perda, ela não compensa a possível perda de participantes. A natureza assíncrona das postagens por e-mail facilita ao participante simplesmente parar de responder. Para reduzir essa possibilidade de abandono, Gaiser e Schreiner (2009) aconselham os pesquisadores a gerenciar suas expectativas. Assim, os pesquisadores precisam dimensionar entrevistas e sessões em grupos focais de modo que os compromissos de tempo e o número de tópicos a cobrir sejam explicitados aos possíveis participantes no início.

A experiência on-line de uma abordagem síncrona a entrevistas e sessões em grupos focais remove os atrasos da troca assíncrona, deixando-a mais parecida com a interação face a face tradicional. O imediatismo das trocas síncronas oferece outras vantagens. Ele permite que os membros de grupos focais interajam entre si diretamente em tempo real. Os participantes têm menos tempo para "adulterar" as respostas na tentativa de deixá-las mais desejáveis ou aceitáveis socialmente, possibilitando a emergência de comentários mais francos, honestos e autênticos. Por outro lado, o ritmo rápido de uma troca pode deixar as respostas desconexas. Comentários e perguntas podem ser postados antes que uma resposta a uma mensagem anterior seja recebida, dificultando a interpretação da transcrição final. A pressão para contribuir em tempo real pode gerar respostas menos sérias e menos detalhadas (Hewson e Laurent, 2008). Além disso, a entrevista síncrona on-line ou a sessão de grupos focais são mais complicadas de agendar. Elas podem envolver o uso de softwares de conferência ou acesso a salas de chat. Na conferência, os pesquisadores podem precisar conseguir acesso ao software adequado para que os participantes façam download e instalem no computador deles.

Outros desafios são enfrentados pelas abordagens assíncronas e síncronas na coleta de dados qualitativos. Por exemplo, os participantes podem optar por abandonar uma entrevista on-line ou sessão de grupo focal se o objetivo da pesquisa se perder, ficar confuso ou menos visível. Uma discussão desgovernada provavelmente provocará desconfiança no objetivo do estudo, deixando os participantes desconfortáveis e mais propensos a saírem. Isso pode ocorrer tanto com uma abordagem assíncrona quanto síncrona, especialmente se o pesquisador considerar a tecnologia como facilitadora de um processo de autofuncionamento. Embora uma boa gestão e facilitação ajudem a manter os participantes na pesquisa e gerar um volume amplo de dados, a falta de presença pessoal em entrevistas individuais e sessões de grupos focais representa um desafio significativo à coleta de dados qualitativos usando a internet.

A internet remove uma presença pessoal da entrevista ao reduzir as comunicações somente a textos. A ausência de expressões faciais, balanços de cabeça, contato visual, linguagem corporal, pausas, ritmo, "hums e ahs", "am-hams", estímulos etc. pode reduzir a coleta de dados a uma troca emocionalmente estéril. Num ambiente emocionalmente infrutífero, o que os participantes realmente pensam e sentem sobre um tópico pode se tornar mais difícil de identificar. Expressões críticas que geram significado se perdem para o pesquisador qualitativo. Para compensar, Hewson e Laurent (2008) sugerem a criação de um ambiente de comunicação mais rico usando software audiovisual. Por exemplo, o *Skype* permite que os participantes se ouçam e se vejam. Ao adotarem essa abordagem, contudo, os pesquisadores podem se deparar com problemas técnicos. A qualidade dos dados coletados pode ser reduzida devido a uma velocidade de internet ruim ou forte tráfego na rede. Alternativamente, Gaiser e Schreiner (2009) aconselham os pesquisadores a usar sugestões visuais e verbais on-line pela inserção de textos de estímulo [suspiro, brilhante, chateado], emoticons [J] e pontuação [??, !!!, O QUÊ???] para indicar animação, satisfação, decepção etc. A construção de empatia na falta de uma presença pessoal, porém, demanda estratégias diferentes. Embora saiba-se pouco sobre construir empatia on-line, Hewson e Laurent (2008) apontam algumas evidências que sugerem, como auxílio, o uso de exercícios de autorrevelação e que "quebrem o gelo" como técnicas introdutórias de "apresentação". Porém, a construção de empatia assim pode reduzir a percepção de anonimato e privacidade dos participantes, deixando-os menos dispostos a serem francos e sinceros sobre si mesmos e suas opiniões (Hewson e Laurent, 2008).

A observação também é um método de coleta de dados proeminente em ciências sociais. Como as entrevistas individuais e em grupo, observar o comportamento humano através da internet usa fóruns e páginas de redes sociais, mas de modo diferente (Hewson e Laurent, 2008). Enquanto o entrevistador usa a internet para interagir, o observador tenta ser menos indiscreto. A internet é uma boa ferramenta para pesquisadores sociais interessados em coletar dados qualitativos dessa forma não reativa. Uma demonstração rica e abundante de minúcias efêmeras do cotidiano on-line pode se tornar mais favorável à pesquisa quando guardada para ser buscada e analisada futuramente (Hewson e Laurent, 2008). Desde o advento da Web 2.0, a observação de qualquer aspecto da vida social que exista em algum lugar on-line se torna viável.

O termo "Web 2.0" é definido melhor como uma relação mutante e não uma mudança significativa na tecnologia. Desde a virada do século houve uma mudança clara no modo em que pensamos e usamos a internet. Antes dessa época, a internet era considerada primariamente uma fonte de informações. Era tratada como uma biblioteca para armazenagem e consulta de informações eletrônicas. O usuário comum da internet era na maioria das vezes um navegante passivo que consumia conteúdo. Metaforicamente, a relação era comercial, sendo o usuário um consumidor e o desenvolvedor do software um fornecedor. O termo "Web 2.0" sinalizava a emergência de uma fase mais interativa. Nesse ponto, a função dos usuários da internet mudou de consumidores passivos para criadores ativos de conteúdo. Agora os usuários eram capazes de interagir e colaborar com outros usuários para gerar o próprio conteúdo. Os aplicativos comuns da Web 2.0 hoje, como Wikis, blogues, MySpace, Facebook, Twitter etc., permitem que pessoas comuns trabalhem, joguem e conversem com várias outras pessoas on-line. Por exemplo, dois anos depois do seu lançamento público em setembro de 2006, somente o Facebook havia aumentado em mais de 7,5 milhões de membros (Murthy, 2008). Atualmente, os usuários da internet estão fazendo cada vez mais coisas on-line:

> Mais pessoas, e uma gama mais diversa de pessoas, estão on-line agora, fazendo mais coisas, até participando de fóruns de discussão e criando websites como em 2000, mas também usando as redes sociais, publicando suas fotos e vídeos, dando suas opiniões via marcação, comentando, criticando e deixando pegadas eletrônicas das suas ações em registros de atividades nos servidores, usando mecanismos de busca etc. (Hine, 2011: 1-2).

De acordo com Heine (2011), os pesquisadores interessados na natureza discreta da observação enquanto abordagem não reativa à coleta de dados estão começando a usar cada vez mais o volume crescente de atividades on-line. Ela aponta estudos recentes de uma série de pesquisadores que coletam dados de um fórum de saúde on-line, mensagens de e-mail enviadas a um site de saúde, páginas do MySpace, mensagens do Twitter e títulos de mensagens trocadas por usuários do Facebook. Essencialmente, as observações podem ser realizadas em inúmeros espaços on-line, desde ambientes textuais simples até representações gráficas em 3D como MUDs (domínios de multiusuários), MOOs (domínios de multiusuários orientados) e MMORPGs (jogos de encenação on-line com vários jogadores). O simples "escopo para a observação discreta... numa forma impossível antes, usando eficazmente métodos *off-line*" é uma vantagem crucial para atrair mais interesse na observação on-line (Hewson e Laurent, 2008: 70). Antes de tirar proveito desses tipos de oportunidades de observação, o observador on-line precisa ponderar as vantagens e desvantagens de diferentes estratégias de observação.

Similares às entrevistas síncronas ou assíncronas, as observações on-line podem ser conduzidas em tempo real ou não real. O grau de benefícios da observação em tempo real, e não em tempo real, dependerá dos objetivos da pesquisa. Quanto maior a demanda por informação contextual, maior a probabilidade da presença de um observador fazendo anotações de campo em tempo real ser benéfica. Registros no computador da atividade on-line, por exemplo, podem perder ou confundir o contexto temporal. Apesar de vantagens como disponibilidade e acesso fácil, Hewson e Laurent (2008) apontam que lacunas podem ocorrer no material arquivado. Além de uma falta de informações demográficas, os registros do computador podem se perder, ficar corrompidos ou sair da sequência total ou parcialmente. Ademais, a resolução de problemas, se for possível, pode exigir um grau alto de conhecimento técnico. A seguinte conversa sobre invasão de memória (2009, on-line) ilustra a questão:

Tenho um servidor web apache e, quando certo usuário acessa certa página, tenho uma linha de registro com data e hora fora de sincronia.

Amostra:

IP1 - - [22/Jun/2009:12:20:40 +0000] "GET URL1" 200 3490 "REFERRING_URL1" "Mozilla/4.0 (co

IP2 - - [22/Jun/2009:12:11:47 +0000] "GET URL2" 200 17453 "-" "Mozilla/5.0 (Macintosh; U;

IP1 - - [22/Jun/2009:12:20:41 +0000] "GET URL3" 200 889 "REFERRING_URL2" "Mozilla/4.0 (com

(Os IPs solicitantes estão anônimos - IP1, IP2 e IP3, as URLs solicitadas - URL2 e URL3, e as duas URLs de referência)

Como vemos, as três linhas (que apareceram no registro nessa ordem) estão fora de sincronia. Isso apenas acontece quando IP2 solicita URL2 - todos os outros registros parecem normais.

Alguma ideia?

Os registros são escritos quando a solicitação é concluída, então as solicitações longas adiantadas podem ser escritas após as curtas e atrasadas. Adicione o %D à definição tour logFormat para ver o tempo levado para servir a solicitação em microssegundos.

Talvez você esteja fazendo algum tipo de solicitação COMET?

Meu primeiro pensamento é que o registro somente grave o tempo em que a solicitação terminou. Então talvez a solicitação da IP1 tenha demorado a finalizar, mas tenha chegado antes da IP2. As solicitações que eu sei que se comportam assim são as solicitações AJAXey comet.

Provavelmente não é a resposta correta, mas talvez uma pista.

Edite:http://www.linuxquestions.org/questions/linux-networking-3/apache-log-entries-order-516354/ confirma que a hora no registro inclui a hora necessária para transferir o conteúdo para o navegador.

Em trabalhos etnográficos convencionais, a presença de um pesquisador fazendo anotações de campo em tempo real dificulta mais a tarefa de manter as observações ocultas. A presença física do observador significa que sempre existe a possibilidade de os observados se aproximarem e perguntarem: "O que você está fazendo?" A ausência de presença física, porém, agora significa que a condução de vigilância discreta no espaço cibernético deixou de ser uma questão do acaso, mas de escolha no desenho de pesquisa.

Os etnógrafos muitas vezes valorizam os benefícios de uma abordagem oculta à pesquisa (Murthy, 2008), alegando que a participação oculta promete produzir dados mais francos e honestos. Assim, Seale, Charteris-Black, MacFarlane e McPherson (2010) observam como a sensação de uma zona sem observador deixa os participantes inusitadamente francos e menos preocupados em corresponder às expectativas que percebem no pesquisador. Porém, "oculto" para a observação etnográfica não é sinônimo de "ausente". A observação etnográfica típica envolve participação na situação estudada. Convencionalmente, a descrição e a interpretação etnográfica do comportamento cultural exigem trabalho de campo. "A etnografia une processo e produto, *trabalho de campo* e texto escrito", afirma Schwandt (2001: 80, ênfase no original). "O trabalho de campo, realizado como observação de participantes, é o processo pelo qual o etnógrafo vem a conhecer uma cultura; o texto etnográfico é a maneira de retratar a cultura." De acordo com essa definição, a falta de imersão na vida cultural de uma comunidade on-line pela participação ativa significa que atividades como simplesmente ler e-mails ou outros materiais arquivados não caracterizariam uma observação etnográfica. Tradicionalmente, não basta considerar como uma cultura se autorretrata. Ao contrário, o descobrimento do significado de artefatos culturais e comportamento simbólico exige que o etnógrafo se torne ativamente engajado na vida cultural. Outros, contudo, argumentam que os etnógrafos precisam repensar essa visão convencional do que constitui o cenário de pesquisa e os métodos apropriados de coleta de dados para acompanharem o rápido crescimento de tecnologias on-line como as mensagens instantâneas, *tweets* e blogues enquanto artefatos culturais (Garcia, Standlee, Bechkoff e Cui, 2009). Esse movimento direcionado a uma abordagem textual faz a observação etnográfica enquanto forma de coleta de dados qualitativos on-line cada vez mais parecer uma análise documental.

Os dados on-line para análise documental podem estar disponíveis ou ser solicitados. É espantoso o simples volume de materiais disponíveis, como declarações de políticas, artigos jornalísticos, blogues, wikis, diários on-line, vídeos do YouTube, fotografias etc. O acesso a materiais disponíveis parece a observação on-line oculta já discutida. Em contraste, a solicitação de materiais exige que os pesquisadores assumam uma abordagem aberta. Por exemplo, os pesquisadores podem pedir aos participantes da pesquisa para manter diários eletrônicos por um período antes de disponibilizá-los para análise. Porém, observação e análise documental representam modos diferentes em que esses materiais podem ser de interesse. O etnógrafo on-line considera essas informações uma representação da experiência vivida por quem as produziu, enquanto o analista documental trata os mesmos materiais não como uma janela para uma cultura além, mas como o desempenho propriamente dito. Seja para observação ou análise documental, entretanto, o acesso rápido e fácil a esse amplo volume de materiais não gera disponibilidade para a pesquisa axiomática (Hine, 2011). Nos casos em que as informações e interações são privadas em sua natureza, o acesso somente fica disponível com consentimento informado. Isso levanta a questão dos problemas éticos no uso que a pesquisa faz da internet.

## 13.5 Questões éticas

Um tratamento abrangente das questões éticas no uso que a pesquisa faz da internet está além do escopo desta seção. Em vez de tentar cobrir todos os aspectos, portanto, a seção se concentra nos importantes temas de autonomia, beneficência e justiça com as pessoas que participam de pesquisas conduzidas na internet. As questões jurídicas associadas a propriedade intelectual, posse e autoria não são abordadas. Se tiver interesse em questões jurídicas, como direitos de propriedade intelectual e a internet, cf. Charlesworth (2008). Nesse cenário, são abordadas as diferenças entre ética para a internet e pesquisa convencional, e o que isso significa para o desenho de pesquisa on-line.

As questões éticas presentes na atuação de participantes humanos nas pesquisas na internet não são diferentes daquelas enfrentadas pela pesquisa convencional (Elgesem, 2002). A necessidade de evitar riscos e garantir justiça através de práticas de confidencialidade e consentimento informado é tão importante para os pesquisadores on-line quanto off-line. Não podemos simplesmente pressupor, entretanto, que abordagens tradicionais de obtenção de consentimento informado e proteção à privacidade dos participantes da pesquisa serão efetivas num cenário on-line (Gaiser e Schreiner, 2009). Por exemplo, Buchanan e Zimmer (2012, on-line) enfatizam o número de desafios éticos para a pesquisa na internet com a seguinte lista de perguntas:

> Quais obrigações éticas os pesquisadores têm para proteger a privacidade de sujeitos atuantes em atividades em espaços "públicos" da

internet? Como a confidencialidade ou o anonimato são garantidos on-line? Como o consentimento informado é e deve ser obtido on-line? Como as pesquisas com menores de idade devem ser conduzidas e como provar que um sujeito não é menor? O engano (fingir ser outra pessoa, reter informações identificáveis etc.) on-line é uma norma ou um risco? Como é possível existir "risco" para alguém que existe num espaço on-line?

São raras as diretrizes para a associação de pesquisa e profissional específica que tratem desses tipos de perguntas na pesquisa on-line. Porém, o crescente corpo de literatura sobre pesquisa na internet (Gaiser e Schreiner, 2009) é útil nas orientações sobre quando devemos considerar tais questões éticas.

Embora a pesquisa na internet não deva oferecer mais riscos aos participantes da pesquisa do que os métodos presenciais (Eynon et al., 2008), a natureza da internet complica mais o potencial de risco. Ao contrário de uma experiência presencial, o pesquisador que conduz uma pesquisa ou entrevista na internet não pode recrutar o imediatismo de sinais visuais para determinar o impacto das questões ou processos sobre os participantes. Por exemplo, pode ser mais difícil de julgar até que ponto o comentário de um participante de um grupo focal intimida ou compromete a dignidade dos outros participantes. Para abordar esse problema, Eynon et al. (2008: 27) recomendam a incorporação no desenho de pesquisa de estratégias como "construir sintonia com os participantes, estabelecendo uma 'netiqueta' nas discussões em grupo (Mann e Stewart, 2000), e permitir que os participantes saiam facilmente do estudo" (Hewson et al., 2003; Nosek et al., 2002). Entretanto, a falta de um retorno visual imediato pode dificultar a implementação dessas estratégias. Isso significa que a natureza complicada das obrigações éticas para a pesquisa na internet exige mais esforço do pesquisador.

Além do desafio de um ambiente virtual, há o fato de que a internet permeabiliza a divisão convencional entre público e privado. No espaço cibernético, o entendimento convencional de que "aquilo que está disponível a todos" é público se torna extremamente poroso. Superficialmente, a postura ética aqui parece objetiva. Como espaço aberto, tudo on-line está disponível publicamente, logo não surgem problemas de privacidade que exijam consideração ética. Essa postura convencional, porém, deixa de apreciar a percepção de privacidade criada por tipos diferentes de atividades na internet.

A internet não é um dispositivo de objetivo único, mas um fórum para múltiplas atividades e interações. Ela abre espaço para discussões sobre qualquer tópico em âmbito individual, comunitário ou global. Também é um espaço para jogar, conhecer pessoas, formar relacionamentos, fazer negócios, publicar e guardar ideias, informações, fotografias etc. A internet atende um espectro extremamente diverso de informações e expectativas dos usuários. Dentro desse espectro, as informações guardadas e transmitidas pela internet podem ter natureza privada. Correspondências via e-mail, por exemplo, podem transmitir informações delicadas sobre assuntos pessoais ou comerciais. Em geral, os usuários de e-mails esperariam que a sua correspondência permanecesse privada – ou seja, que não fosse acessada e usada por terceiros sem sua permissão expressa. Similarmente, quem posta em *sites* com limitações de acesso, como serviços de namoro via internet, esperaria que o uso das suas informações pessoais fosse limitado de acordo com as diretrizes aceitas ao assinar os direitos de *log-on*.

Outro exemplo claro dos desafios éticos apresentados pela internet é encontrado nas salas de chat. Qualquer pessoa interessada num tópico da discussão pode entrar on-line e integrar a conversa. O tópico e o que os participantes têm a dizer a respeito claramente ocupam o domínio público. Contudo, o pesquisador, invisível a outros usuários da internet, pode "espiar" fora das salas, "bisbilhotando" as conversas. Termos como "espiar" e "bisbilhotar" indicam nitidamente a natureza ética questionável de comportamentos dentro desses fóruns não direcionados à complementação dos interesses e intenções de quem posta as informações. As metáforas de *voyeur* e parasita são intimidadoras nessa construção, já que os pesquisadores coletam materiais de interesse alimentando-se de um anfitrião involuntário na internet. Mesmo usando um espaço público, porém, nem todos os usuários da internet se veem como objetos de exposição pública ou como pessoas que fazem declarações públicas para o consumo dos outros com uma pauta diferente.

Embora informações públicas possam ser divulgadas, os pesquisadores das ciências sociais não têm a liberdade de expor as informações pessoais de um indivíduo. O pesquisador deve distinguir claramente o que constitui informação pública e privada a fim de proteger a privacidade dos participantes da pesquisa. Contudo, a internet permite que o indivíduo poste pensamentos pessoais como parte da experiência social, embora sejam virtuais em sua natureza. Logo, a linha embaçada que separa público e privado na internet torna a ética de proteção à privacidade menos nítida.

Uma importante questão ética para o pesquisador se refere ao risco de dano aos participantes se comportamentos on-line, postagens, e-mails etc. forem usados de forma não pretendida. A noção de "consentimento informado" é um elemento comum do desenho de pesquisa convencional das ciências sociais, que objetiva abordar esse risco, respeitando a autonomia de possíveis participantes. Autonomia de possíveis participantes significa que a escolha é um princípio fundamental do processo de consentimento. Ao especificarmos objetivos e riscos de modo a explicitar a natureza voluntária do acordo de participar e a possibilidade de se retirar a qualquer momento, os potenciais participantes ficam livres para escolher se devem ou não participar do estudo. O processo de obter um "consentimento informado" verdadeiro e real, porém, representa um desafio no que se refere à questão do entendimento do participante e da vulnerabilidade na pesquisa na internet.

A natureza virtual e efêmera da internet complica o processo de obtenção de consentimento informado. Contrastando com a pesquisa presencial, a internet dificulta mais o julgamento do entendimento do participante em termos do grau de informação real do consentimento obtido. Também é difícil determinar a vulnerabilidade devido a dúvidas que rondam a identidade de quem está na realidade consentindo. A natureza interpessoal da experiência *off-line* fornece as pistas visuais e a interação verbal de fazer perguntas e buscar mais esclarecimentos que permitam ao pesquisador mensurar o grau de entendimento dos possíveis participantes. Como explicam Eynon et al. (2008: 29), "o pesquisador pode discutir a pesquisa com o participante, avaliar se o indivíduo entende plenamente as implicações da pesquisa e mensurar se está ingressando no estudo livremente". A pesquisa on-line, todavia, requer outras estratégias para determinar até que ponto um indivíduo aprecia as demandas de participação.

Eynon et al. (2008) apontam três abordagens on-line que os pesquisadores podem usar para ajudar a garantir que os participantes entendam as demandas de um estudo proposto. A primeira objetiva aumentar a legibilidade dos formulários de consentimento. Eles sugerem que isso pode ser feito usando-se títulos e subtítulos, destacando pontos importantes com cores, negrito e sublinhados, limitando o volume de texto e evitando o uso de jargão e termos técnicos. Na segunda, podemos conhecer mais as expectativas e esclarecer mais as preocupações através de conversas por e-mail. Uma discussão eletrônica dessa natureza, porém, exigiria extensas conversas por e-mail que poderiam abusar da boa vontade e paciência dos possíveis participantes, aumentando a chance de abandono. Em vez de gerar uma discussão por e-mail longa e prolongada, e como uma terceira abordagem, os pesquisadores podem desenvolver um questionário para verificar o entendimento dos participantes. Como as discussões por e-mail, porém, essa estratégia represententa uma demanda extra para os possíveis participantes, aumentando a probabilidade de abandono precoce. Apesar do risco de saída prematura, os esforços on-line para se obter consentimento informado são considerados menos coercivos. Quando falta a pressão social do contato pessoal, os participantes tendem a se sentir menos obrigados a concordar e devem se sentir mais à vontade para decidirem sair do estudo. Embora o consentimento informado exija todas as precauções necessárias para garantir que os participantes estejam totalmente cientes do que se espera deles, o pesquisador da internet também enfrenta o problema da identidade.

O ambiente on-line dificulta a verificação da identidade dos possíveis participantes. É ainda mais difícil determinar a questão de quem está consentindo em participar da pesquisa. A abertura da internet significa que as amostras de pesquisa não estarão limitadas a quem tiver condições legais, psicológicas ou culturais de dar consentimento. A possibilidade de que uma amostra on-line contenha grupos vulneráveis, como crianças, pessoas com distúrbios mentais e idosos é muito real (Eynon et al., 2008). Em estudos cujo risco potencial de grupos vulneráveis seja extremamente baixo, a necessidade de verificar as identidades não é crítica. Quando o risco for alto, entretanto, os esforços para a verificação das identidades precisam ser uma parte essencial do processo de recrutamento. Baseando-se no trabalho de Pittenger (2003), Nosek et al. (2002) e Kraut et al. (2004), Eyon et al. (2008: 29) apontam as seguintes estratégias para ajudar a reduzir a probabilidade de exposição de grupos vulneráveis a riscos:

- Enviar convites específicos a participantes adultos conhecidos para acessar um site controlado por senha;
- Criar material de divulgação improvável de atrair ou interessar jovens; e
- Pedir informações que somente adultos teriam, como informações sobre cartão de crédito.

Após obter o consentimento informado, os pesquisadores têm a obrigação ética de garantir que a confidencialidade não seja violada devido ao mau uso dos dados coletados.

O grau de responsabilidade para garantir confidencialidade depende da sensibilidade dos dados. Tópicos mais sensíveis exigem mais esforço para a proteção dos dados contra qualquer acesso não autorizado durante a transmissão e a armazenagem. Tópicos banais, obviamente, envolvendo a coleta de informações prontamente disponíveis de natureza não pessoal, não exigem o mesmo grau de segurança. A linha embaçada entre público e privado, todavia, pode dificultar a determinação da distinção entre dados sensíveis e banais. Independentemente do quão banal seja o tópico da pesquisa, a natureza da internet permanece a mesma. A sensação de privacidade evocada pela solidão de certas conversas na internet pode incitar os participantes a oferecer detalhes de qualidade sensível ou pessoal. Em resposta, os pesquisadores precisam respeitar as percepções de privacidade dos participantes, assegurando a confidencialidade dos dados coletados.

A promessa de confidencialidade exige que o pesquisador garanta a segurança da transmissão e armazenagem dos dados. Para proteger os dados durante a transmissão, Eynon et al. (2008) sugerem criptografia, rotulagem e separação. A segurança das comunicações por criptografia é possível usando os protocolos criptográficos de SSL e TLS (Segurança da Camada de Transporte, mais recente). Uma abordagem menos técnica é aplicar códigos únicos como rótulos para tornar os dados sem sentido para os outros. Uma terceira estratégia sugere separar os dados durante a transmissão, impossibilitando que outras pessoas conectem informações privadas às identidades de indivíduos particulares. Para os dados guardados em servidores conectados à internet, o uso de senhas fortes é aconselhável para minimizar o risco de uma violação de segurança (Gaiser e Schreiner, 2009). A armazenagem segura, porém, não deve se limitar ao uso de senhas. Ademais, é aconselhável guardar dados *off-line* num servidor de dados localizado à parte, computador portátil e disco externo ou em dispositivos de armazenagem, como *drive* USB ou CD.

## Resumo do capítulo

- A internet pode ser vista como local e ferramenta de pesquisa. Este capítulo se concentra na internet enquanto ferramenta de pesquisa e considera o seu uso nas áreas de descoberta e acesso à literatura relevante, coletando dados quantitativos e qualitativos. Também discute questões éticas que emergem ao usarmos a internet como ferramenta de pesquisa.

- As ferramentas de busca para descobrir e acessar a literatura de pesquisa através da internet podem ser divididas em cinco categorias – catálogos de bibliotecas tradicionais, bancos de dados bibliográficos, bancos de dados eletrônicos, bancos de dados de acesso aberto, portais de assuntos da internet e mecanismos de busca.

- Ao coletarmos dados quantitativos, há dois tipos amplos de levantamentos na internet: levantamentos pelo lado do cliente, em que o levantamento é executado na máquina de um respondente, e levantamentos pelo lado do servidor, em que o levantamento é executado no servidor da web da organização do levantamento. As duas abordagens têm pontos fortes e fracos diferentes que precisam da análise do pesquisador. Questões sobre amostragem surgem ao usarmos a internet para a amostragem do levantamento, e uma verdadeira amostragem probabilística pode ainda não ser possível.

- Ao coletarmos dados qualitativos, entrevistas individuais e em grupos focais são possíveis na internet. Similarmente, a observação é possível tanto em ambiente textual simples quanto num ambiente gráfico 3D, e a sua natureza discreta aparece, especialmente para estudos etnograficamente orientados. Mas uma análise atenta de todos esses métodos de coleta de dados usando a internet é necessária para entendermos plenamente a natureza dos dados coletados assim.

- As questões éticas envolvidas em pesquisas baseadas na internet não são diferentes daquelas enfrentadas pela pesquisa tradicional, mas as abordagens tradicionais podem não ser eficazes num cenário on-line. A natureza complicada das obrigações éticas para a pesquisa na internet normalmente requer mais esforço do pesquisador.

- Exemplos de complicações com consequências éticas no cenário on-line são falta de clareza na distinção entre os domínios privado e público, obtenção de consentimento informado e questões de identidade e armazenagem de dados. A literatura está começando a prover estratégias para lidar com tais complicações.

## Termos-chave

Ambientes virtuais: três sistemas na internet que permitem aos usuários interagir usando textos ou gráficos tridimensionais. O sistema original, MUDs (domínios de multiusuários), é um ambiente textual simples que permite aos jogadores interagir um de cada vez. A geração seguinte, MOOs (domínios de multiusuários orientados), é um ambiente textual que permite a mais de um jogador conversar ao mesmo tempo e também exibir emoticons e manipular objetos. A geração mais atual, MMORPGs (jogos de encenação on-line com vários jogadores), é um ambiente de gráficos onde múltiplos jogadores podem interagir usando textos e imagens tridimensionais criados pessoalmente.

Assíncronas: comunicações usando a internet sujeitas a atrasos na transmissão.

E-mail: sistema de comunicação que envolve a composição, envio, armazenagem e recepção de mensagens usando a internet.

Espaço cibernético: espaço criado pela internet onde objetos digitais existem.

Internet: rede que conecta websites de computadores de formas objetivas, compondo a World Wide Web.

Mecanismo de busca: programa mecânico que cria um banco de dados, correspondendo palavras-chave ao conteúdo guardado na internet, e depois organiza e exibe os resultados de forma prontamente acessível.

Pesquisa na internet: uso da internet como ferramenta para conduzir pesquisa em locais virtuais ou reais.

Portal de assuntos: banco de dados contendo recursos da web que foram selecionados manualmente, avaliados e submetidos a verificação de qualidade por especialistas nos assuntos.

Salas de chat: qualquer forma de tecnologia que permite aos participantes conversar individualmente (mensagens instantâneas) ou em grupos (fóruns on-line e ambientes virtuais) em tempo real.

Servidores de listas: aplicativos que permitem a um provedor de serviços de e-mail controlar quem pode ler e postar numa lista de e-mails.

Síncronas: comunicações usando a internet que aparecem diretamente no computador do destinatário.

Web 2.0: relação em que usuários da internet assumem uma função ativa, interagindo e colaborando com outros usuários através de aplicativos como Wikis, blogues, MySpace, Facebook, Twitter etc. para gerar conteúdo on-line.

## Exercícios e perguntas para estudo

1. Selecione um tópico que esteja interessado em pesquisar. Localize um banco de dados on-line e busque pela literatura a respeito desse tópico. Continue a explorar bancos de dados diferentes até identificar um artigo que pareça com o tópico que escolheu.

2. Considere um dos seguintes dilemas éticos que você pode enfrentar ao conduzir pesquisa usando a internet. Descreva como você trataria a situação.

   • Um participante de uma sessão de um grupo focal on-line, conduzida usando conversas assíncronas por e-mail, posta um comentário sob a forma de uma piada racista que claramente ofende outro membro do grupo. O que você faz? O que você poderia fazer antes de conduzir a sessão do grupo focal no esforço de evitar esse tipo de situação?

   • Você coleta dados para um projeto extraídos de várias postagens listadas num site de namoro da internet. Várias postagens de uma participante detalham os seus desejos e esperanças pessoais de formar um relacionamento longo e duradouro com um respondente adequado. Embora as postagens reflitam claramente o seu foco de pesquisa e precisem ser incluídas no relatório escrito final do seu projeto, você não obteve consentimento informado da pessoa que postou essas informações. O que você faz?

3. Ao contrário da pesquisa conduzida *off-line*, a natureza virtual da internet complica o processo de obtenção de consentimento informado. Discuta três abordagens que um pesquisador pode adotar ao interagir com possíveis participantes on-line no esforço de garantir que entendam plenamente as demandas de um estudo proposto.

4. Localize um projeto de pesquisa na internet relatado num periódico acadêmico (considere usar os resultados do exercício 1). Analise a abordagem on-line e liste quaisquer questões identificadas.

5. Couper (2008) explica como os levantamentos podem ser executados de duas formas na internet – pelo lado do cliente, quando o levantamento é executado na máquina do respondente, e pelo lado do servidor, quando executado no servidor da web da organização ou do pesquisador. Discuta as vantagens e desvantagens dessas abordagens à coleta de dados em levantamentos.

6. O objetivo na maior parte da amostragem de levantamentos é descobrir informações e chegar a conclusões representativas de alguma população maior. Discuta as dificuldades associadas à geração de uma amostra probabilística ao conduzirmos pesquisa usando a internet e como elas podem ser resolvidas.

7. Liste as diferentes maneiras, além das suas vantagens e desvantagens, de conduzir uma entrevista na internet.

8. Discuta as vantagens e desvantagens de usar o e-mail como abordagem assíncrona a fim de coletar dados de entrevistas on-line.

## Leitura complementar

Andrews, D., Nonneck, B. e Preece, J. (2003) "Conducting research on the Internet: Online survey design, development and implementation guidelines". *International Journal of Human-Computer Interaction*, 16(2), 185-210.

Couper, M. (2008) "Technology trends in survey data collection". *Social Science Computer Review*, 23(4), 486-501. Extraído de *Sage Journals Online*.

Eynon, R., Fry, J. e Schroeder, R. (2008) "The ethics of Internet research". In: N. Fielding, R. Lee e G. Blank (eds.), *The Sage handbook of online research methods* (p. 42-57). Londres: Sage.

Gaiser, T. e Schreiner, A. (2009) *A guide to conducting online research*. Londres: Sage.

Garcia, A., Standlee, A., Bechkoff, J. e Cui, Y. (2009) "Ethnographic approaches to the Internet and computer-mediated communication". *Journal of Contemporary Ethnography*, 38(1), 52-84. Extraído de *Sage Journals Online*.

Hewson, C. e Laurent, D. (2008) "Research design and tools for Internet research". In: N. Fielding, R. Lee e G. Blank (eds.), *The Sage handbook of online research methods* (p. 58-78). Londres: Sage.

Hine, C. (2011) "Internet research and unobtrusive methods". *Social Research Update*, 16, p. 1-4. Extraído de http://sru.soc.surrey.ac.uk/SRU61.pdf

Lee, R., Fielding, N. e Blank, G. (2008) *The Sage handbook of online research methods*. Londres: Sage.

Mann, C. e Stewart, F. (2000) *Internet communication and qualitative research*. Londres: Sage.

Murthy, D. (2008) "Digital ethnography: An examination of the use of new technologies for social research". *Sociology*, 42(5), 837-855. Extraído de *Sage Journals Online*.

O'Connor, H., Madge, C., Shaw, R. e Wellens, J. (2008) "Internet-based interviewing". In: N. Fielding, R. Lee e G. Blank (eds.), *The Sage handbook of online research methods* (p. 42-57). Londres: Sage.

Ridley, D. (2008) *The literature review: A step by step guide for students*. Londres: Sage.

Vehovar, V. e Manfreda, K. (2008) "Overview: Online surveys". In: N. Fielding, R. Lee e G. Blank (eds.), *The Sage handbook of online research methods* (p. 177-194). Londres: Sage.

# 14
# MÉTODOS MISTOS E AVALIAÇÃO

## Sumário

14.1 História dos métodos mistos
14.2 Argumentos para os métodos mistos
14.3 Características básicas das duas abordagens: variáveis e casos
    14.3.1 Uma distinção crucial: variáveis e casos
14.4 Desenhos com métodos mistos
    14.4.1 Desenho com triangulação
    14.4.2 Desenho incorporado
    14.4.3 Desenho explicativo
    14.4.4 Desenho exploratório
14.5 Critérios avaliativos gerais
    14.5.1 Investigação disciplinada
    14.5.2 Adequação entre as partes que compõem um projeto de pesquisa
    14.5.3 Critérios para avaliação
    Resumo do capítulo
    Termos-chave
    Exercícios e perguntas para estudo
    Leitura complementar
    Nota

---

**OBJETIVOS DE APRENDIZAGEM**

### Após estudar este capítulo, você saberá:

- Definir a pesquisa com métodos mistos e descrever seu desenvolvimento;
- Determinar o princípio fundamental da pesquisa com métodos mistos;
- Determinar a ideia básica de pragmatismo e mostrar sua importância para a pesquisa com métodos mistos;
- Discutir os principais pontos fortes e fracos da pesquisa qualitativa e quantitativa;

- Descrever as três dimensões envolvidas na combinação de abordagens qualitativas e quantitativas;
- Descrever brevemente os quatro principais desenhos com métodos mistos (triangulação, incorporados, explicativos, exploratórios);
- Descrever e explicar o que significa investigação disciplinada;
- Explicar por que a avaliação crítica da pesquisa é necessária e importante;
- Listar e explicar questões importantes para avaliar uma pesquisa.

Neste livro usamos a distinção entre pesquisa qualitativa e quantitativa como forma de organizar e apresentar os alicerces metodológicos para a pesquisa empírica. Acredito que seja importante para o pesquisador de ciências sociais atual entender as duas e especialmente a lógica comum que norteia as duas abordagens. Como forma de enfatizar as semelhanças na lógica subjacente, tratamos a pesquisa qualitativa e quantitativa sob os mesmos temas principais de desenho, coleta de dados e análise de dados. Acredito que também seja importante para o pesquisador atual entender a crescente popularidade da combinação das duas abordagens, seja num estudo individual ou numa série de estudos. Portanto, a primeira parte deste capítulo desenha um panorama do desenvolvimento dos métodos mistos e dos desenhos principais para uso na pesquisa com métodos mistos. A segunda parte apresenta critérios avaliativos gerais para avaliar qualquer tipo de pesquisa empírica.

*Pesquisa com métodos mistos é a pesquisa empírica que envolve coleta e análise de dados qualitativos e quantitativos.* Na pesquisa com métodos mistos, métodos e dados qualitativos e quantitativos são mistos ou combinados de algum modo. Um estudo individual que combine dados qualitativos e quantitativos é de métodos mistos, mas o termo também pode se referir a um programa de vários estudos combinando os dois tipos de dados.

Essa definição é direta e útil para simplificar e esclarecer a terminologia sobre esse tópico, que às vezes é confusa na literatura sobre metodologia de pesquisa. No desenvolvimento da pesquisa com métodos mistos, a linguagem usada para descrever esse desenho nem sempre foi precisa e consistente. Como observam Tashakkori e Teddlie (2003a: 212) e Creswell e Plano Clark (2007: 5-6), termos como "multimétodos", "integrada", "mesclada" e "combinada" foram usados, além de "pesquisa multitraços-multimétodos", "triangulação metodológica", "pesquisa multimetodológica" e "pesquisa de modelo misto". A publicação de

*The Handbook of Mixed Methods in Social and Behavioral Research* (Tashakkori e Teddlie, 2003a) aumentou significativamente a precisão, visibilidade e reconhecimento do termo "métodos mistos", encorajando o uso de "misto" como um termo geral para abarcar os processos multifacetados de combinar, integrar e relacionar os tipos diferentes de métodos e dados. Indo além, Creswell e Plano Clark (2007: 6) argumentam que o uso consistente e sistemático do termo "métodos mistos" para descrever a pesquisa que combina abordagens, métodos e dados qualitativos e quantitativos estimulará a comunidade de pesquisa a considerar a pesquisa com métodos mistos como algo distinto e cada vez mais usado pelos pesquisadores.

## 14.1 História dos métodos mistos

Como observamos nos capítulos anteriores, a dominação histórica dos métodos quantitativos na pesquisa em ciências sociais foi abalada durante aproximadamente 30 anos após 1970 pela emergência dos métodos qualitativos na tendência dominante e pela sua aceitação maior. Esse abalo não foi suave, produzindo as guerras paradigmáticas, caracterizadas por uma forte abordagem exclusivista aos assuntos referentes a método. Nesse período, muitos pesquisadores eram quantitativos ou qualitativos, e a ideia de combinar ou mesclar os dois tipos de métodos e dados não era popular. Na década de 1990, porém, os pesquisadores passaram a desprezar o pensamento exclusivista das guerras paradigmáticas e começaram a desenvolver a base para os desenhos com métodos mistos. Desde a virada do século, houve um aumento no interesse na pesquisa com métodos mistos, inclusive ocorrendo a defesa da pesquisa com métodos mistos como desenho individual. Agora há vários indicadores do interesse atual na pesquisa com métodos mistos. Exemplos são a publicação de um número crescente de artigos de periódicos relatando a pesquisa com métodos mistos, o lançamento em 2005 do *Journal of Mixed Methods Research* e a promoção de encontros internacionais dedicados à pesquisa com métodos mistos (Creswell e Plano Clark, 2007: 16-18).

Essa história metodológica da pesquisa em ciências sociais é resumida convenientemente descrevendo-se:

- A dominação dos métodos quantitativos como onda 1;
- A emergência dos métodos qualitativos como onda 2;
- O crescimento dos métodos mistos como onda 3.

## 14.2 Argumentos para os métodos mistos

Os argumentos fundamentais que subjazem à pesquisa com métodos mistos é que muitas vezes podemos saber mais sobre o nosso tópico de pesquisa se pudermos combinar os pontos fortes da pesquisa qualitativa com os pontos fortes da pesquisa quantitativa, enquanto ao mesmo tempo compensamos os pontos fracos de cada método. Isso foi chamado de *princípio fundamental da pesquisa com métodos mistos* (Johnson e Onwuegbuzie, 2004: 18):

> Combinar os métodos de modo a alcançar pontos fortes complementares e pontos fracos que não se sobreponham.

Depois de reconhecermos que tanto os métodos quantitativos quanto qualitativos têm seus pontos fortes e fracos, torna-se fácil ver a lógica desse princípio. Esses pontos fortes e fracos diferentes foram indicados em vários pontos deste livro. Portanto, por exemplo, a pesquisa quantitativa tem a força de conceituar variáveis, desenhar o perfil de dimensões, traçar tendências e relações, formalizar comparações e usar amostras amplas e talvez representativas. Por outro lado, a pesquisa qualitativa tem a força de ser sensível ao significado e ao contexto, ter solidez local, estudar profundamente amostras menores e ter grande flexibilidade metodológica para estudar processo e mudança. Considerações como essas sugerem que os métodos qualitativos podem ser fortes nas áreas em que os métodos quantitativos são fracos e, similarmente, que os métodos quantitativos podem ser fortes nas áreas em que os métodos qualitativos são fracos. Combinar os dois métodos, portanto, oferece a possibilidade de combinar esses dois conjuntos de pontos fortes e compensar os pontos fracos. A comparação de Miles e Huberman entre variáveis e casos, mostrada ainda neste capítulo, ilustra o mesmo princípio.

Há uma forte lógica nesses argumentos subjacentes. Porém, para que os métodos mistos se desenvolvessem e crescessem em popularidade na pesquisa, foi necessário que a área de métodos de pesquisa ignorasse o pensamento metodológico exclusivista do período das guerras paradigmáticas. Além do reconhecimento e apreciação dos pontos fortes e fracos das duas abordagens, tal desenvolvimento e crescimento também exigiram:

- O distanciamento de uma preocupação com paradigmas aparentemente irreconciliáveis e a disposição de abarcar múltiplos paradigmas.
- A subsequente emergência do pragmatismo como abordagem filosófica subjacente, enfatizando-se a ideia de que os métodos usados na pesquisa devem ser determinados pelas perguntas feitas.

- A apreciação de semelhanças importantes na lógica subjacente das abordagens qualitativas e quantitativas, como formas diferentes, mas potencialmente complementares de investigação empírica.

O *pragmatismo* não é a única filosofia ou paradigma associada(o) à pesquisa com métodos mistos, mas é a(o) principal (Tashakkori e Teddlie, 2003b: 20-24; 2003c: 677-680). O pragmatismo é uma postura filosófica com uma história substancial (cf., p. ex., Maxcy, 2003), e filósofos americanos como Peirce, James, Dewey e George Herbert Mead foram importantes no seu desenvolvimento inicial. Assim, ela tem muitos elementos importantes (Maxcy, 2003). Mas, para os nossos objetivos, a ideia essencial do pragmatismo é rejeitar as escolhas exclusivistas e os conceitos metafísicos associados às guerras paradigmáticas, concentrando-se "no que funciona" para responder as perguntas de pesquisa (Tashakkori e Teddlie, 2003b: 20-21; 2003c: 713). Duas implicações disso se destacam.

A *primeira* é que a(s) pergunta(s) de pesquisa é(são) mais importante(s), e logicamente anterior(es) ao método usado ou ao paradigma subjacente ao método. A *segunda* é que decisões específicas referentes ao uso de métodos qualitativos, quantitativos ou mistos dependem da(s) pergunta(s) de pesquisa feita(s). Essas duas implicações são aspectos cruciais do ponto de vista sobre a lógica da pesquisa empírica já destacada neste livro, especialmente nos capítulos 4 e 5. Esse ponto de vista é resumido afirmando-se que questões substantivas precedem questões metodológicas e paradigmáticas. Discussões minuciosas sobre pragmatismo no contexto da pesquisa com métodos mistos podem ser consultadas em Tashakkori e Teddlie (2003b) e em alguns dos capítulos escritos por outros colaboradores do *Handbbok of Mixed Methods in Social and Behavioral Research* (Tashakkori e Teddlie, 2003a).

A respeito do último ponto – as semelhanças importantes nas abordagens qualitativas e quantitativas –, os cinco primeiros capítulos deste livro (e os capítulos 4 e 5 em especial) descrevem a lógica da pesquisa empírica. Esses capítulos mostram como essa lógica se aplica tanto à pesquisa qualitativa quanto quantitativa e assim apontam inúmeras semelhanças nas duas abordagens. Portanto, o mesmo modelo básico subjaz às duas abordagens, e os mesmos temas principais de desenho, coleta de dados e análise de dados se aplicam a ambas. A forma semelhante pela qual as duas abordagens transitam por graus diferentes de abstração também foi notada nos capítulos 9 e 12. E ainda há outras semelhanças e sobreposições além daquelas já observadas. Por exemplo, às vezes pensamos que a pesquisa quantitativa está mais interessada nos testes dedutivos de hipóteses e teorias, enquanto a qualitativa está mais interessada em explorar um tópico e gerar indutivamente hipóteses e teorias. Entretanto, embora muitas vezes seja verdade, esses estereótipos podem ser excessivos. Em geral há uma correlação entre a abordagem de pesquisa (quantitativa ou qualitativa) e o objetivo de pesquisa (p. ex., testes de teorias ou geração de teorias), mas essa correlação não é perfeita nem necessária. Embora a pesquisa quantitativa possa ser usada em grande parte para testar teorias, também pode ser usada para explorar uma área e gerar hipóteses e teorias. Similarmente, a pesquisa qualitativa certamente pode ser usada para testar hipóteses e teorias, apesar de ser a abordagem mais favorecida para gerar teorias. Como Miles e Huberman (1994: 42) afirmam: "Os dois tipos de dados podem ser produtivos para objetivos descritivos, investigativos, exploratórios, indutivos e de abertura. E os dois podem ser produtivos para objetivos explicativos, confirmatórios e para testar hipóteses". Não precisamos nos restringir a estereótipos ao refletirmos sobre os objetivos das duas abordagens. Cada abordagem pode ser usada para objetivos variados.

Ainda falando sobre esse ponto, distinções estereotipadas entre as duas abordagens também podem ser exageradas. Hammersley (1992), em especial, argumentou há alguns anos que sete dicotomias usadas tipicamente para diferenciar as abordagens quantitativas e qualitativas são exageradas. Cinco das dicotomias que ele discute reúnem muitos dos pontos que abrangemos nos capítulos anteriores e refletem algumas das ênfases deste livro. São elas:

- Dados qualitativos *vs.* quantitativos;
- Investigação de cenários naturais *vs.* artificiais;
- Foco nos significados, não no comportamento;
- Abordagem indutiva *vs.* dedutiva;
- Identificação de padrões culturais *vs.* busca por leis científicas.

Para cada um, Hammersley argumenta que é mais uma questão de um espectro de posições do que um simples contraste, que a posição de um não necessariamente implica a posição de outro e que a seleção entre essas posições deve depender mais dos objetivos e circunstâncias da pesquisa do que das considerações filosóficas.

Cada um desses pontos (similaridade da lógica, sobreposição de objetivos e enfraquecimento das dicotomias tradicionais) embaça a precisão da distinção qualitativa-quantitativa, tornando o contraste entre as duas abordagens menos inflexível e apontando a possibilidade de combiná-los. A possibilidade é confirmada quando vemos variáveis como algo central na pesquisa quantitativa e casos como algo central na pesquisa qualitativa.

## 14.3 Características básicas das duas abordagens: variáveis e casos

Um bom modo de termos uma visão geral das características centrais das abordagens qualitativas e quantitativas é comparar, como fazem Huberman e Miles (1994: 435-436), variáveis e casos. Também é uma boa forma de ver a importância da lógica que subjaz aos métodos mistos.

### 14.3.1 Uma distinção crucial: variáveis e casos

Considere um estudo típico que tenta prever a decisão de ingressar na faculdade, com uma amostra de 300 adolescentes e o seguinte grupo de previsores: gênero, condição socioeconômica, expectativas parentais, desempenho escolar, apoio dos amigos e decisão de ingressar na faculdade.

Numa análise orientada por variáveis, as seis variáveis independentes (ou de previsão) estão inter-relacionadas e são usadas para prever – e considerar a variância – a variável dependente essencial, a "decisão de ingressar na faculdade". Isso pode nos mostrar que a decisão de ingressar na faculdade é influenciada principalmente pelo desempenho escolar, com influências adicionais das expectativas dos pais e a condição socioeconômica. Vemos como as variáveis enquanto conceitos estão relacionadas, mas não conhecemos o perfil de nenhum indivíduo.

Numa análise orientada a casos, podemos observar melhor um caso em especial, Caso 005, digamos, que é do sexo feminino, classe média, tem pais com grandes expectativas etc. Essas mensurações, porém, são "magras". Para fazermos uma análise de caso genuína, precisamos considerar o histórico completo do Caso 005: Nynke van der Molen, cuja mãe estudou serviço social, mas é amarga porque nunca trabalhou fora, e cujo pai quer que Nynke trabalhe na floricultura da família. A cronologia também é importante: há dois anos, a melhor amiga de Nynke decidiu ingressar na faculdade bem antes de Nynke começar a trabalhar num estábulo e bem antes da mãe de Nynke lhe mostrar o seu álbum de fotos do curso de serviço social. Então, Nynke decidiu se matricular no curso de veterinária.

Esses e outros dados podem ser exibidos na forma de matriz (cf. Miles, Huberman e Saldana, 2013), onde o fluxo e a configuração dos eventos e reações que levaram à decisão de Nynke ficariam claros. Também seria útil "encarnar" como os previsores parecem individualmente e como interagem coletivamente. Isso, por sua vez, traria à tona padrões recorrentes, "famílias" ou "agrupamentos" ou casos com configurações características.

Como observa Ragin (1987), tal abordagem orientada por casos observa cada entidade, depois extrai configurações *dentro de* cada caso e as submete a uma análise comparativa. Nessas comparações (de um número menor de casos), semelhanças subjacentes e associações sistemáticas são buscadas a respeito da principal variável de saída. A partir de então, um modelo mais explicativo pode ser explanado ao menos para os casos em estudo. A análise orientada por variáveis na pesquisa quantitativa é boa para descobrir relações probabilísticas entre as variáveis numa população grande, mas tem dificuldades com as complexidades causais ou em lidar com subamostras. A análise orientada por casos na pesquisa qualitativa é boa para descobrir padrões específicos, concretos, historicamente embasados comuns a pequenos grupos de casos, mas as suas descobertas permanecem particulares demais, embora vários autores de casos afirmem enganosamente uma generalidade maior.

A abordagem quantitativa conceitua a realidade em termos de variáveis e estuda as relações entre elas. Ela se pauta em mensurações; portanto, pré-estrutura os dados e em geral também as perguntas de pesquisa, estruturas conceituais e desenho. As amostras normalmente são maiores do que aquelas dos estudos qualitativos, e a generalização através da amostragem em geral é importante. Ela não considera o contexto fundamental, normalmente extraindo os dados do seu contexto, e tem métodos bem desenvolvidos e codificados para a análise de dados. Os seus métodos em geral são mais unidimensionais e menos variáveis do que os métodos qualitativos. É, portanto, mais facilmente replicável.

Por outro lado, a abordagem qualitativa lida mais com casos. É sensível ao contexto e ao processo, à experiência vivida e ao embasamento local, e o pesquisador tenta se aproximar mais do que está sendo estudado. O seu objetivo é um entendimento profundo e holístico para fazer justiça à complexidade da vida social. As amostras normalmente são pequenas, e a sua amostragem é norteada por considerações teóricas, não probabilísticas. A pré-estruturação do desenho e dos dados é menos comum, e seus métodos são menos formalizados do que aqueles da abordagem quantitativa. Também são mais multidimensionais, mais diversos e menos replicáveis, tendo, portanto, mais flexibilidade.

Logo, há pontos fortes diferentes em cada abordagem. Os dados quantitativos possibilitam que comparações padronizadas e objetivas sejam feitas, e as mensurações da pesquisa quantitativa permitem descrições gerais de situações ou fenômenos de forma sistemática e comparável. Isso significa que podemos esboçar os contornos ou dimensões dessas situações ou fenômenos. É isso o que muitas vezes queremos fazer, seja independentemente de uma investigação qualitativa mais profunda ou em conjunto com ela. Procedimentos para a análise de dados quantitativos, sendo bem desenvolvidos e codificados, trazem objetividade à pesquisa porque aumentam as chances de que os resultados da análise não dependam do pesquisador que faz a análise. A abordagem quantitativa significa que certos tipos de perguntas importantes podem ser respondidas sistematicamente, abrindo caminho para o desenvolvimento de conhecimentos úteis.

Ao mesmo tempo, há pontos fortes importantes na abordagem qualitativa. Os métodos qualitativos são mais flexíveis do que os quantitativos. Assim, podem ser usados numa gama mais ampla de situações e para um espectro maior de objetivos e perguntas de pesquisa. Eles também podem ser modificados mais facilmente à medida que o estudo progride. Devido à sua grande flexibilidade, são adequados ao estudo de situações da vida real de ocorrência natural. Ademais, acomodam o embasamento local daquilo que estudam – casos específicos incorporados em seu contexto. Os métodos qualitativos são o melhor modo de obtermos a perspectiva de quem está do lado de dentro, a "definição do ator sobre a situação", os significados que as pessoas atribuem a objetos e eventos. Isso significa que podem ser usados para estudar a experiência vivida pelas pessoas, inclusive os significados e objetivos das pessoas. Os dados qualitativos têm holismo e riqueza, podendo tratar a complexidade dos fenômenos sociais. É isso que se quer dizer quando os pesquisadores qualitativos falam sobre os dados proverem descrições densas. E a pesquisa qualitativa, especialmente a teoria fundamentada, é adequada para investigar o processo[1].

Uma implicação clara desse tipo de comparação e análise de pontos fortes e fracos é que não podemos descobrir tudo o que eventualmente desejamos saber usando apenas uma abordagem, e que muitas vezes podemos aumentar o escopo, a profundidade e o poder da nossa pesquisa combinando as duas abordagens – i. e., mesclando os métodos.

Nesse ponto, entretanto, surgem algumas complicações. A pergunta crucial agora é: o que significa combinar as duas abordagens e como isso será feito? Creswell e Plano Clark (2007: 79-84) identificam três dimensões principais ao analisar essa pergunta:

- *A dimensão da sequência de tempo*: Qual será a sequência de tempo dos métodos qualitativos e quantitativos? Em que ordem o pesquisador coletará e usará os dados? Será concomitante (os dois conjuntos de dados são coletados ao mesmo tempo) ou sequencial (um conjunto é coletado antes do outro)?

- *A dimensão do peso*: Qual será a importância relativa – o peso ou a prioridade atribuído(a) aos métodos e dados qualitativos e quantitativos – quando respondermos as perguntas do estudo? As possibilidades gerais são peso igual a ambas abordagens, ou peso desigual, em que uma abordagem tem mais peso.
- *A dimensão da mescla*: Como os métodos qualitativos e quantitativos serão mesclados e especialmente como os dois conjuntos de dados serão mesclados? As possibilidades aqui é que os dois conjuntos de dados possam ser mesclados, um possa ser incorporado ao outro ou que possam ser conectados de alguma outra forma.

As diferentes combinações de respostas possíveis a essas três perguntas (sequência de tempo, peso e mescla) naturalmente conduzem ao tópico dos desenhos com métodos mistos.

## 14.4 Desenhos com métodos mistos

Tashakkori e Teddlie (2003a) mostram a complexidade deste tópico, identificando aproximadamente 40 tipos diferentes de desenhos com métodos mistos na literatura, com terminologia que varia entre autores diferentes, o que agrega uma camada a mais de complicação. Numa importante simplificação e contribuição, Creswell e Plano Clark (2007: 58-88) criaram uma classificação de quatro itens para os principais desenhos com métodos mistos. Eles apontam que cada tipo principal tem variantes e também analisam os pontos fortes e os desafios de usar cada tipo de desenho. Com base no trabalho deles, apresentamos uma breve descrição da natureza essencial de cada um dos quatro desenhos principais e exemplos de cada um. Em quatro apêndices do seu livro, Creswell e Plano Clark reproduzem quatro artigos de periódicos de pesquisa, em que cada artigo ilustra um dos principais desenhos com métodos mistos. Esses artigos são resumidos aqui. Além disso, um exemplo hipotético da pesquisa em educação sobre o tópico de satisfação profissional dos professores mostra como cada desenho com métodos mistos pode ser usado.

### 14.4.1 Desenho com triangulação

O objetivo do desenho com triangulação é obter dados quantitativos e qualitativos complementares sobre o mesmo tópico, reunindo os diferentes pontos fortes dos dois métodos. É um desenho de uma fase em que os dois tipos de dados são coletados na mesma estrutura de tempo e têm peso igual. Tipicamente, envolve a coleta e a análise concomitantes, mas separadas, dos dois tipos de dados, que depois são combinados, talvez através da transformação dos dados ou talvez no estágio de interpretação dos resultados (Creswell e Plano Clark, 2007: 62-64).

O exemplo publicado desse desenho (Jenkins, 2001; Creswell e Plano Clark, 2007: 194-203) se refere às percepções sobre as dificuldades de resistência às drogas de alunos rurais do ensino médio. Jenkins analisou dados qualitativos coletados de grupos focais, e dados quantitativos coletados usando um questionário semiestruturado, e combinou os dois conjuntos de dados numa interpretação geral.

### 14.4.2 Desenho incorporado

No desenho incorporado, um conjunto de dados desempenha uma função secundária de apoio num estudo baseado principalmente nos outros tipos de dados. Esse desenho se baseia em ideias de que um único conjunto de dados não é suficiente, que perguntas diferentes precisam ser respondidas e que tipos diferentes de perguntas exigem tipos diferentes de dados para respondê-las (Creswell e Plano Clark, 2007: 67-71). A palavra "incorporado" é usada porque um tipo de dado está incorporado num desenho estruturado pelo outro tipo. Os dois conjuntos de dados podem ser coletados ao mesmo tempo ou sequencialmente – i. e., esse desenho pode ser de uma fase ou duas fases.

Num exemplo do desenho incorporado, Rogers et al. (2003; cf. Creswell e Plano Clark, 2007: 204-215) usaram entrevistas qualitativas com um grupo de pacientes envolvidos num estudo experimental quantitativo para comparar a eficácia de diferentes intervenções na administração de medicação antipsicótica.

### 14.4.3 Desenho explicativo

Este desenho é de métodos mistos com duas fases. O pesquisador usa dados qualitativos para ajudar a explicar ou para se basear em resultados quantitativos iniciais. A primeira fase é quantitativa, a segunda fase é qualitativa. Esse desenho pode ser usado quando dados qualitativos forem necessários para explicar resultados significantes (ou não significantes), resultados estranhos ou surpreendentes (Creswell e Plano Clark, 2007: 71-72). Também pode ser usado quando os resultados quantitativos da primeira fase orientarem a seleção de subamostras para complementação na investigação qualitativa profunda na segunda fase. Esse último tipo de desenho, em especial, é importante, com ampla aplicabilidade potencial na pesquisa em ciências sociais.

Como exemplo publicado, Aldridge, Fraser e Huang (1999; cf. Creswell e Plano Clark, 2007: 216-238) usaram um questionário para avaliar as percepções do ambiente de aprendizagem em sala de aula a fim de demonstrar diferenças entre os ambientes em sala de aula de Taiwan e da Austrália. Isso representou o ponto de partida para o uso de métodos qualitativos (observações, entrevistas e narrativas) visando a um entendimento mais profundo dos ambientes em sala de aula de cada país.

## 14.4.4 Desenho exploratório

Nesse desenho com métodos mistos de duas fases, dados qualitativos são coletados na primeira fase, e dados quantitativos na segunda. (Com essa sequência de tempo, é o reverso do desenho explicativo.) A sua lógica geral é que a investigação quantitativa é inadequada até que os métodos qualitativos exploratórios tenham construído um melhor alicerce de entendimento. Exemplos seriam quando o pesquisador precisa desenvolver um instrumento de mensuração, mas necessita de um entendimento mais profundo do fenômeno em questão; ou quando é importante explorar algum fenômeno profundamente antes de mensurar a sua distribuição e prevalência (Creswell e Plano Clark, 2007: 75).

No exemplo publicado desse tipo de desenho, Myers e Oetzel (2003; cf. Creswell e Plano Clark, 2007: 239-255) usaram métodos qualitativos profundos com uma amostra pequena de funcionários recentemente nomeados para identificar seis dimensões diferentes de assimilação organizacional. Com base nessas dimensões, desenvolveram um instrumento para uso num levantamento quantitativo de uma amostra muito maior de novatos.

Além desses exemplos, Creswell e Plano Clark (2007: 171-172) dão outros exemplos de tipos diferentes de desenhos com métodos mistos relatados em artigos de periódicos de pesquisa em áreas diferentes das ciências sociais. Como um outro exemplo, com foco na pesquisa em educação, considere o planejamento de uma pesquisa com métodos mistos sobre o tópico geral da satisfação profissional dos professores:

Um *desenho com triangulação* pode planejar conduzir um levantamento usando questionário semiestruturado com uma amostra de professores. Ao mesmo tempo, grupos focais e entrevistas individuais podem ser usados com outra amostra de professores. O foco dos dois métodos seria nos aspectos diferentes de satisfação profissional para os professores. Os dois tipos de dados seriam, então, reunidos durante a análise.

Um *desenho incorporado* pode coletar dados qualitativos (p. ex., através de entrevistas e narrativas) como parte de um estudo correlativo quantitativo que objetive descrever relações entre variáveis independentes (gênero, qualificações, anos de experiência de ensino, área de ensino disciplinar, tamanho da escola etc.) e satisfação profissional como variável dependente. Nesse caso, os dados qualitativos ajudam a revelar processos ou mecanismos pelos quais as relações de variáveis independentes-dependentes surgem.

Um *desenho explicativo* pode primeiro conduzir um levantamento quantitativo em larga escala com foco nos dois níveis de satisfação e fatores que afetam esses níveis. Um estudo qualitativo num segundo estágio poderia selecionar deliberadamente subamostras de professores com níveis diferentes de satisfação para entrevistas profundas a fim de se obter um entendimento mais pleno da natureza da satisfação profissional e o modo pelo qual fatores diferentes a influenciam.

Um *desenho exploratório* pode objetivar desenvolver (ou talvez refinar, estender ou melhorar) um instrumento para mensurar a satisfação profissional dos professores. A sua primeira fase seria qualitativa – talvez usando grupos focais e entrevistas individuais – para sondar plenamente a natureza e as dimensões da satisfação. A sua segunda fase seria, então, quantitativa – desenvolver um instrumento baseado nesse trabalho para uso em levantamentos quantitativos em larga escala.

A classificação em quatro itens dos principais desenhos com métodos mistos feita por Creswell e Plano Clark proporciona uma estrutura muito útil para refletirmos sobre as possibilidades gerais para a mescla de dados qualitativos e quantitativos. Baseia-se nas três dimensões implícitas na questão de como combinar as duas abordagens – sequência de tempo, peso, mescla. Ao mesmo tempo, como enfatizam os autores, cada desenho principal tem variações.

Como ocorre em toda pesquisa, a escolha de um desenho num estudo com métodos mistos deve ser regida pela lógica inerente do projeto de pesquisa, pela forma em que o problema de pesquisa é estruturado e definido para a pesquisa e especialmente pela forma em que as suas perguntas de pesquisa são feitas e enunciadas. Na pesquisa com métodos mistos, assim como em outros lugares, a adequação pergunta-método é crucial e aqui, assim como em outros lugares, a melhor forma de obter essa adequação é dar ao desenvolvimento das perguntas a prioridade lógica enquanto se reconhece a influência recíproca do método na formulação de perguntas. Isso significa que, no exemplo hipotético de pesquisa sobre satisfação profissional anterior, cada um dos quatro desenhos brevemente descritos precisa ser precedido e estar estritamente relacionado a perguntas de pesquisa apropriadas e desenvolvidas atentamente.

Claramente, a pesquisa com métodos mistos é uma área em expansão, e espera-se que tal expansão continue. Agora existem corpos substanciais de literatura metodológica com métodos mistos e de literatura que relatam estudos com métodos mistos nos periódicos de pesquisa. E deve-se fazer uma menção especial novamente ao *Journal of Mixed Methods Research*, cuja política é publicar os dois tipos de literatura. Alguns excertos da página de informações desse periódico são mostrados no Quadro 14.1. Esses corpos de literatura devem continuar a crescer com a crescente popularidade da pesquisa com métodos mistos.

---

**QUADRO 14.1**

**Diretrizes do *Journal of Mixed Methods Research***

A pesquisa com métodos mistos é definida como aquela em que o investigador coleta e analisa dados, integra as descobertas e faz inferências usando abordagens ou métodos qualitativos e quantitativos num único estudo ou programa de investigação. O *Journal of Mixed Methods Research* (JMMR) é uma publicação inovadora, trimestral e internacional cujo foco são artigos empíricos, metodológicos e teóricos sobre pesquisa com métodos mistos nas ciências sociais, comportamentais, de saúde e humanas.

Cada edição explora:

• Pesquisa original com métodos mistos que se encaixa na definição de pesquisa com métodos mistos, integra explicitamente os aspectos quantitativos e qualitativos do estudo; contribui para a literatura sobre pesquisa com métodos mistos; e colabora com uma área substantiva na área de investigação acadêmica.

• Tópicos metodológicos/teóricos que avançam o conhecimento sobre a pesquisa com métodos mistos, como:

- Tipos de perguntas de pesquisa/avaliação;

- Tipos de desenhos;
- Procedimentos de amostragem e/ou mensuração;
- Abordagens a análise de dados;
- Validade;
- Aplicativos;
- Postura paradigmática;
- Estruturas de escrita;
- Valor e uso da pesquisa com métodos mistos.

O JMMR não somente oferece "o melhor e mais brilhante" em discussões metodológicas/teóricas e pesquisa original com métodos mistos, mas também inclui reflexões perspicazes do eminente editor sobre temas importantes da pesquisa com métodos mistos e extensas críticas sobre livros e softwares com aplicações práticas.

O escopo do *Journal of Mixed Methods Research* inclui:

• Desenvolvimento e definição de nomenclatura e terminologia global para a pesquisa com métodos mistos.

• Delineação de onde a pesquisa com métodos mistos pode ser usada com mais eficiência.

• Criação dos fundamentos paradigmáticos e filosóficos para a pesquisa com métodos mistos.

• Esclarecimento de temas sobre desenho e procedimentos.

• Determinação da logística relativa à condução de pesquisa com métodos mistos.

O *Journal of Mixed Methods Research* é uma fonte pioneira de trabalhos seminais e inovadores na área de pesquisa com métodos mistos, além de um fórum importante para a crescente comunidade de acadêmicos internacionais e multidisciplinares da pesquisa com métodos mistos.

Não queremos dizer que os pesquisadores devam se sentir obrigados a usar métodos mistos e esperamos que outro modismo infeliz referente a metodologia de pesquisa não se desenvolva em torno dos métodos mistos. A chave, como sempre, é a lógica da pesquisa proposta e que os métodos escolhidos sejam apropriados às perguntas feitas. No desenvolvimento de uma proposta de métodos mistos, essa lógica começa no modo pelo qual o tópico e o problema da pesquisa são apresentados e segue até o modo pelo qual as perguntas de pesquisa são enunciadas. Se essas coisas forem feitas com sucesso, a lógica da proposta naturalmente conduz aos métodos mistos. Em outras palavras, a lógica dos métodos mistos atravessa a proposta. A esse respeito, a pesquisa com métodos mistos não difere de qualquer outro tipo de pesquisa empírica.

A pesquisa com métodos mistos exige habilidades específicas e obviamente é necessária para que o pesquisador que usa métodos mistos tenha alguma experiência com pesquisa quantitativa e qualitativa. Ademais, o pesquisador que usa métodos mistos precisa ter tempo e recursos para conduzir o projeto com êxito. Projetos com métodos mistos normalmente são mais complexos para planejar e organizar tanto a coleta quanto a análise de dados, embora isso dependa do desenho específico com métodos mistos escolhido. E embora teses e propostas com métodos mistos possam ser mais complexas para redigir, elas são facilitadas com uma lógica clara e contínua, como já destacamos.

Como exemplo desse último ponto, o conselho de Creswell e Plano Clark (2007: 86) para escrevermos um parágrafo curto na proposta de pesquisa descrevendo um desenho e uma estratégia de um estudo com métodos mistos é reproduzido aqui, sendo fortemente endossado:

> Como muitos pesquisadores e críticos atualmente desconhecem os tipos diferentes de desenhos com métodos mistos, é importante incluir um parágrafo panorâmico que apresente o desenho ao escrevermos sobre um estudo em propostas ou relatórios de pesquisa. Esse parágrafo panorâmico geralmente é posicionado no início da discussão sobre métodos e deve tratar de quatro tópicos. Primeiro, identificar o tipo de desenho de métodos mistos e o modelo variante, se adequado. Depois, dar as características que definem esse desenho, inclusive suas decisões referentes a sequência de tempo, peso e mescla. Terceiro, declarar os argumentos ou objetivos gerais para usar esse desenho para o estudo. Finalmente, incluir referências à literatura sobre métodos mistos nesse desenho.

Depois eles dão este exemplo de pesquisa real (Ivankova et al., 2006: 5; Creswell e Plano Clark, 2007: 87) para ilustrar os pontos esclarecidos na citação anterior:

> O desenho explicativo sequencial com métodos mistos consiste em duas fases distintas: quantitativa seguida de qualitativa (Creswell, Plano Clark et al., 2007). Nesse desenho, o pesquisador primeiro coleta e analisa os dados quantitativos (numéricos). Os dados (textuais) qualitativos são coletados e analisados em segundo lugar na sequência e ajudam a explicar ou elaborar os resultados quantitativos obtidos na primeira fase. A segunda fase qualitativa se pauta na primeira fase quantitativa e as duas fases se conectam no estágio intermediário do estudo. Os motivos para

essa abordagem são que os dados quantitativos e sua análise subsequente propiciam um entendimento geral do problema de pesquisa. Os dados qualitativos e sua análise refinam e explicam os resultados estatísticos, explorando mais profundamente as visões dos participantes (Rossman e Wilson, 1985; Tashakkori e Teddlie, 1998; Creswell, 2004).

Trata-se de um exemplo muito bom do tipo de escrita que pode tornar uma proposta de pesquisa com métodos mistos convincente. Também é um ótimo conselho geral. É uma ideia excelente para todos os propósitos – quantitativos, qualitativos ou de métodos mistos – incluir um parágrafo panorâmico breve, claro e conciso como esse descrevendo a estratégia metodológica que subjaz à pesquisa e os motivos para tanto. É um exemplo do ponto enfatizado no Capítulo 7 (desenho de pesquisa qualitativa) e no Capítulo 10 (desenho de pesquisa quantitativa) de que o desenho de pesquisa é orientado pela estratégia.

O meu objetivo neste livro não é encorajar algum tipo específico de abordagem de pesquisa, seja quantitativa, qualitativa ou com métodos mistos. Na verdade tento encorajar a pesquisa empírica de qualidade, seja qual for a abordagem. Mas agora que as acaloradas disputas ideológicas das guerras paradigmáticas e seu pensamento exclusivista cessaram, podemos ver claramente quantos tópicos exigem métodos e dados tanto quantitativos quanto qualitativos se quisermos desenvolver um entendimento pleno deles. Esse ponto por si só deveria garantir o crescimento contínuo dos métodos mistos, afinal nós constantemente – e sem problema algum – combinamos dados quantitativos e qualitativos em nossa vida pessoal e profissional. Nada justifica que o mundo da pesquisa deva ser diferente. A advertência é que o pesquisador que usa métodos mistos precisa ser competente tanto nas abordagens qualitativas quanto qualitativas.

## 14.5  Critérios avaliativos gerais

Neste livro, até agora tivemos uma visão geral das ideias e conceitos básicos da pesquisa qualitativa (capítulos 7, 8 e 9) e da pesquisa quantitativa (capítulos 10, 11 e 12), enfatizando a lógica e a essência das duas abordagens e usando os mesmos temas amplos. A primeira parte deste capítulo abordou semelhanças e sobreposições entre as duas abordagens e sua combinação em métodos mistos. Como há semelhanças na lógica de investigação nas duas abordagens, há uma série de princípios avaliativos gerais que podem ser aplicados a ambas. Eles equivalem a critérios gerais avaliativos para toda a pesquisa empírica. Esta parte do capítulo trata desses critérios.

Cada vez mais pesquisas são feitas e publicadas atualmente e espera-se que isso continue, já que a ideia de pesquisa como algo em que respondemos perguntas e resolvemos problemas está profundamente enraizada em nossa cultura. A ideia se aplica tanto à pesquisa em ciências sociais quanto a qualquer outra área. Como leitores de pesquisas, precisamos saber o grau de confiança que podemos ter nas suas descobertas e conclusões; precisamos ser capazes de julgar a sua qualidade. Quais critérios devem ser usados? Como respondemos a pergunta: este trabalho é bom?

Primeiro distinguimos princípios avaliativos gerais e critérios avaliativos específicos. Aqui abordaremos os princípios avaliativos gerais. A literatura que lista critérios avaliativos específicos em sua maioria é originada de abordagens quantitativas ou qualitativas, não se aplicando a todas elas. Também em sua maioria, aborda diretamente questões técnicas na forma de listas de verificação detalhadas para avaliar os relatórios e as propostas de pesquisa. Alinhados à abordagem geral deste livro, nós nos concentramos mais nos critérios gerais aqui porque as semelhanças entre a pesquisa empírica quantitativa e qualitativa estão num nível geral e porque também são mais úteis. Em níveis mais específicos, as diferenças técnicas entre as duas abordagens podem obscurecer as suas semelhanças.

Antes de abordarmos os critérios avaliativos gerais, *revisar* dois conceitos ajuda a estabelecer uma base para essa questão da avaliação. São os dois conceitos da investigação disciplinada e da adequação entre as partes diferentes da pesquisa. Primeiro tratamos da mais geral das duas (investigação disciplinada).

## 14.5.1 Investigação disciplinada

O termo "disciplinada" foi usado frequentemente neste livro para indicar que a boa pesquisa é uma forma disciplinada de investigação. Portanto, a investigação disciplinada propicia uma forma conveniente para iniciarmos esta seção e uma base para refletirmos sobre os princípios avaliativos gerais. O seguinte se pauta no trabalho de Shulman (1988), que se refere ao trabalho anterior de Cronbach e Suppes (1969), citado aqui:

> Quando falamos em pesquisa, falamos numa família de métodos que compartilham as características da *investigação disciplinada*. Cronbach e Suppes (1969) tentaram definir investigação disciplinada há alguns anos...

Estas são algumas das definições de investigação disciplinada que sugerem:

> A investigação disciplinada tem uma qualidade que a distingue de outras fontes de opinião e crença. A investigação disciplinada é conduzida e relatada de modo que o argumento possa ser examinado esmeradamente. Para ter apelo, o relatório não depende da eloquência do autor nem de alguma plausibilidade superficial (p. 15).

Cronbach e Suppes continuam:

> Seja qual for o caráter de um estudo, se for disciplinado, o investigador terá previsto as perguntas tradicionais pertinentes. Ele institui o controle em cada estágio de coleta de informações e raciocínio para evitar as fontes de erros a respeito daquilo a que essas perguntas se referem. Se os erros não puderem ser eliminados, ele os considera discutindo a margem de erro nas suas conclusões. Assim, o relatório de uma investigação disciplinada tem uma textura que demonstra as matérias-primas que entram no argumento e os processos lógicos pelos quais foram comprimidas e rearranjadas para tornar a conclusão confiável (p. 15-16).

A definição de investigação disciplinada poderia ser mal interpretada de modo a sugerir que a aplicação apropriada dos métodos de pesquisa sempre leva a uma forma de investigação estéril, ritualizada e de concepção estreita. Não é o caso. Como Cronbach e Suppes observam subsequentemente:

> A investigação disciplinada não necessariamente segue procedimentos bem estabelecidos e formais. Algumas das investigações mais excelentes são de extensão livre e especulativas nos estágios iniciais, experimentando o que pode ser visto como combinações bizarras de ideias e procedimentos ou incansavelmente em busca de ideias (p. 16).

O importante sobre a investigação disciplinada é que os seus dados, argumentos e raciocínio sejam capazes de um escrutínio atento e resistente de outro membro da comunidade científica.

Essas citações captam a essência do que significa conduzir a investigação disciplinada e mostram as exigências fundamentais que precisam ser atendidas para que uma pesquisa seja levada a sério. Também são ideias gerais excelentes que devem ser lembradas ao planejar e redigir um projeto, e elas reaparecem numa forma mais específica nos princípios avaliativos seguintes. Algo que salientam é a ideia de uma pesquisa ser um argumento estruturado e coerente. Esse argumento é fortalecido quando as partes diferentes de um projeto se encaixam bem.

## 14.5.2 Adequação entre as partes que compõem um projeto de pesquisa

O mundo da pesquisa em ciências sociais hoje é muito mais complexo e multidimensional do que era 20 ou 30 anos atrás. Há paradigmas diferentes, duas abordagens principais diferentes, variações nessas duas abordagens principais, métodos diferentes e combinações diferentes de métodos. Devido a tal complexidade, é importante que os vários componentes de um projeto se encaixem e estejam alinhados.

O ponto de vista destacado neste livro é que, na maioria das vezes, o melhor modo de fazer isso é que as perguntas de pesquisa sejam claras e depois alinhar o desenho e os métodos a elas. Notamos que a influência recíproca entre pergunta e métodos, e as limitações em relação ao que pode ser feito em termos de desenho e método, impõem limitações às perguntas que podem ser feitas, mas o argumento é que essa direção da influência deve ser minimizada. A influência principal deve ser das perguntas nos métodos.

Esse ponto sobre a adequação entre os componentes de um estudo na verdade se refere à validade geral da pesquisa. Um projeto cujos componentes não se encaixam tem validade questionável. Isso ocorre porque podemos ter pouca confiança nas respostas apresentadas às perguntas de pesquisa com base num desenho e em métodos que não se encaixam ou não são adequados às perguntas. Nesse caso, não são as perguntas apresentadas, mas algumas outras perguntas, que foram respondidas. Sob essas circunstâncias, o argumento que subjaz à pesquisa rui. É isso o que significa validade nesse sentido geral. Quando as perguntas, o desenho e os métodos se encaixam, o argumento é forte e a pesquisa tem validade. Quando não se encaixam, o argumento é enfraquecido e a pesquisa carece de validade.

Esse ponto é ilustrado pela discussão no Capítulo 9 sobre a variedade das abordagens na análise de dados qualitativos. Com as inúmeras alternativas analíticas disponíveis, a necessidade de o método de análise se encaixar nas perguntas de pesquisa é ainda mais forte, e isso é generalizado para outros componentes: "Seja qual for a estratégia de pesquisa seguida, os problemas de pesquisa, o desenho de pesquisa, os métodos de coleta de dados e as abordagens analíticas devem ser parte de uma abordagem metodológica geral e estar relacionados" (Coffey e Atkinson, 1996: 11).

Esses conceitos de pesquisa como investigação disciplinada e a adequação entre as partes componentes de um projeto constituem dois padrões gerais para avaliar a qualidade de uma pesquisa. Partindo dessa base, agora podemos considerar os critérios avaliativos.

### 14.5.3 Critérios para avaliação

Como observamos, os critérios avaliativos são considerados aqui num grau geral, não específico. São apresentados em termos de um relatório e projeto de pesquisa finalizado. Com modificações discretas, o que é dito pode ser aplicado a propostas e a relatórios também.

Os critérios avaliativos são apresentados como perguntas gerais para cada uma de cinco áreas principais:

- Início da pesquisa;
- Procedimentos empíricos usados na pesquisa (desenho, coleta de dados, amostra e análise de dados);
- Qualidade dos dados;
- Descobertas e conclusões obtidas na pesquisa;
- Apresentação da pesquisa.

**Início da pesquisa**

Há quatro perguntas gerais sobre o início da pesquisa e cada uma é discutida brevemente:

1. A origem da pesquisa está clara?
2. A área do tópico está identificada claramente?
3. As perguntas de pesquisa são apropriadas?
4. A pesquisa está adequadamente contextualizada?

**A origem da pesquisa está clara?** Hoje a pesquisa em ciências sociais é caracterizada por múltiplas abordagens, métodos e paradigmas. O leitor de tal pesquisa precisa ter isso em mente. Mas o autor, do mesmo modo, precisa aceitar a responsabilidade de esclarecer qual é a posição assumida pela pesquisa. Um projeto pode ou não assumir certa postura paradigmática; pode objetivar a verificação de teoria ou a geração de teoria; pode ou não mesclar métodos; pode ter um desenho de estrutura rígida ou um desenho emergente; pode assumir certa abordagem na análise dos seus dados, especialmente se os dados forem qualitativos. Qualquer uma dessas posturas é aceitável e cada uma pode ser justificada, mas o autor precisa esclarecer qual postura subjaz à pesquisa. Isso faz parte do seu início, e tal esclarecimento é a melhor forma de evitar confusão e expectativas erradas da parte do leitor. Um projeto de pesquisa normalmente envolve muitas decisões diferentes, na maior parte do tempo sem critérios certos ou errados sendo aplicados a tais decisões. Mas elas precisam ser tomadas partindo-se de uma base consistente ("escolhas embasadas" – Coffey e Atkinson, 1996). O autor precisa informar essa base ao leitor.

**A área do tópico está identificada claramente?** Independentemente de o planejamento da pesquisa ter procedido dedutivamente da área do tópico para as perguntas de pesquisa ou indutivamente das perguntas de pesquisa para a área do tópico, deve haver uma identificação clara da área do tópico no início do relatório (ou proposta).

**As perguntas de pesquisa são apropriadas?** No Capítulo 4, comentamos que boas perguntas de pesquisa organizam um projeto e são:
- Claras: podem ser entendidas facilmente e não são ambíguas.
- Específicas: os seus conceitos estão num grau suficientemente específico para se conectar aos indicadores de dados.
- Respondíveis: conseguimos ver quais dados são necessários para respondê-las e como os dados serão obtidos.
- Interconectadas: estão relacionadas entre si de algum modo significativo.
- Substantivamente relevantes: são perguntas interessantes e que valem a pena para o investimento do esforço de pesquisa.

Essas características nos permitem julgar as perguntas de pesquisa. Nos capítulos 4 e 5, damos uma ênfase especial ao critério empírico (terceiro ponto anterior), que fornece um princípio específico para julgar as perguntas de pesquisa: está claro qual evidência será necessária para respondê-las? Num relatório finalizado, não importa se as perguntas foram totalmente pré-especificadas ou emergiram durante o estudo. Numa proposta, a posição da pesquisa sobre esse assunto deve ser esclarecida.

**A pesquisa está contextualizada?** Isso significa duas coisas. Primeiro, a relevância da pesquisa para algum interesse teórico ou algum interesse prático ou profissional está esclarecida? Segundo, a conexão deste estudo com a literatura relevante foi estabelecida e tratada apropriadamente? Há duas formas principais em que tal conexão com a literatura pode ser tratada. Uma é que uma revisão da literatura abrangente seja realizada antes do projeto. Se for o caso, é necessário que a revisão seja crítica e que o projeto esteja conectado a essa revisão. É muito comum vermos a revisão da literatura necessária, mas sem que o estudo propriamente dito esteja integrado à revisão. A outra forma, como no estudo de teoria fundamentada, é que a consideração de alguma literatura relevante seja retardada até que certo estágio seja alcançado no trabalho empírico. A literatura, então, é introduzida no estudo como dados complementares. É claro que existem variações nessas duas abordagens principais, mas, seja qual for a escolha, a abordagem precisa ser explicada.

### Procedimentos empíricos

Procedimentos empíricos aqui significam o desenho do estudo, as ferramentas e técnicas usadas para coleta e análise de dados. Essas questões são o foco de três das perguntas desta seção. Além dessas três, a primeira pergunta se refere ao grau de informação dado sobre os procedimentos, e a quinta pergunta se refere à amostra do estudo. Estas são as cinco perguntas:

1. O desenho, os procedimentos de coleta e análise de dados são relatados com detalhes suficientes para permitir que a pesquisa seja escrutinada e reconstruída?
2. A estratégia e o desenho do estudo são apropriados para as perguntas de pesquisa?
3. Os instrumentos e procedimentos de coleta de dados são adequados e apropriados para as perguntas de pesquisa?
4. A amostra é apropriada?
5. Os procedimentos de análise dos dados são adequados e apropriados para as perguntas de pesquisa?

Mais uma vez, fazemos breves comentários sobre cada pergunta.

**O desenho, os procedimentos de coleta e análise de dados são relatados com detalhes suficientes para permitir que a pesquisa seja escrutinada e reconstruída?** A seção sobre investigação disciplinada ressaltou que a pesquisa precisa ser conduzida e relatada de tal modo que todos os seus estágios possam ser examinados de modo abrangente. Assim, o leitor precisa ser capaz de seguir a sequência completa de estágios, e cada um deve ser descrito com detalhes suficientes para permitir o acompanhamento do rastreamento de ações em todo o estudo.

**A estratégia e o desenho do estudo são apropriados para as perguntas de pesquisa?** A função do desenho de pesquisa é conectar as perguntas de pesquisa aos procedimentos empíricos e aos dados. O desenho se baseia numa estratégia e situa o pesquisador no mundo empírico. Ele responde estas perguntas gerais:

- Quem ou o que será estudado?
- Quais estratégias de investigação serão usadas?
- Quais métodos serão usados para coletar e analisar materiais empíricos?

O desenho proporciona a estrutura geral para os procedimentos empíricos, mostrando o que são e como se encaixam. Assim, é importante que o desenho seja relatado em detalhes e que se encaixe nas perguntas de pesquisa do estudo.

Uma consideração importante no desenho é a abordagem geral: a pesquisa será quantitativa, qualitativa ou ambas? Se for quantitativa, o desenho é experimental, semiexperimental ou levantamento? O foco são as relações entre variáveis ou consideração de variância? Se for qualitativa, que casos foram estudados e de qual perspectiva? Se for combinada, de que modo e com que lógica? Nas duas abordagens, mas especialmente nos estudos qualitativos, é comum haver a pergunta adicional de um desenho pré-especificado *vs.* emergente. Como as perguntas de pesquisa, não importa num relatório finalizado se o desenho foi pré-especificado, emergente ou alguma mistura dos dois. Numa proposta, essa questão merece consideração. Se o desenho for pré-especificado, a estrutura conceitual que o acompanha também deve ser mostrada. Seja qual for o desenho escolhido, ele deve se adequar às perguntas de pesquisa. Essa adequação faz parte da integridade ou validade geral da pesquisa. O desenho propriamente dito trata da lógica interna, ou validade interna, da pesquisa. A validade interna é discutida ainda neste capítulo.

**Os instrumentos e procedimentos de coleta de dados são adequados e apropriados para as perguntas de pesquisa?** Isso leva diretamente à questão da qualidade dos dados, discutida na próxima seção. Nos estudos quantitativos, instrumentos de mensuração estão envolvidos. Eles são instrumentos que já existem ou são desenvolvidos para esse estudo. Se já existirem, os critérios dados no Capítulo 11 se aplicam, especialmente confiabilidade e validade. Se tiverem sido desenvolvidos, os estágios para fazer isso devem ser mostrados em conjunto com a consideração desses mesmos critérios. A pesquisa qualitativa, dependendo da sua orientação, pode envolver instrumentos similares – por exemplo, roteiros de entrevistas. Nesse caso, os critérios técnicos de confiabilidade, validade e reatividade se aplicam.

Sejam quais forem os instrumentos, procedimentos de coleta de dados também estão envolvidos. Eles foram descritos com alguns detalhes no Capítulo 8 para os dados qualitativos e no Capítulo 11 para os dados quantitativos. A questão aqui é que os procedimentos sejam apropriados ao estudo, ajustados às circunstâncias para maximizar a qualidade dos dados e relatados com detalhes apropriados. Se mais de uma pessoa estiver envolvida na coleta de dados, o modo de padronização dos procedimentos de coleta de dados precisa ser descrito.

**A amostra é apropriada?** Para qualquer estudo empírico, a lógica da seleção de amostra deve ser congruente com a lógica geral do estudo e das perguntas de pesquisa. A amostra precisa ser descrita adequadamente e a base para a sua seleção deve ser esclarecida. Num estudo quantitativo, o tamanho e a estrutura da amostra precisam ser descritos, juntamente com a sua lógica, método de seleção e reivindicações de representatividade. O último ponto precisa considerar o índice de resposta, se um desenho de levantamento for usado. Num estudo qualitativo, se uma amostragem propositiva ou teórica for usada, a lógica subjacente precisa ser esclarecida, e suas conexões com as perguntas de pesquisa devem ser demonstradas.

Ademais, é necessário demonstrar que os dados foram coletados em todo o espectro de condições indicadas nas perguntas de pesquisa. Isso é importante em estudos quantitativos e qualitativos, e tanto em estudos que testam teorias quanto em estudos que geram teorias. Isso também influencia a generalizabilidade ou transferibilidade das descobertas.

**Os procedimentos de análise dos dados são adequados e apropriados para as perguntas de pesquisa?** Novamente, isso se sobrepõe à qualidade dos dados, discutida na próxima seção. O termo "adequados" aqui se relaciona ao rastreamento de ações através da própria análise dos dados. Também significa "transparentes". Precisamos ser capazes de ver como o pesquisador partiu dos dados para as descobertas e conclusões a fim de saber como podemos confiar nas descobertas. Isso é importante nas duas abordagens, embora historicamente tenha sido mais fácil demonstrar na pesquisa quantitativa. Com os procedimentos agora disponíveis para a análise de dados qualitativos, é igualmente importante que os pesquisadores qualitativos mostrem como partiram dos dados para as conclusões. O termo "apropriados" aqui significa consistente com as perguntas de pesquisa.

*Qualidade dos dados.* As descobertas e conclusões da pesquisa empírica são tão boas quanto os dados em que se basearam. "Controle de qualidade dos dados" na pesquisa empírica é importante, portanto. Isso é discutido primeiro em termos de procedimentos na coleta dos dados e depois em termos de três aspectos técnicos da qualidade dos dados: confiabilidade, validade e reatividade. Cada uma dessas questões é discutida em contextos quantitativos e qualitativos.

*Procedimentos na coleta dos dados.* Cuidado, controle e abrangência nos procedimentos de coleta dos dados foram enfatizados nos contextos quantitativos e qualitativos. No Capítulo 11, vimos o que isso significa tanto no desenvolvimento de um instrumento de mensuração quanto nos procedimentos em que são usados. No Capítulo 8, observamos as mesmas questões na coleta de dados qualitativos. Nos dois casos, os pontos levantados são mais do senso comum do que técnicos e esotéricos, mas ainda assim são importantes. Eles se resumem a uma reflexão e planejamento atentos, precisão e testes-piloto (quando apropriado) e preparação abrangente. Exercem um impacto significativo nos aspectos mais técnicos da qualidade dos dados.

*Confiabilidade.* No Capítulo 11, a confiabilidade da mensuração foi definida em termos de consistência no sentido de estabilidade com o decorrer do tempo e de consistência interna. Descrevemos os procedimentos para estimar cada tipo de confiabilidade e demos as suas interpretações em termos de variância de erro. A confiabilidade dos dados da mensuração deve ser relatada. Para dados qualitativos, há alguma tradução do conceito de confiabilidade alinhada a novos pensamentos associados a paradigmas mais novos. Portanto, por exemplo, no paradigma construtivista o termo "dependabilidade" é proposto como equiparação a "confiabilidade" (Lincoln e Guba, 1985). Mas a ideia básica é similar, e o conceito de confiabilidade tem relevância para os dados qualitativos em dois aspectos. Primeiro, as mesmas perguntas podem ser feitas sobre dados qualitativos e quantitativos: qual é a estabilidade dos dados no decorrer do tempo? E, se múltiplas fontes de dados forem usadas, elas são internamente consistentes? Ou seja, até que ponto os dados convergem ou divergem? Segundo, até que ponto existe acordo entre os observadores quando dados de observação estão envolvidos? Uma pergunta relacionada se refere ao processamento inicial e análise dos dados qualitativos: a codificação de verificação mostra acordo entre os codificadores?

*Validade.* Validade aqui significa a validade dos dados. No Capítulo 11, a validade dos dados de mensuração foi discutida. A forma usual da pergunta sobre validade nesse contexto é: como sabemos se este instrumento mede o que pensamos que mede? Discutimos as três formas principais de validação quantitativa: conteúdo, validade relacionada a critérios e construtos. Uma versão mais ampla da pergunta sobre validade a torna diretamente aplicável a toda pesquisa empírica, quantitativa e qualitativa. A pergunta "Qual é o grau de validade dos dados?" realmente significa, nessa versão mais ampla: os dados representam bem os fenômenos que representam?

Na mensuração, devido à teoria dos traços latentes, a pergunta sobre validade em primeira instância se refere à inferência que parte de itens para variáveis e, em segunda instância, de variáveis para fatores. Com os dados qualitativos, o primeiro grau da análise se refere à inferência de indicadores para o conceito de primeira ordem, e o segundo grau de inferência parte do conceito de primeira ordem para segunda ordem. Devido à semelhança na estrutura conceitual, a pergunta sobre validade dos dados é praticamente idêntica nas duas abordagens. O relatório de pesquisa precisa considerar essa pergunta. Os dados quantitativos são validados conforme a descrição anterior. Os dados qualitativos são validados, nesse sentido técnico, através do uso da codificação de verificação e seguindo o rastreamento de ações em toda a análise.

*Reatividade.* Reatividade se refere ao grau em que o processo de coleta de dados altera os dados. É uma questão comum na pesquisa, aplicando-se não somente às ciências sociais. Logo, na pesquisa quantitativa, reatividade de mensuração significa até que ponto o ato de mensurar alguma coisa altera essa coisa. Escalas de atitude, por exemplo, podem provocar ou influenciar a atitude em questão, alterando-a de algum modo. A reatividade também é uma possibilidade clara na pesquisa de observação. Os mesmos tipos de possibilidades existem na coleta de dados qualitativos. A presença de um observador participante pode alterar o comportamento dos observados ou podem ocorrer efeitos do entrevistador nos dados como resultado da presença ou estilo de certo entrevistador.

A pergunta avaliativa diz respeito à possibilidade de a reatividade nos dados ter sido considerada, relatada e levada em conta, e quais providências foram tomadas para minimizar seus efeitos. Num sentido geral, reatividade se refere tanto à confiabilidade quanto à validade dos dados, e à amostragem dos dados. A questão é se os dados obtidos na pesquisa são uma amostra real dos dados. Seriam dados se a pesquisa não estivesse sendo conduzida? O processo de pesquisa propriamente dito, e especificamente a coleta de dados, de algum modo influenciou os dados ou até mesmo gerou os dados? Essa pergunta se aplica às duas abordagens. Perguntas associadas, que também se aplicam às duas abordagens, se referem à capacidade de entendimento dos respondentes ou informantes (Essas pessoas realmente são capazes de responder as perguntas ou fornecer as informações?) e às possibilidades de engano (Elas estão dizendo a verdade?) e de desejabilidade social (Elas estão me dizendo o que acham que eu quero ouvir ou o que acham que as faz parecerem boas?).

Confiabilidade, validade e reatividade são questões técnicas sobre a qualidade dos dados na pesquisa empírica, e as ideias subjacentes se aplicam às duas abordagens. Para os dados qualitativos, porém, há uma outra questão observada no Capítulo 7. Um ponto forte dos dados qualitativos e geralmente um motivo para a adoção de uma abordagem qualitativa é considerar um fenômeno em seu contexto, estudá-lo holisticamente e com detalhes. Se a meta da pesquisa for obter dados ricos e holísticos, então precisamos perguntar e demonstrar se isso foi bem feito. A questão central é: a pesquisa forneceu uma descrição suficiente do contexto para permitir ao leitor julgar validade e transferibilidade das descobertas do estudo? (cf. especialmente Miles e Huberman, 1994: 279 e conheça questões mais específicas sobre esse tema).

### Descobertas e conclusões obtidas na pesquisa

As descobertas podem ser vistas como respostas às perguntas de pesquisa e conclusões sobre o que pode ser dito com base nessas descobertas. Cabem três perguntas aqui:

1. As perguntas de pesquisa foram respondidas?
2. Até que ponto podemos confiar nas respostas apresentadas?
3. O que pode ser concluído sobre a pesquisa com base no que foi descoberto?

A primeira pergunta requer alguns comentários. O primeiro objetivo da pesquisa é responder suas perguntas de pesquisa (ou testar suas hipóteses se for um estudo de verificação de teoria). O relatório deve conter respostas para essas perguntas (ou testes dessas hipóteses). Essas respostas são as descobertas da pesquisa (embora, obviamente, possam existir também outras descobertas que tenham surgido durante a pesquisa, mas que não foram enunciadas como perguntas de pesquisa).

As respostas à segunda e terceira perguntas dependem em parte dos critérios avaliativos que já consideramos, mas elas também vão além disso. As duas perguntas se sobrepõem e vêm juntas na avaliação do modo pelo qual evidências foram usadas para responder as perguntas e tirar conclusões e para avaliar a generalidade e aplicabilidade das descobertas e conclusões. Esses dois pontos correspondem, respectivamente, aos conceitos técnicos de validade interna e validade externa.

**Validade interna.** Validade interna se refere à lógica e consistência interna da pesquisa. Se a pesquisa for considerada um argumento (em que perguntas são feitas e dados são sistematicamente coletados e analisados para responder essas perguntas), a validade interna se refere à lógica e consistência interna desse argumento. A validade interna é definida com mais clareza e rigor no contexto quantitativo. Ali ela significa até que ponto as relações entre as variáveis são interpretadas corretamente. Ela foi bem estudada nesse contexto, e a referência de Campbell e Stanley (1963) lista as várias ameaças à validade interna que acompanham desenhos quantitativos diferentes.

A mesma ideia se aplica ao contexto qualitativo, mas precisa ser ampliada, tendo em vista o espectro maior de objetivos e desenhos na pesquisa qualitativa. Denzin e Lincoln sugerem uma definição bem ampla: validade interna se refere ao "isomorfismo das descobertas com a realidade" (1994: 114). Isso significa até que ponto as descobertas representam e refletem fielmente a realidade que foi estudada e tem dois aspectos. O primeiro é se a pesquisa tem consistência interna, ou seja, se todas as partes da pesquisa se encaixam, como discutimos na Seção 14.5.2, e se as descobertas têm consistência e coerência interna. O segundo é se as formas pelas quais as proposições foram desenvolvidas e confirmadas são descritas, incluindo eliminação de hipóteses rivais, consideração de evidências negativas e validação cruzada das descobertas com outras partes dos dados. Na pesquisa quantitativa, desenhos progressivamente mais complexos foram desenvolvidos para compensar as várias ameaças à validade interna. É o mesmo que eliminar hipóteses rivais. A mesma ideia se aplica aos estudos qualitativos, especialmente aqueles cujo objetivo for a explicação. O objetivo da amostragem teórica na pesquisa qualitativa, inclusive o estudo sistemático de casos negativos, é incorporar esses aspectos ao estudo.

Desenhos qualitativos às vezes incorporam outro elemento que não é típico na pesquisa quantitativa, mas que faz parte da validade interna. É a "verificação de membros", que significa fazer uma verificação com as pessoas que estejam sendo estudadas e que forneceram os dados. Não é apropriada em todas as situações e o seu uso e limitações precisam ser avaliados. Quando apropriada, pode ser aplicada primeiro aos dados, quando uma transcrição de entrevista, por exemplo, é levada de volta ao entrevistado antes da análise para verificar se o registro é acurado. Segundo, pode ser aplicada à análise à medida que ela se desenvolver. Aqui, significa levar os produtos de desenvolvimento da pesquisa – seus conceitos, proposições, o mapa cognitivo emergente – de volta às pessoas estudadas para confirmação, validação e verificação. Quando os objetivos de um estudo qualitativo são interpretativos e centrados em significados e significância simbólica como numa descrição etnográfica, a descrição em desenvolvimento pode ser verificada pelos membros em estágios diferentes. Quando os objetivos são mais abstratos, como na conceituação e explicação, o mesmo pode ser feito à medida que a análise prosseguir. Portanto, a verificação de membros muitas vezes é importante nos estudos com teoria fundamentada.

As perguntas sobre validade interna são, portanto: qual é o grau de consistência interna deste estudo? Quais são as ameaças à sua validade interna e como essas ameaças foram levadas em consideração?

**Validade externa.** Validade externa é a questão da generalizabilidade. Até que ponto as descobertas deste estudo são generalizáveis? Para estudos quantitativos, parte dessa generalizabilidade é a "generalização de pessoas", baseada na amostragem probabilística. Bracht e Glass (1968) chamam isso de "validade populacional" e reconhecem a sua importância. Mas também esclarecem que esse não é o único aspecto da generalização quantitativa – também há a questão da "validade ecológica" quando se generaliza a partir de um estudo quantitativo.

Com a qualificação dada no Capítulo 7 (há alguns estudos em que a generalização não é o objetivo), a pergunta sobre generalizabilidade também pode ser feita a respeito das descobertas de um estudo qualitativo. Até que ponto essas descobertas podem ser generalizadas? Há conclusões transferíveis a outros cenários e contextos? O conceito de transferibilidade costuma ser preferido à generalizabilidade nos textos qualitativos, e nesse contexto podemos focar na questão em três aspectos. Primeiro, na amostragem: é teoricamente diversa o bastante ou capta variação bastante para encorajar a transferência das descobertas para outras situações? Segundo, no contexto: o contexto é descrito maciçamente de modo que o leitor consiga julgar a transferibilidade das descobertas para outras situações? Terceiro, sobre o grau de abstração dos conceitos na análise dos dados: eles estão num grau suficiente de abstração de forma a permitir a sua aplicação a outros cenários?

Logo, as perguntas referentes a validade externa são: quais alegações podem ser feitas para a generalizabilidade dessas descobertas (se apropriadas)? Quais são as possíveis ameaças à sua generalização? Essas ameaças foram levadas em consideração? O relatório sugere como a generalizabilidade dessas descobertas poderia ser avaliada em outras situações?

**Apresentação**

Finalmente, há o relatório escrito da pesquisa (ou a proposta escrita). A redação da pesquisa é discutida no próximo capítulo.

## Resumo do capítulo

- O objetivo da pesquisa com métodos mistos é combinar coleta e análise de dados qualitativos e quantitativos de modo a obter pontos fortes complementares e pontos fracos que não se sobreponham.
- A história metodológica da pesquisa em ciências sociais mostra três ondas principais – dominação dos métodos quantitativos, emergência dos métodos qualitativos e crescimento dos métodos mistos.
- O pragmatismo emergiu como a principal filosofia ou paradigma associada(o) aos métodos mistos.
- A combinação de abordagens quantitativas e qualitativas envolvia as três dimensões de sequência de tempo, peso e mescla dos diferentes componentes.
- Uma classificação em quatro partes dos principais desenhos com métodos mistos ajuda a organizar a complexidade de possíveis combinações; os desenhos são rotulados de triangulação, incorporados, explicativos e exploratórios.
- Afirmativas claras sobre estratégia são úteis para descrever os desenhos com métodos mistos, assim como todos os outros desenhos.
- É importante que a pesquisa empírica seja escrutinada e avaliada, especialmente a respeito dos seus métodos.
- Em seu grau mais geral, a boa pesquisa empírica mostra as características da investigação disciplinada; similarmente, um bom projeto de pesquisa mostra consistência e validade interna com adequação entre todas as suas partes componentes.
- Critérios mais específicos para avaliar um projeto de pesquisa são sugeridos para cinco áreas principais – início da pesquisa, procedimentos empíricos usados, qualidade dos dados, descobertas/conclusões obtidas e apresentação.

## Termos-chave

Desenhos com métodos mistos: há várias formas pelas quais dados qualitativos e quantitativos podem ser combinados, levando a muitos desenhos com métodos mistos; quatro desenhos principais são rotulados de triangulação, incorporados, explicativos e exploratórios.

Investigação disciplinada: pesquisa que tem validade interna e que é conduzida e relatada de modo que seus dados e argumentos possam ser escrutinados pela comunidade científica.

Pesquisa com métodos mistos: pesquisa empírica que envolve coleta e análise de dados qualitativos e quantitativos.

Pragmatismo: principal postura filosófica associada à pesquisa com métodos mistos com foco no que "funciona".

Reatividade: a ideia de que o processo de coleta de dados muda os dados.

Validade externa: generalizabilidade – até que ponto essas descobertas podem ser generalizadas? Até que ponto as conclusões são transferíveis a outros cenários e contextos?

Validade interna: lógica e consistência interna da pesquisa.

## Exercícios e perguntas para estudo

1. Defina pesquisa com métodos mistos e explique brevemente por que e como ela emergiu como "terceira onda" na metodologia de pesquisa em ciências sociais.

2. Qual é o princípio fundamental da pesquisa com métodos mistos e qual é a sua base lógica?

3. Liste alguns dos principais pontos fortes e fracos da (a) pesquisa qualitativa e (b) pesquisa quantitativa.

4. Qual é a ideia essencial do pragmatismo e quais são as suas implicações para os métodos e perguntas de pesquisa?

5. Ao combinarmos abordagens qualitativas e quantitativas, quais são as três dimensões que precisam ser consideradas?

6. Descreva brevemente cada um dos quatro principais desenhos com métodos mistos – triangulação, incorporado, explicativo e exploratório.

7. Esboce o desenho e as perguntas de pesquisa para um desenho com métodos mistos explicativo com o tópico da alienação de alunos da escola. (Desenhe o Estágio 1 como um levantamento quantitativo com uma amostra grande, e o Estágio 2 como entrevistas complementares profundas com uma subamostra deliberadamente selecionada do Estágio 1.)

**8.** Estude as duas afirmativas de estratégia-desenho reproduzidas do livro de Creswell e Plano Clark no fim da Seção 14.4 (p. 398). Construa essa afirmativa para o estudo que você esboçou na Pergunta 7.

## Leitura complementar

Brewer, J. e Hunter, A. (2005) *Foundation of Multimethod Research: Synthesing Styles*. 2. ed. Thousand Oaks, CA: Sage.

Creswell, J.W. (2008) *Educational Research: Planning, Conducting and Evaluating Quantitative and Qualitative Research*. Upper Saddle River, NJ: Pearson.

Creswell, J.W. e Plano Clark, V. (2007) *Designing and Conducting Mixed Methods Research*. Thousand Oaks, CA: Sage.

*Journal of Mixed Methods Research.*

Plano Clark, V. e Creswell, J. (2008) *The Mixed Methods Reader*. Thousand Oaks, CA: Sage.

Tashakkori, A. e Teddlie, C. (2003a) *Handbook of Mixed Methods in Social and Behavioral Research*. Thousand Oaks, CA: Sage.

Tashakkori, A. e Teddlie, C. (2003b) "Major issues and controversies in the use of mixed methods in the social and behavioral sciences". In: A. Tashakkori e C. Teddlie (eds.), *Handbook of Mixed Methods in Social and Behavioral Research*. Thousand Oaks, CA: Sage, p. 3-53.

Tashakkori, A. e Teddlie, C. (2003c) "The past and future of mixed methods research: From data triangulation to mixed model design". In: A. Tashakkori e C. Teddlie (eds.), *Handbook of Mixed Methods in Social and Behavioral Research*. Thousand Oaks, CA: Sage, p. 671-702.

## Nota

1. Um resumo dos pontos fortes e fracos das duas abordagens é dado por Bryman (1988: 94). Um resumo das críticas e pontos fracos da abordagem quantitativa (que chamam de "visão recebida") é dado em Guba e Lincoln (1994: 106-107). Eles veem cinco críticas internas principais: remoção do contexto, exclusão do significado e objetivo, teorias imponentes que não se adaptam aos contextos locais, não aplicabilidade de dados gerais a casos individuais e exclusão de descoberta. Poderíamos acrescentar simplificação e reducionismo. Eles também veem quatro críticas externas principais: fatos carregados de teoria, subdeterminação de teoria, fatos carregados de valor e interação entre pesquisador e pesquisado.

# 15

# REDAÇÃO DE PESQUISA

**Sumário**

15.1 Fundamentos
    15.1.1 A tradição quantitativa
    15.1.2 Redação na pesquisa qualitativa
    15.1.3 A mescla analítica
15.2 Documentos de pesquisa
    15.2.1 Propostas
    15.2.2 Propostas qualitativas
    15.2.3 Propostas com métodos mistos
    15.2.4 Exemplos de propostas
    15.2.5 Resumos e títulos
    15.2.6 Dissertações (e projetos)
15.3 Escrever para descrever *versus* escrever para aprender: redação como análise
15.4 Escolhas de redação
    Resumo do capítulo
    Exercícios e perguntas para estudo
    Leitura complementar

---

**OBJETIVOS DE APRENDIZAGEM**

**Após estudar este capítulo, você saberá:**

- Descrever a estrutura típica de um relatório de pesquisa quantitativa;
- Explicar como essa estrutura se ampliou para a redação da pesquisa qualitativa;
- Listar títulos que mostrem o conteúdo esperado de uma proposta e descrever brevemente o que cada título indica;
- Listar títulos que mostrem o conteúdo esperado de uma dissertação e descrever brevemente o que cada título indica;
- Explicar o que significa a consistência interna de uma proposta ou dissertação.

A redação é uma parte importante da pesquisa. Iniciar um projeto geralmente significa extraí-lo de ideias para uma proposta escrita. Na outra ponta, um projeto não está completo até ser compartilhado através da escrita. Assim, uma proposta escrita é necessária para que o projeto comece, e um relatório escrito é necessário após o projeto. O fato é que a qualidade da pesquisa é julgada em parte pela qualidade do documento escrito (proposta ou relatório).

A primeira parte deste capítulo descreve alguns fundamentos para o tópico da redação de pesquisa, observando brevemente a redação na tradição quantitativa e o espectro bem maior de escolhas de redação na pesquisa qualitativa, e usando a "mescla analítica" como recurso para refletir sobre redação quantitativa e qualitativa juntas. A segunda parte trata com alguns detalhes das propostas de pesquisa e, com menos detalhes, de resumos e dissertações. As seções finais discutem resumidamente a distinção entre escrever para um relatório ou para aprender e algumas das escolhas enfrentadas pelo pesquisador de ciências sociais no que se refere à escrita.

## 15.1 Fundamentos

### 15.1.1 A tradição quantitativa

O formato convencional para relatar (ou propor) uma pesquisa quantitativa tem títulos assim (Miles, Huberman e Saldana, 2013):
• Definição do problema;
• Estrutura conceitual;
• Perguntas de pesquisa;
• Método;
• Análise de dados;
• Conclusões;
• Discussão.

Uma forma ainda mais resumida usada por alguns periódicos (p. ex., periódicos com forte tendência behaviorista em psicologia e educação) tem apenas quatro títulos – introdução e perguntas de pesquisa, método, resultados, discussão. Para boa parte dos relatórios de pesquisas quantitativas, essa estrutura de títulos ainda é bem apropriada – Gilbert (2008), por exemplo, descreve o artigo sociológico (quantitativo) convencional com títulos similares. Mas muitos pesquisadores qualitativos atualmente achariam esses títulos restritivos demais. Os títulos ainda são relevantes a boa parte do que fazemos, mas muitas vezes temos expectativas diferentes e mais amplas para um relatório de pesquisa qualitativa em especial do que esses títulos conseguem oferecer. Mais uma vez isso reflete o espectro de perspectivas na pesquisa qualitativa em contraste com a homogeneidade relativa de muitas pesquisas quantitativas.

## 15.1.2 Redação na pesquisa qualitativa

Neste livro usei o *continuum* com periodização da estrutura (Seção 2.6) para enfatizar o espectro da pesquisa em ciências sociais, especialmente da pesquisa qualitativa. Escrever sobre pesquisa quantitativa em geral é uma questão relativamente objetiva, com modelos e estruturas convencionais como aqueles na seção anterior para orientar o autor. A redação na pesquisa qualitativa, porém, assim como a própria pesquisa, é muito mais variada, diversa e nada monolítica (Coffey e Atkinson, 1996). Portanto, em direção à extremidade direita desse *continuum*, há um espectro maior de modelos, estratégias e possibilidades de redação. Algumas das perspectivas da pesquisa qualitativa contemporânea (como feminismo e pós-modernidade, especialmente em etnografia) ampliam ainda mais o espectro.

A reconsideração da pesquisa que acompanhou os debates paradigmáticos e a emergência de novas perspectivas incluiu a redação da pesquisa – como a pesquisa deve ser expressa por escrito e comunicada. Especialmente quando vista de uma perspectiva de análise do discurso ou sociologia do conhecimento, essa reconsideração possibilitou uma consciência das escolhas sobre redação, identificando o modelo de redação quantitativa convencional como apenas uma das escolhas. A apreciação de um espectro maior de escolhas também significou a libertação de algumas das restrições à redação e o estímulo à experimentação de formas mais novas de redação.

Como resultado, há uma proliferação de formas de redação na pesquisa qualitativa, e modelos mais antigos de relatórios estão sendo mesclados com outras abordagens:

> Os relatórios de dados qualitativos podem ser uma das áreas mais férteis em andamento: não há formatos fixos, e os modos pelos quais os dados estão sendo analisados e interpretados estão ficando cada vez mais variados. Na qualidade de analistas de dados qualitativos, temos poucos cânones compartilhados sobre como os nossos estudos devem ser relatados. Devemos ter um acordo normativo a respeito? Provavelmente não agora – ou nunca, diriam alguns (Miles, Huberman e Saldana, 2013).

## 15.1.3 A mescla analítica

Neste capítulo discuto a redação da pesquisa nas abordagens quantitativas e qualitativas, tendo em mente as suas diferenças, mas sem enfatizá-las demasiadamente, e também tendo em mente estudos com métodos mistos que combinam as duas abordagens. Adaptar a "mescla analítica" de Miles e Huberman (1994: 301-302) é algo útil para fazer isso, já que ela reúne elementos fundamentais das duas abordagens.

**Tabela 15.1 Termos na mescla analítica**

| Quantitativa | Qualitativa |
| --- | --- |
| Orientada por variáveis | Orientada por casos |
| Categorização | Contextualização |
| Analítica | Sintética |
| Ética | Êmica |
| Teoria da variância | Teoria do processo |

Uma parte dessa mescla analítica foi usada no Capítulo 14 (p. 380-384), onde a pesquisa orientada por variáveis (quantitativa) foi comparada à pesquisa orientada por casos (qualitativa). Como ilustra a Tabela 15.1, outros autores usaram termos sutilmente diferentes.

Miles e Huberman escrevem sobre essa mescla partindo de dentro da pesquisa qualitativa, expressando fortemente a visão de que uma pesquisa e um relatório qualitativos bons exigem os dois tipos de elementos da mescla. Podemos usá-la como estrutura para toda a redação da pesquisa.

A estrutura ecoa as duas tensões dentro da pesquisa qualitativa descritas por Nelson et al. (1992) ao discutirem estudos culturais, e parafraseadas por Denzin e Lincoln (2011). Por um lado, a pesquisa qualitativa é atraída por uma sensibilidade ampla, interpretativa, pós-moderna, feminista e crítica. Por outro lado, é atraída por conceitos positivistas, pós-positivistas, humanistas e naturalistas de definição mais estreita referentes à experiência humana e sua análise. Essas últimas concepções correspondem mais ao lado esquerdo da Tabela 15.1, enquanto as primeiras estão mais próximas ao lado direito.

Miles e Huberman observam que Vitz (1990) reflete essas duas visões, considerando a análise de dados convencional envolvendo o pensamento proposicional como fruto do raciocínio abstrato, levando a interpretações formais e teóricas. Gêneros figurativos, como as narrativas, envolvem um raciocínio mais concreto e holístico; são "estórias" que retêm as configurações temporais dos eventos originais.

No que se refere a redação, Miles e Huberman recomendam uma mistura dessas duas formas de ver o mundo. Consideram que o problema é o seguinte:

> Estórias sem variáveis não nos contam o bastante sobre o significado e a importância maior do que estamos vendo. Variáveis sem estórias definitivamente são abstratas e não convencem – o que pode explicar certas regras escrupulosas para relatar estudos quantitativos, assim como o comentário familiar, "Eu não conseguia entender bem os números até ver os dados abertos" (1994: 302).

O desafio, portanto, é:

> combinar elegância teórica e credibilidade apropriadamente com as muitas formas pelas quais os eventos sociais podem ser descritos; encontrar interseções entre o pensamento propositivo da maior parte dos estudos convencionais e do pensamento mais figurativo. Assim como uma boa análise quase sempre envolve uma mistura de movimentos orientados por variáveis, de categorização, "paradigmáticos", e movimentos orientados por casos, de contextualização e narrativos, o mesmo ocorre com bons relatórios (1994: 299).

Essas ideias sobre o espectro de estilos e da mistura deles são uma base útil para considerar propostas, resumos e dissertações.

## 15.2 Documentos de pesquisa

Há dois tipos principais de documentos de pesquisa – propostas e relatórios (que podem ser dissertações, artigos de periódicos ou relatórios para outros fins). Como este livro é uma introdução à pesquisa em ciências sociais com muito foco no início da pesquisa, a maior atenção aqui é nas propostas. Boa parte do que é falado naturalmente estende-se a dissertações e artigos. Resumos e títulos também são brevemente considerados nesta seção.

### 15.2.1 Propostas

Esta seção resume as minhas opiniões sobre as propostas de pesquisa. Uma descrição completa dessas opiniões é dada em Punch (2006), onde todos os pontos mencionados a seguir são minuciosamente descritos e cinco propostas ilustrativas são apresentadas de modo completo.

O que é uma proposta de pesquisa? Num sentido, a resposta é óbvia – a proposta descreve o assunto da pesquisa proposta, o que está tentando obter e como o fará, e o que nós aprenderemos com isso e por que vale a pena aprender. Em outro sentido, a linha divisória entre a proposta e a pesquisa em si não é tão óbvia. A proposta descreve o que será feito, e a pesquisa é realizada após aprovação da proposta. Mas a preparação da proposta também pode envolver uma pesquisa considerável.

As três perguntas mais básicas são úteis para nortear o desenvolvimento da proposta:

- *Qual/O quê?* Qual é o objetivo desta pesquisa? O que estamos tentando descobrir?
- *Como?* Como a pesquisa proposta responderá estas perguntas?
- *Por quê?* Por que vale a pena fazer (ou financiar) esta pesquisa? Ou, o que vamos aprender e por que vale a pena saber?

A primeira pergunta (qual/o quê?) é tratada nos capítulos 4 e 5. A segunda (como?) é tratada nos capítulos 7, 8 e 9 para a pesquisa qualitativa, e os capítulos 10, 11 e 12 para a pesquisa quantitativa. A terceira pergunta (por quê?) é discutida ainda nesta seção.

Maxwell (2012) enfatiza que a forma e a estrutura da proposta estão amarradas ao seu objetivo – "explicar e justificar o seu estudo proposto a um público de pessoas que não são especialistas no seu tópico". *Explicar* significa que os seus leitores conseguem entender claramente o que você deseja fazer. *Justificar* significa que não somente entendem o que você planeja fazer, mas por quê. *O seu estudo proposto* significa que a proposta deve ser principalmente sobre o seu estudo, não principalmente sobre a literatura, o seu tópico de pesquisa ou os métodos de pesquisa em geral. *Pessoas que não são especialistas* significam que os pesquisadores muitas vezes terão leitores analisando as suas propostas sem serem especialistas da área específica.

Vale a pena considerar a proposta um argumento. Considerá-la um argumento significa enfatizar a sua linha de raciocínio, sua consistência interna e a inter-relação entre suas diferentes partes. Significa garantir que as diferentes partes se encaixem e mostrar como a pesquisa será uma investigação disciplinada, como descrevemos no Capítulo 14. Como argumento, ela deve explicar a lógica que subjaz ao estudo proposto em vez de simplesmente descrever o estudo. Ao fazê-lo, deve responder a pergunta que questiona por que esse desenho e método foram escolhidos para o estudo.

A seguir sugiro uma série de diretrizes para o desenvolvimento de uma proposta de pesquisa, mostrada na Tabela 15.2. Como prescrições não são adequadas, mas certos conteúdos são esperados, e como há semelhanças e diferenças nas propostas quantitativas e qualitativas, parece melhor apresentar uma lista completa de seções e títulos possíveis. Alguns se aplicam claramente à pesquisa quantitativa e qualitativa, enquanto outros são mais aplicáveis a uma abordagem. Nem todos seriam necessários em alguma proposta, podendo ser usados conforme o caso. São itens a serem pensados na preparação e apresentação da proposta, e são úteis no desenvolvimento de versões completas da proposta – quando versões mais curtas forem necessárias, uma boa estratégia é preparar a versão completa e depois resumi-la.

Muitos desses títulos (p. ex., perguntas de pesquisa gerais e específicas) agora não requerem comentários devido ao que já foi falado nos capítulos anteriores. Quando for o caso, indico ao leitor as partes apropriadas do livro. Quando pontos novos precisam ser explicados ou anteriores precisam ser reforçados, ou quando distinções importantes se aplicam entre abordagens quantitativas e qualitativas, comentários breves são feitos. Ressalto que são diretrizes sugeridas. Assim como ocorre com a redação de um relatório ou dissertação, não existe uma fórmula fixa para uma proposta. Há formas diferentes de apresentarmos o material e ordens diferentes que as seções podem seguir.

É mais fácil em muitos aspectos sugerir diretrizes de propostas para um estudo quantitativo, já que há mais variedade nos estudos qualitativos, e muitos estudos qualitativos serão emergentes, não pré-estruturados. Um estudo emergente não pode ser tão específico na proposta a respeito das suas perguntas de pesquisa, tampouco sobre os detalhes do desenho. Quando for o caso, a explicação precisa ser dada na proposta. Uma discussão sobre propostas qualitativas é apresentada após esta seção (Seção 15.2.2).

**Tabela 15.2 Lista de seções possíveis para propostas de pesquisa**

- Título e página de títulos
- Resumo
- Introdução: área e tópico
    - base e contexto
    - declaração do objetivo

- Perguntas de pesquisa: gerais e específicas
- Estrutura conceitual, teoria, hipóteses (conforme o caso)
- Literatura
- Métodos: estratégia e desenho
    - amostra e amostragem
    - coleta de dados – instrumentos e procedimentos
    - análise de dados
- Significância
- Consentimento, acesso e proteção aos participantes humanos
- Referências
- Apêndices (ex.: cronograma, orçamento, instrumentos etc.)

---

### Introdução

Um tópico pode ser apresentado de várias formas, e todos os tópicos têm base e contexto que precisam ser tratados na introdução, preparando o terreno para a pesquisa. Uma introdução robusta é importante para uma proposta convincente. O seu objetivo não é rever a literatura, mas mostrar em geral como o estudo proposto se encaixa no que já se sabe e localizá-lo em relação ao conhecimento e prática presentes. Nesse processo, deve haver uma identificação clara da área e do tópico de pesquisa, além de uma declaração geral do objetivo. Isso então poderá levar às perguntas de pesquisa da seção seguinte. Elementos específicos do estudo proposto também podem ser identificados aqui, conforme o caso – por exemplo, se conhecimentos ou experiências pessoais formarem uma parte importante do contexto ou se estudos-piloto ou preliminares tiverem sido realizados, ou se o estudo envolver uma análise secundária dos dados existentes (Maxwell, 1996).

Para propostas qualitativas, dois outros pontos podem se aplicar aqui. Um é a primeira pergunta avaliativa geral dada no Capítulo 14 – Qual postura subjaz à pesquisa? Se essa pergunta for pertinente, ela poderá ser respondida em termos gerais para orientar o leitor no início da proposta. A outra é mais específica – Onde o estudo proposto se localiza no *continuum* da estrutura? Isso influencia enfaticamente as seções posteriores da proposta. Se um estudo qualitativo rigorosamente estruturado for planejado, a proposta poderá seguir linhas similares à proposta quantitativa. Se um estudo mais emergente for planejado, em que o foco e a estrutura se desenvolvam ao longo do estudo, esse ponto deve ser explicado claramente.

No primeiro caso, existirão perguntas de pesquisa gerais e específicas. No segundo caso, somente perguntas de pesquisa de orientação geral.

### Perguntas de pesquisa

Foram discutidas detalhadamente nos capítulos 4 e 5. Na descrição de proposta sugerida, elas podem resultar da declaração geral de objetivo dada na introdução.

### Estrutura conceitual, teoria e hipóteses (se for o caso)

Há uma grande variação na aplicabilidade desta seção. Se for aplicável, é uma questão de julgar se a estrutura conceitual se enquadra aqui ou na seção sobre métodos que constará adiante na proposta. Teoria e hipóteses são incluídas se for o caso, como explico no Capítulo 4. Se houver teoria, ela poderá ser incluída na seção sobre revisão de literatura, não aqui. A função da teoria na pesquisa deve ser esclarecida aqui, entretanto.

### Literatura

A proposta precisa ser clara sobre a postura assumida a respeito da literatura no estudo proposto. Como já discutimos nos capítulos anteriores, há três possibilidades principais:

- A literatura é revista abrangentemente antes do estudo e tal revisão é incluída como parte da proposta.
- A literatura é revista abrangentemente antes do estágio empírico da pesquisa, mas essa revisão não é realizada até a proposta ser aprovada. Nesse caso, a natureza e o escopo da literatura a revisar, e a familiaridade com ela, devem ser indicados.
- A literatura deliberadamente não é revista antes do trabalho empírico, mas é integrada à pesquisa durante o estudo, como na pesquisa com teoria fundamentada. Também nesse caso a natureza e o escopo da literatura devem ser indicados.

Para algumas propostas qualitativas, a literatura pode ser usada para apurar o foco do estudo e dar estrutura às suas perguntas e ao desenho. Se for o caso, isso deve ser indicado, além do modo em que será feito. Em todos os casos, o pesquisador precisa conectar o estudo proposto à literatura (cf., p. ex., Marshall e Rossman, 1989; Locke et al., 1993; Maxwell, 1996).

**Métodos**

*Estratégia e desenho.* Em todas as propostas, sejam quantitativas, qualitativas ou de métodos mistos, é uma boa ideia iniciar esta seção com um parágrafo claro e curto descrevendo a estratégia que a pesquisa usará para responder as perguntas de pesquisa (cf. o exemplo dado no fim da Seção 14.4.4, p. 403-405). Os desenhos quantitativos básicos que discutimos são os desenhos de levantamentos experimentais, semiexperimentais e correlativos. Para esses desenhos ou suas variações, a estrutura conceitual pode ser mostrada aqui, não antes. Em estudos qualitativos, a localização do estudo ao longo do *continuum* da estrutura é particularmente importante para a sua estratégia e desenho. Como observamos no Capítulo 7, desenhos qualitativos, como estudos de caso (individuais ou múltiplos, interseccionais ou longitudinais), etnografia ou teoria fundamentada podem se sobrepor, e elementos dessas estratégias podem ser usados separadamente ou juntos. Isso significa que será difícil compartimentalizar o estudo com clareza. Não é um problema, mas devemos esclarecer que o estudo proposto usa elementos de estratégias diferentes. Os estudos qualitativos variam enormemente na questão de estruturas conceituais desenvolvidas antecipadamente, e a postura do estudo proposto sobre essa questão deve ser indicada. Uma estrutura desenvolvida antecipadamente de modo total ou parcial deve ser mostrada. Quando uma estrutura for desenvolvida, devemos indicar como isso será feito. Isso interagirá com a coleta e a análise dos dados e poderá ser tratado melhor ali. Estudos com métodos mistos devem identificar, descrever e justificar qual desenho com métodos mistos é proposto.

*Amostra.* Como ilustra o Capítulo 11, as três questões de amostragem fundamentais para a pesquisa quantitativa são o tamanho da amostra, como será selecionada e por quê, e quais alegações são feitas para a sua representatividade. A proposta qualitativa deve lidar com as perguntas relativas a quem ou o que será estudado e por quê. A estratégia de amostragem é importante para os dois tipos de estudos, e especialmente importante para as partes quantitativas e qualitativas de um estudo com métodos mistos, e a sua lógica precisa ser clara. Quando a estratégia de amostragem for emergente, como na amostragem teórica, isso precisa ser explicado.

*Coleta de dados.* As duas questões aqui são os (eventuais) instrumentos que serão usados para a coleta de dados e os procedimentos para administrar os instrumentos. Se um estudo quantitativo propuser o uso de instrumentos existentes, e informações sobre as suas características psicométricas estiverem disponíveis, eles devem ser incluídos. Se os instrumentos forem desenvolvidos, os estágios gerais para desenvolvê-los devem ser mostrados. Se um estudo qualitativo propuser o uso de instrumentos (p. ex., cronogramas de observação, entrevistas estruturadas ou semiestruturadas), os mesmos comentários são pertinentes. Técnicas de coleta de dados qualitativos menos estruturadas devem ser indicadas e discutidas, especialmente em termos de qualidade das questões dos dados mostradas na Seção 14.5.3. Para estudos quantitativos, qualitativos e com métodos mistos, os procedimentos propostos para a coleta de dados também devem ser descritos, e a descrição deve mostrar por que tais atividades de coleta de dados foram escolhidas. Possíveis ameaças à validade dos dados e estratégias para minimizar ou controlar essas ameaças também podem ser indicadas aqui.

*Análise de dados.* Propostas quantitativas devem indicar os procedimentos estatísticos pelos quais os dados serão analisados. Similarmente, a proposta qualitativa precisa mostrar como os seus dados serão analisados e como a análise proposta se encaixa nos outros componentes do estudo (cf. Seção 9.8, p. 268). Uma proposta com métodos mistos precisa cobrir os dois tipos de análises. Se pertinente, todos os tipos de propostas devem indicar qual uso do computador está planejado na análise dos dados.

### Significância

O tópico em questão e seu contexto determinarão a significância do estudo. Outros termos para tanto podem ser "justificação", "importância" ou "contribuição" do estudo – todos se referem à terceira pergunta abrangente anterior: Por que vale a pena fazer este estudo? Há três áreas gerais para a significância e contribuição do estudo – para o conhecimento na área, para considerações políticas e para os praticantes (Marshall e Rossman, 1989). A primeira, contribuição para o conhecimento, está intimamente ligada à literatura da área. Uma função da revisão da literatura é indicar lacunas no conhecimento na área e mostrar como o estudo contribuirá para preencher essas lacunas. Isso precisa ser definido levando-se em conta a postura assumida na literatura, como já discutimos.

### Consentimento, acesso e proteção a participantes humanos

Estes assuntos são tratados no Capítulo 3, sobre questões éticas.

**Referências**

Trata-se de uma lista com as referências citadas na proposta.

**Apêndices**

Podem incluir: cronograma para a pesquisa, cartas de apresentação ou permissão, formulários de consentimento, instrumentos de mensuração, questionários, guias de entrevistas, programas de observação, exemplos de estudo-piloto ou outros trabalhos relevantes concluídos (Maxwell, 2012).

## 15.2.2 Propostas qualitativas

Os estudos qualitativos variam enormemente, e em muitos o desenho e os procedimentos emergirão. Isso obviamente significa que o autor não pode especificar exatamente o que será feito antecipadamente, ao contrário de muitas propostas quantitativas. Quando for esse o caso, é necessário explicar a flexibilidade que o estudo requer, por que e como as decisões serão tomadas ao longo do estudo. Ao mesmo tempo, deve ser fornecido o máximo possível de detalhes. Os comitês de análise precisam julgar qualidade, viabilidade e exequibilidade do projeto proposto, além da capacidade do pesquisador de conduzi-lo. A proposta propriamente dita, através da sua organização, coerência e integração, atenção a detalhes e clareza conceitual, pode inspirar confiança na capacidade do pesquisador de executar a pesquisa. Ademais, quando houver um conhecimento especializado (p. ex., análise estatística avançada ou análise com teoria fundamentada), é útil ao pesquisador indicar como esse conhecimento será adquirido.

Marshall e Rossman (1989) enfatizam a necessidade de a proposta qualitativa garantir ao leitor o mérito e a disciplina acadêmica da pesquisa proposta. Essa necessidade é menos pronunciada hoje, já que há muito mais reconhecimento e aceitação da pesquisa qualitativa. Porém, há duas formas principais em que a proposta qualitativa pode oferecer essa garantia. Uma é dando informações acerca das questões técnicas da pesquisa, sob os métodos de pesquisa, como é rotineiramente feito nas propostas quantitativas; isso significa o plano de amostragem, a coleta de dados e a qualidade das questões sobre os dados, e os métodos propostos de análise. A outra se aplica a um estudo qualitativo emergente. A sua proposta deve indicar que o foco será desenvolvido ao longo do estudo e como esse foco será desenvolvido durante o trabalho empírico anterior.

Contrastando desenho e propostas nas diferentes extremidades do *continuum* da estrutura na pesquisa qualitativa, Denzin e Lincoln (1994: 200) escrevem:

> Os paradigmas positivistas, pós-positivistas, construcionistas e críticos ditam, em graus variáveis de liberdade, o desenho de uma investigação em pesquisa qualitativa. Isso pode ser considerado um *continuum*, com princípios de desenhos rigorosos numa extremidade e diretivas emergentes e menos estruturadas na outra. Os desenhos da pesquisa positivista incentivam a identificação e o desenvolvimento antecipados de uma pergunta de pesquisa e um conjunto de hipóteses, a escolha de um local para a pesquisa e o estabelecimento de estratégias de amostragem, assim como uma especificação das estratégias de pesquisa e métodos de análise que serão empregados. Uma proposta de pesquisa pode ser escrita de modo a apresentar os estágios e as fases do estudo. Essas fases podem ser conceituadas... (reflexão, entrada de planejamento, coleta de dados, saída do campo, análise e redação). Essa proposta também pode incluir um orçamento, uma revisão da literatura relevante, uma declaração concernente à proteção de sujeitos humanos, uma cópia dos formulários de consentimento, cronogramas de entrevistas e uma linha do tempo. Os desenhos positivistas tentam prever todos os problemas que possam surgir num estudo qualitativo. Tais desenhos fornecem mapas bem definidos ao pesquisador. O acadêmico que trabalha com essa tradição espera produzir um trabalho que encontre o seu lugar na literatura sobre o tópico estudado.
>
> Por outro lado, uma ambiguidade muito maior está associada aos desenhos pós-positivistas e não positivistas – aqueles baseados, por exemplo, em paradigmas teóricos construtivistas ou críticos ou em perspectivas de estudos étnicos, feministas ou culturais. Em estudos formatados por esses paradigmas e perspectivas, há menos ênfase em propostas de concessão formal, hipóteses bem formuladas, estruturas de amostragem rigorosamente definidas, cronogramas de entrevistas estruturados, além de formas de análise, métodos e estratégias de pesquisa predeterminados. O pesquisador segue um caminho de descoberta, usando como modelo trabalhos qualitativos que tenham conquistado a condição de clássicos na área.

Logo, para alguns tipos de pesquisa qualitativa em especial, não desejamos restringir demais a estrutura da proposta e precisamos preservar a flexibilidade. Por outro lado, vários autores (Coffey e Atkinson, 1996; Silverman, 2011) apontam que isso não deve ser interpretado como "qualquer coisa serve". Eisner (1991: 241-242) escreve seguindo a mesma linha sobre a pesquisa qualitativa na educação:

> As propostas de pesquisa qualitativa devem ter uma descrição completa do tópico a ser investigado, uma apresentação e análise da pesquisa

relevante ao tópico e uma discussão sobre as questões dentro do tópico ou os déficits na literatura da pesquisa que tornam o tópico do pesquisador significativo. Devem descrever os tipos de informações que podem ser protegidas e a variedade de métodos ou técnicas que serão empregados para proteger tais informações. As propostas devem identificar os tipos de recursos teóricos ou explicativos que podem ser usados para interpretar o que foi descrito e descrever os tipos de lugares, pessoas e materiais que provavelmente serão abordados.

A função das propostas não é propiciar um esquema ou fórmula impermeável a ser seguida pelo pesquisador, mas desenvolver um caso persuasivo que deixe claro ao leitor entendido que o autor tem a base necessária para fazer o estudo e refletiu claramente sobre os prováveis recursos a serem usados no estudo, e que o tópico, problema ou questão abordados são educacionalmente significativos.

Para evitar que alguns entendam esses comentários como reflexo da falta de necessidade de planejamento na condução da pesquisa qualitativa ou que "qualquer coisa serve", desejo esclarecer que as minhas palavras não devem ser interpretadas assim. Planejar é necessário. Porém, isso não deve nem pode funcionar como receita ou roteiro. As evidências são importantes. Devemos ser responsáveis por embasar aquilo que afirmamos, mas o embasamento não precisa de evidências mensuradas. Coerência, plausibilidade e utilidade são muito aceitáveis quando tentamos lidar com a complexidade social. O meu ponto não é defender a anarquia ou reduzir o estudo de escolas e salas de aula a uma projeção de Rorschach, mas enfatizar que a análise de uma proposta de pesquisa ou estudo de pesquisa deve empregar critérios apropriados ao gênero. Os professores que realizam tais avaliações, assim como os alunos da pós-graduação, devem entender a natureza do gênero, o que constitui critérios apropriados e por que são apropriados.

## 15.2.3 Propostas com métodos mistos

Depois que as perguntas de pesquisa e o desenho para respondê-las estiverem claros num estudo com métodos mistos, uma declaração de estratégia-desenho como aquela mostrada na Seção 14.4.4 pode ser construída para a proposta. Depois (e dependendo do desenho escolhido), costuma ser conveniente dividir uma proposta com métodos mistos em suas partes quantitativas e qualitativas, e descrever a amostragem, a coleta de dados e a análise de dados para cada parte. Contudo, embora essa divisão possa ajudar na apresentação, também é importante mostrar as conexões entre as duas partes. Isso se aplica particularmente à amostragem – por exemplo, quando um segundo estágio profundo qualitativo vem depois de um primeiro estágio quantitativo de uma amostra maior. Após descrever a estratégia de amostragem para o primeiro estágio, uma pergunta importante é: Como a subamostra do segundo estágio será escolhida e por quê?

## 15.2.4 Exemplos de propostas

A literatura contém alguns exemplos úteis de propostas de pesquisa. Além dos cinco mostrados em Punch (2006), um tratamento detalhado das propostas de tipos diferentes é dado por Locke et al. (1993). Eles apresentam quatro exemplos completos de propostas de pesquisa e fazem um comentário crítico detalhado sobre as diferentes seções e aspectos de cada uma. Eles escolheram as propostas para ilustrar diferentes desenhos e estilos de pesquisa, usando tópicos extraídos de áreas diferentes. As quatro propostas são:

1. Um estudo experimental ("Os efeitos da idade, modalidade, complexidade de resposta e prática no tempo de reação"). Esse estudo propõe um desenho de 2 fatores com medidas repetidas para testar 14 hipóteses sobre tempos de reação.

2. Um estudo qualitativo ("Volta de alunas à faculdade comunitária"). Esse estudo propõe o uso de entrevistas profundas para explorar o significado das experiências de mulheres mais velhas que voltam como alunas a uma faculdade comunitária.

3. Um estudo semiexperimental ("Ensinando as crianças a questionar o que leem: Uma tentativa de melhorar a compreensão na leitura através de treinamento numa estratégia de aprendizagem cognitiva"). Esse estudo propõe um desenho semiexperimental para testar três hipóteses sobre aquisição de leitura pelas crianças.

4. Uma proposta financiada ("Uma estratégia de competição para a cessação do tabagismo no local de trabalho"). Essa proposta de concessão de renovação também usa um desenho semiexperimental para avaliar a eficiência da competição/facilitação no recrutamento de funcionários para um programa de autoajuda visando à cessação do tabagismo e nos resultados do programa.

Além desses exemplos, Maxwell (2012) apresenta uma proposta qualitativa intitulada "Como os professores de ciência básica ajudam os alunos de medicina a aprender: A perspectiva dos alunos" e também faz um comentário detalhado sobre a proposta. A pesquisa que descreve propõe o uso de um estudo de caso de quatro professores excepcionais para responder seis perguntas de pesquisa específicas abordando como os professores ajudam os alunos de medicina a aprender. Observação dos participantes em sala de aula e entrevistas com alunos e professores são as principais fontes dos dados, suplementadas por dados documentais relevantes. Finalmente, Chenitz (1986) não inclui um exemplo de uma proposta real, mas escreve sobre a preparação de uma proposta para um estudo com teoria fundamentada.

## 15.2.5 Resumos e títulos

Resumo é uma breve síntese de uma proposta ou de um estudo concluído. Os resumos desempenham uma função importante na literatura da pesquisa e são necessários em propostas (em geral), em dissertações e em artigos de pesquisa de periódicos renomados. Resumos e títulos estão no coração do sistema de catalogação hierárquica para a literatura da pesquisa, o que se torna cada vez mais importante à medida que o volume da pesquisa continua a crescer. Esse sistema de catalogação permite aos pesquisadores primeiro buscar um título e ver se precisam se aprofundar num projeto. Se for o caso, podem recorrer ao resumo, que dará mais informações e talvez informações suficientes. Se ainda precisarem ir além, o último capítulo (p. ex., de uma dissertação) geralmente contém uma síntese do estudo e suas descobertas com mais detalhes do que o resumo. Podem seguir para o relatório completo se precisarem de ainda mais detalhes sobre a pesquisa.

A boa redação de resumos exige a habilidade de dizer o máximo possível com o mínimo possível de palavras. Para uma proposta, o resumo precisa tratar de duas questões principais – o assunto do estudo e quais objetivos devem ser alcançados (normalmente melhor declarados em termos das suas perguntas de pesquisa) e como pretende-se fazê-lo. Para um relatório, o resumo precisaria de três seções principais – essas duas, além de uma terceira que resuma o que foi descoberto. O resumo deve dar um panorama não apenas do estudo propriamente dito, mas também do argumento que subjaz ao estudo, o que deve percorrer as seções. Para a maioria de nós, a redação de resumos é uma habilidade que precisa ser desenvolvida, já que normalmente usamos muitas palavras supérfluas quando falamos e escrevemos. Assim como o título, o resumo costuma ser escrito por último, pois é difícil resumir o que ainda não foi escrito.

Os títulos também têm importância no processo de catalogação da literatura da pesquisa, como indicamos. Portanto, um título não deve ser simplesmente uma reflexão tardia, tampouco deve usar palavras ou frases que obscureçam em vez de revelarem o significado. Alongando o ponto sobre redação de resumos, o título deve transmitir o máximo possível de informações com o mínimo possível de palavras. Os títulos e a sua função são discutidos por Locke et al. (1993).

## 15.2.6 Dissertações (e projetos)

Como observamos, boa parte do foco deste livro é no início da pesquisa, então a ênfase neste capítulo é na redação da proposta de pesquisa. A pesquisa concluída é relatada de várias maneiras, e as dissertações são uma das principais formas. Como enfatizei as propostas, não há uma descrição minuciosa da dissertação aqui, tampouco orientações para a sua estrutura e redação. Há uma literatura considerável sobre o tópico, e referências a essa literatura são dadas nas sugestões de leitura complementar no fim do capítulo. Em vez disso, esta seção inclui comentários sobre três aspectos de uma dissertação – sobre o conteúdo geral que uma dissertação deve cobrir, sobre como uma dissertação pode ser vista e sobre a natureza da redação da dissertação.

Seja qual for a estrutura específica de capítulos, certo conteúdo básico é esperado numa dissertação, o que forma o relatório de uma pesquisa. Esse conteúdo inclui:
- Identificação clara da área e tópico da pesquisa;
- Declaração do(s) objetivo(s) e perguntas de pesquisa;
- Contextualização do estudo, inclusive a sua relação com a literatura relevante;
- Uma descrição dos métodos, inclusive estratégia e desenho, amostra e coleta e análise dos dados;
- Uma apresentação dos dados e da sua análise;
- Uma declaração clara das descobertas e uma consideração do que pode ser concluído após essas descobertas.

Esses itens são gerais o suficiente para cobrir trabalhos quantitativos e a maioria dos qualitativos. São similares às diretrizes mínimas de Miles e Huberman para a estrutura de um relatório de pesquisa qualitativa (1994: 304):
1. O relatório deve nos dizer o assunto do estudo ou como se chegou ao assunto do estudo.
2. Deve comunicar um sentido nítido do contexto social e histórico do(s) cenário(s) onde os dados foram coletados.
3. Deve nos fornecer o que Erickson (1986) chama de "história natural da investigação" para vermos claramente o que foi feito, por quem e como. De modo mais profundo do que num relato simplesmente de "métodos", devemos ver como conceitos fundamentais emergiram ao longo do tempo;

quais variáveis apareceram e desapareceram; quais códigos conduziram a ideias importantes.

4. Um bom relatório deve prover dados básicos, preferencialmente em forma focada (vinhetas, narrativa organizada, fotografias ou demonstrações de dados) para que o leitor possa, paralelamente ao pesquisador, chegar a conclusões abalizadas. (Conclusões sem dados são uma espécie de oximoro.)

5. Finalmente, os pesquisadores devem articular as suas conclusões e descrever seu significado mais amplo nos mundos das ideias e ação que afetam.

Como dividir o material em capítulos e seções é uma questão de julgamento para o autor da dissertação. Ao fazer esse julgamento, vale lembrar que uma dissertação é essencialmente o relatório de uma pesquisa, e a pesquisa em si constitui um argumento lógico. A pesquisa empírica (quantitativa, qualitativa ou com métodos mistos) introduz sistematicamente evidências empíricas nesse argumento como forma de responder perguntas, testar hipóteses ou construir entendimento. Alinhado a isso, um modo de encarar a pesquisa, inclusive a pesquisa da dissertação, é como uma série de decisões. Especialmente ao planejar e desenhar o projeto, o pesquisador enfrenta escolhas, muitas delas objetos deste livro. Portanto, o projeto concluído é uma combinação dessas escolhas, e a dissertação é o relatório disso. Não costuma ser o caso a existência de uma escolha certa e errada diante dessas muitas decisões. Como enfatizei frequentemente neste livro, é mais um caso de avaliar cada situação na pesquisa juntamente com as suas escolhas alternativas e seus inevitáveis pontos fortes e fracos, e de tomar cada decisão com base nessa análise à luz das circunstâncias da pesquisa e da necessidade de as partes do projeto se encaixarem.

Para refletir essa perspectiva na redação da dissertação, o autor pode dizer quais foram as escolhas em cada ponto, qual escolha foi feita e por quê. Considerar a dissertação dessa forma esclarece que não há um modo de fazer pesquisa e que qualquer pesquisa terá seus críticos. Reconhecendo isso, o objetivo é produzir um relatório completo de um conjunto cuidadosamente pensado de escolhas consistentes após consideração das alternativas. Num relatório escrito, o autor está, entre outras coisas, contando ao leitor o caminho de decisão percorrido ao longo da pesquisa e levando o leitor por esse caminho. A redação indica por que esse caminho foi escolhido, as alternativas consideradas e as decisões tomadas. Uma apresentação assim transmite a impressão de um projeto abrangente e cuidadoso, bem planejado, bem executado e bem relatado.

Muito já se escreveu sobre os tópicos de táticas e estilo na redação acadêmica e de dissertações, e os dois tópicos são cobertos na leitura complementar indicada. Os seguintes comentários se referem à necessidade de clareza, à função da síntese e à natureza modular e iterativa da redação da pesquisa.

Seja numa proposta ou relatório, a redação de pesquisa precisa se comunicar com clareza e eficácia, e o esforço em busca de clareza é parte da responsabilidade do autor. Clareza é necessária na estrutura do documento (as seções que terá, a ordem em que aparecerão e como estão conectadas) e nas palavras, frases e parágrafos que compõem as seções. Diretrizes claras ajudam nessas questões na pesquisa quantitativa, porém é mais difícil equilibrar clareza e "fidelidade" no contexto qualitativo. Citando Berger e Kellner (1981), Webb e Glesne apontam que temos uma obrigação moral de refletir estórias de significados humanos com a maior fidelidade possível. Refletindo o estilo da análise qualitativa enfatizado no Capítulo 9 deste livro, com abstrações partindo dos dados até construtos de primeira ordem e depois de segunda ordem, eles escrevem (1992: 804):

> Os construtos de segunda ordem que os cientistas sociais usam para entender a vida das pessoas devem provir dos construtos de primeira ordem (e voltar a eles) que essas mesmas pessoas usam para se definir e preencher a própria vida com significado. Transitar graciosamente entre os construtos de primeira e segunda ordem na redação é difícil. Sugerimos que os alunos têm a obrigação moral de serem claros para que o leitor não seja apartado da vida das pessoas estudadas e da análise do pesquisador. Não estamos sugerindo que os alunos devam facilitar o texto ou simplificar o que é complexo simplesmente para amenizar a leitura.

Uma estratégia geral para ajudar na clareza é se colocar (enquanto autor) no lugar do leitor. O que fará mais sentido ao leitor? O que garante que o leitor conseguirá facilmente seguir o argumento sem "se perder" no documento? Assim, o autor tenta prever as expectativas e reações do leitor. Vale lembrar também que o documento da pesquisa (proposta ou relatório) por fim será um documento independente. Isso significa que o autor não estará presente para interpretá-lo para o leitor no momento da leitura.

É importante ser sucinto para fins de clareza. Há várias pressões hoje para restringirmos o tamanho – os periódicos de pesquisa restringem o tamanho do artigo devido a considerações espaciais, e as universidades definem limites superiores para o tamanho das dissertações. Formas de sermos sucintos incluem ir direto ao ponto, cortar enchimentos desnecessários, não usar palavras longas quando podemos usar palavras mais curtas e manter frases curtas. O problema é que esse encurtamento requer retrabalho, o que consome tempo. Todo pesquisador descobre que falta de tempo é um problema para encurtar a redação (e deixá-la clara). A mensagem é reservar um tempo adequado para o encurtamento, se possível.

A organização e a estrutura de uma dissertação (ou proposta) geralmente exigem a segmentação em seções. É útil considerá-las como módulos, organizar esses módulos em capítulos e redigir a dissertação escrevendo esses módulos. A divisão torna o trabalho menos desafiador. Também vale a pena escrever as seções diferentes ou ao menos manter notas completas e fazer um rascunho das seções ao longo dos estágios da pesquisa. Surgem tantas questões e decisões durante um projeto de pesquisa que é impossível lembrar todas elas no que se refere ao "tempo de redação" sem notas completas das várias discussões, leituras etc. Wolcott (1990) vai ainda além com o seu conselho: "Você não pode começar a escrever cedo o suficiente". A estratégia de "escrever ao longo do caminho" ajuda a explicitar as ideias (Miles, Huberman e Saldana, 2013) e também explora o valor da redação como parte da aprendizagem. Algumas estratégias específicas para ajudar a redação acadêmica são dadas em Punch (2006: 72-74).

## 15.3 Escrever para descrever *versus* escrever para aprender: redação como análise

No modelo tradicional de redação em pesquisa, a redação não é finalizada até o fim da pesquisa e a compreensão de tudo. "Já fiz a pesquisa toda, agora estou redigindo." Aqui está implícita a ideia de que não começo a escrever até "ter entendido tudo". Isso é *escrever para descrever.*

Uma visão diferente considera a redação uma forma de aprender, de saber, uma forma de análise e investigação. Essa é a ideia de "escrever para entender". Nessa visão, não retardo a redação até ter entendido tudo. Ao contrário, uso o processo da própria redação para me ajudar a entender, já que aprendo escrevendo. Os autores interpretam; portanto, escrever é um modo de aprender através de descoberta e análise (Richardson, 1994). Logo, escrever se torna parte integrante da pesquisa e não um simples acréscimo depois que a pesquisa "real" termina. Isso é *escrever para aprender.*

Escrever para aprender é mais provável na pesquisa qualitativa. Porém, também pode ter a sua função nos estudos quantitativos – por exemplo, quando o pesquisador está interpretando os resultados da análise de conjuntos de dados complexos, como num levantamento correlativo multivariável. Nesses casos, construir um retrato geral dos resultados, integrá-los e interpretá-los é semelhante a descrever o retrato emergente que acompanha algumas formas de análise de dados qualitativos (como o tipo de Miles e Huberman). Ao mesmo tempo, esse modelo de redação é especialmente adequado para alguns tipos de análise qualitativa em que o pesquisador está construindo um mapa ou um retrato teórico dos dados, o que emerge ao longo da análise. O processo de redação pode ser de grande ajuda no desenvolvimento desse retrato emergente. Uma implicação prática dessa visão é que uma tática útil quando ficamos bloqueados ou confusos ao desenvolver o retrato é tentar escrever um pouco sobre ele.

É mais provável que os pesquisadores qualitativos, portanto, enfatizem que escrita é análise, sem separação. No "trabalho analítico de escrever" (Coffey e Atkinson, 1996), escrever faz parte de pensar, analisar e interpretar. A "crise de representação" (Denzin e Lincoln, 1994) também ocasionou mudanças nos conceitos de como representar a "realidade" com a qual a pesquisa qualitativa (especialmente) precisa lidar, notadamente o mundo da experiência real vivida. Juntos, esses dois pontos trazem um novo foco à forma do relatório de pesquisa escrito:

> O efeito líquido dos desenvolvimentos recentes é que não podemos abordar o trabalho de "escrever" a nossa pesquisa como um trabalho objetivo (se não for exigente). Precisamos abordá-lo como um trabalho analítico em que a forma dos nossos relatórios e representações é tão poderosa e significativa quanto o seu conteúdo (Coffey e Atkinson, 1996: 109).

Essa visão, especialmente proeminente nos textos recentes sobre etnografia (Hammersley, 1995; Coffey e Atkinson, 1996), conduz a uma percepção das muitas escolhas envolvidas na produção de documentos de pesquisa.

## 15.4 Escolhas de redação

Webb e Glesne (1992: 803) ordenam as escolhas de redação enfrentadas pelo pesquisador, notadamente pelo pesquisador qualitativo, em três níveis. Macroquestões tratam de poder, voz e política na pesquisa; temas de alcance médio se referem a autoridade autoral, reunião de evidências e relação entre pesquisador e pesquisado; microtemas abordam se algo deve ser escrito em primeira pessoa, se o seu tom muda quando o autor passa dos dados para a teoria e como a estória é contada. Miles, Huberman e Saldana (2013) também identificam uma série de escolhas sobre relatórios e redação, enfatizando as escolhas e não um grupo fixo de ideias. Eles incluem escolhas sobre o público do relatório e os efeitos esperados nele, a voz ou o gênero do relatório, seu estilo de redação, sua estrutura e formato. Acompanhando essa gama de escolhas, Denzin e Lincoln acrescentam que o processo de redação é em si um ato interpretativo, pessoal e político (2011).

Essas escolhas de redação de fato se aplicam em todo o espectro de abordagens de pesquisa, métodos quantitativos, qualitativos e mistos, embora os desenvolvimentos na pesquisa qualitativa nos últimos 30 anos é que demonstraram isso com mais clareza. A leitura complementar indicada a seguir, especialmente na redação da pesquisa qualitativa, inclui discussões e exemplos dessas escolhas.

## Resumo do capítulo

- A tradição quantitativa nos dá um conjunto objetivo de títulos para redigir propostas e relatórios de pesquisa; a pesquisa qualitativa, por sua vez, apresenta uma gama muito mais ampla de modelos e estruturas de redação.
- As propostas de pesquisa precisam tratar das perguntas abrangentes "qual, como e por que" e um conjunto de títulos é apresentado para mostrar a proposta como argumento, com uma boa adequação entre as suas partes componentes, enquanto responde essas perguntas.
- Propostas qualitativas podem exigir mais flexibilidade e em alguns aspectos são mais difíceis de escrever, especialmente se um estudo emergente for proposto.
- Ao escrevermos propostas com métodos mistos, muitas vezes vale a pena separar a seção sobre métodos em partes qualitativas e quantitativas, mas uma descrição geral de estratégia e desenho deve mostrar como as partes se interconectam para responder as perguntas de pesquisa.
- Resumos e títulos são importantes para catalogar a literatura de pesquisa e exigem a habilidade de transmitir o máximo possível de informações com o mínimo possível de palavras.
- Considerar a dissertação como a descrição de uma pesquisa leva a uma visão mais clara do conteúdo esperado.
- "Escrever para descrever" é típico da tradição quantitativa na pesquisa; "escrever para aprender" muitas vezes é usado num contexto qualitativo, onde escrever é considerado parte da análise e da investigação.

## Exercícios e perguntas para estudo

1. O que significa a tradição quantitativa nos relatórios de pesquisa? Qual é a estrutura típica de um relatório nessa tradição?

**2.** Como e por que a pesquisa qualitativa ampliou as estratégias de redação para as propostas e dissertações?

**3.** Quais são as três perguntas centrais que guiam o desenvolvimento de uma proposta? Discuta cada pergunta e como cada uma pode ser tratada na proposta.

**4.** O que significa dizer que uma proposta de pesquisa é um argumento?

**5.** Que seções você esperaria descobrir numa proposta de pesquisa e qual é a função de cada uma?

**6.** Que capítulos você esperaria encontrar numa dissertação e qual é a função de cada um?

**7.** O que é resumo da pesquisa e por que é importante?

**8.** Estude uma edição recente de um periódico de pesquisa como *American Educational Research Journal, The Administrative Science Quarterly, British Journal of Psychology* ou *The American Sociological Review*. O que você aprende sobre redação de pesquisa ao estudar os títulos, resumos e estrutura dos artigos?

## Leitura complementar

### Redação acadêmica em geral

Broadley, L. (1987) *Academic Writing in Social Practice*. Filadélfia: Temple University Press.

Mullins, C.J. (1977) *A Guide to Writing and Publishing in the Social and Behavioural Sciences*. Nova York: Wiley.

Strunk, W. Jr. e White, E.B. (1979) *The Elements of Style*. 3. ed. Nova York: Macmillan.

Zinsser, W. (1976) *On Writing Well*. Nova York: Harper and Row.

### Redação qualitativa

Atkinson, P. (1990) *The Ethnographic Imagination: Textual Constructions of Reality*. Londres: Routledge.

Becker, H.S. (1986) *Writing for Social Scientists: How to Finish Your Thesis, Book, or Article*. Chicago: University of Chicago Press.

Clifford, J. e Marcus, G.E. (1986) *Writing Culture: The Poetics and Politics of Ethnography*. Berkeley, CA: University of California Press.

Geertz, C. (1983) *Works and Lives: The Anthropologist as Author*. Cambridge: Polity Press.

van Maanen, J. (1988) *Tales of the Field: On Writing Ethnography.* Chicago: University of Chicago Press.

Wolcott, H.F. (1990) *Writing Up Qualitative Research.* Newbury Park, CA: Sage.

## Propostas e dissertações

Glatthorn, A. e Joyner, R. (2005) *Writing the Winning Dissertation: A Step-by--Step Guide.* Londres: Sage.

Krathwohl, D.R. (1988) *How to Prepare a Research Proposal.* 3. ed. Siracusa, NY: Syracuse University Press.

Locke, L.F., Spirduso, W.W. e Silverman, S.J. (1993) *Proposals That Work: A Guide for Planning Dissertations and Grant Proposals.* 3. ed. Newbury Park, CA: Sage.

Long, T.J., Convey, J.J. e Chwalek, A.R. (1991) *Completing Dissertations in the Behavioural Sciences and Education.* São Francisco: Jossey-Bass.

Madsen, D. (1992) *Successful Dissertations and Theses.* 2. ed. São Francisco: Jossey-Bass.

Phillips, M. e Pugh, D.S. (1987) *How to Get a PhD.* Milton Keynes: Open University Press.

Punch, K.F. (2006) *Developing Effective Research Proposals.* 2. ed. Londres: Sage.

Rudestam, K.E. e Newton, R.R. (2000) *Surviving your Dissertation: A Comprehensive Guide to Content and Process.* 2. ed. Thousand Oaks, CA: Sage.

Sternberg, D. (1981) *How to Complete and Survive a Doctoral Dissertation.* Nova York: St Martins.

Thody, A. (2006) *Writing and Presenting Research.* Londres: Sage.

Walliman, N. (2004) *Your Undergraduate Dissertation: The Essential Guide to Success.* Londres: Sage.

# GLOSSÁRIO

**Ambientes virtuais**: três sistemas na internet que permitem aos usuários interagir usando textos ou gráficos tridimensionais. O sistema original, MUDs (domínios de multiusuários), é um ambiente textual simples que permite aos participantes interagir um de cada vez. A geração seguinte, MOOs (domínios de multiusuários orientados) é um ambiente textual que permite a mais de um participante conversar ao mesmo tempo, exibir emoções e manipular objetos. A última geração, MMORPGs (jogos de encenação on-line com vários jogadores), é um ambiente gráfico onde múltiplos participantes podem interagir usando textos e imagens tridimensionais criadas de modo personalizado.

**Amostra**: grupo menor que é estudado de fato, extraído de uma população maior; os dados são coletados (e analisados) na amostra, e depois são feitas inferências para a população.

**Amostragem deliberada** (ou propositiva): a amostragem é extraída da população de modo deliberado ou direcionado, de acordo com a lógica da pesquisa.

**Amostragem propositiva** (ou deliberada): a amostragem é extraída da população de modo deliberado ou direcionado, de acordo com a lógica da pesquisa.

**Amostragem representativa**: estratégia de amostragem em que cada unidade da população tem uma chance igual de ser selecionada na amostra; direcionada à generalização.

**Amostragem teórica**: ciclos consecutivos de coleta de dados guiados pelas direções teóricas que emergem da análise contínua; usada tipicamente na pesquisa com teoria fundamentada.

**Análise com teoria fundamentada**: procedimentos específicos na análise de dados para gerar uma teoria explicativa; o foco é essencialmente na elevação do grau conceitual (reconceituação) dos dados.

**Análise de covariância**: técnica estatística para investigar a diferença entre grupos em alguma variável dependente após controlar uma ou mais covariáveis.

**Análise de variância**: técnica estatística para investigar diferenças entre grupos em alguma variável dependente.

**Análise fatorial**: família de técnicas estatísticas para reduzir o número de variáveis sem perda de informações.

**Análise secundária**: nova análise de dados previamente coletados e analisados.

**Anotações**: pausa, especialmente na análise qualitativa, para anotar ideias sobre os dados à medida que elas ocorrem durante a codificação e análise.

**Assíncronas**: comunicações que usam a internet e estão sujeitas a atrasos na transmissão.

**Causação múltipla**: a ideia de que certo "efeito" tem causas múltiplas que geralmente são inter-relacionadas.

**Ciência como método**: método empírico para construir conhecimento cujo objetivo é desenvolver e testar a teoria para explicar os dados. Pesquisa com geração de teoria: gerar teoria a partir dos dados; pesquisa com verificação de teoria – testar a teoria diante dos dados.

**Codificação**: nomear ou rotular dados qualitativos

**Codificação aberta**: concentra-se na elevação do grau conceitual dos dados; é norteada pela pergunta: o que estes dados exemplificam? Usada em análise com teoria fundamentada; produz códigos substantivos.

**Codificação axial**: descoberta de conexões nos dados entre conceitos abstratos; usada na análise com teoria fundamentada; produz códigos teóricos.

**Codificação seletiva**: usada na análise com teoria fundamentada; identifica a categoria central de uma teoria fundamentada e eleva o grau conceitual da análise uma segunda vez.

**Códigos éticos**: acordos negociados de associações profissionais sobre a prática aceitável em certos contextos profissionais, ocupacionais e institucionais; tendem a incluir regras minuciosas para a condução da pesquisa.

**Confiabilidade** (dos dados): na pesquisa quantitativa, a consistência da mensuração: (a) consistência ao longo do tempo – confiabilidade teste-novo teste; (b) consistência dentro de indicadores – confiabilidade de consistência interna. Na pesquisa qualitativa, a dependabilidade dos dados.

**Considerar a variância**: estratégia central na pesquisa quantitativa; considerar a variância numa variável dependente pelo estudo da sua relação com as variáveis independentes.

**Correlação**: técnica estatística para mostrar a força e a direção da relação entre duas variáveis.

**Correlação negativa**: pontuações altas em uma variável acompanham pontuações baixas na outra variável (e vice-versa); à medida que uma variável sobe, a outra desce.

**Correlação positiva**: pontuações altas em uma variável acompanham pontuações altas na outra variável (e vice-versa); as duas variáveis sobem ou descem juntas.

**Covariável**: cf. Variável de controle

**Critério empírico** (para uma pergunta de pesquisa): está claro quais dados são necessários para responder esta pergunta de pesquisa? Em caso afirmativo, a pergunta de pesquisa atende ao critério empírico. Em caso negativo, é necessário desenvolver mais a pergunta de pesquisa.


**Dedução**: movimento descendente em graus de abstração, do mais geral e abstrato para o mais específico e concreto; oposto de indução.

**Definições**: definição *conceitual*: definição de um conceito (ou variável) em termos de outros conceitos abstratos. Isso gera a necessidade de encontrarmos atividades observáveis que sejam indicadoras do conceito. Essas atividades constituem a definição *operacional* do conceito. A validade do construto é acentuada quando há ligações lógicas estreitas entre as definições conceituais e operacionais.

**Descrição densa**: na pesquisa qualitativa, ênfase em captar e transmitir o retrato completo do comportamento estudado – de modo holístico, abrangente e contextualizado.

**Discurso**: sistema de linguagem que se pauta em determinada terminologia e que codifica formas específicas de conhecimento; muitas vezes usado para se referir a sistemas de conhecimento e suas práticas associadas (Seale, 1998; Tonkiss, 1988).

**Distribuição de frequência**: tabela ou diagrama que mostra a distribuição de uma série de pontuações.


**E-mail**: sistema de comunicação envolvendo composição, envio, armazenagem e recebimento de mensagens usando a internet.

**Empírico**: baseado na experiência ou observação direta do mundo.

**Empirismo**: termo filosófico que descreve a teoria epistemológica que considera a experiência como fundamento ou fonte de conhecimento.

**Entrevista desestruturada**: as perguntas da entrevista e as categorias das respostas não são pré-estabelecidas; as perguntas da entrevista são deliberadamente abertas.

**Entrevista estruturada**: as perguntas da entrevista são pré-estabelecidas e têm categorias de respostas predeterminadas.

**Espaço cibernético**: espaço criado pela internet onde existem objetos digitais.

**Estatisticamente significante**: usar estatística inferencial para concluir que é muito improvável que certo resultado tenha ocorrido por acaso; tal resultado, portanto, é considerado real.

**Estrutura conceitual**: estrutura que mostra os conceitos centrais de uma pesquisa e sua condição conceitual na sua relação mútua; muitas vezes é expressa em forma de diagrama.

**Estudo de caso**: estratégia de pesquisa com foco no estudo profundo, holístico e contextualizado de um ou mais casos; tipicamente usa múltiplas fontes de dados.

**Ética**: estudo do que são atitudes boas, certas ou virtuosas; pode ser abordado de pontos de vista diferentes.

**Ética aretaica**: enfatiza os modos mais virtuosos de ser e viver. Qual atitude nesta situação está de acordo com os traços ou disposições da pessoa virtuosa?

**Ética deontológica**: enfatiza atitudes provenientes do dever, não do prazer, inclinação ou interesse. Qual é a atitude certa nesta situação?

**Ética de pesquisa como deliberação situada**: os pesquisadores precisam interpretar códigos éticos: o que costuma incluir padrões e princípios abstratos – no contexto de certas situações de pesquisa.

**Ética situacional**: enfatiza que as decisões éticas são contextuais e nunca são definidas nitidamente ou resolvidas totalmente.

**Ética teleológica**: enfatiza a escolha da melhor atitude, usando a "maior felicidade" ou o princípio da "utilidade". Que atitude nesta situação provavelmente resultará no maior bem para todos os envolvidos?

**Etnografia**: estratégia de pesquisa preferida pelos antropólogos; busca entender a importância simbólica do comportamento, em seu contexto cultural, para os participantes; objetiva uma descrição cultural completa do modo de vida de alguns grupos de pessoas.

**Etnometodologia**: examina como as pessoas produzem uma interação social organizada em situações cotidianas comuns; expõe as "regras" ignoradas que constituem a infraestrutura que possibilita a interação social diária.

**Experimento**: desenho de pesquisa predominantemente quantitativo em que [a] uma ou mais variáveis independentes são manipuladas para estudar seu efeito numa variável dependente e [b] os participantes são aleatoriamente atribuídos a grupos de tratamento ou comparação.

**Grupo focal** (entrevista): método poderoso de coleta de dados qualitativos em que um pequeno número de pessoas (6-8) é entrevistado como grupo.

**Hierarquia de conceitos**: ferramenta útil para planejar e organizar a pesquisa; a hierarquia é: área – tópico – perguntas de pesquisa gerais – perguntas de pesquisa específicas – perguntas para coleta de dados.

**Hipótese**: resposta prevista para uma pergunta de pesquisa; na pesquisa para verificação de teoria, a hipótese resulta da teoria por dedução.

**Indução**: movimento ascendente em graus de abstração, do mais específico e concreto para o mais geral e abstrato; oposto de dedução.

**Inferência estatística**: série de regras para tomada de decisões a fim de avaliar a acurácia da inferência feita a partir da amostra para a população.

**Interação**: termo técnico em desenhos de pesquisa quantitativa; duas (ou mais) variáveis independentes podem interagir no seu efeito sobre uma variável dependente.

**Internet**: rede que conecta websites em computadores de formas padronizadas, formando a World Wide Web.

**Juízos de valor**: juízos morais ou éticos; juízos sobre o que é bom ou ruim, certo ou errado etc.; geralmente feitos como valores terminais – fins em si mesmos.

**Lacuna fato-valor**: visão segundo a qual afirmações de fato e afirmações de valor não têm conexão *lógica* entre si.

**Levantamento correlativo**: levantamento quantitativo em que o foco é no estudo das relações entre variáveis.

**Mecanismo de busca**: programa mecânico que gera um banco de dados, correlacionando palavras-chave ao conteúdo guardado na internet, e depois organiza e exibe os resultados de modo prontamente acessível.

**Mensuração**: operação que transforma dados em números.

**Modelo hipotético-dedutivo**: estratégia central da pesquisa com verificação de teoria que enfatiza os testes empíricos de hipóteses deduzidas da teoria. Uma *hipótese* é deduzida de uma *teoria* e depois testada em relação aos dados.

**Multivariável**: mais de uma variável dependente.

**Naturalismo**: o mundo social é estudado em seu estado natural, e não limitado para fins de pesquisa.

**Observação de participantes**: estratégia preferida para fazer etnografia; o pesquisador objetiva ser observador e participante da situação estudada a fim de entendê-la.

**Operacionalismo**: na pesquisa quantitativa, a ideia de que o significado de um conceito é dado pelo conjunto de operações necessárias para mensurá-lo (cf. definições – operacional).

**Paradigma**: conjunto de pressupostos sobre o mundo social e sobre o que constitui técnicas e tópicos apropriados para investigar esse mundo; conjunto de crenças básicas, uma visão de mundo, uma visão de como a ciência deve ser feita (ontologia, epistemologia, metodologia).

**Perguntas de pesquisa**: organizam a pesquisa mostrando os seus objetivos. Perguntas de pesquisa gerais orientam a pesquisa mostrando as perguntas gerais que a pesquisa objetiva responder; são gerais demais para serem respondidas diretamente; precisam ser mais específicas. Perguntas de pesquisa específicas tornam as perguntas de pesquisa gerais mais específicas; conectam as perguntas de pesquisa gerais aos dados.

**Perguntas para coleta de dados**: perguntas reais feitas para coletar dados, como perguntas de um levantamento na pesquisa quantitativa, e perguntas de uma entrevista numa pesquisa qualitativa; as perguntas para coleta de dados resultam logicamente de perguntas de pesquisa específicas.

**Pesquisa-ação**: uso de procedimentos empíricos em ciclos iterativos de ação e pesquisa para resolver problemas práticos.

**Pesquisa com geração de teoria**: pesquisa empírica cujo objetivo é descobrir ou construir uma teoria para explicar os dados; começa com os dados e termina com uma teoria.

**Pesquisa com métodos mistos**: pesquisa empírica que reúne dados (e métodos) quantitativos e dados (e métodos) qualitativos; há muitos modelos para fazer isso.

**Pesquisa com verificação de teoria**: pesquisa empírica cujo objetivo é testar uma teoria diante dos dados; começa com uma teoria e usa os dados para testar a teoria (cf. método hipotético-dedutivo).

**Pesquisa na internet**: uso da internet como ferramenta para conduzir pesquisas em locais virtuais ou reais.

**População**: grupo-alvo, geralmente grande, sobre o qual desejamos desenvolver conhecimento, mas que não podemos estudar diretamente; logo, extraímos uma amostra dessa população.

**Portal de assuntos**: banco de dados contendo recursos da web que foram selecionados, avaliados e verificados manualmente por especialistas do assunto para assegurar a sua qualidade.

**Positivismo**: num sentido amplo, veio a significar uma abordagem à pesquisa social que enfatiza a descoberta de leis gerais e separa fatos de valores; costuma envolver um compromisso empirista com o naturalismo e métodos quantitativos (Seale, 1998: 328).

**Princípio da Autonomia**: obrigação do investigador de respeitar cada participante como alguém capaz de tomar uma decisão informada referente à participação no estudo da pesquisa.

**Princípio da Beneficência**: obrigação do investigador de tentar maximizar os benefícios para o participante individual e/ou a sociedade ao mesmo tempo em que minimiza o risco de perigo para o indivíduo.

**Princípio da Confiança**: obrigação do investigador de proteger as informações confiadas a ele pelos participantes da pesquisa; inclui os princípios de confidencialidade, privacidade e anonimato.

**Qui-quadrado**: técnica estatística com muitos usos; um uso comum é ver se as variáveis numa tabulação cruzada estão relacionadas.

**Rastreamento de ações** (nos dados): processo que mostra como os dados foram analisados para se chegar às conclusões.

**Reatividade**: a ideia de que os dados coletados podem de algum modo ser modificados ou influenciados pelo próprio processo de coleta de dados.

**Regressão**: técnica estatística para prever pontuações em uma variável a partir de pontuações de outra variável.

**Regressão linear múltipla**: estratégia de desenho quantitativo e análise de dados com diversas variáveis independentes e uma variável dependente; objetiva considerar a variância na variável dependente.

**Salas de chat**: qualquer forma de tecnologia que permite aos participantes conversar individualmente (mensagens instantâneas) ou em grupos (fóruns on-line e ambientes virtuais) em tempo real.

**Saturação teórica**: "estágio final" da amostragem teórica na pesquisa com teoria fundamentada, quando dados novos não mostram elementos teóricos novos, e sim confirmam o que já foi descoberto.

**Semiexperimento**: grupos de tratamento de ocorrência natural, permitem comparações entre grupos, aproximando-os do verdadeiro desenho experimental.

**Semiótica**: a ciência dos sinais; o seu foco é no processo pelo qual algo representa outra coisa.

**Sensibilidade** (da mensuração): habilidade de um instrumento de mensuração de produzir variância (confiável) e diferenciar as pessoas mensuradas.

**Sensibilidade teórica**: termo usado na teoria fundamentada; estar atento e sensível às possibilidades teóricas nos dados; habilidade de "ver", com profundidade teórica e analítica, o que está nos dados.

**Servidores de listas**: aplicativos que permitem a um provedor de e-mails controlar quem pode ler e postar numa lista de e-mails.

**Síncronas**: comunicações usando a internet que aparecem diretamente no computador do destinatário.


**Tabela de contingência**: uso da tabulação cruzada para verificar se a distribuição de uma variável se relaciona (ou é contingente) à outra variável.

**Tabulação cruzada**: duas variáveis são submetidas a uma tabulação mútua.

**Teoria**: teoria explicativa – conjunto de proposições que explicam os dados; os conceitos nas proposições da teoria explicativa são mais abstratos do que aqueles nos dados.

**Teoria fundamentada**: estratégia distintiva de pesquisa que objetiva gerar uma teoria explicativa fundamentada em dados.

**Teste T**: técnica estatística para investigar diferenças entre dois grupos em alguma variável dependente; caso especial de análise de variância.

**Traço latente**: quando o traço (ou a variável) que desejamos mensurar está oculto(a) e nós o(a) mensuramos a partir de inferência dos seus indicadores observáveis.

**Triangulação**: usar vários tipos de métodos ou dados para estudar um tópico; o tipo mais comum é a triangulação de dados, em que um estudo usa uma variedade de fontes de dados.

**Univariável**: apenas uma variável dependente.


**Validade**: termo complexo com muitos significados, tanto técnicos quanto gerais; três significados técnicos importantes são: validade de um instrumento de mensuração; validade de um desenho de pesquisa (validade interna); condição de verdade de um relatório de pesquisa.

**Validade** (da mensuração): até que ponto um instrumento de mensuração mede o que deve medir.

**Validade de conteúdo (ou aparente)**: O instrumento de mensuração extrai amostras satisfatoriamente de todas as áreas de conteúdo na descrição conceitual?

**Validade do construto**: O instrumento de mensuração se conforma satisfatoriamente às expectativas teóricas?

**Validade preditiva**: O instrumento de mensuração prevê satisfatoriamente o comportamento posterior?

**Validade relacionada ao critério**: Como o instrumento de mensuração se compara a outra medida do mesmo construto?

**Variável contínua**: variável que varia em grau, não em tipo (ex.: altura, nível de renda, nível de sucesso); sinônimo de variável mensurada.

**Variável de controle**: variável cujo efeito desejamos excluir ou controlar; sinônimo de covariável.

**Variável dependente**: variável vista como "efeito" numa relação causa-efeito. Sinônimos: variável de resultado em desenhos experimentais; variável de critério em levantamentos correlativos.

**Variável discreta**: variável que varia em tipo, não grau; sua variância é em categorias (ex.: cor dos olhos, filiação religiosa, país de nascimento); sinônimos: variável categórica, variável descontínua.

**Variável independente**: variável considerada a "causa" numa relação causa-efeito. Sinônimos: variável de tratamento em desenhos experimentais; variável de previsão em levantamentos correlativos.

**Verificação de membros**: o pesquisador qualitativo verifica os dados e a análise à medida que eles se desenvolvem com as pessoas estudadas, que forneceram os dados; típica da pesquisa com teoria fundamentada.

**Web 2.0**: relação em que os usuários da internet assumem uma função ativa, interagindo e colaborando com outros usuários através de aplicativos como Wikis, blogues, MySpace, Facebook, Twitter etc. para gerar conteúdo on-line.

**World Wide Web**: sistema de websites interligados na internet comumente conhecido como "a rede".

# APÊNDICE 1
# CONCLUINDO E VERIFICANDO CONCLUSÕES NA ANÁLISE QUALITATIVA

Este apêndice contém as duas listas de táticas dadas por Miles e Huberman (1994), a primeira para gerar significado na análise qualitativa, e a segunda para testar ou confirmar as descobertas. Todas as táticas nas duas listas são descritas e discutidas no livro de Miles e Huberman.

Os dois grupos de táticas se enquadram no grupo de seis movimentos analíticos "razoavelmente clássicos" observados por Miles e Huberman (1994: 8) como elementos gerais comuns de diferentes abordagens à análise qualitativa:

- Afixação de códigos a um conjunto de notas de campo extraído de observações ou entrevistas;
- Anotação de reflexões ou outras observações nas margens;
- Classificação e filtragem desses materiais para identificar enunciados similares, relações entre variáveis, padrões, temas, diferenças distintas entre subgrupos e sequências comuns;
- Isolamento desses padrões e processos, semelhanças e diferenças, e levando-os para o campo na próxima ocasião de coleta de dados;
- Elaboração gradual de um pequeno grupo de generalizações que cubra as consistências discernidas nos bancos de dados;
- Confronto dessas generalizações com um corpo de conhecimento formalizado na forma de construtos ou teorias.

### A1.1 Táticas para gerar significado

Estas táticas são numeradas de 1 a 13. São arrumadas de modo geral, partindo do descritivo ao explicativo, e do concreto ao mais conceitual e abstrato. São vistas rapidamente de modo panorâmico e depois listadas.

Observar padrões, temas (1), verificar a plausibilidade (2) e agrupar (3) ajudam o analista a ver "o que vai com o quê". Fazer metáforas (4), como as três táticas anteriores, é uma forma de se obter mais integração entre diversos dados. Contar (5) também é uma maneira familiar de ver "o que existe".

Fazer oposições/comparações (6) é uma tática disseminada que apura o entendimento. Às vezes a diferenciação também é necessária, como na divisão de variáveis (7).

Também precisamos de táticas para ver as coisas e suas relações mais abstratamente. Isso inclui adicionar detalhes ao geral (8); fatorar (9) um análogo de uma técnica quantitativa familiar; observar as relações entre as variáveis (10); e encontrar variáveis intervenientes (11).

Por fim, como podemos montar sistematicamente um entendimento coerente dos dados? As táticas discutidas são construir uma cadeia lógica de evidências (12) e fazer coerência conceitual/teórica (13).

As 13 táticas são:

1. observar padrões, temas
2. verificar a plausibilidade
3. agrupar
4. fazer metáforas
5. contar
6. fazer oposições/comparações
7. dividir variáveis
8. adicionar detalhes ao geral
9. fatorar
10. observar as relações entre as variáveis
11. encontrar variáveis intervenientes
12. construir uma cadeia lógica de evidências
13. fazer coerência conceitual/teórica (1994: 245-262)

### A1.2 Táticas para testar ou confirmar descobertas

Estas táticas também são numeradas de 1 a 13, começando com aquelas que objetivam garantir a qualidade básica dos dados, depois passando para aquelas que verificam as descobertas examinando exceções aos padrões iniciais. Elas terminam com táticas que assumem uma abordagem cética e exigente às explicações emergentes.

A qualidade dos dados pode ser avaliada através de verificação de representatividade (1); verificação de efeitos para o pesquisador (2) sobre o caso e vice-versa; e triangulação (3) em todas as fontes de dados e métodos. Essas verificações também podem envolver a ponderação das evidências (4), decidindo quais tipos de dados são os mais confiáveis.

Observar "não padrões" pode nos dizer muito. Verificar o significado de pontos fora da curva (5), usar casos extremos (6), acompanhar surpresas (7) e procurar evidências negativas (8) são táticas que testam uma conclusão sobre um "padrão" dizendo com o que não se parece.

Como podemos realmente testar as nossas explicações? Fazer testes "se... então" (9), eliminar relações espúrias (10), replicar uma descoberta (11) e verificar explicações rivais (12) são formas de submeter as nossas belas teorias ao ataque de fatos brutos ou a uma competição com a bela teoria de outra pessoa.

Finalmente, uma boa explicação merece atenção das próprias pessoas cujo comportamento esteja sendo observado – os informantes que forneceram os dados originais. A tática de obter retorno dos informantes (13) conclui a lista.

As 13 táticas são:

1. verificação de representatividade
2. verificação de efeitos para o pesquisador
3. triangulação
4. ponderação das evidências
5. verificar o significado de pontos fora da curva
6. usar casos extremos
7. acompanhar surpresas
8. procurar evidências negativas
9. fazer testes "se... então"
10. eliminar relações espúrias
11. replicar uma descoberta
12. verificar explicações rivais
13. obter retorno dos informantes (Miles e Huberman, 1994: 262-277)

# REFERÊNCIAS

Abbott, P. e Sapsford, R. (2006) "Ethics, politics and research". In: R. Sapsford e V. Jupp (eds.), *Data Collection and Analysis*. Londres: Sage, p. 291-312.

Ackoff, R. (1953) *The Design of Social Research*. Chicago: University of Chicago Press.

Adler, P.A. e Adler, P. (1994) "Observational techniques". In: N.K. Denzin e Y.S. Lincoln (eds.), *Handbook of Qualitative Research*. Thousand Oaks, CA: Sage, p. 377-392.

Alder, N. (2002) "Interpretations of the meaning of care: Creating caring relationships in urban middle school classrooms". *Urban Education*, 37(2): 241-266.

Alderson, P. e Morrow, V. (2011) *The Ethics of Research with Children and Young People: A Practical Handbook*. Londres: Sage.

Aldridge, J.M., Fraser, B.J. e Huang, T.I. (1999) "Investigating classroom environments in Taiwan and Australia with multiple research methods". *Journal of Educational Research*, 93(1): 48-62.

Amundsen, C. e Wilson, M. (2012) "Are we asking the right questions? A conceptual review of educational development in higher education". *Review of Educational Research*, 82(1): 90-126.

Anastasi, A. (1988) *Psychological Testing*. 6. ed. Nova York: Macmillan.

Andrews, D., Nonneck, B. e Preece, J. (2003) "Conducting research on the Internet: Online survey design, development and implementation guidelines". *International Journal of Human-Computer Interaction*, 16(2): 185-210.

Andrich, D. (1988) *Rasch Models for Measurement*. Newbury Park, CA: Sage.

Andrich, D. (1997) "Rating scale analysis". In: J.P. Keeves (ed.), *Educational Research, Methodology, and Measurement: An International Handbook*. 2. ed. Oxford: Elsevier, p. 874-880.

Anward, J. (1997) "Semiotics in educational research". In: J.P. Keeves (ed.), *Educational Research, Methodology, and Measurement: An International Handbook*. 2. ed. Oxford: Elsevier, p. 106-111.

Apple, M. (1991) "Introduction". In: P. Lather (1994) *Getting Smart: Feminist Research and Pedagogy With/In the Postmodern*. Nova York: Routledge.

Asch, S.E. (1955) "Opinions and social pressure". *Scientific American*, 193: 31-35.

Asher, H.B. (1976) *Causal Modeling*. Beverley Hills, CA: Sage.

Aspin, D.N. (1995) "Logical empiricism, post-empiricism and education". In: P. Higgs (ed.), *Metatheories in Philosophy and Education*. Johanesburgo: Heinnemann, p. 21-49.

Atkinson, J.M. (1978) *Discovering Suicide: Studies in the Social Organization of Sudden Death*. Londres: Macmillan.

Atkinson, P. (1992) *Understanding Ethnographic Texts*. Newbury Park, CA: Sage.

Atkinson, P. e Hammersley, M. (1994) "Ethnography and participant observation". In: N.K. Denzin e Y.S. Lincoln (eds.), *Handbook of Qualitative Research*. Thousand Oaks, CA: Sage, p. 248-261.

Ball, S.J. (1981) *Beachside Comprehensive: A Case Study of Secondary Schooling*. Cambridge: Cambridge University Press.

Barker, R.G. e Gump, P.V. (1964) *Big School, Small School: High School Size and Student Behavior*. Stanford, CA: Stanford University Press.

Bean, J. e Creswell, J.W. (1980) "Student attrition among women at a liberal arts college". *Journal of College Student Personnel*, 3: 320-327.

Becker, H. (1971) *Sociological Work*. Londres: Allen Lane.

Behar, R. (1993) *Translated Woman: Crossing the Border with Esperanza's Story*. Boston: Beacon.

Bentham, J. (1823) *An Introduction to the Principles of Morals and Legislation*. Londres: W. Pickering and W. Wilson.

Berelson, B. (1952) *Content Analysis in Communication Research*. Nova York: Hafner.

Berger, P.L. e Kellner, H. (1981) *Sociology Reinterpreted: An Essay on Method and Vocation*. Garden City, NY: Anchor/Doubleday.

Berger, P.L. e Luckman, T. (1967) *The Social Construction of Reality*. Harmondsworth, Middlesex: Allen Lane.

Billig, M. (1991) *Ideologies and Opinions*. Londres: Sage.

Black, T.R. (1999) *Doing Quantitative Research in the Social Sciences*. Londres: Sage.

Blaikie, N. (1993) *Approaches to Social Enquiry*. Cambridge: Polity.

Blau, P.M. e Duncan, O.D. (1967) *The American Occupational Structure*. Nova York: Wiley.

Blommaert, J. e Bulcaen, C. (2000) "Critical discourse analysis". *Annual Review of Anthropology*, 29: 447-466.

Bloor, M. (1978) "On the analysis of observational data: A discussion of the worth and uses of inductive techniques and respondent validation". *Sociology*, 12(3): 545-552.

Blumer, H. (1969) *Symbolic Interactionism: Perspective and Method*. Englewood Cliffs, NJ: Prentice-Hall.

Bohanek, J.F. (2008) "Family narratives, self and gender in early adolescence". *Journal of Early Adolescence*, 28(1): 153-176.

Bourdieu, P. (1973) "Cultural reproduction and social reproduction". In: R. Brown (ed.), *Knowledge, Education and Cultural Change*. Londres: Tavistock, p. 71-112.

Bracht, G.H. e Glass, G.V. (1968) "The external validity of experiments". *American Educational Research Journal*, 5(4): 437-474.

Brandt, R.M. (1981) *Studying Behavior in Natural Settings*. Washington, DC: University Press of America.

Brewer, J. e Hunter, A. (2005) *Foundations of Multimethod Research: Synthesizing Styles*. 2. ed. Thousand Oaks, CA: Sage.

Brodbeck, M. (ed.) (1968) *Readings in the Philosophy of the Social Sciences*. Londres: Macmillan.

Brody, H. (2002) *Stories of Sickness*. 2. ed. Nova York: Oxford University Press.

Broudy, H.S., Ennis, R.H. e Krimerman, L.I. (1973) *Philosophy of Educational Research*. Nova York: Wiley.

Brown, G. e Yule, G. (1984) *Discourse Analysis*. Cambridge: Cambridge University Press.

Bryant, A. e Charmaz, K. (2007a) "Grounded theory research: Methods and practices". In: A. Bryant e K. Charmaz (eds.), *The Sage Handbook of Grounded Theory*. Thousand Oaks, CA: Sage, p. 1-28.

Bryant, A. e Charmaz, K. (eds.) (2007b) *The Sage Handbook of Grounded Theory*. Thousand Oaks, CA: Sage.

Bryman, A. (1988) *Quantity and Quality in Social Research*. Londres: Unwin Hyman.

Bryman, A. (1992) "Quantitative and qualitative research: Further reflections on their integration". In: J. Brannen (ed.), *Mixing Methods: Qualitative and Quantitative Research*. Aldershot: Avebury, p. 57-78.

Buchanan, E. e Zimmer, M. (2012) "Internet research ethics". In: E. Zalta (ed.) *The Stanford Encyclopedia of Philosophy*. Extraído de http://plato.stanford.edu/archives/win2012/entries/ethics-internet-research (acesso em 18 de outubro de 2013).

Burns, R.B. (2000) *Introduction to Research Methods*. 4. ed. Londres: Sage.

Burns, A. e Radford, J. (2008) "Parent-child interaction in Nigerian families: conversation analysis, context and culture". *Child Language Teaching and Therapy*, 24(2): 193-209.

Burton, S. e Steane, P. (2004) *Surviving Your Thesis*. Londres: Routledge.

Caird, J., Kavanagh, J., Oliver, K., Oliver, S., O'Mara, A., Stansfield, C. e Thomas, J. (2011) *Childhood obesity and educational attainment: A systematic review*. University of London: EPPI centre. Extraído de eprints.ioe.ac.uk/16316/1/Caird_et_al._2011._Childhood_obesity_and_educational_attainment._a_systematic_review.pdf (acesso em 24 de setembro de 2013).

Calder, J. e Sapsford, R. (1996) "Multivariate analysis". In: R. Sapsford e V. Jupp (eds.), *Data Collection and Analysis*. Londres: Sage, p. 262-381.

Campbell, D.T. e Stanley, J.C. (1963) *Experimental and Quasi-Experimental Designs for Research*. Chicago: Rand McNally, p. 37-64.

Charlesworth, A. (2008) "Understanding and managing legal issues in internet research". In: N. Fielding, R. Lee e G. Blank (eds.), *The Sage Handbook of Online Research Methods*. Londres: Sage, p. 42-57.

Charmaz, K. (2006) *Constructing Grounded Theory: A Practical Guide Through Qualitative Analysis*. Londres: Sage.

Charters, W.W. Jr. (1967) "The hypothesis in scientific research". Artigo não publicado. University of Oregon, Eugene.

Chenitz, W.C. (1986) "Getting started: The research proposal for a grounded theory study". In: W.C. Chenitz e J.M. Swanson (eds.), *From Practice to Grounded Theory: Qualitative Research in Nursing*. Menlo Park, CA: Addison-Wesley.

Clandinin, D.J. e Connelly, F.M. (1994) "Personal experience methods". In: N.K. Denzin e Y.S. Lincoln (eds.), *Handbook of Qualitative Research*. Thousand Oaks, CA: Sage, p. 413-427.

Cochran, W.G. (1977) *Sampling Techniques*. 3. ed. Nova York: Wiley.

Coffey, A. e Atkinson, P. (1996) *Making Sense of Qualitative Data: Complementary Research Strategies*. Thousand Oaks, CA: Sage.

Coleman, J.S., Campbell, E.Q., Hobson, C.J., McPartland, J., Mood, A.M., Weinfeld, F.D. e York, R.L. (1966) *Equality of Educational Opportunity*. Washington, DC: US Government Printing Office.

Coles, R. (1989) *The Call of Stories*. Boston: Houghton Mifflin.

Coley, S.M. e Scheinberg, C.A. (1990) *Proposal Writing*. Thousand Oaks, CA: Sage.

Connelly, F.M. e Clandinin, D.J. (1999) *Shaping a Professional Identity: Stories of Educational Practice*. Nova York: Teachers' College Press.

Converse, J.M. e Presser, S. (1986) *Survey Questions: Handcrafting the Standardized Questionnaire*. Beverly Hills, CA: Sage.

Corbin, J. (1986) "Coding, writing memos and diagramming". In: W.C. Chenitz e J.M. Swanson (eds.), *From Practice to Grounded Theory: Qualitative Research in Nursing*. Menlo Park, CA: Addison-Wesley, p. 102-120.

Cortazzi, M. (1991) *Primary Teaching: How It Is – A Narrative Account*. Londres: David Fulton.

Coulthard, M. (1985) *An Introduction to Discourse Analysis*. 2. ed. Londres: Longman.

Couper, M. (2008) "Technology trends in survey data collection". *Social Science Computer Review*, 23(4): 486-501. Extraído de *Sage Journals Online*.

Cressey, D.R. (1950) "The criminal violation of financial trust". *American Sociological Review*, 15: 738-743.

Cressey, D.R. (1971) *Other People's Money: A Study in the Social Psychology of Embezzlement*. 2. ed. Belmont, CA: Wadsworth.

Creswell, J.W. (2013) *Research Design: Qualitative, Quantitative and Mixed Method Approaches*. 4. ed. Thousand Oaks, CA: Sage.

Creswell, J.W. e Plano Clark, V. (2007) *Designing and Conducting Mixed Methods Research*. Thousand Oaks, CA: Sage.

Cronbach, L.J. (1951) "Coefficient alpha and the internal structure of tests". *Psychometrika*, 16: 297-334.

Cronbach, L.J. (1957) "The two disciplines of scientific psychology". *American Psychologist*, 12: 671-684.

Cronbach, L.J. e Suppes, P. (eds.) (1969) *Research for Tomorrow's Schools: Disciplined Inquiry for Education*. Nova York: Macmillan.

Dale, A., Arber, S. e Procter, M. (1988) *Doing Secondary Analysis*. Londres: Unwin Hyman.

Davis, J.A. (1985) *The Logic of Causal Order*. Beverley Hills, CA: Sage.

Delamont, S. (1990) *Sex Roles and the School*. 2. ed. Londres: Routledge and Kegan Paul.

Delamont, S. (2012) *Sex Roles and the School*. 2. ed. Londres: Routledge.

Denzin, N.K. (1983) "Interpretive interactionism". In: G. Morgan (ed.), *Beyond Method: Strategies for Social Research*. Beverly Hills, CA: Sage, p. 129-146.

Denzin, N.K. (1989) *The Research Act: A Theoretical Introduction to Sociological Methods*. 3. ed. Nova York: McGraw-Hill.

Denzin, N.K. (1997) *Interpretive Ethnography: Ethnographic Practices for the 21st Century*. Londres: Sage.

Denzin, N.K. e Lincoln, Y.S. (eds.) (1994) *Handbook of Qualitative Research*. Thousand Oaks, CA: Sage.

Denzin, N.K. e Lincoln, Y.S. (eds.) (2011) *The Sage Handbook of Qualitative Research*. Thousand Oaks, CA: Sage.

de Vaus, D.A. (2013) *Surveys in Social Research*. 5. ed. Londres: Routledge.

Dillman, D.A. (2006) *Mail and Internet Surveys: The Tailored Design Method*. 2. ed. Nova York: Wiley.

DiMaggio, P., Hargittai, E., Neuman, W.R. e Robinson, J.P. (2001) "Social implications of the Internet". *Annual Review of Sociology*, 27: 307-336.

Douglas, J.D. (1985) *Creative Interviewing*. Beverly Hills, CA: Sage.

Durkheim, E. (1951) *Suicide: A Study in Sociology*. Trans. J. Spaulding e G. Sampson. Glencoe, IL: Free Press.

Eco, U. (1976) *A Theory of Semiotics*. Bloomington, IN: Indiana University Press.

Edley, N. (2001) "Analysing masculinity: interpretive repertoires, ideological dilemmas and subject positions". In M. Wetherell, S. Taylor e S.J. Yates (eds.), *Discourse as Data: A Guide for Analysis*. Londres: Sage, p. 189-228.

Edwards, A.L. (1957) *Techniques of Attitude Scale Construction*. Nova York: Appleton-Century-Crofts.

Edwards, R. e Mauthner, M. (2002) "Ethics and feminist research: Theory and practice". In: M. Mauthner, M. Birch, J. Jessop e T. Miller (eds.), *Ethics in Qualitative Research*. Londres: Sage.

Eisner, E.W. (1991) *The Enlightened Eye: Qualitative Inquiry and the Enhancement of Educational Practice*. Nova York: Macmillan.

Elgesem, D. (2002) "What is special about ethical issues in online research?" *Ethics and Information Technology*, 4(3): 195-203.

Elliott, J. (2005) *Using Narrative in Social Research: Quantitative and Qualitative Approaches*. Londres: Sage.

Embretson, S. e Yang, X. (2006) "Item response theory". In: J.L. Green, G. Camilli e P.B. Elmore (eds.), *Handbook of Complementary Methods in Education Research*. Mahwah, NJ: Lawrence Erlbaum, p. 385-409.

Enns, C.Z. e Hackett, G. (1990) "Comparison of feminist and non-feminist women's reactions to variants of non-sexist and feminist counseling". *Journal of Counseling Psychology*, 37(1): 33-40.

Erickson, F. (1986) "Qualitative methods in research on teaching". In: M.C. Wittrock (ed.), *Handbook of Research on Teaching*. 3. ed. Nova York: Macmillan, p. 119-161.

ESDS (2004) ESDS Qualidata website. *Economic and Social Data Service*. http://www.esds.ac.uk/qualidata/about/introduction.asp

Evans, A.E. (2007) "Changing faces: Suburban school response to demographic change". *Education and Urban Society*, 39(3): 315-348.

Eynon, R., Fry, J. e Schroeder, R. (2008) "The ethics of Internet research". In: N.G. Fielding, R.M. Lee e G. Blank (eds.), *The Sage Handbook of Online Research Methods*. Londres: Sage, p. 23-57.

Fairclough, N. (2001) *Language and Power*. 2. ed. Londres: Longman.

Feldman, M. (1995) *Strategies for Interpreting Qualitative Data*. Thousand Oaks, CA: Sage.

Festinger, L., Riecken, H.W. e Schachter, S. (1964) *When Prophecy Fails: A Social and Psychological Study of a Modern Group that Predicted the Destruction of the World*. Nova York: Harper Torchbooks.

Fetterman, D.M. (2010) *Ethnography Step by Step*. 3. ed. Thousand Oaks, CA: Sage.

Fielding, N. (1981) *The National Front*. Londres: Routledge and Kegan Paul.

Fielding, N. (1996a) "Ethnography". In: N. Gilbert (ed.), *Researching Social Life*. Londres: Sage, p. 154-171.

Fielding, N. (1996b) "Qualitative interviewing". In: N. Gilbert (ed.), *Researching Social Life*. Londres: Sage, p. 135-153.

Fielding, N. (2008) "Qualitative interviewing". In: N. Gilbert (ed.), *Researching Social Life*. 3. ed. Londres: Sage, p. 245-265.

Fink, A. (2005) *Conducting Research Literature Reviews: From the Internet to Paper*. 2. ed. Londres: Sage.

Finn, J.D. e Achilles, C.M. (1990) "Answers and questions about class size: A state-wide experiment". *American Education Research Journal*, 27: 557-577.

Finnegan, R. (2006) "Using documents". In: R. Sapsford e V. Jupp (eds.), *Data Collection and Analysis*. 2. ed. Londres: Sage, p. 138-152.

Firestone, W.A. (1993) "Alternative arguments for generalizing from data as applied to qualitative research". In: *Educational Researcher*, 22(4): 16-23.

Foddy, W. (1993) *Constructing Questions for Interviews and Questionnaires: Theory and Practice in Social Research*. Cambridge: Cambridge University Press.

Fonow, M.M. e Cook, J.A. (eds.) (1991) *Beyond Methodology: Feminist Scholarship as Lived Research*. Bloomington, IN: Indiana University Press.

Fontana, A. e Frey, J.H. (1994) "Interviewing: The art of science". In: N.K. Denzin e Y.S. Lincoln (eds.), *Handbook of Qualitative Research*. Thousand Oaks, CA: Sage, p. 361-376.

Foster, P. (1996a) "Observational research". In: R. Sapsford e V. Jupp (eds.), *Data Collection and Analysis*. Londres: Sage, p. 57-93.

Foster, P. (1996b) *Observing Schools: A Methodological Guide*. Londres: Chapman.

Foucault, M. (1980) *Power/Knowledge: Selected Interviews and Other Writings 1972-1977*. Brighton: Harvester.

Frankena, W. (1973) *Ethics*. Englewood Cliffs, NJ: Prentice-Hall.

Frey, J.H. (1993) "Risk perceptions associated with a high-level nuclear waste repository". *Sociological Spectrum,* 13: 139-151.

Friedenberg, L. (1995) *Psychological Testing: Design, Analysis and Use*. Boston: Allyn and Bacon.

Gaiser, T. e Schreiner, A. (2009) *A Guide to Conducting Online Research*. Londres: Sage.

Garcia, A., Standlee, A., Bechkoff, J. e Cui, Y. (2009) "Ethnographic approaches to the Internet and computer-mediated communication". *Journal of Contemporary Ethnography*, 38(1): 52-84. Extraído de *Sage Journals Online*.

Garfinkel, H. (1967) *Studies in Ethnomethodology*. Englewood Cliffs, NJ: Prentice-Hall.

Gee, J.P., Michaels, S. e O'Connor, M.C. (1992) "Discourse analysis". In: M.D. Le-Compte, W.L. Millroy e J. Preissle (eds.), *The Handbook of Qualitative Research in Education*. São Diego, CA: Academic, p. 227-291.

Gerstl-Pepin, C.I. (2006) "The paradox of poverty narratives: Educators struggling with children left behind". *Educational Policy*, 20(1): 143-162.

Gilbert, G.N. e Mulkay, M.J. (1984) *Opening Pandora's Box: A Sociological Analysis of Scientists' Discourse*. Cambridge: Cambridge University Press.

Gilbert, N. (2008) "Writing about social research". In: N. Gilbert (ed.), *Researching Social Life*. 3. ed. Londres: Sage, p. 485-503.

Glaser, B. (1978) *Theoretical Sensitivity*. Mill Valley, CA: Sociology Press.

Glaser, B. (1992) *Basics of Grounded Theory Analysis*: *Emergence vs Forcing*. Mill Valley, CA: Sociology Press.

Glaser, B. (ed.) (1993) *Examples of Grounded Theory: A Reader*. Mill Valley, CA: Sociology Press.

Glaser, B. e Strauss, A. (1965) *Awareness of Dying*. Chicago: Aldine.

Glaser, B. e Strauss, A. (1967) *The Discovery of Grounded Theory: Strategies for Qualitative Research*. Chicago: Aldine.

Glaser, B. e Strauss, A. (1968) *Time for Dying*. Chicago: Aldine.

Glass, G.V. (1976) "Primary, secondary and meta-analysis of research". *Educational Research*, 5: 3-8.

Glass, G.V. (1988) "Quasi-experiments: The case of interrupted time series". In: R.M. Jaeger (ed.), *Complementary Methods for Research in Education*. Washington, DC: American Educational Research Association, p. 445-461.

Glass, G.V., McGaw, B. e Smith, M.L.O (1981) *Meta Analysis in Social Research*. Beverly Hills, CA: Sage.

Gluck, S.B. (1991) "Advocacy oral history: Palestinian women in resistance". In: S.B. Gluck e D. Patai (eds.), *Women's Words: The Feminist Practice of Oral History*. Londres: Routledge, p. 205-220.

Goffman, E. (1961) *Asylums: Essays on the Social Situation of Mental Patients and Other Inmates*. Harmondsworth, Middlesex: Penguin.

Gold, R.L. (1958) "Roles in sociological field observations". *Social Forces*, 36: 217-223.

Goldman, B.A. e Mitchell, D.F. (eds.) (1996) *Directory of Unpublished Experimental Mental Measures*. Vol. 6. Washington, DC: American Psychological Association.

Gomm, R. (2004) "Research ethics". In: R. Gomm, *Social Research Methodology: A Critical Introduction*. Basingstoke: Palgrave Macmillan, p. 298-322.

Goode, W.J. e Hatt, P.K. (1952) "The case study". In: W.J. Goode e P.K. Hatt (eds.), *Methods of Social Research*. Nova York: McGraw-Hill, p. 330-340.

Goodson, I. (1992) *Studying Teachers' Lives*. Londres: Routledge and Kegan Paul.

Gough, D., Oliver, S. e Thomas, J. (2012) *An Introduction to Systematic Reviews*. Londres: Sage.

Greenwood, E. (1968) "The practice of science and the science of practice". In: W.G. Bennis, K.D. Benne e R. Chin (eds.), *The Planning of Change*. Nova York: Holt, Rinehart and Winston, p. 73-82.

Guba, E.G. e Lincoln, Y.S. (1994) "Competing paradigms in qualitative research". In: N.K. Denzin e Y.S. Lincoln (eds.), *Handbook of Qualitative Research*. Thousand Oaks, CA: Sage, p. 105-117.

Gubrium, J.F. e Holstein, J.A. (2000) "Analyzing interpretive practice". In: N.K. Denzin e Y.S. Lincoln (eds.), *Handbook of Qualitative Research*. 2. ed. Thousand Oaks, CA: Sage, p. 487-508.

Haig, B.D. (1997) "Feminist research methodology". In: J.P. Keeves (ed.), *Educational Research, Methodology, and Measurement: An International Handbook*. 2. ed. Oxford: Elsevier, p. 180-185.

Hakim, C. (1982) *Secondary Analysis in Social Research*. Londres: Allen and Unwin.

Hammersley, M. (1992) "Deconstructing the qualitative-quantitative divide". In: J. Brannen (ed.), *Mixing Methods: Qualitative and Quantitative Research*. Aldershot: Avebury, p. 39-55.

Hammersley, M. (ed.) (1993) *Social Research: Philosophy, Politics and Practice*. Londres: Sage.

Hammersley, M. (1995) *The Politics of Social Research*. Londres: Sage.

Hammersley, M. e Atkinson, P. (1995) *Ethnography: Principles in Practice*. 2. ed. Londres: Routledge.

Hammersley, M. e Atkinson, P. (2007) *Ethnography: Principles in Practice*. 3. ed. Londres: Routledge.

Hammersley, M. e Traianou, A. (2012) *Ethics in Qualitative Research*. Londres: Sage.

Hardy, M.A. (1993) *Regression with Dummy Variables*. Newbury Park, CA: Sage.

Hart, C. (2001) *Doing a Literature Search: A Comprehensive Guide for the Social Sciences*. Londres: Sage.

Hattie, J. (2008) *Visible Learning: A Synthesis of over 800 Meta-Analyses Relating to Achievement*. Londres: Routledge.

Haviland, W.A., Walrath, D., McBride, B. e Pins, H.E.L. (2013) *Cultural Anthropology*. 14. ed. Wadsworth: Cengage.

Heath, C. e Luff, P. (1996) "Explicating face-to-face interaction". In: N. Gilbert (ed.), *Researching Social Life*. Londres: Sage, p. 306-326.

Heritage, J. (1984) *Garfinkel and Ethnomethodology*. Cambridge: Polity.

Hesse, E. (1980) *Revolutions and Reconstructions in the Philosophy of Science*. Bloomington, IN: Indiana University Press.

Hewson, C. e Laurent, D. (2008) "Research design and tools for Internet research". In: N. Fielding, R. Lee e G. Blank (eds.), *The Sage Handbook of Online Research Methods*. Londres: Sage, p. 58-78.

Hewson, C., Yule, P., Laurent, D. e Vogel, C. (2003) *Internet Research Methods: A Practical Guide for the Social and Behavioural Sciences*. Londres: Sage.

Hine, C. (2011) "Internet research and unobtrusive methods". *Social Research Update*, 16, p. 1-4. Extraído de http://sru.soc.surrey.ac.uk/SRU61.pdf

Holmes, R.M. (1998) *Fieldwork with Children*. Londres: Sage.

Homan, R. (1998) *The Ethics of Social Research*. Londres: Longman.

Homan, R. (2004) "The principle of assumed consent: The ethics of gatekeeping". In: M. McNamee e D. Bridges (eds.), *The Ethics of Educational Research*. Oxford: Blackwell.

Howard, M.C. (1997) *Contemporary Cultural Anthropology*. 5. ed. Nova York: Pearson.

Huberman, A.M. e Miles, M.B. (1994) "Data management and analysis methods". In: N.K. Denzin e Y.S. Lincoln (eds.), *Handbook of Qualitative Research*. Thousand Oaks, CA: Sage, p. 428-444.

Hughes, E.C. (1958) *Men and Their Work*. Chicago: Free Press.

Hunter, J.E. e Schmidt, F.L. (2004) *Methods of Meta-Analysis: Correcting Error Bias in Research Findings*. 2. ed. Thousand Oaks, CA: Sage.

Irwin, D.M. (1980) *Observational Strategies for Child Study*. Nova York: Holt, Rinehart and Winston.

Ivankova, N.W., Creswell, J.W. e Stick, S. (2006) "Using mixed methods sequential explanatory design: From theory to practice". *Field Methods*, 18(1): 3-20.

Jaeger, R.M. (1984) *Sampling in Education and the Social Sciences*. Nova York: Longman.

Jaeger, R.M. (1988) "Survey methods in educational research". In: R.M. Jaeger (ed.), *Complementary Methods for Research in Education*. Washington, DC: American Educational Research Association, p. 301-387.

Jaeger, R.M. (1990) *Statistics as a Spectator Sport*. 2. ed. Beverly Hills, CA: Sage.

Janesick, V.J. (1994) "The dance of qualitative research design: Metaphor, methodolatry, and meaning". In: N.K. Denzin e Y.S. Lincoln (eds.), *Handbook of Qualitative Research*. Thousand Oaks, CA: Sage, p. 209-219.

Jayaratne, T.E. e Stewart, A.J. (1991) "Quantitative and qualitative methods in the social sciences: Current feminist issues and practical strategies". In: M.M. Fonow e J.A. Cook (eds.), *Beyond Methodology: Feminist Scholarship as Lived Research*. Bloomington, IN: Indiana University Press, p. 85-106.

Jenkins, J.E. (2001) "Rural adolescent perceptions of alcohol and other drug resistance". *Child Study Journal*, 31(4): 211-222.

Johnson, J.C. (1990) *Selecting Ethnographic Informants*. Newbury Park, CA: Sage.

Johnson, R.B. e Onwuegbuzie, A.J. (2004) "Mixed methods research: A research paradigm whose time has come". *Educational Research*, 33(7): 14-26.

Jones, C. (2011) *Ethical issues in online research*. British Educational Research Association online resource. www.bera.ac.uk

Jones, S. (1985) "Depth interviewing". In: R. Walker (ed.), *Applied Qualitative Research*. Aldershot: Gower, p. 45-55.

Jupp, V. (1996) "Documents and critical research". In: R. Sapsford e V. Jupp (eds.), *Data Collection and Analysis*. Londres: Sage, p. 298-316.

Jupp, V. (2006) "Documents and critical research". In: R. Sapsford e V. Jupp (eds.), *Data Collection and Analysis*. 2. ed. Londres: Sage, p. 272-290.

Kant, I. (1964) *Groundwork to the Metaphysics of Morals*. Londres: Routledge.

Keats, D.M. (1988) *Skilled Interviewing*. Melbourne: Australian Council for Educational Research.

Keesing, R.M. (1976) *Cultural Anthropology: A Contemporary Perspective*. Nova York: Holt, Rinehart and Winston.

Kelle, U. (ed.) (1995) *Computer-Aided Qualitative Data Analysis: Theory, Methods and Practice*. Londres: Sage.

Kemmis, S. e McTaggart, R. (2000) "Participatory action research". In: N.K. Denzin e Y.S. Lincoln (eds.), *Handbook of Qualitative Research*. 2. ed. Thousand Oaks, CA: Sage, p. 567-605.

Kerlinger, F.N. (1973) *Foundations of Behavioral Research*. Nova York: Holt, Rinehart and Winston.

Kerlinger, F.N. (1999) *Foundations of Behavioral Research*. 4. ed. Nova York: Wadsworth.

Kerlinger, F.N. e Lee, H.B. (2000) *Foundations of Behavioral Research*. Nova York: Harcourt.

Kiecolt, K.J. e Nathan, L.E. (1985) *Secondary Analysis of Survey Data*. Beverley Hills, CA: Sage.

Kirk, R.E. (1995) *Experimental Design: Procedures for the Behavioral Sciences*. 3. ed. Belmont, CA: Brooks/Cole.

Kraut, R., Olson, J., Banaji, M., Bruckmann, A., Cohen, J. e Couper, M. (2004) "Psychological research online: Report of the board of scientific affairs' advisory group on the conduct of research on the Internet". *American Psychologist*, 59(2): 105-117.

Labov, W. e Waletzky, J. (1997) "Narrative analysis: Oral versions of personal experience" (Reimpresso de "Essays on the Verbal and Visual Arts. Proceedings of the 1996 annual spring meeting of the American Ethnological Society", p. 12-44, 1967). *Journal of Narrative and Life History*, 7(1-4): 3-38.

Larreamendy-Joerns, J. e Leinhardt, G. (2006) "Going the distance with online education". *Review of Educational Research*, 76(4): 567-605.

Lather, P. (1991) *Getting Smart: Feminist Research and Pedagogy With/In the Postmodern*. Nova York: Routledge.

Lather, P. (1994) *Getting Smart: Feminist Research and Pedagogy With/In the Postmodern*. Nova York: Routledge.

LeCompte, M.D. e Preissle, J. (1993) *Ethnography and Qualitative Design in Educational Research*. 2. ed. São Diego, CA: Academic.

Lee, R., Fielding, N. e Blank, G. (2008) *The Sage Handbook of Online Research Methods*. Londres: Sage.

Lewins, F. (1992) *Social Science Methodology*. Melbourne: Macmillan.

Li, N. e Kirkup, G. (2007) "Gender and cultural differences in internet usage: A study of China and the UK". *Computers & Education*, 48(2): 301-317.

Liebert, R.M. (1995) *Science and Behavior: An Introduction to Methods of Psychological Research*. Englewood Cliffs, NJ: Prentice-Hall.

Lieblich, A., Tuval-Maschiach, R. e Zilber, T. (1998) *Narrative Research: Reading, Analysis and Interpretation*. Thousand Oaks, CA: Sage.

Lincoln, Y.S. e Guba, E.G. (1985) *Naturalistic Inquiry*. Beverley Hills, CA: Sage.

Lindesmith, A. (1947) *Opiate Addiction*. Bloomington, IN: Principia.

Lindesmith, A. (1968) *Addiction and Opiates*. Chicago: Aldine.

Little, D. (1991) *Varieties of Social Explanation: An Introduction to the Philosophy of Social Science*. Boulder, CO: Westview.

Locke, L.F., Spirduso, W.W. e Silverman, S.J. (1993) *Proposals That Work*. 3. ed. Newbury Park, CA: Sage.

Locke, L.F., Spirduso, W.W. e Silverman, S.J. (2010) *Proposals That Work*. 6. ed. Thousand Oaks, CA: Sage.

Lofland, J., Snow, D., Anderson, L. e Lofland, L.H. (2004) *Analyzing Social Settings*. 4. ed. Belmont, CA: Wadsworth.

Lonkila, M. (1995) "Grounded theory as an emerging paradigm for computer-assisted qualitative data analysis". In: U. Kelle (ed.), *Computer-Aided Qualitative Data Analysis: Theory, Methods and Practice*. Londres: Sage, p. 41-51.

Lynch, M. (2006) "Cognitive activities without cognition? Ethnomethodological investigation of selected 'cognitive' topics". *Discourse Studies*, 8(1): 95-104.

MacDonald, K. e Tipton, C. (1996) "Using documents". In: N. Gilbert (ed.), *Researching Social Life*. Londres: Sage, p. 187-200.

Madge, C. e O'Connor, H. (2002) "On-line with e-mums: Exploring the Internet as a medium for research". *Area*, 34(1): 92-102.

Mann, C. e Stewart, F. (2000) *Internet Communication and Qualitative Research*. Londres: Sage.

Manning, P.K. e Cullum-Swan, B. (1994) "Narrative, content, and semiotic analysis". In: N.K. Denzin e Y.S. Lincoln (eds.), *Handbook of Qualitative Research*. Thousand Oaks, CA: Sage, p. 463-483.

Marsh, C. (1982) *The Survey Method: The Contribution of Surveys to Sociological Explanation*. Londres: Allen and Unwin.

Marshall, C. e Rossman, G.B. (1989) *Designing Qualitative Research*. Newbury Park, CA: Sage.

Marshall, C. e Rossman, G.B. (2010) *Designing Qualitative Research*. 5. ed. Thousand Oaks, CA: Sage.

Martin, J. (1990) "Deconstructing organizational taboos". *Organization Science*, 1(4): 339-359.

Maxcy, S.J. (2003) "Pragmatic threads in mixed methods research in the social sciences: The search for multiple modes of inquiry and the end of the philosophy of formalism". In: A. Tashakkori e C. Teddlie (eds.), *Handbook of Mixed Methods in Social and Behavioral Research*. Thousand Oaks, CA: Sage, p. 51-90.

Mavers, D. (2007) "Semiotic resourcefulness: A young child's email exchange as design". *Journal of Early Childhood Literacy*, 7(2): 155-176.

Maxwell, J.A. (1996) *Qualitative Research Design: An Interactive Approach.* Thousand Oaks, CA: Sage.

Maxwell, J.A. (2012) *Qualitative Research Design: An Interactive Approach.* 3. ed. Thousand Oaks, CA: Sage.

Maynard, B.R., McCrea, K.T., Pigott, T.D. e Kelly, M.S. (2012) "Indicated truancy interventions for chronic truant students: A Campbell systematic review". *Research on Social Work Practice*, 23(1): 5-21.

McCarthy, M. (1991) *Discourse Analysis for Language Teachers.* Cambridge: Cambridge University Press.

McCracken, G. (1988) *The Long Interview.* Beverly Hills, CA: Sage.

McGrew, K. (2011) "A review of class-based theories of student resistance in education". *Review of Educational Research*, 81(2): 234-266.

McLaren, P. (1986) *Schooling as a Ritual Performance: Towards a Political Economy of Educational Symbols and Gestures.* Londres: Routledge and Kegan Paul.

McNamee, M. e Bridges, D. (eds.) (2002) *The Ethics of Educational Research.* Oxford: Blackwell.

McRobbie, A. (2000) *Feminism and Youth Culture: From Jackie to Just Seventeen.* 2. ed. Londres: Palgrave.

Measor, L. e Woods, P. (1984) *Changing Schools.* Milton Keynes: Open University Press.

Menard, S. (1991) *Longitudinal Research.* Newbury Park, CA: Sage.

Merton, R.K., Fiske, M. e Kendall, P.L. (1990) *The Focused Interview.* 2. ed. Nova York: Simon & Schuster.

Miles, M.B. (1979) "Qualitative data as an attractive nuisance: the problem of analysis". *Administrative Science Quarterly*, 24: 590-601.

Miles, M.B. e Huberman, A.M. (1994) *Qualitative Data Analysis.* 2. ed. Thousand Oaks, CA: Sage.

Miles, M.B., Huberman, A.M. e Saldana, J. (2013) *Qualitative Data Analysis.* 3. ed. Thousand Oaks, CA: Sage.

Milgram, S. (1974) *Obedience to Authority.* Nova York: Harper and Row.

Mill, J.S. (1863) *Utilitarianism.* Londres: Parket, Son and Bourn.

Miller, D.C. e Salkind, N.J. (2002) *Handbook of Research Design and Social Measurement*. 6. ed. Thousand Oaks, CA: Sage.

Mills, C.W. (1959) *The Sociological Imagination*. Nova York: Oxford University Press.

Minichiello, V., Aroni, R., Timewell, E. e Alexander, L. (1990) *In-Depth Interviewing: Researching People*. Melbourne: Longman Cheshire.

Mishler, E. (1986) *Research Interviewing*. Cambridge, MA: Harvard University Press.

Morgan, D.L. (1988) *Focus Groups as Qualitative Research*. Newbury Park, CA: Sage.

Morgan, D.L. (1997) *Focus Groups as Qualitative Research*. 2. ed. Thousand Oaks, CA: Sage.

Morse, J.M. (1994) "Designing funded qualitative research". In: N.K. Denzin e Y.S. Lincoln (eds.), *Handbook of Qualitative Research*. Thousand Oaks, CA: Sage, p. 220-235.

Moser, C.A. e Kalton, G. (1979) *Survey Methods in Social Investigation*. 2. ed. Farnborough: Gower.

Murthy, D. (2008) "Digital ethnography: An examination of the use of new technologies for social research". *Sociology*, 42(5): 837-855. Extraído *de Sage Journals Online*.

Myers, K.K. e Oetzel, J.G. (2003) "Exploring the dimensions of organizational assimilation: Creating and validating a measure". *Communication Quarterly*, 51 (4): 438-457.

Nagel, E. (1979) *The Structure of Science: Problems in the Logic of Scientific Explanation*. 2. ed. Nova York: Hackett Publishing.

Nelson, C., Treichler, P.A. e Grossberg, L. (1992) "Cultural studies". In: L. Grossberg, C. Nelson e P.A. Treichler (eds.), *Cultural Studies*. Nova York: Routledge, p. 1-16.

Neuman, W.L. (1994) *Social Research Methods: Qualitative and Quantitative Approaches*. 2. ed. Boston: Allyn and Bacon.

Noblit, G. e Hare, R.D. (1988) *Meta-ethnography: Synthesizing Qualitative Studies*. Newbury Park, CA: Sage.

Nordenbo, S.E., Larsen, M.S., Tiftiçi, N., Wendt, R.E. e Østergaard, S. (2008) *Teacher competences and pupil achievement in pre-school and school: A systematic review*. University of Aarhus: Danish Clearinghouse. Disponível em www.dpu.dk/fileadmin/ www.dpu.dk/en/aboutdpu/danishclearinghouseforeducationalresearch/aboutthe clearinghouse/products/udgivelser_clearinghouse_20080908120312_srii-english-senfinal.pdf (acesso em 24 de setembro de 2013).

Nosek, B., Banaji, M. e Greenwald, A. (2002) "Harvesting implicit group attitudes and beliefs from a demonstration web site". *Group Dynamics*, 6(1): 101-115.

O'Connor, D.J. (1957) *An Introduction to the Philosophy of Education*. Londres: Routledge e Kegan Paul.

O'Connor, H., Madge, C., Shaw, R. e Wellens, J. (2008) "Internet-based interviewing". In: N. Fielding, R. Lee e G. Blank (eds.), *The Sage Handbook of Online Research Methods*. Londres: Sage, p. 42-57.

O'Donoghue, T. (2007) *Planning Your Qualitative Research Project: An Introduction to Interpretivist Research in Education*. Abingdon: Routledge.

O'Leary, Z. (2004) *Researching Real World Problems: A Guide to Methods of Inquiry*. Londres: Sage.

Oakley, A. (1981) "Interviewing women: A contradiction in terms". In: H. Roberts (ed.), *Doing Feminist Research*. Londres: Routledge e Kegan Paul, p. 30-61.

Oppenheim, A.N. (1992) *Questionnaire Design, Interviewing and Attitude Measurement*. Londres: Pinter.

Patton, M.Q. (2002) *Qualitative Evaluation and Research Methods*. 3. ed. Thousand Oaks, CA: Sage.

Peaker, G.F. (1971) *The Plowden Children Four Years Later*. Londres: National Foundation for Educational Research in England and Wales.

Pendlebury, S. e Enslin, P. (2001) "Representation, identification and trust: Towards an ethics of educational research". *Journal of Philosophy of Education*, 35(3): 361-370.

Peters, T.J. e Waterman, R.H. Jr. (1982) *In Search of Excellence: Lessons from America's Best-Run Companies*. Nova York: Harper and Row.

Phelps, R., Fisher, K. e Ellis, A. (2007) *Organizing and Managing Your Research*. Londres: Sage.

Pittenger, D. (2003) "Internet research: An opportunity to revisit classic ethical problems in behavioural research". *Ethics and Behaviour*, 13(1): 45-60.

Popper, K. (2002) *The Logic of Scientific Discovery*. 2. ed. Londres: Routledge.

Potter, J. e Wetherell, M. (1987) *Discourse and Social Psychology: Beyond Attitudes and Behaviour*. Londres: Sage.

Potter, J. e Wetherell, M. (1994) "Analyzing discourse". In: A. Bryman e R.G. Burgess (eds.), *Analyzing Qualitative Data*. Londres: Routledge, p. 47-66.

Pring, R. (2004) *Philosophy of Educational Research*. 2. ed. Londres: Continuum.

Procter, M. (1996) "Analysing other researchers' data". In: N. Gilbert (ed.), *Researching Social Life*. Londres: Sage, p. 255-286.

Punch, K.F. (2003) *Survey Research: The Basics*. Londres: Sage.

Punch, K.F. (2006) *Developing Effective Research Proposals*. 2. ed. Londres: Sage.

Punch, M. (1994) "Politics and ethics in qualitative research". In: N.K. Denzin e Y.S. Lincoln (eds.), *Handbook of Qualitative Research*. Thousand Oaks, CA: Sage, p. 83-97.

Ragin, C.C. (1987) *The Comparative Method: Moving Beyond Qualitative and Quantitative Strategies*. Berkeley, CA: University of California Press.

Ragin, C.C. (1994) *Constructing Social Research*. Thousand Oaks, CA: Pine Forge.

Reason, P. e Bradbury, H. (eds.) (2008) *The Sage Handbook of Action Research*. 2. ed. Londres: Sage.

Reeve, R.A. e Walberg, J.J. (1997) "Secondary data analysis". In: J.P. Keeves (ed.), *Educational Research, Methodology, and Measurement: An International Handbook*. 2. ed. Oxford: Elsevier, p. 439-444.

Reinharz, S. (1992) *Feminist Methods in Social Research*. Nova York: Oxford University Press.

Richards, L. (2005) *Handling Qualitative Data: A Practical Guide*. Londres: Sage.

Richardson, L. (1994) "Writing: A method of inquiry". In: N.K. Denzin e Y.S. Lincoln (eds.), *Handbook of Qualitative Research*. Thousand Oaks, CA: Sage, p. 516-529.

Ridley, D. (2008) *The Literature Review: A Step-by-Step Guide for Students*. Londres: Sage.

Riessman, C.J. (1993) *Narrative Analysis*. Newbury Park, CA: Sage.

Robinson, J.P. e Shaver, P.R. (1973) *Measures of Social Psychological Attitudes*. Ann Arbor, MI: Institute for Social Research.

Robinson, J.P., Athanasiou, R. e Head, K.B. (1969) *Measures of Occupational Attitudes and Occupational Characteristics*. Ann Arbor, MI: Institute for Social Research.

Rogers, A., Day, J., Randall, F. e Bentall, R.P. (2003) "Patients' understanding and participation in a trial designed to improve the management of anti-psychotic medication: A qualitative study". *Social Psychiatry and Psychiatric Epidemiology*, 38: 720-727.

Rosenberg, M. (1968) *The Logic of Survey Analysis*. Nova York: Basic Books.

Rosenberg, M. (1979) *Conceiving the Self*. Nova York: Basic Books.

Rossman, G.B. e Wilson, B.L. (1985) "Numbers and words: Combining quantitative and qualitative methods in a single large-scale evaluation study". *Evaluation Review*, 9(5): 627-643.

Rudestam, K.E. e Newton, R.R (2000) *Surviving Your Dissertation: A Comprehensive Guide to Content and Process*. 2. ed. Thousand Oaks, CA: Sage.

Rutter, M., Maughan, B., Mortimore, P. e Ouston, J. (1979) *Fifteen Thousand Hours: Secondary Schools and their Effects on Children*. Londres: Open University.

Sapsford, R. e Abbott, P. (1996) "Ethics, politics and research". In: R. Sapsford e V. Jupp (eds.), *Data Collection and Analysis*. Londres: Sage, p. 317-342.

Schwandt, T.A. e Halpern, E.S. (1988) *Linking, Auditing and Metaevaluating: Enhancing Quality in Applied Research*. Newbury Park, CA: Sage.

Schwandt, T. (2001) *Dictionary of Qualitative Inquiry*. 2. ed. Londres: Sage.

Scott, J. (1990) *A Matter of Record: Documentary Sources in Social Research*. Cambridge: Polity.

Seale, C. (1998) *Researching Society and Culture*. Londres: Sage.

Seale, C., Charteris-Black, J., MacFarlane, A. e McPherson, A. (2010) "Interviews and internet forums: A comparison of two sources of qualitative data". *Qualitative Health Research*, 20(5): 595-606.

Seidman, I.E. (2013) *Interviewing as Qualitative Research: A Guide for Researchers in Education and the Social Sciences*. 4. ed. Nova York: Teachers College Press.

Selznick, P. (1949) *TVA and the Grass Roots: A Study of Politics and Organization*. Berheley, CA: University of California Press.

Shadish, W.R. e Luellen, T.K. (2006) "Quasi-experimental design". In: J.L. Green, G. Camilli e P.B. Elmore (eds.), *Handbook of Complementary Methods in Education Research*. Mahwah, NJ: Lawrence Erlbaum, p. 539-550.

Shamdasani, P.N. e Rook, D. (2006) *Focus Groups: Theory and Practice*. Londres: Sage.

Shaw, M.E. e Wright, J.M. (1967) *Scales for the Measurement of Attitudes*. Nova York: McGraw-Hill.

Sherif, M., Harvey, O.J., White, B.J., Hood, W.R. e Sherif, C.W. (1961) *Intergroup Conflict and Cooperation: The Robber's Cave Experiment*. Norman, OK: University of Oklahoma Book Exchange.

Shulman, L.S. (1988) "Disciplines of inquiry in education: An overview". In: R.M. Jaeger (ed.), *Complementary Methods for Research in Education*. Washington, DC: American Educational Research Association, p. 3-17.

Siegel, S. (1988) *Nonparametric Statistics for the Behavioural Sciences*. 2. ed. Nova York: McGraw-Hill.

Silverman, D. (1985) *Qualitative Methodology and Sociology*. Farnborough: Gower.

Silverman, D. (1993) *Interpreting Qualitative Data: Methods for Analyzing Talk, Text and Interaction*. Londres: Sage.

Silverman, D. (2011) *Interpreting Qualitative Data: Methods for Analyzing Talk, Text and Interaction*. 4. ed. Londres: Sage.

Simons, H. (2009) *Case Study Research in Practice*. Londres: Sage.

Simmons, H. e Usher, R. (eds.) (2000) *Situated Ethics in Educational Research*. Londres: RoutledgeFalmer.

Snee, H. (2010) *Using Blog Analysis*. NCRM Realities Toolkit 10. On-line em http://eprints.ncrm.ac.uk/1321/2/10-toolkit-blog-analysis.pdf

Soong, R. (2004) *Stratification of Internet users in Brazil*. Extraído de http://www.zonalatina.com/Z1data341.htm (acesso em 18 de outubro de 2013).

Spindler, G. e Spindler, L. (1992) "Cultural process and ethnography: An anthropological perspective". In: M.D. LeCompte, W.L. Millroy e J. Preissle (eds.), *The Handbook of Qualitative Research in Education*. São Diego, CA: Academic, p. 53-92.

Spradley, J.P. (1980) *Participant Observation*. Nova York: Holt, Rinehart and Winston.

Stake, R.E. (1988) "Case study methods in educational research: Seeking sweet water". In: R.M. Jaeger (ed.), *Complementary Methods for Research in Education*. Washington, DC: American Educational Research Association, p. 253-300.

Stake, R.E. (1994) "Case studies". In: N.K. Denzin e Y.S. Lincoln (eds.), *Handbook of Qualitative Research*. Thousand Oaks, CA: Sage, p. 236-247.

Stanfield, J. (1985) *Philanthropy and Jim Crow in American Social Sciences*. Westport, CT: Greenwood.

Stevens, S.S. (1951) "Mathematics, measurement and psycho-physics". In: S.S. Stevens (ed.), *Handbook of Experimental Psychology*. Nova York: Wiley.

Stewart, D.W. (1984) *Secondary Research: Information, Sources and Methods*. Beverley Hills, CA: Sage.

Stewart, D.W., Shamdasani, P. e Rook, D. (2006) *Focus Groups: Theory and Practice*. 2. ed. Thousand Oaks, CA: Sage.

Strauss, A. (1987) *Qualitative Analysis for Social Scientists*. Nova York: Cambridge University Press.

Strauss, A. e Corbin, J. (1990) *Basics of Qualitative Research: Grounded Theory Procedures and Techniques*. Newbury Park, CA: Sage.

Strauss, A. e Corbin, J. (eds.) (1997) *Grounded Theory in Practice*. Thousand Oaks, CA: Sage.

Strauss, A. e Corbin, J. (2008) *Basics of Qualitative Research: Grounded Theory Procedures and Techniques*. 3. ed. Thousand Oaks, CA: Sage.

Stringer, E. (2004) *Action Research in Education*. Upper Saddle River, NJ: Pearson.

Sudman, S. e Bradburn, N.M. (1982) *Asking Questions: A Practical Guide to Questionnaire Design*. São Francisco: Jossey-Bass.

Swanson, J.M. (1986) "Analyzing data for categories and description". In: W.C. Chenitz e J.M. Swanson (eds.), *From Practice to Grounded Theory: Qualitative Research in Nursing*. Menlo Park, CA: Addison-Wesley, p. 121-132.

Tamim, R.M., Bernard, R.M., Borokhovski, E., Abrami, P.C. e Schmid, R.F. (2011) "What forty years of research says about the impact of technology on learning". *Review of Educational Research*, 81(1): 4-28.

Tashakkori, A. e Teddlie, C. (1998) *Mixed Methodology: Combining Qualitative and Quantitative Approaches*. Thousand Oaks, CA: Sage.

Tashakkori, A. e Teddlie, C. (eds.) (2003a) *Handbook of Mixed Methods in Social and Behavioural Research*. Thousand Oaks, CA: Sage.

Tashakkori, A. e Teddlie, C. (2003b) "Major issues and controversies in the use of mixed methods in the social and behavioral sciences". In: A. Tashakkori e C. Teddlie (eds.), *Handbook of Mixed Methods in Social and Behavioral Research*. Thousand Oaks, CA: Sage, p. 3-53.

Tashakkori, A. e Teddlie, C. (2003c) "The past and future of mixed methods research: From data triangulation to mixed model design". In: A. Tashakkori e C. Teddlie (eds.), *Handbook of Mixed Methods in Social and Behavioural Research*. Thousand Oaks, CA: Sage, p. 671-702.

Taylor, S. (2001) "Locating and conducting discourse analytic research". In: M. Wetherall, S. Taylor e S.J. Yates (eds.), *Discourse as Data: A Guide for Analysis*. Londres: Sage, p. 5-48.

Tesch, R. (1990) *Qualitative Research: Analysis Types and Software Tools*. Basingstoke: Falmer.

Theodorson, G.A. e Theodorson, A.G. (1969) *A Modern Dictionary of Sociology*. Nova York: Crowell.

Thomas, R. (1996) "Statistical sources and databases". In: R. Sapsford e V. Jupp (eds.), *Data Collection and Analysis*. Londres: Sage, p. 121-137.

Thomson, P. (ed.) (2008) *Doing Visual Research with Children and Young People*. Abingdon: Routledge.

Tonkiss, F. (1998) "Analyzing discourse". In: C. Seale (ed.), *Researching Society and Culture*. Londres: Sage, p. 245-260.

Tourangeau, R. (2004) "Survey research and societal change". *Annual Review of Psychology*, 55: 775-801. Extraído de www. annualreviews.org

Van den Berg, R. (2002) "Teachers' meanings regarding educational practice". *Review of Educational Research*, 72 (4): 577-625.

Vehovar, V. e Manfreda, K. (2008) "Overview: Online surveys". In: N. Fielding, R. Lee e G. Blank (eds.), *The Sage Handbook of Online Research Methods*. Londres: Sage, p. 177-194.

Vitz, P.C. (1990) "The use of stories in moral development: New psychological reasons for an old education method". *American Psychologist*, 45(6): 709-720.

Wakeford, N., Oroton-Johnson, K. e Jungnickel, K. (2006) "Using the internet". In: N. Gilbert (ed.) *From Post-graduate to Social Scientist: A Guide to Key Skills*. Londres: Sage, p. 25-42.

Walford, G. (2005) "Research ethical guidelines and anonymity". *International Journal of Research and Method in Education*, 28(1): 83-93.

Wallace, M. e Poulson, L. (2003) *Learning to Read Critically in Educational Leadership and Management*. Londres: Sage.

Wallen, N.E. e Fraenkel, J.R. (1991) *Educational Research: A Guide to the Process*. Nova York: McGraw-Hill.

Webb, E.J., Campbell, D.T., Schwartz, R.D. e Sechrest, L. (1966) *Unobtrusive Measures*. Chicago: Rand McNally.

Webb, R.B. e Glesne, C. (1992) "Teaching qualitative research". In: M.D. LeCompte, W.L. Millroy e J. Preissle (eds.), *The Handbook of Qualitative Research in Education*. São Diego, CA: Academic Press, p. 771-814.

Whyte, W.F. (1955) *Street Corner Society: The Social Structure of an Italian Slum*. Chicago: University of Chicago Press.

Wiles, R., Prosser, J., Bagnoli, A., Clark, A., Davies, K., Holland, S., e Renold, E. (2008) *Visual Ethics: Ethical Issues in Visual Research*. ESRC National Centre for Research Methods Review Paper. Southampton: NCRM. On-line em: http://eprints. ncrm.ac.uk/421/1/MethodsReviewPaperNCRM-011.pdf

Williams, T.M. (ed.) (1986) *The Impact of Television: A Natural Experiment in Three Communities*. Orlando, Fl: Academic Press.

Wilson, M. (1996) "Asking questions". In: R. Sapsford e V. Jupp (eds.), *Data Collection and Analysis*. Londres: Sage, p. 94-120.

Wolcott, H.F. (1973) *The Man in the Principal's Office: An Ethnography*. Chicago, IL: Waveland.

Wolcott, H.F. (1982) "Differing styles of on-site research, or, 'If it isn't ethnography, what is it?'". *The Review Journal of Philosophy and Social Science*, 7(1-2): 154-169.

Wolcott, H.F. (1988) "Ethnographic research in education". In: R.M. Jaeger (ed.), *Complementary Methods for Research in Education*. Washington, DC: American Educational Research Association, p. 187-249.

Wolcott, H.F. (1990) *Writing Up Qualitative Research*. Newbury Park, CA: Sage.

Wolcott, H.F. (1992) "Posturing in qualitative inquiry". In: M.D. LeCompte, W.L. Millroy e J. Preissle (eds.), *Handbook of Qualitative Research in Education*. São Diego, CA: Academic Press, p. 3-52.

Wolf, F.M. (1986) *Meta-Analysis: Quantitative Methods for Research Synthesis*. Beverly Hills, CA: Sage.

Woods, P.H. (1979) *The Divided School*. Londres: Routledge e Kegan Paul.

Woods, P.H. (1986) *Inside Schools: Ethnography in Educational Research*. Londres: Routledge e Kegan Paul.

Woods, P.H. (1992) "Symbolic interactionism: Theory and method". In: M.D. LeCompte, W.L. Millroy e J. Preissle (eds.), *The Handbook of Qualitative Research in Education*. São Diego, CA: Academic Press, p. 337-404.

Wooffitt, R. (1996) "Analysing accounts". In: N. Gilbert (ed.), *Researching Social Life*. Londres: Sage, p. 287-305.

World Medical Association (WMA) (2000) *Declaration of Helsinki*.

Worrall, A. (1990) *Offending Women*. Londres: Routledge.

Yin, R.K. (2013) *Case Study Research: Design and Methods*. 5. ed. Thousand Oaks, CA: Sage.

Zeller, R.A. (1996) "Validity". In: J.P. Keeves (ed.), *Educational Research, Methodology, and Measurement: An International Handbook*. 2. ed. Oxford: Elsevier, p. 822-829.

Znaniecki, F. (1934) *The Method of Sociology*. Nova York: Farrar and Rinehart.

# ÍNDICE

Abbott, P. 165

Abordagem pragmática 43-44

Abstração 240-243, 355

Acesso 74-75

Achilles, C.M. 282

Ackoff, R. 160

Adequação pergunta-método 50-54, 92

Alder, N. 247, 249

Adler, P. 213

Aldridge, J.M. 400

American Educational Research Association 72

Amostragem
  pesquisa com métodos mistos e 413
  pesquisa qualitativa e 217-222, 220-221, 322-325
  pesquisa quantitativa e 322-325
  propostas e 431-432

Amostragem teórica 220-222, 324-325

Análise da conversa 208, 256-258

Análise de covariância (ANCOVA) 286-287, 296-297, 341-342, 349-350

Análise de dados
  desenho de pesquisa e 163
  pesquisa com métodos mistos e 410-412, 412-413
  propostas e 431-432
  cf. tb. Análise de dados qualitativos; Análise de dados quantitativos

Análise de dados qualitativos
  abstração e comparação na 240-243

amostragem teórica e 184-186

análise do discurso e 257-263

análise narrativa e 252-255

computadores e 266-267

dados documentais e 264-266

diversidade e 228-231

estrutura de Miles e Huberman para 232-235

etnometodologia e 255-258

indução analítica e 231-232

propostas de pesquisa e 268

semiótica e 262-264

teoria fundamentada e 242-253

Análise de dados quantitativos
  análise fatorial 352-354
  computadores e 266-267, 356-357
  correlação e regressão 343-350
  dados de levantamentos e 351-352
  estatística inferencial e 354-357
  panorama da 332-333, 350
  resumo da 333-336
  tabulações cruzadas e 336-337
  cf. tb. Análise de covariância (ANCOVA); Análise de variância (ANOVA)

Análise de regressão; cf. regressão linear múltipla (RLM)

Análise de variância (ANOVA) 332-333, 337-340

Análise do discurso 208, 257-263

Análise do discurso crítica 261-262

Análise do discurso foucaultiana 261-262

Análise fatorial 352-354
Análise multivariada de covariância (MANCOVA) 343
Análise multivariada de variância (MANOVA) 343
Análise narrativa 252-255
Análise secundária 222, 324-325
Análise textual 264-266
Andrews, D. 369
Anonimato 73, 78-79
Anonimização 80
Anotações 206-207, 239-240
ANOVA com dois fatores 339-340, 341
ANOVA com um fator 338-340
Antropologia cultural 174
Apêndices 433
Apple, M. 164
Aquisição de poder 252-253
Áreas de pesquisa 94-95
Argyrous, G. 357
Asch, S.E. 282
Associação Australiana para Pesquisa em Educação 72
Associação de Pesquisa Educacional Britânica 72
Atitude 308-310
Atkinson, J.M. 63n. 5
Atkinson, P.
  análise de dados qualitativos 229-230, 230-233, 252-253
  análise narrativa 253-254
  causação 122
  codificação 235-236, 237
  dados documentais 264-265
  entrevistas 214
  etnografia 174, 175, 176-177
  observação 226n. 1
ATLAS.ti 267

Autoestima 304
Autonomia 74-77, 382
*Awareness of Dying* (Glaser e Strauss) 182

Bancos de dados bibliográficos 366-367
Bancos de dados de acesso aberto 366-367
Bancos de dados eletrônicos 140
Barker, R.G. 284
*Basics of Grounded Theory Analysis* (Glaser) 184
*Basics of Qualitative Research* (Strauss e Corbin) 184
Bazeley, P. 267
Bean, J. 288
Becker, H. 186
Beneficência 81-86
Benefícios 82
Berger, P.L. 440
*Beyond Methodology* (Fonow e Cook) 165
Blau, P.M. 288
Bloor, M. 232
Bohanek, J.F. 255
Bradburn, N.M. 206
Bradbury, H. 188, 189, 191
Brewer, J. 58, 117, 169
Bryant, A. 185, 251
Bryman, A. 421n. 1
Buchanan, E. 379
Burgess, R. G. 74-75
Burns, A. 257
Buros Institute of Mental Measurements (Universidade de Nebraska) 313
Burton, S. 145

Campbell, D.T. 282, 284, 417
CAQDAS (Software de Análise de Dados Qualitativos Assistida por Computador) 266, 267

Catálogos de bibliotecas 366
Catálogos de citações 140-141
Causação
    panorama de 117-123
    variância e 289-292
Causação múltipla 120-121
Cenário natural 178
Charlesworth, A. 379
Charmaz, K. 185, 240, 251
Charters, W.W. Jr. 113
Ciência 32-33
Ciências sociais 33-34
Ciências sociais aplicadas 33-34
Ciências sociais básicas 33-34
Clandinin, D.J. 255
Clareza conceitual 53, 92
Codificação 235-239
Codificação aberta 244-248
Codificação axial 243, 247-249
Codificação seletiva 243, 249-251
Código de Nuremberg (1947) 71
Código nuclear 243
Códigos da prática ética 65, 70-71
Códigos éticos 65, 70-71
Códigos substantivos 243
Códigos teóricos 243
Coeficiente alfa 315
Coeficiente de correlação múltipla ao
    quadrado 347
Coffey, A. 229, 236, 237, 252-253, 254
Coleman, J.S. 289
Coleta de dados
    amostragem teórica e 186-187
    dados documentais e 214-218
    desenho de pesquisa e 163
    etnografia e 177-180
    internet e 371-379

pesquisa com métodos mistos e 201,
    410-415
procedimentos para 217; cf. tb.
    Entrevistas; Observação; Amostras
    propostas e 432; cf. tb. Coleta de
    dados qualitativos; Coleta de dados
    quantitativos; Coleta de
    dados qualitativos
Coleta de dados quantitativos
    internet e 368-372
    cf. tb. Mensuração
Coletâneas de dissertações 140
Coley, S.M. 28
Comissão Europeia 73, 77
Comparação 240, 242
Comportamento humano 32-33
Compromisso 70
Computadores
    análise de dados qualitativos e 266-267
    análise de dados quantitativos e 267,
    357-358
Confiabilidade 314-316, 414, 415-416
Confiabilidade teste-reteste 314
Confiança 77-80
Confidencialidade 73, 79-80
Connelly, F.M. 255
Conselho de Pesquisa Social e Econômica
    (ESRC) 73, 222
Consentimento 73, 74-75
Consentimento informado 73, 75, 381-383
Consentimento informado voluntário 75
Consistência ao longo do tempo
    (estabilidade) 314-315
Consistência interna 314-315
Construtivismo 43
Contagem 125-126
Converse, J.M. 320
Cook, J.A. 165

Corbin, J. 182-183, 247, 248-249, 250, 251
Correlação 120, 332-333
Correlação múltipla 345-347
Correlação parcial 296
Correlação produto-momento de Pearson 343-345
Correlação simples 343-345
Correspondência 296
Cortazzi, M. 255
Coulthard, M. 256, 258, 262
Couper, M. 371, 372
Covariância 279-280, 285-287
Cressey, D.R. 231, 232
Creswell, J.W.
  levantamentos correlativos 288-289
  perguntas de pesquisa 50-51
  pesquisa com métodos mistos 390, 391, 398, 399, 400-402, 403-404
  propostas de pesquisa 404
Crianças, ética e 70-71, 75, 83
Critério empírico 112-115
Cronbach, L.J. 278, 406-407
Cullum-Swan, B. 264
Cultura 176-177

Dados
  conceitos e 112-114
  definição de 25
  método da ciência e 32
  pesquisa pré-especificada vs. emergente e 55
  cf. tb. dados qualitativos; dados quantitativos
Dados documentais 214-218, 263-266, 378
Dados qualitativos
  definição de 25-26
  panorama de 126-128
  qualidade dos 217

Dados qualitativos abertos 128
  definição de 25-26
  panorama de 124-127
Declaração de Helsinque da Associação Médica Mundial (1964) 71
Dedução 44, 102
Denzin, N.K.
  análise de dados qualitativos 252
  análise narrativa 254
  benefícios 83
  dados documentais 216-217
  dados qualitativos 127
  diversidade 163-164
  entrevistas 206-207
  paradigmas 39, 40
  pesquisa qualitativa 425, 433-435
  redação 441
Desconstrução 209
Descrição 45-47
Desenho com triangulação 399, 401
Desenho de pesquisa
  métodos mistos e 398-405, 411-412
  panorama do 160-162
  pesquisa pré-especificada vs. emergente e 55
  propostas e 430-432
  cf. tb. Desenho de pesquisa qualitativa; Desenho de pesquisa quantitativa
Desenho de pesquisa qualitativa
  estudos de caso 169-174
  pesquisa-ação 188-191; cf. tb. Etnografia; Teoria fundamentada
Desenho de pesquisa quantitativa
  causação e 289-291
  história metodológica do 276-278
  panorama do 275-276
  variáveis e 279-280
  variáveis de controle no 293-297

cf. tb. Desenho não experimental;
Desenho semiexperimental;
Experimentos; Levantamentos
correlativos; Regressão linear múltipla
(RLN)

Desenho explicativo 401

Desenho exploratório 401

Desenho incorporado 399, 401

desenho não experimental 277, 283-284, 285

cf. tb. Levantamentos correlativos

Desenho semiexperimental 277, 282, 283-288

Desenvolvimento de perguntas 31, 52-53

Desvio-padrão 334-335

Dewey, J. 393

Dilthey, W. 265

*Discovering Statistics with R* (Field) 358

*Discovering Statistics with SPSS* (Field) 357

Dissertações 438-441

*Dissertation Abstracts International* 314

Distribuições de frequência 335-336

Douglas, J.D. 202

Duncan, O.D. 288

Durkheim, E. 50

Eco, U. 262

Edley, N. 258

Eisner, E.W. 165, 434-435

Elaboração de fator de teste (estratificação) 296

Elliott, J. 253

E-mail 371-374

Empatia 374

Empirismo 23-25

Engano 73

Enns, C.Z. 284

Entrevista criativa 202

Entrevistas
aspectos práticos de 204-206
função da linguagem em 206-209
internet e 371-375
observação de participantes e 213-215
panorama de 195-199
pesquisa feminista e 203-204
tipos de 199-203

Entrevistas com histórias de vida 214-215

Entrevistas de informantes fundamentais 214

Entrevistas desestruturadas
panorama das 202-203
pesquisa feminista e 203-204

Entrevistas em grupo; cf. Grupos focais

Entrevistas estruturadas 200, 206, 214

Entrevistas etnográficas 202-203, 214-215

Entrevistas informais 214

Entrevistas semiestruturadas 203-204

Epistemologia 39-40

*Equality of Educational Opportunity* (Coleman et al.) 289

Escalonamento 125-127

Estágio pré-empírico
clareza conceitual e 53
panorama do 31
cf. tb. Perguntas de pesquisa

Estatística 332-333

Estatística descritiva 354

Estatística inferencial 354-357

Estratificação (elaboração de fator de teste) 296

Estruturas conceituais
desenho de pesquisa e 162-163
panorama de 123-124
perguntas de pesquisa e 101

Estudos de caso
características de 170
generalizabilidade e 170-175

panorama de 169-171

preparação de 174

Estudos de caso coletivos 169

Estudos de caso comparativos 169

Estudos de caso instrumentais 169

Estudos de caso intrínsecos 169

Estudos de caso múltiplos 169

Estudos multivariados 342-343

Estudos univariados 342-343

Ética

definição de 64-65

cf. tb. Ética de pesquisa

Ética aplicada 64-65

Ética aretaica 69

Ética de pesquisa

como deliberação situada 85-87

internet e 378-384

panorama da 65-66

principais questões em 73-86

princípios e 66-70

Ética deontológica 68

Ética feminista aplicada 70

Ética teleológica 68-70

Etnografia

características da 177-180

comentários gerais sobre 179-180

dados documentais e 214, 216

internet e 377-379

observação e 209, 211-213

panorama da 174-177

Etnometodologia 208, 255-257

Experiência

uso do termo 24

cf. tb. Observação

Experimentos

história dos 276-278

panorama dos 280-284, 285-286, 332

Explicação 45-47

Eynon, R. 380, 382-384

Facebook 375

Fatos de primeira ordem 113

Fatos discretos 49

Feldman, M. 229, 230, 263-264

Fenomenologia 175

Field, A. 358

Fielding, N.

entrevistas 199, 200-201, 206-208

etnografia 175, 179-180

*Fifteen Thousand Hours* (Rutter et al.) 289

Figueroa, N. 83-84

Finn, J.D. 282

Finnegan, R. 216

Firestone, W.A. 172

Foddy, W. 206

Fonow, M.M. 165

Fontana, A. 198-201, 203, 204

Foucault, M. 259, 261-262

Frey, J.H. 198-201, 203, 204

Friese, S. 267

Gaiser, T. 364, 369, 373, 374

Garfinkel, H. 255

Gee, J.P. 259, 260, 261, 262

Generalizabilidade 170-174

Generalizações empíricas 49, 113

Geração de teoria

panorama de 47-49

pesquisa pré-especificada *vs.*
emergente e 54

teoria fundamentada e 184-185

*vs.* verificação de teoria 185

Gerstl-Pepin, C.I. 255

Glaser, B.

amostragem teórica 220

anotações 239

codificação 235-236, 243-251

comparação 242

geração e verificação de teoria 47-49

história da teoria fundamentada e 183-184, 187-188

Glass, G.V. 154, 284

Glesne, C. 440, 442

Goffman, E. 178

Gold, R.L. 213

Goode, W.J. 168

Gough, D. 151

Gravação 206, 211, 363-364

Gravação em áudio 206, 211, 363-364

Gravação em vídeo 206, 211, 363-364

Greenwood, E. 50

Grupos focais
internet e 372-375
panorama de 200-202

Guba, E.G. 41, 115, 117, 119, 421n. 1

Guerras paradigmáticas 40

Gump, P.V. 284

Guttman, L. 309

Hackett, G. 284

Haig, B.D. 203

Hammersley, M.
análise de dados qualitativos 230-233
causação 122
dados documentais 265
entrevistas 214
ética 72, 85
etnografia 174, 175, 176-177
natureza política da pesquisa 165
observação 226n. 1
pesquisa com métodos mistos 393

*Handbook of Grounded Theory* (Bryant e Charmaz) 251

Hare, R.D. 153

Hart, C. 137, 138, 140

Hatt, P.K. 168

Haviland, W.A. 177

Heath, C. 256

Heritage, J. 256

Hermenêutica 175

Hewson, C. 364, 365, 371-372, 374-375, 376

Hine, C. 367, 375

Hipóteses
critério empírico e 114
panorama de 102-104
propostas e 429-431

Hipóteses conceituais 113

Hipóteses operacionais 113

Howard, M.C. 177

Huberman, A.M.
amostragem 218
análise de dados qualitativos 230, 232-235, 233, 236, 237, 240, 248-249, 252
causação 122-123
estruturas conceituais 162
ética 73-74
mescla analítica 425-427
perguntas de pesquisa 110n. 4
pesquisa com métodos mistos 393, 395
pesquisa pré-especificada *vs.* pesquisa emergente 54
pesquisa qualitativa 166
redação 438

Hughes, E.C. 186

Hunter, A. 58, 117, 169

Hunter, J.E. 154

Imperativo categórico 68

Incentivos 83

Indicadores 97

Indução analítica 231-232

Inferência estatística 354-357

Institute of Social Research da Universidade de Michigan 313

Instrumentos 310-314, 320-322

Interação 340-341, 343

Interacionismo simbólico 175, 207

Internet

    dados documentais e 378

    entrevistas e 372-375

    ética de pesquisa e 379-384

    etnografia e 378-379

    levantamentos e 368-372

    literatura e 365-368

    observação e 375-378

    panorama da 364-365

Interpretativismo 42

Intervenções e pesquisa de intervenção 29-30

Investigação disciplinada 406-408

Ironia 254-255

Jackson, K. 267

Jaeger, R.M. 320

James, W. 393

Janesick, V.J. 42, 52, 219

Jayaratne, T.E. 165

Johnson, J.C. 219

Jones, S. 198

*Journal of Mixed Methods Research* (JMMR) 391, 402, 403

Juízos de valor 115-116

Jupp, V.

    análise do discurso 257, 258, 259, 262

    dados documentais 265-266

Justiça 81

Kant, I. 68

Keats, D.M. 205

Keesing, R.M. 177

Kellner, H. 440

Kemmis, S. 189, 190, 196n. 3

Kerlinger F.N. 26

Kirkup, G. 370

Kraut, R. 383

Labov, W. 253

Laurent, D. 364, 365, 371-372, 374, 376

LeCompte, M.D. 51

Lee H.B. 26

Lei de Proteção a Dados (1998) 77

Levantamentos

    definição de 287

    entrevistas em grupo e 201

    internet e 367-372

    cf. tb. Levantamentos correlativos

Levantamentos correlativos

    análise de dados e 351-352

    panorama de 287-288, 332

    questionário de levantamento e 319-320

Levantamentos de entretenimento 371

Levantamentos na web autosselecionados 372

Lewin, K. 191

Lewins, F. 114, 267

Li, N. 371

Lieblich, A. 253

Likert, R. 309

Lincoln, Y.S.

    causação 117, 119

    dados qualitativos 127

    diversidade 163

    entrevistas 206

    juízos de valor 115

    paradigmas 40, 41

    pesquisa qualitativa 425, 433-435

    pesquisa quantitativa 421n. 1

    redação 442

Lindesmith, A. 231, 232
Linguagem 206-208
Linguagem corporal 374
Literatura
  função da 105-107
  internet e 364-368
  panorama da 135-136
  propostas e 430
  cf. tb. Literatura de pesquisa empírica;
    Literatura teórica
Literatura de pesquisa empírica 136,
  137-138
Literatura teórica 136-137, 138
Locke, L.F. 110n. 3, 436-438
Luellen, T.K. 284
Luff, P. 256
Lynch, M. 257

MacDonald, K. 215-216, 264
Madge, C. 365, 369
*Making Sense of Qualitative Data* (Coffey
  e Atkinson) 229
Manfreda, K. 369
Manning, P.K. 263
Marshall, C. 51, 432
Marxismo 191-192
Mavers, D. 264
Maxwell, J.A.
  estruturas conceituais 122-124
  literatura 105-107
  perguntas de pesquisa 51, 109n. 2
  propostas de pesquisa 426-428, 436
McCarthy, M. 256, 258
McCracken, G. 205
McNamee, M. 86
McRobbie, A. 264
McTaggart, R. 189, 190, 196n. 3
Mead, G.H. 393

Mecanismos de busca 367
Média 333
Mediana 334
Mensuração
  confiabilidade e 314-316
  história da 276-278
  instrumentos e 309-313, 321-322
  panorama da 125-127
  processo de 304-307
  técnicas para 308-310
  traços latentes e 307-308
  validade e 316-319
Mensuração de Rasch 310
Mescla analítica 425-426
Meta-análise 154
Metaetnografias 153
Metáforas 254
Metodolatria 30, 52-53
Metodologia 40
Métodos de pesquisa
  diversidade e 166
  perguntas de pesquisa e 29-31
  propostas e 430-432
Metonímia 254
Miles, M.B.
  amostragem 218, 219, 221
  análise de dados qualitativos 229,
    232-235, 236, 237, 239, 247-249, 252
  causação 121, 122-123
  dados qualitativos 127
  estruturas conceituais 122-124, 162
  estudos de caso 169
  ética 73
  mescla analítica 425-427
  metáforas 254
  perguntas de pesquisa 92, 110n. 4
  pesquisa com métodos mistos 393, 394

pesquisa pré-especificada *vs.* emergente 54, 57, 58

pesquisa qualitativa 166

redação 438, 442

Milgram, S. 70

Miller, D.C. 160

Minichiello, V. 199, 205, 206

Mishler, E. 207, 253

Moda 334

Morgan, D.L. 201, 202

Morse, J.M. 41

Myers, K.K. 400

Não maleficência 81

Não rastreabilidade 80

Nathan, R. 77

Naturalismo 175

Nelson, C. 425

Neuman, W.L. 122

Newton, R.R. 150

Noblit, G. 153

Nosek, B.A. 383

NVivo 267

Oakley, A. 203

Observação

abordagens estruturadas e não estruturadas 209-210

internet e 374-377

pesquisa empírica e 24-25

questões práticas na 211-212

cf. tb. Observação de participantes

Observação de participantes 176-178, 179, 212-214

O'Connor, H. 365, 369

Oetzel, J.G. 400

Ontologia 40

Operacionalismo 112

Painéis de voluntários 372

Paradigmas

diversidade e 163-167

panorama de 40-44

perguntas de pesquisa e 52-54

Patton, M.Q. 199, 206, 219

Peaker, G.F. 289

Peirce, C. 263, 393

Perguntas de pesquisa

análise de dados quantitativos e 333

características das 114

coleta de dados e 98-99

desenvolvimento de 98-103

função das 101-103

hierarquia de conceitos e 92-93

métodos de pesquisa e 30-32, 50-53

panorama das 28-30

perguntas gerais *vs.* específicas 95-97

pesquisa com métodos mistos e 411, 412

pesquisa pré-especificada *vs.* emergente e 55

propostas e 428

*vs.* problemas de pesquisa 28-30

Perguntas para coleta de dados 98-99

Periódicos de pesquisa 140, 155

Perspectiva de quem está do lado de dentro 178

Pesos de regressão 347-348

Pesquisa-ação 188-192

Pesquisa-ação participativa 189

Pesquisa com métodos mistos

adequação e 408-411

argumentos para a 392-395

coleta de dados e 201, 411-415

critérios avaliativos em 405-406, 409-419

desenho e 398-406

história da 41-42, 391

panorama da 26, 129-130, 390-391
propostas e 404-406, 435
variáveis e casos na 395-398
Pesquisa emergente
etnografia e 178
panorama da 54-60
Pesquisa empírica
importância da 26
modelo simplificado de 104-106
visão de 27-28
Pesquisa feminista
diversidade e 166
entrevistas e 202-204
ética e 69
positivismo e 115
Pesquisa oculta 66-67
Pesquisa paradigmática 43
Pesquisa pré-especificada 54-59
Pesquisa qualitativa
amostragem e 322-323
causação e 120-123
definição de 25-26
diversidade na 163-167
estruturas conceituais e 122-124
história da 41-42
perguntas de pesquisa e 52-54
pesquisa pré-especificada vs.
emergente e 54-57
propostas e 433-436
redação e 424
revisões da literatura e 153-154
teoria e 47
Pesquisa quantitativa
causação e 118, 120
definição de 25-26
estruturas conceituais e 122-124
história da 41-42
observação e 209

operacionalismo e 112
pesquisa pré-especificada vs.
emergente e 54-57
propostas de pesquisa e 426-433
redação e 424-425
revisões da literatura e 154
teoria e 47
transparência e 230
Phelps, R. 141
Piper, H. 82-83
Pittenger, D.J. 383
Plano Clark, V.
pesquisa com métodos mistos 389, 391,
398, 399, 400-401, 403
propostas de pesquisa 404
Poder 70
Portais de assuntos 366
Positivismo 42, 115-117, 207
Pós-modernidade 165, 204
Potter, J. 258, 261, 262
Poulson, L. 147, 148
Pragmatismo 392
Preissle, J. 51
Prejuízo 73, 81, 381, 383-384
Presser, S. 320-321
Privacidade 73, 78
Problemas de pesquisa 28-29
Procter, M. 324
Projeto STAR 282
Proposição teórica 113
Propostas de pesquisa
amostragem e 324
análise de dados qualitativos e 268
exemplos de 436-437
pesquisa com métodos mistos e 404-405,
435
pesquisa qualitativa e 433-435
pesquisa quantitativa e 427-432

Punch, K.F. 426, 436, 441
Punch, M. 73, 164-165

*Qualitative Analysis for Social Scientists*
(Strauss) 184
*Qualitative Data Analysis* (Miles et al.) 232
*Qualitative Data Analysis with ATLAS.ti*
(Friese) 267
*Qualitative Data Analysis with NVivo*
(Bazeley e Jackson) 267
Questionário de levantamento 319-320
Questionários
entrevistas em grupo e 201
observação de participantes e 213

R 267, 358
Radford, J. 257
Ragin, C.C. 396
Randomização 295
Rastreamento de ações 230-231
Reason, P. 188, 189, 191
Reatividade 415-416
Recompensa 83
Reconhecimento não financeiro 83
Redação
como análise 441-442
escolhas na 442-445
mescla analítica e 424-426
pesquisa qualitativa e 424
pesquisa quantitativa e 423-424
revisões de literatura e 146-147
cf. tb. Propostas de pesquisa
Referências 433
Regressão 332, 345-347
Regressão gradual 347
Regressão linear múltipla (RLM)
análise de dados e 348-350
panorama da 291-294, 334

Reinharz, S. 203
Relatório de Belmont (1979) 71
Relatórios 324
Reprodutibilidade 230
Responsabilidade 69-70
Restrição 295
Resumos 144-145, 437
Revisões da literatura
como críticas 147-149
estágios das 139-148
literatura de pesquisa empírica e
138-139
literatura teórica e 138
objetivos das 137-138
problemas e 148-151
Revisões narrativas 153
Revisões sistemáticas 151-155
Revisões temáticas 153
Richards, L. 235, 237
Ridley, D. 366-367
Risco de prejuízo 73
Rogers, A. 399
Rook, D. 201, 202
Rosenberg, M. 249, 304-305, 336-337, 351
Rossman, G.B. 51, 433
Rotação 353
Rudestam, K.E. 150
Rutter, M. 289

Salas de chat 381
Sapsford, R. 165
Saussure, F. de 208, 263
Scheinberg, C.A. 28
Schmidt, F.L. 154
Schreiner, A. 364, 369, 373, 374
Scott, J. 216
Seale, C. 378
Segurança da Camada de Transporte
(SSL) 384

Segurança da Camada de Transporte (TLS) 384

Seidman, I.E. 206

Semiótica 208, 262-264

Sensibilidade 318

Série *The Mental Measurements Yearbook* 313-314

Serviço de Dados Econômicos e Sociais (ESDS) 222

Shadish, W.R. 284

Shamdasami, P. 201, 202

Sherif, M. 282

Shulman, L.S. 50-51, 53, 406-407

Sigilo 79

Significados culturais compartilhados 178

Significância 356

Sikes, P. 82-83

Silver, C. 267

Silverman, D.
 análise da conversa 256, 257
 análise de dados qualitativos 229, 231
 análise do discurso 260
 dados documentais 265
 entrevistas 206, 207
 observação 211
 semiótica 263, 273n. 3

Sinédoque 254

Skype 374

Software de Análise de Dados Qualitativos Assistida por Computador (CAQDAS) 266, 267

Soong, R. 370

Spindler, G. 178

Spindler, L. 178

Spradley, J.P. 212, 214, 226n. 1

SPSS Statistics 267, 357-358

Stake, R.E. 169, 171-173

Stanley, J. 196n. 2

Stanley, J.C. 282, 284, 417

*Statistics for Research with a Guide to SPSS* (Argyrous) 357

Steane, P. 145

Stevens, S.S. 330n. 2

Stewart, A.J. 165

Strauss, A.
 codificação 235-236, 243-245, 247, 249, 250, 251
 comparação 242
 geração e verificação de teoria 47-49
 história da teoria fundamentada e 183-184, 187

Stringer, E. 189-190

Sudman, S. 206

Suppes, P. 406-407

Swanson, J.M. 249

Tabelas de contingência 336-337

Tabulações cruzadas 336-337

Tashakkori, A. 390-391, 393, 398-399

Taylor, S. 258

Técnicas projetivas 214

Tecnologia 364
 cf. tb. Gravação em áudio; Internet; Gravação em vídeo

Teddlie, C. 390-391, 393, 398-399

Telefone 364

Teoria 32, 429-431

Teoria crítica 115

Teoria explicativa; cf. Teoria substantiva

Teoria fundamentada
 amostragem teórica e 186-187
 análise de dados e 242-253
 anotações e 239-240
 codificação e 234-236, 238
 comparação e 242
 geração de teoria e 47-49

história da 182-183
literatura e 187-188
lugar da 188
panorama da 181-183
Teoria fundamentada construtivista 251-253
Teoria metodológica 39-44
Teoria substantiva 39, 43-45, 102
Tesch, R. 164, 229, 242
Testes padronizados 214
*Tests in Print* (Murphy et al.) 313-314
Text Analysis Info Page (website) 266
*The American Occupational Structure*
(Blau e Duncan) 288
*The Discovery of Grounded Theory* (Glaser
e Strauss) 182-183
*The Handbook of Action Research* (Reason
e Bradbury) 188, 192
*The Handbook of Mixed Methods in Social
and Behavioral Research* (Tashakkori e
Teddlie) 391-392, 393
*The Logic of Survey Analysis* (Rosenberg)
336-337
*The Plowden Children Four Years Later*
(Peaker) 289
*The Sage Handbook of Grounded Theory*
(Bryant e Charmaz) 184
Theodorson, A.G. 170
Theodorson, G.A. 170
*Theoretical Sensitivity* (Glaser) 184
Thomas, R. 320
Thurstone, L.L. 309-310
Tipton, C. 215-216, 263
Títulos 437
Tonkiss, F. 261
Tópicos de pesquisa 94-95
Traços latentes 307-309, 320
Traianou, A. 73, 85
Transcrições 201, 364

*Using Software in Qualitative Data Analysis*
(Lewins e Silver) 267

Validade 316-320, 414, 415-419
Validade concorrente 317
Validade do construto 317
Validade do conteúdo 317
Validade externa 418
Validade interna 417-418
Validade preditiva 317
Validade relacionada ao critério 317
Variância
causação e 289-292
confiabilidade e 314-317
desvio-padrão e 334-336
validade e 317-320
Variáveis categóricas 302
Variáveis contínuas (variáveis mensuradas)
302-304
Variáveis de controle (covariância) 279-280,
286-288
Variáveis dependentes 279
Variáveis independentes 279
Vehovar, V. 369
Verificação de teoria
panorama da 47-49
pesquisa pré-especificada *vs.*
emergente e 56
Visão ideográfica do conhecimento 49
Visão nomotética do conhecimento 49
Vitz, P.C. 425

Waletzky, J. 253
Wallace, M. 147, 148
Web 2.0 375-376
Webb, E.J. 226n. 2
Webb, R.B. 440, 442
Wetherell, M. 258-261, 262

Williams, T.M.  283

Wilson, K.R.  370

Wilson, M.  200

Wittgenstein, L.  208

Wolcott, H.F.
    dados qualitativos  126
    entrevistas  214
    etnografia  176
    geração e verificação de teoria  47
    observação  211-213
    perguntas de pesquisa  55

Wolf, F.M.  154

Woods, P.H.  205, 265

Wooffitt, R.  257

Worral, A.  258

Yin, R.K.  169

Zeller, R.A.  304-305, 317, 330n. 2

Zimmer, M.  379

Znaniecki, F.  231

## LEIA TAMBÉM:

# Metodologia do estudo e pesquisa
## Facilitando a vida dos estudantes, professores e pesquisadores

### *Lourdes Meireles Leão*

O processo de construção do conhecimento científico não se desenvolve espontaneamente. Para isso é necessário um estudo sistemático e rigoroso. A metodologia é um instrumento de extrema utilidade para subsidiar professores, pesquisadores, profissionais de diferentes áreas e alunos dos cursos superiores neste empreendimento. O caminho a ser percorrido exige hábitos e operacionalização de técnicas de estudo e de trabalho que tornem os esforços realmente produtivos. O domínio de métodos e técnicas de leitura e interpretação de textos, como também de elaboração de trabalhos científicos (artigos, monografias, dissertações e teses) constitui uma exigência para todos aqueles que pretendem percorrer esse caminho.

Esse livro se apresenta como uma introdução geral à metodologia científica, tendo como objetivo principal demonstrar as bases e as estruturas do trabalho científico, desde atividades discentes até trabalhos de maior rigor metodológico. Conteúdo essencial exemplificado, linguagem simples e objetiva, texto dividido de maneira didática são as características desse livro que abrange considerações sobre conhecimento, ciência e método, regras de como estudar, elaboração de resumos, esquemas e fichas de leitura, confecção de trabalhos científicos escritos, apresentações orais e noções elementares de pesquisas.

**Lourdes Meireles Leão** é mestre e doutora em Psicologia Cognitiva; especialista em Psicologia Clínica, docente e pesquisadora do Departamento de Educação da Universidade Federal Rural de Pernambuco. Ministrou as disciplinas Psicologia Social, Psicologia Aplicada às Relações Humanas, Psicologia da Aprendizagem, Psicologia do Desenvolvimento, Gestão de Pessoas e Serviços, Metodologia do Trabalho Científico, Psicologia e Sociedade nos cursos de graduação e Metodologia da Pesquisa Científica nos cursos de Pós-graduação de Medicina Veterinária e demais Ciências Agrárias. Autora de artigos relacionados às áreas de Psicologia e Linguagem. Atualmente aposentada, ministra, como professora-convidada, a disciplina Metodologia da Pesquisa Científica no curso de Pós-Graduação de Medicina Veterinária e demais Ciências Agrárias, na Universidade Federal Rural de Pernambuco.

## CULTURAL

Administração
Antropologia
Biografias
Comunicação
Dinâmicas e Jogos
Ecologia e Meio Ambiente
Educação e Pedagogia
Filosofia
História
Letras e Literatura
Obras de referência
Política
Psicologia
Saúde e Nutrição
Serviço Social e Trabalho
Sociologia

## CATEQUÉTICO PASTORAL

**Catequese**
Geral
Crisma
Primeira Eucaristia

**Pastoral**
Geral
Sacramental
Familiar
Social
Ensino Religioso Escolar

## TEOLÓGICO ESPIRITUAL

Biografias
Devocionários
Espiritualidade e Mística
Espiritualidade Mariana
Franciscanismo
Autoconhecimento
Liturgia
Obras de referência
Sagrada Escritura e Livros Apócrifos

**Teologia**
Bíblica
Histórica
Prática
Sistemática

## REVISTAS

Concilium
Estudos Bíblicos
Grande Sinal
REB (Revista Eclesiástica Brasileira)

## VOZES NOBILIS

Uma linha editorial especial, com importantes autores, alto valor agregado e qualidade superior.

## PRODUTOS SAZONAIS

Folhinha do Sagrado Coração de Jesus
Calendário de mesa do Sagrado Coração de Jesus
Agenda do Sagrado Coração de Jesus
Almanaque Santo Antônio
Agendinha
Diário Vozes
Meditações para o dia a dia
Encontro diário com Deus
Guia Litúrgico

## VOZES DE BOLSO

Obras clássicas de Ciências Humanas em formato de bolso.

CADASTRE-SE
www.vozes.com.br

**EDITORA VOZES LTDA.**
**Rua Frei Luís, 100 – Centro – Cep 25689-900 – Petrópolis, RJ**
**Tel.: (24) 2233-9000 – Fax: (24) 2231-4676 – E-mail: vendas@vozes.com.br**

UNIDADES NO BRASIL: Belo Horizonte, MG – Brasília, DF – Campinas, SP – Cuiabá, MT
Curitiba, PR – Fortaleza, CE – Goiânia, GO – Juiz de Fora, MG
Manaus, AM – Petrópolis, RJ – Porto Alegre, RS – Recife, PE – Rio de Janeiro, RJ
Salvador, BA – São Paulo, SP